Nicht ihre Begegnungen mit Männern und ihre zwei Ehen haben das Leben der Malerin Elaine bestimmt, sondern die Freundschaft mit Cordelia. Elaine trifft sie, als sie acht Jahre alt ist und nach einem Nomadenleben mit ihrem Vater – einem Insektenforscher – in die »Zivilisation«, nach Toronto, zurückkehrt, um in die Schule zu gehen: »Bis ich acht wurde, war ich glücklich.«

Als Elaine, nun eine erfolgreiche Malerin, dreißig Jahre später zu einer Retrospektive nach Toronto zurückkehrt, erinnert sie sich an ihre Kindheit, an ihr Aufwachsen in dieser Stadt – und an Cordelia. An die aufreizende, schlagfertige, grausame Cordelia, die ihre beste Freundin und zugleich ihr Quälgeist war. Diese Freundschaft mit Cordelia ist das eigentliche Zentrum des Buches. Die Beziehung zwischen den beiden Mädchen und später den jungen Frauen ist so intensiv, so oszillierend und wechselhaft in der Haßliebe, daß die Männergeschichten der beiden dagegen verblassen. Als die Mädchen älter werden, wandelt sich das Verhältnis, Cordelia erweist sich als hochgefährdete Neurotikerin, unternimmt einen Selbstmordversuch, während Elaine auf der Suche nach einem eigenen Leben die von Cordelia erlernte Kälte als nützlich und zugleich zerstörerisch erkennt.

›Katzenauge‹ ist ein großer Roman über die Kindheit und über die Freundschaft zweier Frauen.

Margaret Atwood, 1939 in Ottawa geboren, ist die prominenteste Autorin der kanadischen Gegenwartsliteratur. Sie schreibt Gedichte, Romane, Erzählungen, Kritiken und Essays.

Außerdem erschienen im Fischer Taschenbuch Verlag: die Romane ›Die eßbare Frau‹ (Bd. 5984), ›Lady Orakel‹ (Bd. 5463), ›Der lange Traum‹ (Bd. 10291), ›Die Unmöglichkeit der Nähe‹ (Bd. 10292), ›Verletzungen‹ (Bd. 10923) und ›Der Report der Magd‹ (Bd. 5987), der Prosaband ›Die Giftmischer‹ (Bd. 5985), der Gedichtband ›Wahre Geschichten‹ (Bd. 5983) und die Erzählungssammlung ›Unter Glas‹ (Bd. 5986). Bei S. Fischer erschien der Erzählungsband ›Tips für die Wildnis‹.

Margaret Atwood

Katzenauge

Roman

Deutsch von
Charlotte Franke

Fischer Taschenbuch Verlag

Ungekürzte Ausgabe
Veröffentlicht im Fischer Taschenbuch Verlag GmbH,
Frankfurt am Main, Juli 1992

Lizenzausgabe mit freundlicher Genehmigung
des S. Fischer Verlags GmbH, Frankfurt am Main
Die Originalausgabe erschien 1989 unter dem
Titel ›Cat's Eye‹ im Verlag Doubleday, New York
© 1988 by O. W. Toad, Ltd.
Für die deutsche Ausgabe:
© 1990 S. Fischer Verlag GmbH, Frankfurt am Main
Umschlaggestaltung: Buchholz/Hinsch/Hensinger
Illustration: Jamie Bennet/Reator,
Art-Direction Tom. M. Craan
Gesamtherstellung: Clausen & Bosse, Leck
Printed in Germany
ISBN 3-596-11175-7

Die Bilder und die anderen Werke moderner Kunst, die in diesem Buch vorkommen, existieren nicht. Sie wurden jedoch von den Künstlern Joyce Wieland, Jack Chambers, Charles Pachter, Erica Heron, Gail Geltner, Dennis Burton, Louis de Niverville, Heather Cooper, William Kurelek, Greg Curnoe und der pop-surrealistischen Töpferin Lenore M. Atwood und einigen anderen beeinflußt; und von der Isaacs Gallery, dem alten Original.

Die physikalischen und kosmologischen Seitensprünge in diesem Buch sind Paul Davies, Carl Sagan, John Gribbin und Stephen W. Hawking und ihren faszinierenden Büchern zu diesen Themen verpflichtet, sowie meinem Neffen David Atwood wegen seiner erhellenden Ausführungen über Fädchen.

Großen Dank schulde ich Graeme Gibson, der diesen Roman auf sich genommen hat; meiner Agentin Phoebe Larmore; meinen englischen Agentinnen Vivienne Schuster und Vanessa Holt; meinen Lektoren und Verlegern Nan Talese, Nancy Evans, Ellen Seligman, Adrienne Clarkson, Avie Bennett, Liz Calder und Anna Porter; und meiner unermüdlichen Assistentin Melanie Dugan; wie auch Donya Peroff, Michael Bradley, Alison Parker, Gary Foster, Cathy Gill, Kathy Minialoff, Fanny Silberman, James Polk, Coleen Quinn, Rosie Abella, C.M. Sanders, Gene Goldberg, John Gallagher und Dorothy Goulbourne.

Als die Tukanas ihr den Kopf abschnitten,
fing die alte Frau ihr Blut in den Händen auf und blies es in die Sonne.
»Meine Seele geht auch in dich ein!« rief sie.
Seit dieser Zeit nimmt jeder, der tötet, ohne es zu wollen
und ohne es zu wissen, die Seele seines Opfers in seinem Körper auf.

Eduardo Galeano, *Erinnerung an das Feuer: Geburten*

Warum erinnern wir uns an die Vergangenheit,
und nicht an die Zukunft?

Stephen W. Hawking, *Eine kurze Geschichte der Zeit*

Inhalt

Eiserne Lunge

Die Zeit ist keine Linie, sondern eine Dimension, wie die Dimensionen des Raums. Läßt sich der Raum krümmen, so läßt sich auch die Zeit krümmen, und wenn man genügend Wissen besäße und sich schneller als Licht bewegen könnte, dann könnte man auch zurückreisen in der Zeit und an zwei Orten zugleich sein.

Das sagte mir mein Bruder Stephen, wenn er beim Lernen seinen ausgefransten kastanienbraunen Pulli anhatte und dabei die meiste Zeit auf dem Kopf stand, damit Blut in sein Gehirn rann und es mit Nahrung versorgte. Ich wußte nicht, was er meinte, aber vielleicht hat er es mir auch nicht besonders gut erklärt. Er fing schon damals an, die Ungenauigkeit von Wörtern hinter sich zu lassen.

Aber seither habe ich die Zeit als etwas angesehen, das eine Form besitzt, als etwas, das man sehen kann, wie flüssige Dias, die übereinanderliegen. Man blickt nicht an der Zeit entlang zurück, sondern in sie hinein und hinunter wie durch Wasser. Manchmal kommt dieses an die Oberfläche, manchmal jenes, manchmal gar nichts. Nichts geht weg.

»Stephen sagt, die Zeit ist keine Linie«, sage ich. Cordelia verdreht die Augen, wie ich es nicht anders erwartet habe.

»Ach ja?« sagt sie. Diese Antwort stellt uns beide zufrieden. Sie rückt die Zeit an ihren Platz und Stephen auch, der uns »Teenager« nennt, als wäre er nicht selber einer.

Cordelia und ich fahren mit der Straßenbahn in die Stadt, wie immer an den Samstagen im Winter. Die Luft in der Straßenbahn ist muffig, sie riecht verbraucht und nach Wolle. Cordelia gibt sich lässig und stößt mich ab und zu mit dem Ellbogen an, während ihre graugrünen Augen, undurchdringlich und glitzernd wie Metall, völlig ausdruckslos die anderen Leute anstarren. Sie kann jeden niederstarren, und ich bin fast genausogut. Wir sind unzugänglich, wir funkeln, wir sind dreizehn.

Wir haben lange Wollmäntel an, mit einem Gürtel zum Binden und hochgeschlagenem Kragen, genauso wie die Filmstars, und heruntergeklappte Gummistiefel mit dicken Männersocken. Die Kopftücher, die unsere Mütter uns geben, damit wir sie umbinden, die wir aber abnehmen, sobald wir ihren Blicken entschwunden sind, stecken in unseren Taschen. Wir verabscheuen Kopfbedeckungen. Unsere Münder sind hart, pastellrot, glänzend wie Nägel. Wir halten uns für Freundinnen.

In der Straßenbahn sind immer alte Damen, jedenfalls kommen sie uns alt vor. Ganz verschiedene. Manche in ordentlicher Kleidung – gutgeschnittene Harris-Tweedmäntel, mit dazu passenden Handschuhen und adretten Hüten mit einer kleinen steifen Feder an der Seite. Andere sind ärmer und sehen fremdartig aus, um ihre Köpfe und Schultern sind dunkle Schals geschlungen. Andere haben eine rundliche Figur und ein mürrisches Gesicht und selbstgerecht zusammengekniffene Lippen, und an ihren Armen hängen Einkaufsbeutel; diese Frauen bringen wir mit Billigangeboten in Kaufhäusern und Ramschkäufen in Zusammenhang. Cordelia erkennt billige Kleider auf den ersten Blick. »Kunststoff«, sagt sie. »Billig.«

Und dann gibt es die Frauen, die noch nicht aufgegeben haben, die sich noch immer gern herausputzen. Viele sind es nicht, aber sie fallen auf. Sie tragen scharlachrote Kleider, oder auch purpurrote, und wild baumelnde Ohrringe, und Hüte, die an Bühnenrequisiten erinnern. Unter ihren Röcken sehen ihre Unterröcke hervor, Unterröcke in ungewöhnlichen, anzüglichen Farben. Alles, was nicht weiß ist, ist anzüglich. Ihr Haar ist strohblond oder babyblau gefärbt oder, was neben ihrer zerknitterten Haut noch verblüffender wirkt, glänzend schwarz wie alte Pelzmäntel. Ihre Lippenstiftmünder sind viel zu groß und die roten Farben fleckig, Augen zittrig rund um die richtigen Augen gezogen. Diese Frauen reden meistens mit sich selbst. Eine von ihnen summt andauernd »Lamm – Lamm« vor sich hin, wie ein Lied; und eine andere sticht mit ihrem Schirm gegen unsere Beine und sagt »Nackich«.

Das sind die, die wir am liebsten mögen. Sie sehen fröhlich aus, voller Phantasie, sie scheinen sich nicht darum zu kümmern, was die andern Leute denken. Sie sind entkommen, auch wenn uns nicht klar ist, wem sie entkommen sind. Wir glauben, daß sie sich ihre irre Kleidung und die Ticks selbst ausgedacht haben und daß wir uns, wenn es mit uns mal soweit ist, auch welche auswählen können.

»Genauso werd ich mal sein«, sagt Cordelia. »Allerdings werd ich ein hechelndes Pekinesenhündchen haben und alle Kinder von meinem Rasen jagen. Ich werd einen Hirtenstab tragen.«

»Ich halt mir einen Leguan«, sage ich, »und trag nur noch Cerise.« Es ist ein Wort, das ich erst vor kurzem gelernt habe.

Heute denke ich: Und wenn sie einfach nicht sehen konnten, wie sie aussahen? Vielleicht hatten sie nur schlechte Augen. Mir geht es inzwischen nicht viel anders: zu dicht am Spiegel, und ich sehe mich verschwommen, zu weit weg, und ich kann keine Einzelheiten erkennen. Wer weiß, was für Gesichter ich schneide, wie verrückt ich mich anmale? Selbst wenn ich die richtige Entfernung habe, verändere ich mich. Es wechselt ständig; an manchen Tagen sehe ich aus wie eine abgewrackte Fünfunddreißigjährige, an anderen wie eine muntere Fünfzigerin. Das hängt sehr vom Licht ab und davon, wie man sich betrachtet.

Ich esse in rosa Restaurants, die der Haut schmeicheln. Gelbe Einrichtungen machen gelb im Gesicht. Ich verwende tatsächlich Zeit darauf, über diese Frage nachzudenken. Eitelkeit wird zu einer Plage; ich kann verstehen, warum die Frauen sie am Ende aufgeben. Aber soweit bin ich noch nicht.

In letzter Zeit ertappe ich mich des öfteren dabei, wie ich laut vor mich hin summe oder auf der Straße mit leicht geöffnetem Mund etwas sabbere. Nur ein bißchen; aber vielleicht ist das die Kante des Meißels, der Riß in der Wand, der sich später weitet und den Blick freigibt – auf was? Welche Ausblicke leuchtender Exzentrizität oder des Wahnsinns?

Es gibt niemanden, dem ich je davon erzählen würde, außer Cordelia. Aber welcher Cordelia? Der Cordelia, die ich heraufbeschworen habe, der mit den umgekrempelten Stiefeln und dem aufgestellten Kragen, oder der davor oder der danach? Es gibt niemals nur eine, von niemandem.

Wenn ich Cordelia noch einmal begegnete, was würde ich ihr dann von mir erzählen? Die Wahrheit, oder was mich gut aussehen lassen würde?

Wahrscheinlich letzteres. Ich brauche das noch immer.

Ich habe sie schon lange nicht mehr gesehen. Ich habe nicht erwartet, sie zu sehen. Aber jetzt, seit ich wieder hier bin, kann ich kaum durch eine Straße gehen, ohne einen Blick von ihr zu erhaschen, wie sie um eine Ecke geht, durch eine Tür verschwindet. Ich brauche wohl nicht zu erwähnen, daß diese Teile von ihr – eine Schulter, beige, Kamelhaar, ein Profil, eine Wade – Frauen gehören, die im ganzen gesehen nicht Cordelia sind.

Ich habe keine Ahnung, wie sie jetzt wohl aussehen mag. Ist sie dick, hat sie Hängebrüste, hat sie kleine graue Haare in den Mundwinkeln? Wohl kaum: die würde sie sich auszupfen. Trägt sie eine Brille mit modischem Gestell, hat sie sich die Augenlider liften lassen, hat sie Strähnen oder getöntes Haar? Alles ist möglich: Wir haben beide das Grenzalter erreicht, diese Pufferzone, die es einem noch erlaubt, sich vorzumachen, daß solche Tricks funktionieren, solange man grelles Sonnenlicht meidet.

Ich denke an Cordelia, wie sie die immer größer werdenden Säcke unter ihren Augen betrachtet, die Haut, ganz aus der Nähe, schlaff und runzlig wie Ellbogen. Sie seufzt, legt Salbe auf, die richtige natürlich, massiert sie mit klopfenden Fingerspitzen ein. Cordelia würde genau wissen, welche die richtige ist. Sie nimmt ihre Hände in Augenschein, die schon ein bißchen runzlig werden, ein bißchen verkrümmt, so wie meine. Alles wird knorrig, der Mund beginnt zu welken, darunter, am Hals, werden in den dunklen Glasscheiben der Unterführung die Umrisse eines Doppelkinns sichtbar. Niemand sonst bemerkt bisher etwas von diesen Dingen, außer wenn sie genau hinsehen; aber Cordelia und ich haben die Angewohnheit, genau hinzusehen.

Sie läßt das Badetuch fallen, das grün ist, ein blasses Meeresgrün, das zu ihren Augen paßt, sieht über die Schulter, erspäht im Spiegel die Falten über der Taille wie an einem Hundenacken, und die Gesäßbacken, die schlaff herunterhängen, und als sie sich umdreht, das vertrocknete Farnkraut der Haare. Ich stelle sie mir in einem Trainingsanzug vor, ebenfalls meeresgrün, wie sie sich in irgendeiner Turnhalle verausgabt und schwitzt wie ein Schwein. Ich weiß, was sie darüber sagen würde, über all das. Wie wir damals gekichert haben, entzückt und voller Abscheu, als wir das Wachs entdeckten, das ihre älteren Schwestern sich auf die Beine strichen, das voller Haarborsten in einem kleinen Topf erstarrte. Die Grotesken des Körpers haben sie schon immer interessiert.

Ich stelle sie mir vor, wie ich ihr plötzlich, ohne Warnung, begegne. Vielleicht in einem abgetragenen Mantel und einer Strickmütze wie ein Teewärmer, im Rinnstein sitzend, mit zwei Plastiktüten, in denen sie ihre paar Habseligkeiten aufbewahrt, leise vor sich hin murmelnd. *Cordelia! Erkennst du mich nicht?* sage ich. Und sie erkennt mich, tut aber so, als täte sie es nicht. Sie steht auf und schlurft auf geschwollenen Füßen davon, in den alten Socken, die sich durch die Löcher in ihren Gummistiefeln drücken, wirft mir einen Blick über die Schulter zu.

Das ist irgendwie befriedigend, schlimmere Dinge noch mehr. Ich beobachte von einem Fenster oder, um besser sehen zu können, einem Balkon aus, wie Cordelia auf dem Bürgersteig unter mir von einem Mann verfolgt wird, wie er sie einholt, ihr einen Rippenstoß versetzt – ich bringe es nicht fertig, ihr ins Gesicht schlagen zu lassen –, sie zu Boden wirft. Aber weiter schaffe ich es nicht.

Besser, ich verlege das Ganze in ein Sauerstoffzelt. Cordelia ist bewußtlos. Ich werde zu spät an ihr Krankenbett gerufen. Es stehen Blumen da, mit einem widerwärtigen Geruch, in einer Vase verwelkend, in Arme und Nase führen Schläuche, das Geräusch letzter Atemzüge. Ich halte ihre Hand. Ihr Gesicht ist aufgedunsen, weiß, wie ungebackener Plätzchenteig, mit gelblichen Kreisen um die geschlossenen Augen. Ihre Augenlider flackern nicht, aber ihre Finger zucken ganz leicht, oder bilde ich mir das nur ein? Ich sitze da und überlege, ob ich die Schläuche aus ihren Armen, den Stecker aus der Wand ziehen soll. Keine Gehirntätigkeit mehr, sagen die Ärzte. Weine ich? Und wer hätte mich wohl hierherholen sollen?

Noch besser: eine Eiserne Lunge. Ich habe noch nie eine gesehen, aber in den Zeitungen waren Bilder von Kindern in Eisernen Lungen, damals, als die Leute noch Kinderlähmung bekamen. Diese Bilder – die Eiserne Lunge ein Zylinder, eine riesige Wurstrolle aus Metall, aus deren einem Ende ein Kopf herausguckte, immer der Kopf eines Mädchens, dessen Haare über das Kissen flossen, mit großen nächtlichen Augen – faszinierten mich, mehr als die Geschichten von Kindern, die über dünnes Eis liefen und einbrachen und ertranken, oder von Kindern, die auf Eisenbahnschienen spielten und denen die Züge Arme und Beine abtrennten. Man konnte Kinderlähmung bekommen, ohne zu wissen, wie oder wo, und in einer Eisernen Lunge landen, ohne zu wissen, warum. Irgend etwas, das man einatmete oder runterschluckte oder das man sich von dem schmutzigen Geld, das andere Leute angefaßt hatten, holte. Das konnte man nie wissen.

Man benutzte die Eisernen Lungen dazu, uns zu erschrecken, und nannte sie als Grund dafür, warum wir Dinge, die wir gern getan hätten, nicht tun konnten. Nicht in öffentlichen Badeanstalten schwimmen, nicht mit vielen Menschen im Sommer zusammensein. *Willst du etwa den Rest deines Lebens in einer Eisernen Lunge verbringen?* sagten sie. Eine dumme Frage; obgleich mir ein solches Dasein, mit seiner Trägheit und seinem Mitleid, insgeheim auch verlockend vorkam.

Cordelia in einer Eisernen Lunge also, beatmet wie man ein Akkordeon spielt. Um sie herum ein mechanisches ächzendes Geräusch. Sie ist bei vollem Bewußtsein, aber unfähig, sich zu bewegen oder zu sprechen. Ich komme in das Zimmer, bewege mich, spreche. Wir sehen uns an.

Irgendwo mußte Cordelia doch sein. Vielleicht lebte sie keine Meile von mir entfernt, vielleicht nur einen Häuserblock entfernt. Allerdings habe ich keine Ahnung, was ich tun würde, wenn sie plötzlich vor mir stünde, zum Beispiel in der U-Bahn, wenn sie mir gegenübersäße, oder auf dem Bahnsteig wartete und sich die Werbeplakate ansähe. Wir würden beide dastehen, nebeneinander, und einen großen roten Mund anstarren, der sich um ein Stückchen Schokolade schließt, und ich würde mich zu ihr wenden und sagen: *Cordelia. Ich bin's, Elaine.* Würde sie sich umwenden, einen theatralischen Schrei ausstoßen? Würde sie mich ignorieren?

Oder würde ich sie ignorieren, wenn ich dazu Gelegenheit hätte? Oder würde ich wortlos zu ihr gehen, sie in die Arme schließen? Oder sie an den Schultern packen und sie schütteln und schütteln.

Ich muß stundenlang herumgelaufen sein, den Hang hinunter bis in die Innenstadt, wo jetzt keine Straßenbahnen mehr fahren. Es ist Abend, graue Tuschfarben, die die Stadt im Herbst anlegt, wie flüssiger Staub. Das Wetter jedenfalls ist noch wie früher.

Jetzt bin ich an der Stelle angekommen, an der wir immer aus der Straßenbahn gestiegen sind, in die Schneematschhaufen, die im Januar am Bordstein lagen, in den ächzenden Wind, der zwischen den heruntergekommenen Gebäuden mit den flachen Dächern, für uns noch die Verkörperung von Urbanität, vom See hereinwehte. Aber dieser Teil der Stadt ist jetzt nicht mehr flach, heruntergekommen, schäbig-vornehm. An den restaurierten Ziegelsteinfassaden leuchten Neonröhren in Kursivschrift, und es gibt eine ganze Menge Messingbeschläge, eine ganze Menge Immobilien, eine ganze Menge Geld. Dahinter ragen riesige rechteckige Türme in den Himmel, ganz aus Glas, erleuchtet, wie gewaltige Grabsteine aus kaltem Licht. Eingefrorenes Kapital.

Aber ich blicke nicht oft hinauf zu den Türmen und auch nicht auf die Menschen, die an mir vorbeikommen in ihrer modischen Aufmachung, Importe, handverarbeitetes Leder, Seide und was auch immer. Sondern ich blicke hinunter, auf den Gehsteig, wie ein Fährtensucher.

Ich spüre, wie sich meine Kehle zusammenschnürt, einen Schmerz an den Kinnbacken. Ich kaue wieder an den Fingern. Sie bluten, ein Geschmack, an den ich mich noch erinnere. Es schmeckt nach Orangeneis am Stiel, Kaugummikugeln, roter Lakritze, angeknabberten Haaren, schmutzigem Eis.

Silberpapier

3

Ich liege auf dem Fußboden, auf einem *Futon*, der mit einem *Duvet* bedeckt ist. *Futon, Duvet*: so weit haben wir es gebracht. Ich frage mich, ob Stephen je herausgefunden hat, was Futons und Duvets sind. Wohl kaum. Wahrscheinlich hätte er einen, wenn man ihm mit *Futon* gekommen wäre, groß angestarrt, so als wäre er taub oder als wäre man nicht ganz richtig im Kopf. In der Futon-Dimension existierte er nicht.

Als es noch keine Futons und Duvets gab, kostete ein Hörnchen Eis fünf Cents. Jetzt kostet es einen Dollar, wenn man Glück hat, und ist noch dazu kleiner. Das ist unterm Strich der Unterschied zwischen damals und heute: 95 Cents.

Ich stehe jetzt in der Mitte meines Lebens. Ich stelle es mir wie einen Ort vor, wie die Mitte eines Flusses, die Mitte einer Brücke, halbwegs drüber weg, halbwegs vorbei. Eigentlich sollte ich inzwischen allerlei Dinge angesammelt haben: Besitztümer, Verantwortungen, Errungenschaften, Erfahrung und Weisheit. Eigentlich sollte ich ein Mensch mit Substanz sein.

Aber seit ich hierher zurückgekehrt bin, fühle ich mich nicht gewichtiger. Ich fühle mich leichter, als würde ich an Substanz verlieren, Moleküle abgeben, Kalzium von meinen Knochen, Zellen von meinem Blut; als würde ich schrumpfen, als würde ich mich mit kalter Luft füllen oder mit leise rieselndem Schnee.

Doch bei all dieser Leichtigkeit steige ich nicht etwa auf, sondern ab. Oder vielmehr werde ich nach unten gezogen, in die Schichten dieses Ortes, wie in verflüssigten Schlamm.

Tatsache ist, daß ich diese Stadt hasse. Ich hasse sie schon so lange, daß ich mich kaum noch daran erinnern kann, je etwas anderes für sie empfunden zu haben.

Früher einmal war es Mode, darüber zu reden, wie langweilig es hier war. Erster Preis eine Woche in Toronto, zweiter Preis zwei Wochen in Toronto, Toronto die Gute, Toronto die Blaue, wo an den Sonntagen kein Wein zu kriegen war. Jeder, der hier lebte, sagte es: provinziell, selbstzufrieden, langweilig. Wenn man es sagte, dann war das ein Beweis dafür, daß man diese Dinge erkannte, ohne Anteil an ihnen zu haben.

Jetzt wird von einem erwartet, daß man sagt, wie sehr sie sich verändert hat. *Weltstadt* ist ein Ausdruck, der immer wieder, viel zu häufig, in den Zeitschriften verwendet wird. All die ethnischen Restaurants und das Theater und die Boutiquen. New York ohne den Müll und die Überfälle soll sie sein. Früher fuhren die Leute aus Toronto an den Wochenenden nach Buffalo, die Männer, um sich die Striptease-Shows anzusehen und bis in die Nacht Bier zu trinken, die Frauen, um Einkäufe zu machen; wenn sie zurückkamen, waren sie aufgeregt und mißmutig und trugen mehrere Kleider übereinander, um sie durch den Zoll zu schmuggeln. Jetzt läuft der Wochenendverkehr in umgekehrter Richtung.

Ich habe keine dieser Versionen geglaubt, weder die von Langeweile noch die von Weltklasse. Für mich war Toronto niemals langweilig. Langweilig wäre nicht das richtige Wort, um solches Elend zu beschreiben, und solche Verzauberung.

Und ich kann einfach nicht glauben, daß es sich verändert hat. Als ich gestern mit dem Taxi vom Flughafen kam, an den flachen ordentlichen Fabriken und Lagerhäusern vorbei, die früher flache ordentliche Bauernhöfe gewesen waren, eine Meile der Vorsicht und Nützlichkeit nach der andern, und dann durch die Innenstadt mit dem Glitzer und den gestylten europäischen Markisen und den Pflastersteinen, konnte ich erkennen, daß alles noch genauso war wie früher. Unter all der Üppigkeit und Prahlerei ist die alte Stadt noch vorhanden, Straße für Straße aus dicken roten Backsteinhäusern, mit den Säulen davor, die wie weißliche Stiele von Blätterpilzen aussehen, und ihren wachsamen, berechnenden Fenstern. Böswillig, grollend, rachsüchtig, unversöhnlich.

In meinen Träumen von dieser Stadt verirre ich mich immer.

Neben alldem habe ich natürlich auch ein reales Leben. Manchmal kann ich kaum daran glauben, weil es mir nicht wie ein Leben erscheint, mit dem ich je davonkommen würde oder das ich je verdient hätte. Und noch etwas anderes glaube ich: daß alle in meinem Alter erwachsen sind, während ich nur so tue als ob.

Ich wohne in einem Haus mit Vorhängen und einem Rasen davor, in British Columbia, so weit entfernt von Toronto, wie ich kommen konnte, ohne zu ertrinken. Die unwirkliche Landschaft dort ermutigt mich: die Ansichtskartenberge mit Sonnenuntergängen von der rührseligen Art, die cottageartigen Häuser, die aussehen, als hätten die sieben Zwerge sie in den dreißiger Jahren gebaut, die riesenhaften Schnecken, soviel größer, als eine Schnecke zu sein braucht. Selbst der Regen ist übertrieben, ich kann ihn nicht ernst nehmen. Ich nehme an, daß den Menschen, die dort aufgewachsen sind, diese Dinge genauso real und bedrückend vorkommen wie Toronto mir. Aber an guten Tagen ist es noch immer wie Ferien, wie Flucht. An schlechten Tagen nehme ich es nicht wahr, genausowenig wie alles andere.

Ich habe einen Ehemann, nicht den ersten. Er heißt Ben. Er ist in keiner Weise ein Künstler, wofür ich dankbar bin. Er besitzt ein Reisebüro, das auf Mexiko spezialisiert ist. Zu seinen besten Eigenschaften zählen billige Flugtickets nach Yucatan. Wegen dieses Reisebüros hat er mich nicht nach Toronto begleitet: In der Zeit vor Weihnachten läuft das Reisegeschäft auf Hochtouren.

Ich habe auch zwei Töchter, die jetzt schon erwachsen sind. Sie heißen Sarah und Anne, gute, vernünftige Namen. Eine von ihnen ist fast schon Ärztin, die andere Wirtschaftsprüferin. Das sind vernünftige Berufe. Ich glaube an vernünftige Entscheidungen. Die sich von meinen eigenen so sehr unterscheiden. Ich glaube auch an vernünftige Namen für Kinder, denn man braucht sich ja nur anzusehen, was mit Cordelia passiert ist.

Neben meinem realen Leben habe ich einen Beruf, der vielleicht nicht ganz so real ist. Ich bin Malerin. Das habe ich sogar in einem Anfall von Wagemut in meinen Paß schreiben lassen, denn die andere Möglichkeit wäre *Hausfrau* gewesen. Es kommt mir irgendwie noch immer unwahrscheinlich vor, es geworden zu sein; an manchen Tagen möchte ich mich am liebsten verkriechen. Anständige Leute werden nicht Maler: nur aufgeblasene, ehrgeizige, theatralische Leute. Das Wort *Künstlerin* ist mir peinlich; ich ziehe *Malerin* vor, weil das mehr nach richtiger Arbeit klingt. Künstler zu sein ist etwas Flitterhaftes, Faules, wie einem die meisten Menschen in diesem Land sagen werden. Wenn man erwähnt, daß man Malerin ist, gucken einen die Leute komisch an. Außer, man malt Vögel oder Tiere, oder natürlich, wenn man eine Menge Geld damit verdient. Aber ich verdiene nur so viel, um bei anderen Malern Neid zu wecken, aber nicht genug, um allen zu sagen, sie können mich mal.

Aber die meiste Zeit triumphiere ich und habe das Gefühl, mit knapper Not entkommen zu sein.

Meine Karriere ist der Grund, warum ich hier bin, auf diesem Futon, unter diesem Duvet. Sie machen eine Retrospektive, meine erste. Die Galerie heißt Sub-Versions, eines jener Wortspiele, an denen ich Spaß hatte, solange sie noch nicht derart in Mode waren. Eigentlich müßte ich über diese Retrospektive froh sein, aber ich habe eher gemischte Gefühle; ich gebe nicht gern zu, daß ich schon alt und etabliert genug bin, um eine zu bekommen, auch wenn es sich um eine alternative Galerie handelt, die von lauter Frauen geführt wird. Es kommt mir unglaubwürdig und bedrohlich vor: erst die Retrospektive, dann die Gruft. Aber ich bin auch sauer, weil die Art Gallery in Ontario sie nicht machen wollte. Die haben eine Vorliebe für tote Männer aus dem Ausland.

Das Duvet befindet sich in einem Atelier, das Jon, meinem ersten Ehemann, gehört. Ich finde es interessant, daß er ein Duvet hier hat, obgleich seine Wohnung ganz woanders ist. Bis jetzt habe ich mich noch beherrscht und mich davon abgehalten, in seinem Medizinschränkchen zu stöbern, auf der Suche nach Haarnadeln und weiblichen Deodorants, wie ich es früher getan hätte. Das geht mich jetzt nichts mehr an, ich kann die Haarnadeln seiner eisernen Frau überlassen.

Hier zu übernachten ist wahrscheinlich ziemlich dumm, zu stark rückgewandt. Aber wir haben wegen Sarah, die ja auch seine Tochter ist, immer Verbindung gehalten, und nachdem wir das Gebrüll und das zerbrochene Glas hinter uns gebracht hatten, sind wir fast Freunde geworden, über große Entfernung, was immer leichter ist als aus der Nähe. Als er von der Retrospektive hörte, bot er mir die Wohnung an. Die Preise für ein Hotelzimmer in Toronto, sagte er, selbst in einem zweitklassigen Hotel, werden langsam obszön. Sub-

Versions hätte mich untergebracht, aber ich habe das nicht angespro-
chen. Die Sauberkeit von Hotelzimmern mit ihren quietschend-rei-
nen Badewannen ist mir ein Greuel. Ich ertrage das Echo meiner
Stimme darin nicht, vor allem nicht bei Nacht. Ich ziehe die Hinter-
lassenschaften, die Unordnung und den persönlichen Schmutz von
Leuten vor, die so sind wie ich, Leute wie Jon. Durchreisende und
Nomaden.

Jons Studio liegt unten in der King Street, dicht beim Wasser. Früher gehörte die King Street zu jenen Gegenden, die man tunlichst
mied, ein Ort mit schmuddligen Lagerhäusern und donnernden
Lastwagen und zweifelhaften Gassen. Aber inzwischen ist die Gegend in der Welt aufgestiegen. Künstler haben sich hier eingenistet;
tatsächlich ist die erste Künstlerwelle fast vorbei, und es machen sich
schon Messingbriefkästen und bemalte Heizrohre, rot wie Feuer-
löscher, und Anwaltskanzleien breit. Jons Atelier, im fünften und
obersten Stock eines der Lagerhäuser, hat in seiner gegenwärtigen
Form nicht mehr lange zu leben. An den Decken breiten sich Licht-
schienen aus, die unteren Stockwerke hat man ihres alten Linoleum-
belags beraubt, der nach einem Gemisch von Desinfektionsmitteln,
uraltem Erbrochenem und Urin roch, und die breiten Bodendielen
werden nun mit Sandstrahlgebläse bearbeitet. Das weiß ich, weil ich
immer zu Fuß in die fünfte Etage hinaufsteige; zu einem Fahrstuhl
haben sie es noch nicht gebracht.

Jon hatte mir den Schlüssel in einem Umschlag unter die Fußmatte
gelegt und dazu einen Zettel, auf dem *Viel Glück* stand, ein Beweis
dafür, wie weich er geworden ist, oder wie gereift. *Viel Glück* paßt
nicht gerade zu seinem früheren Stil. Er ist in Los Angeles, wo er an
einem Motorsägenmord arbeitet, aber er wird noch vor der Eröffnung meiner Ausstellung zurück sein.

Das letzte Mal habe ich ihn vor vier Jahren bei Sarahs Abschluß-
feier im College gesehen. Er kam mit dem Flugzeug an die Küste,
zum Glück ohne seine Frau, die mich nicht leiden kann. Wir sind uns
zwar noch nie begegnet, aber ich weiß von ihrem Mangel an Zuneigung. Während der offiziellen Feiern, dem üblichen höflichen Gemurmel und dem Tee mit Plätzchen danach, gaben wir uns als
verantwortungsvolle erwachsene Eltern. Wir führten beide Mädchen
zum Essen aus und benahmen uns. Wir zogen uns sogar so an, wie

Sarah es gern hatte: ich in einem Kostüm, dazu passende Schuhe und alles, und Jon in einem Anzug mit Schlips und Kragen. Ich sagte ihm, er sehe aus wie ein Leichenbestatter.

Aber am darauffolgenden Tag schlichen wir uns zum Lunch davon und ließen uns vollaufen. Daß ich vollaufen sage, ein Wort, das schon ausstirbt, zeigt mir, um was für ein Ereignis es sich handelte. Es war ein Rückblick. Und ich denke daran noch immer als *Davonschleichen*, obgleich ich es Ben natürlich erzählt hatte. Obgleich es ihm nie in den Sinn käme, mit seiner ersten Frau zum Mittagessen zu gehen.

»Du hast doch immer gesagt, daß es so eine Katastrophe war«, sagte Ben erstaunt zu mir.

»War es ja auch«, sagte ich. »Es war grauenhaft.«

»Warum wolltest du dann mit ihm essen?«

»Das ist schwer zu erklären«, sagte ich, auch wenn es das vielleicht gar nicht war. Was wir teilen, Jon und ich, mag sehr wie nach einem Verkehrsunfall aussehen. Aber wir mögen einander. Wir sind Überlebende, voneinander. Wir waren Haie, füreinander, aber auch das Rettungsboot. Das wiegt so einiges auf.

Früher hat Jon Dinge gebaut. Er machte sie aus kleinen Holz- und Lederstücken, die er in anderer Leute Müll aufstöberte, oder aber er zerbrach irgendwelche Gegenstände – Geigen, Glas – und klebte die Stücke so zusammen, wie sie zerbrochen waren; Bruchmuster nannte er das. Einmal wickelte er farbiges Klebeband um Baumstämme und fotografierte sie dann, ein anderes Mal bildete er einen mit Schimmel überzogenen Brotlaib nach, der mittels eines kleinen Elektromotors ein- und ausatmete. Den Schimmel machte er aus abgeschnittenen Haaren, seinen eigenen und denen seiner Freunde. Ich glaube, auf diesem Brotlaib sind auch noch Haare von mir; ich habe ihn mal dabei ertappt, wie er ein paar Haare aus meiner Haarbürste stibitzte.

Jetzt macht er *Special Effects* für Kinofilme, um seine Kunstwerke zu finanzieren. Im Studio liegen halbfertige Dinge, die er für seine Arbeit braucht, herum. Auf dem Arbeitstisch, auf dem Farben, Klebstoff, Messer und Scheren liegen, eine Hand und ein Arm aus Kunstharz, aus dem abgeschnittenen Ende schlängeln sich Arterien, Schlaufen und Riemen, um ihn anzubinden. Am Fußboden stehen hohle Gipsbeine und -füße, wie elefantengroße Schirmständer; in einem steckt ein Regenschirm. Auch ein halbes Gesicht ist da, die Haut dunkel verfärbt und welk, das über das wirkliche Gesicht eines Schauspielers gezogen wird. Ein Ungeheuer, von anderen zerstört, auf Rache sinnend.

Jon sagte mir, daß er sich eigentlich nicht sicher ist, ob diese Arbeit mit abgehackten Körperteilen das richtige für ihn ist. Es ist zu gewalttätig, trägt nichts zur menschlichen Güte bei. Auf seine alten Tage glaubt er also an menschliche Güte, ganz gewiß eine Veränderung; ich habe sogar Kräutertee im Schrank gefunden. Er behauptet, er würde lieber hübsche freundliche Tiere für Kinderaufführungen machen. Aber schließlich muß man essen, wie er sagt, und abgehackte Gliedmaßen sind einfach gefragter.

Ich wünschte, er wäre hier, oder Ben, oder irgendein anderer Mann, den ich kenne. Ich verliere den Appetit auf Fremde. Früher hätte mich die Aufregung, das Risiko gefesselt; heute denke ich nur an die Unordnung, die Unbequemlichkeiten. Sich seiner Kleider voller Anmut zu entledigen, stets ein Ding der Unmöglichkeit; sich zu überlegen, was man hinterher sagen soll, ohne den Widerhall der Gedanken, die einem durch den Kopf schwirren, geordnet zu haben. Schlimmer noch, die Begegnung mit den Eigentümlichkeiten eines anderen: die Zehennägel, die Ohren, die Haare in den Nasenlöchern. Vielleicht werden wir in unserem Alter wieder so prüde, wie wir es als Kinder waren.

Ich erhebe mich von dem Duvet und fühle mich, als hätte ich gar nicht geschlafen. Flüchtig sehe ich die Kräuterteebeutel in der kleinen Küche durch, Zitronennebel, Morgendonner, und lasse sie für einen starken, wachrüttelnden giftigen Kaffee liegen. Ich stehe wieder in der Mitte des großen Zimmers, ohne genau zu wissen, wie ich von der Küche hierhergekommen bin. Ein kleiner Zeitsprung, eine kleine Störung auf dem Bildschirm, wahrscheinlich Jet-lag: abends zu spät ins Bett, morgens groggy. Alzheimer im frühen Stadium.

Ich sitze am Fenster, trinke meinen Kaffee, kaue auf meinen Fingerspitzen, sehe die fünf Stockwerke tief bis nach unten. Aus diesem Winkel sehen die Fußgänger aus wie zusammengequetscht, wie mißgebildete Kinder. Überall um mich herum sind kastenförmige Lagerhäuser mit Flachdächern und hinter ihnen die flache Eisenbahnlandschaft, in der die Züge früher rangierten, immer vor und zurück, früher einmal die einzige Unterhaltung, die es an den Sonntagen hier gab. Dahinter der flache Ontario-See, eine Null am Anfang und eine Null am Ende, schiefergrau und bis obenhin mit Gift gefüllt. Selbst der Regen, der von ihm aufsteigt, ist krebserregend.

Ich wasche mich in Jons winzigem, schmierigem Badezimmer, widerstehe dem Medizinschränkchen. Das Bad ist mit Fingerabdrücken übersät und in einem trüben Weiß gestrichen, nicht gerade das schmeichelhafteste Licht. Jon käme sich nicht wie ein Künstler vor, wenn er nicht von einer gehörigen Portion Trübsinn umgeben wäre. Ich kneife die Augen zusammen und sehe in den Spiegel, mache mein Gesicht zurecht: Mit den Kontaktlinsen bin ich zu dicht am Spiegel, ohne sie bin ich zu weit weg. Ich habe es mir zur Gewohnheit gemacht, diese Dinge im Spiegel mit einer Linse im Mund zu erledigen, glasig und dünn wie Zitronennachgeschmack. Ich könnte aus Versehen daran ersticken, nicht gerade ein würdevoller Tod. Ich sollte mir eine Brille mit zwei verschiedenen Stärken zulegen. Aber dann würde ich wie eine alte irische Putzfrau aussehen.

Ich streife meinen marineblauen Trainingsanzug über, meine Verkleidung als Nichtkünstlerin, und steige die vier Treppen hinunter und bemühe mich, energisch und zielbewußt auszusehen. Ich könnte eine Geschäftsfrau sein, die zum Joggen geht, ich könnte eine Bankdirektorin sein, die ihren freien Tag hat. Ich gehe nach Norden, dann durch die Queen Street nach Osten, auch eine Gegend, durch die wir früher nie gegangen sind. Damals hieß es, daß sich hier schmierige Saufbolde herumtrieben, Wermutbrüder, Penner; angeblich tranken sie reinen Alkohol, schliefen in Telefonzellen und kotzten einem in der Straßenbahn auf die Schuhe. Aber heute sind hier Kunstgalerien und Buchläden, Boutiquen voll schwarzer Kleidung und absonderlichem Schuhwerk, die gezackte Speerspitze des Trends.

Ich beschließe, einen Blick auf die Galerie zu werfen, die ich noch nie gesehen habe, weil alles am Telefon und per Post geregelt worden ist. Ich habe nicht die Absicht hineinzugehen, mich zu erkennen zu geben, noch nicht. Ich will nur einen Blick von außen darauf werfen.

Ich werde vorbeigehen, nur ganz beiläufig hinsehen, so tun, als wär ich eine Hausfrau, eine Touristin, jemand, der einen Schaufensterbummel macht. Galerien sind etwas Schreckliches, Orte der Bewertung, des Urteils. Ich muß mich langsam an sie heranarbeiten.

Aber bevor ich die Galerie erreiche, komme ich zu einer Bretterwand, hinter der ein Haus abgerissen wird. Mit einer Spraydose, im trotzigen Widerspruch zum schreiend sauberen Toronto, steht da: *Entweder Bacon oder ich, Baby.* Und darunter: *Was ist Bacon, und wo krieg ich welchen?* Daneben hängt ein Poster. Oder weniger ein Poster als ein Flugblatt: ein kräftiges Rot mit grünen Akzenten und schwarzen Buchstaben: RISLEY RETROSPEKTIVE, steht da; nur der Nachname, wie bei einem Jungen. Es ist mein Name und mein Gesicht, mehr oder weniger jedenfalls. Es ist das Foto, das ich der Galerie geschickt habe. Außer, daß ich jetzt einen Bart trage.

Wer immer diesen Schnurrbart auf das Plakat gemalt hat, wußte, was er tat. Oder was sie tat: Da gibt es keinen Zweifel. Es ist ein gelockter, wallender Schnurrbart, wie der eines Edelmanns, mit einem graziösen Spitzbart am Kinn dazu. Er paßt zu meinen Haaren.

Wahrscheinlich sollte ich mir wegen dieses Schnurrbarts Gedanken machen. Ist das nur Schmiererei oder ist es ein politischer Kommentar, ein Akt der Aggression? Ist es mehr wie *Kilroy war hier* oder mehr wie *Verpiß dich?* Ich kann mich noch gut daran erinnern, wie ich selbst solche Schnurrbärte gemalt habe, und an die Boshaftigkeit, die dabei im Spiel war, an den Wunsch, lächerlich zu machen, runterzumachen, und an das Gefühl von Macht. Es entstellte, es stahl jemandem das Gesicht. Wäre ich jünger, würde ich mich darüber ärgern.

Aber so betrachte ich den Schnurrbart und denke: *Sieht gar nicht mal schlecht aus.* Der Schnurrbart wirkt wie eine Verkleidung. Ich sehe ihn mir von allen Seiten an, als überlegte ich, ob ich mir einen kaufen sollte. Er wirft ein anderes Licht. Ich muß an Männer und ihre Gesichtshaare denken und an die Möglichkeit, sich zu verkleiden, zu verhüllen, die ihnen stets zur Verfügung steht. Ich denke an Männer mit Schnurrbärten und wie nackt sie sich fühlen müssen, wenn das Ding abrasiert ist. Wie kleiner gemacht. Eine ganze Menge Leute würden mit Schnurrbart viel besser aussehen.

Dann plötzlich habe ich ein Gefühl der Verwunderung. Ich habe es

4

Bis wir nach Toronto zogen, war ich glücklich.

Davor wohnten wir eigentlich nirgends, oder wir wohnten an so vielen verschiedenen Orten, daß man sich nur schwer an sie erinnern konnte. Die meiste Zeit fuhren wir in unserem niedrigen, bootsförmigen Studebaker herum, über Nebenstraßen oder zweispurige Highways oben im Norden, mit den weißen Strichen, die die Straße in der Mitte teilten, fuhren an See um See vorbei, an Hügel um Hügel, und mit den Telefonmasten am Straßenrand, größeren und kleineren, deren Drähte auf und ab zu wippen schienen.

Ich sitze allein hinten, zwischen den Koffern und den Pappkartons mit Essen und den Mänteln und in der gasigen, nach chemischer Reinigung riechenden Ausdünstung des Autopolsters. Mein Bruder Stephen sitzt auf dem Vordersitz, am halbgeöffneten Fenster. Er riecht nach Pfefferminz-Life Savers; darunter liegt sein normaler Geruch nach Zedernholzbleistiften und nassem Sand. Manchmal erbricht er sich, in Papiertüten oder am Straßenrand, wenn mein Vater rechtzeitig anhalten kann. Er wird autokrank und ich nicht, deshalb muß er vorn sitzen. Es ist seine einzige Schwäche, von der ich weiß.

Von meinem eingezwängten Platz im hinteren Teil des Wagens habe ich eine gute Aussicht auf die Ohren meiner Familie. Die meines Vaters, die unter dem Rand des alten Filzhutes hervorstehen, den er immer trägt, um seinen Kopf vor Zweigen und Harz und Raupen zu schützen, sind groß und sehen weich aus und haben lange Ohrläppchen; sie sehen aus wie Zwergenohren oder wie die Ohren der fleischfarbenen, hundeähnlichen kleinen Figuren in den Mickymaus-Heften. Meine Mutter hat ihre Haare mit Klemmen hochgesteckt, so daß ihre Ohren von hinten zu sehen sind. Sie sind schmal, haben feingeformte obere Ränder, wie die Henkel von Porzellantassen, auch wenn sie nicht zerbrechlich sind. Die Ohren meines Bruders sind rund, wie getrocknete Aprikosen, oder wie die Ohren der grünlichen fremden Wesen aus dem Weltraum mit ovalen Köpfen, die er mit seinen Buntstiften malt. Rund um seine runden Ohren und den

Nacken hinunter liegen die Haare dick, dunkelblond und glatt. Er wehrt sich dagegen, sie schneiden zu lassen.

Es ist für mich schwierig, meinem Bruder etwas in seine runden Ohren zu flüstern, wenn wir im Auto sitzen. Auf jeden Fall kann er nicht zurückflüstern, weil er nach vorn sehen muß, geradeaus auf den Horizont oder auf die weißen Linien der Straße, die auf uns zurollt, eine langsame Welle nach der anderen.

Die Straßen sind fast immer leer, weil Krieg ist, nur manchmal begegnen wir einem Lastwagen, der mit gefällten Baumstämmen beladen ist oder mit frischem Holz, sie ziehen ihr Parfüm aus Sägemehl hinter sich her. Mittags halten wir am Straßenrand und breiten eine Decke auf dem Boden aus, zwischen den Strohblumen und den Weidenröschen, und essen, was unsere Mutter zubereitet, Brot und Sardinen, oder Brot und Käse, oder Brot und Sirup, oder Brot und Marmelade, wenn nichts anderes zu kriegen war. Fleisch und Käse sind knapp, weil sie rationiert sind. Das bedeutet, daß man ein Zuteilungsbuch mit bunten Marken hat.

Unser Vater macht ein kleines Feuer, um in einem Kessel Wasser für den Tee zu kochen. Nach dem Essen verschwinden wir zwischen den Büschen, einer nach dem anderen, mit Klopapier in der Tasche. Manchmal liegen dort bereits Fetzen von Klopapier, zwischen den Zweigen und vertrockneten Blättern, aber meistens ist keins da. Ich hocke mich hin, lausche hinter mir nach Bären, Tannennadeln stechen mir in die Beine, dann vergrabe ich das Toilettenpapier unter Zweigen und Baumrinde und Farnblättern. Unser Vater sagt, man muß alles immer so zurücklassen, als wäre man gar nicht dortgewesen.

Unser Vater geht in den Wald, er trägt eine Axt, einen Rucksack und eine große Holzkiste mit einem ledernen Schulterriemen. Er blickt hinauf, von einem Baum zum andern, und überlegt. Dann breitet er eine Zeltplane auf dem Boden aus, direkt unter dem Baum, den er ausgesucht hat, und legt sie um den Stamm. Er öffnet die Holzkiste, die in einzelne Fächer mit kleinen Flaschen unterteilt ist. Er schlägt mit dem stumpfen Ende seiner Axt gegen den Baumstamm. Der Baum erzittert; Blätter und Zweige und Raupen prasseln herunter, schlagen auf seinem grauen Filzhut auf, plumpsen auf die Zeltplane. Stephen und ich bücken uns, lesen die Raupen auf, die blaue Streifen haben und samtig und kühl sind wie Hundeschnauzen. Wir stecken sie in die Flaschen, die mit blassem Alkohol gefüllt sind. Wir sehen zu, wie sie zucken und nach unten sinken.

Mein Vater betrachtet die Raupenernte, als hätte er sie selbst herangezüchtet. Er untersucht die angefressenen Blätter. »Ein prachtvoller Befall«, sagt er. Er ist fröhlich, er ist jünger, als ich heute bin.

Der Alkoholgeruch klebt an meinen Fingern, kalt und fern, scharf wie eine Stahlnadel, die sich in sie hineingebohrt hat. Er riecht wie weiße Emailleschüsseln. Wenn ich in der Nacht hinaufblicke zu den Sternen, die kalt und weiß und stechend am Himmel stehen, denke ich, daß sie ganz genauso riechen müssen.

Wenn der Tag zu Ende geht, halten wir wieder an und stellen unser Zelt auf, schwere Leinwand mit Holzstangen. Unsere Schlafsäcke sind khakifarben und dick und klumpig und fühlen sich immer etwas feucht an. Darunter kommen Decken auf den Boden und aufblasbare Luftmatratzen, von denen einem schwindlig wird, wenn man sie aufbläst, und die in Nase und Mund einen Geruch und Geschmack nach alten Gummistiefeln hinterlassen oder nach Ersatzreifen, die in der Garage aufgestapelt sind. Zum Essen setzen wir uns ums Feuer, das immer heller wird, während die Schatten wie dunklere Äste aus den Bäumen wachsen. Wir kriechen in das Zelt und ziehen uns in unseren Schlafsäcken aus, die Taschenlampe wirft einen Kreis auf die Zeltplane, einen hellen Ring, der einen dunkleren wie eine Zielscheibe umschließt. Das Zelt riecht nach Teer und Ölzeug und nach braunem Papier mit verschmiertem Käse und nach zertretenem Gras. Am Morgen sind die Gräser draußen mit Tau bedeckt.

Manchmal übernachten wir in Motels, aber nur, wenn es schon zu spät ist, um einen Platz für das Zelt zu suchen und es aufzustellen. Die Motels befinden sich immer weit entfernt von allem und jedem, sie stehen vor einer dunklen Wand aus Bäumen, und in dem gleichförmigen, undurchdringlichen Dunkel der Nacht schimmern ihre Lichter wie die von Schiffen oder Oasen. Vor ihnen stehen Benzinpumpen, so groß wie Menschen, mit runden Scheiben obendrauf, die leuchten wie blasse Monde oder wie ein Heiligenschein ohne den Kopf. Auf jeder Scheibe befindet sich eine Muschel, ein Stern, ein orangefarbenes Ahornblatt oder eine weiße Rose. Die Motels und

Benzinpumpen sind häufig leer oder abgeschlossen: Benzin ist rationiert, so daß niemand viel herumreist, wenn er nicht unbedingt muß.

Oder wir übernachten in Hütten, die anderen Leuten oder der Regierung gehören, oder wir bleiben in aufgelassenen Holzfällerlagern, oder wir stellen zwei Zelte auf, eins zum Schlafen und eins für die Vorräte. Den Winter über bleiben wir in kleinen oder großen Städten oben im Norden, Soo oder North Bay oder Sudbury, in Wohnungen, die in Wirklichkeit das obere Stockwerk von Häusern sind, die anderen Leuten gehören, so daß wir aufpassen müssen, daß wir mit unseren Schuhen auf den Holzböden nicht zuviel Lärm machen. Unsere Möbel kommen dann aus dem Lager. Es sind immer dieselben, aber sie sehen immer fremd aus.

In diesen Wohnungen gibt es Spülklos, weiß und aufregend, in denen mit einem lauten Aufbrüllen in Sekundenschnelle alles verschwindet. Immer wenn wir in einer Stadt ankommen, verbringen mein Bruder und ich viel Zeit im Badezimmer, wir werfen alle möglichen Dinge in die Kloschüssel, Makkaroni zum Beispiel, nur um zuzusehen, wie sie runtergespült werden. Es gibt Warnsirenen, und dann ziehen wir die Vorhänge zu und drehen das Licht aus, obgleich unsere Mutter sagt, daß der Krieg niemals hierherkommen wird. Der Krieg dringt durch das Radio zu uns, entfernt und mit Knistern, so daß die Stimmen aus London hinter den Störgeräuschen dünn werden. Unsere Eltern lauschen mit zweifelnder Miene, sie kneifen die Lippen zusammen: Es könnte sein, daß wir verlieren.

Mein Bruder glaubt das nicht. Er glaubt, daß unsere Seite die gute Seite ist und wir daher gewinnen werden. Er sammelt Zigarettenbilder mit Flugzeugen darauf, er kennt den Namen jedes einzelnen Flugzeugs.

Mein Bruder besitzt einen Hammer und etwas Holz und ein eigenes Klappmesser. Er schnitzt und hämmert: er macht ein Gewehr. Er nagelt zwei Holzstücke im rechten Winkel aneinander und klopft einen weiteren Nagel für den Abzug hinein. Er hat schon mehrere solcher Holzgewehre und außerdem noch Dolche und Schwerter, auf deren Schneide er mit rotem Buntstift Blut gemalt hat. Manchmal ist das Blut orangefarben, weil ihm der rote Buntstift ausgegangen ist. Er singt:

Mit einem Flügel und einem Gebet,
mit einem Flügel und einem Gebet
bringen wir sie runter,
und wenn die Kiste in Stücke bricht,
uns stört das nicht,
mit einem Flügel und einem Gebet
bringen wir sie runter.

Er singt es wie ein fröhliches Lied, aber ich finde es traurig, denn obwohl ich die Flugzeuge auf den Zigarettenbildern gesehen habe, weiß ich nicht, wie sie fliegen. Ich stelle mir vor, sie fliegen wie Vögel, und ein Vogel, der nur einen Flügel hat, kann nicht fliegen. Das sagt mein Vater immer vor dem Essen, im Winter, wenn er sein Glas hebt und andere Männer mit uns am Tisch sitzen: »Mit einem Flügel kann man nicht fliegen.« Deshalb hat das Gebet in dem Lied keinen Zweck.

Stephen gibt mir ein Gewehr und ein Messer, und wir spielen Krieg. Das ist sein Lieblingsspiel. Während unsere Eltern das Zelt aufstellen oder Feuer machen oder kochen, schleichen wir hinter Bäumen und Büschen herum und zielen durch die Blätter. Ich bin die Infanterie, was bedeutet, daß ich tun muß, was er mir sagt. Er winkt mich nach vorn, holt mich zurück, sagt mir, daß ich den Kopf tief halten muß, damit er mir vom Feind nicht weggeblasen wird.

»Du bist tot«, sagt er.

»Nein, bin ich nicht.«

»Doch, bist du doch. Sie haben dich erwischt. Leg dich hin.«

Man kann nicht mit ihm streiten, denn er kann den Feind sehen und ich nicht. Ich muß mich auf den sumpfigen Boden legen, gegen einen Baumstamm gelehnt, um nicht völlig naß zu werden, bis es für mich an der Zeit ist, wieder lebendig zu werden.

Manchmal ziehen wir, anstatt Krieg zu spielen, durch den Wald, drehen Baumstämme und Felsbrocken um, um zu sehen, was darunter ist. Da sind Ameisen, Wurzelstöcke und Käfer, Frösche und Kröten, Nattern, ja, wenn wir Glück haben, sogar Salamander. Wir tun mit all den Dingen, die wir finden, nichts. Wir wissen, daß sie sterben werden, wenn wir sie in Flaschen stecken und sie aus Versehen im Rückfenster des Autos an der Sonne liegen lassen, wie es uns schon einige Male passiert ist. Daher sehen wir sie uns nur an, sehen zu, wie die Ameisen ihre pillenförmigen Eier in Panik verstecken, wie sich die Schlangen in die Dunkelheit ergießen. Dann legen wir die Holzstücke wieder an ihren Platz zurück, außer wir benötigen irgendwas davon zum Angeln.

Ab und zu prügeln wir uns. Bei diesen Kämpfen gewinne ich nie: Stephen ist größer und rücksichtsloser als ich, und ich will mit ihm lieber spielen, als er mit mir. Wenn wir uns streiten, dann immer nur flüsternd oder in sicherer Entfernung, denn wenn wir dabei erwischt werden, bekommen wir beide eine Strafe. Aus diesem Grund verpetzen wir uns auch nicht gegenseitig. Wir wissen aus Erfahrung, daß die Befriedigung des Verrats die Sache selten wert ist.

Weil diese Kämpfe geheim sind, besitzen sie einen besonderen Reiz. Es ist der Reiz schmutziger Wörter, die wir eigentlich nicht aussprechen dürfen, Wörter wie *Arsch*; der Reiz von Geheimnistuerei, von Verschwörung. Wir treten uns gegenseitig auf die Füße, zwicken uns in die Arme, immer darauf bedacht, ja nicht laut aufzuschreien, noch in größter Empörung unseren Regeln treu.

Wie lange haben wir so gelebt, wie Nomaden an den fernen Rändern des Krieges?

Heute sind wir lange gefahren, es ist spät geworden, als wir unser Zelt aufschlagen. Wir befinden uns nicht weit von der Straße, neben einem unbekannten See mit zerklüftetem Ufer. Die Bäume spiegeln sich im Wasser, die Blätter der Pappeln sind herbstlich gelb. Die Sonne geht in einem langen, fröstelnden, zögernden Bogen unter, flamingorosa, dann lachsbraun, dann in dem unglaublich bebenden Rot von Mercurochrom. Das rosig gefärbte Licht bleibt zitternd auf der Oberfläche liegen, verblaßt dann und ist verschwunden. Es ist eine klare Nacht, mondlos, voller antiseptischer Sterne. Und da ist die Milchstraße, so klar und deutlich wie es nur geht, was schlechtes Wetter ankündigt.

Wir kümmern uns nicht um all diese Dinge, denn Stephen bringt mir gerade bei, im Dunkeln zu sehen, wie es Soldaten von Sonderkommandos tun. Man kann nie wissen, ob man es nicht einmal brauchen kann, sagt er. Man darf keine Taschenlampe anknipsen; man muß ganz still sein, im Dunkeln, und warten, bis sich die Augen daran gewöhnt haben, daß es kein Licht gibt. Dann beginnen sich die Formen der Gegenstände abzuzeichnen, grau und schimmernd und flüchtig, als würden sie sich aus der Luft heraus verdichten. Stephen sagt, daß ich meine Füße langsam bewegen muß, daß ich bei jedem Schritt auf einem Fuß stehenbleiben muß, aufpassen muß, daß ich nicht auf einen Zweig trete. Er sagt, daß ich ganz ruhig atmen muß. »Wenn sie dich hören, kriegen sie dich«, flüstert er.

Er hockt neben mir, ein dunkler Fleck vor dem Wasser des Sees. Ich sehe das Aufblitzen eines Auges, dann ist er verschwunden. Das ist ein Trick von ihm.

Ich weiß, daß er sich ans Feuer schleicht, zu meinen Eltern, deren Gesichter flackernd, schattenhaft, verschwommen sind. Ich bin allein mit meinem pochenden Herzen und meinem zu lauten Atmen. Aber er hat recht: Jetzt kann ich im Dunkeln sehen.

So sind meine Bilder von den Toten.

5

Ich feiere meinen achten Geburtstag in einem Motel. Mein Geschenk ist eine Brownie-Kamerabox, schwarz und kastenförmig, oben mit einem Griff und hinten mit einem runden Loch, durch das man hindurchsehen kann.

Das erste Bild, das damit aufgenommen wird, ist von mir. Ich lehne am Türrahmen des Motelhäuschens. Hinter mir die Tür, sie ist weiß und geschlossen, die Zimmernummer ist aus Metall, eine 9. Ich habe Hosen an, die an den Knien ausgebeult sind, und eine Jacke, deren Ärmel zu kurz sind. Man kann es nicht sehen, aber ich weiß, daß ich darunter eine braun und gelb gestreifte Strickjacke von meinem Bruder trage. Die meisten meiner Sachen sind von ihm. Meine Haut ist ganz weiß, der Film ist überbelichtet, mein Kopf etwas geneigt, die handschuhlosen Hände baumeln an der Seite herunter. Ich sehe aus wie die Leute auf alten Einwandererfotos. Ich sehe aus, als hätte man mich vor diese Tür gestellt und mir befohlen, stillzustehen.

Wie war ich damals, was habe ich mir gewünscht? Es ist schwer, sich daran zu erinnern. Habe ich mir einen Fotoapparat zum Geburtstag gewünscht? Wahrscheinlich nicht, obgleich ich mich darüber gefreut habe.

Ich wünsche mir noch ein paar Bilder aus den Verpackungen von Nabisco-Cornflakes, Karten mit Bildern zum Anmalen, die man ausschnitt und zu Häusern in einer Stadt zusammenfaltete. Ich wünsche mir auch ein paar Pfeifenreiniger. Wir haben ein Buch mit dem Titel *Hobbys für Regentage*, in dem beschrieben ist, wie man aus zwei Dosen und einem Stück Schnur ein Walkie-Talkie bastelt oder wie man ein Boot baut, das losfährt, wenn man einen Tropfen Schmieröl in ein Loch gibt; und auch, wie man aus den ganz kleinen Streichholzschachteln Puppenkommoden mit Schubläden macht und aus Pfeifenreinigern alle möglichen Tiere – einen Hund, ein Schaf, ein Kamel. Auf das Boot und die Kommode bin ich nicht besonders scharf, aber auf die Pfeifenreiniger. Ich habe noch nie einen Pfeifenreiniger gesehen.

Ich wünsche mir Silberpapier aus Zigarettenschachteln. Ich habe schon welches, aber ich will noch mehr. Meine Eltern rauchen keine Zigaretten, daher muß ich es mir zusammensammeln, wo immer ich kann, neben Tankstellen, im Unkraut bei den Motels. Ich habe mir angewöhnt, den Boden abzusuchen. Wenn ich ein Stück Silberpapier finde, säubere ich es und streiche es glatt und hebe es zwischen den Seiten meines Schullesebuchs auf. Ich weiß noch gar nicht, was ich damit tun werde, wenn ich genügend davon habe, aber bestimmt etwas Tolles.

Ich wünsche mir einen Luftballon. Es gibt jetzt wieder welche, nachdem der Krieg vorbei ist. Einmal, als ich im Winter Mumps hatte, fand meine Mutter einen, unten in ihrem Überseekoffer. Sie muß ihn vor dem Krieg dort weggesteckt haben, vielleicht, weil sie annahm, daß es eine ganze Weile keine geben würde. Sie blies ihn für mich auf. Er war blau, durchsichtig, rund wie ein privater Mond. Der Gummi war alt und verrottet und platzte gleich darauf, und es brach mir das Herz. Ich wünsche mir einen neuen Luftballon, einen, der nicht platzt.

Ich wünsche mir Freunde, Freunde, die Mädchen sind. Freundinnen. Ich weiß, daß es sie gibt, denn ich habe in Büchern von ihnen gelesen, aber ich habe noch nie eine Freundin gehabt, weil wir nirgends lange genug bleiben.

Die meiste Zeit ist es kalt, stürmisch und bedeckt, mit dem tiefhängenden metallischen Himmel des Spätherbstes; oder es regnet, und wir müssen im Motel bleiben. Das Motel ist so, wie wir es gewohnt sind: eine Reihe Cottages, leicht gebaut, verbunden mit den Leitungen von gelben, blauen und grünen Weihnachtslämpchen. Dies sind »Cottages mit Selbstverpflegung«, was bedeutet, daß irgendeine Art Herd drinsteht und daß es ein oder zwei Töpfe und einen Teekessel gibt sowie einen Tisch, auf dem ein Wachstuch liegt. Der Boden in unserem Cottage mit Selbstverpflegung ist mit Linoleum ausgelegt, dessen Blumenmuster verblaßt ist. Die Handtücher sind dünn und fadenscheinig, die Laken sind in der Mitte durchgelegen, zerschlissen von den Leibern anderer Gäste. An der Wand hängt ein gerahmter Druck mit einem winterlichen Wald und ein anderer mit fliegenden Enten. In manchen Motels sind die Toiletten im Hof, aber hier gibt es ein richtiges, wenn auch stark riechendes Klo mit Spülung und eine Badewanne.

Wir wohnen schon seit Wochen in diesem Motel, was ungewöhnlich ist: Wir bleiben in den Motels sonst niemals länger als eine Nacht. Wir essen Habitant-Erbsensuppe aus der Dose, die wir in einem verbeulten Topf auf dem Zwei-Flammen-Herd erhitzen, und dazu Brotscheiben mit Sirup und Käsestücken. Jetzt, nachdem der Krieg aus ist, gibt es wieder mehr Käse. Wir behalten das, was wir draußen tragen, auch im Haus an, und in der Nacht die Strümpfe, denn diese Cottages mit ihren einfachen Wänden sind eigentlich für die Touristen im Sommer gedacht. Das heiße Wasser ist immer nur lauwarm, aber Mutter macht im Teekessel Wasser heiß und schüttet es in die Wanne, wenn wir baden. »Nur, damit das Gröbste abgeht«, sagt sie.

Am Morgen wickeln wir uns in Decken, wenn wir frühstücken. Manchmal können wir unseren Atem sehen, sogar im Haus. All das ist nicht normal und irgendwie festlich. Das liegt nicht nur daran, daß wir nicht in die Schule gehen. Länger als drei oder vier Monate hintereinander sind wir sowieso noch nie in die Schule gegangen. Ich war vor acht Monaten das letzte Mal in der Schule und habe nur eine blasse und flüchtige Vorstellung davon, wie es da war.

An den Vormittagen machen wir unsere Schulaufgaben in unseren Arbeitsheften. Unsere Mutter sagt uns, welche Seiten wir machen sollen. Dann lesen wir in unseren Schulfibeln. Meine handelt von zwei Kindern, die in einem weißen Haus mit gerafften Gardinen wohnen, mit einem Rasen davor und einem Lattenzaun ringsherum. Der Vater geht zur Arbeit, die Mutter hat ein Kleid an und eine Schürze umgebunden, und die Kinder spielen mit ihrem Hund und ihrer Katze auf dem Rasen Ball. Nichts in diesen Geschichten ähnelt auch nur im entferntesten meinem Leben. Es gibt keine Zelte, keine Landstraßen, kein Pieseln in den Büschen, keine Seen, keine Motels. Es gibt keinen Krieg. Die Kinder sind immer sauber, und das kleine Mädchen, das Jane heißt, trägt ein hübsches Kleid und Lackschuhe mit Riemen.

Diese Bücher üben auf mich einen exotischen Reiz aus. Wenn Stephen und ich mit unseren Buntstiften malen, dann malt er Kriege, gewöhnliche Kriege und Kriege im Weltraum. Von den vielen Explosionen sind Rot und Gelb und Orange nur noch Stummel, und Gold und Silber sind auch aufgebraucht, für die vielen metallisch glänzenden Panzer und Raumschiffe, die Helme und die komplizierten Schußwaffen. Ich male Mädchen. Ich male sie in altmodischen Kleidern, mit langen Röcken, Latzschürzen und Puffärmeln, oder in Kleidern wie jenen von Jane und mit großen Schleifen im Haar. Es ist ein elegantes, köstliches Bild, das mir von anderen kleinen Mädchen vorschwebt. Ich denke nicht darüber nach, was ich zu ihnen sagen würde, wenn ich ihnen tatsächlich mal begegnen sollte. Soweit bin ich noch nicht.

Am Abend wird von uns erwartet, daß wir das Geschirr abwaschen – »mit den Tellern klappern«, nennt meine Mutter das. Wir zanken uns, flüsternd und einsilbig, wer mit dem Abwaschen dran ist: das Abtrocknen mit dem stets klammen Geschirrhandtuch ist längst nicht so gut wie das Abwaschen, bei dem man sich wenigstens die Hände wärmt. Wir lassen die Teller und Gläser in der Abwaschschüssel schwimmen und bombardieren sie im Sturzflug mit Löffeln und Messern und flüstern: »Bomben frei.« Wir bemühen uns, so dicht wie möglich an sie heranzukommen, ohne sie tatsächlich zu treffen. Es sind nicht unsere Teller. Das geht unserer Mutter ziemlich auf die Nerven. Wenn es ihr zuviel wird, wäscht sie selber ab; das gilt als Verweis.

Nachts liegen wir in dem durchgelegenen Ausziehbett, Kopf an Fuß, was angeblich bewirkt, daß wir schneller einschlafen, und schubsen uns, ohne einen Mucks er von uns zu geben, unter der Decke; oder aber wir probieren aus, wie weit wir mit unserem Fuß samt Socken im Pyjamabein des anderen raufkriechen können. Ab und zu fällt das Scheinwerferlicht eines vorbeifahrenden Autos durch das Fenster, gleitet zuerst über die eine, dann über die andere Wand, bevor es verschwindet. Motorengeräusch ist zu hören, dann das Zischen der Reifen auf der nassen Straße. Dann Stille.

6

Ich weiß nicht, wer das Bild von mir aufgenommen hat. Es muß mein Bruder gewesen sein, denn meine Mutter ist im Haus, hinter der weißen Tür, in ihren grauen Hosen und einem dunkelblauen Hemd aus dickem Tuch, und packt unser Essen in Kartons und unsere Kleider in Koffer. Sie packt nach einem bestimmten System; sie redet mit sich selbst, während sie es tut, erinnert sich selbst laut an Einzelheiten und hat uns gern aus dem Weg.

Gleich nach dem Foto beginnt es zu schneien, einzelne kleine trockene Schneeflocken fallen aus dem harten nördlichen Novemberhimmel. Das Licht verblaßt, und die letzten Ahornblätter hängen wie Seetang von den Zweigen, während es immer dunkler wird und sich ein mattes Schweigen vor diesem ersten Schnee ausbreitet. Bevor es zu schneien begann, waren wir schläfrig. Jetzt sind wir übermütig.

Wir laufen draußen vor dem Motel herum, nur in unseren abgetragenen Sommerschuhen, und strecken die nackten Hände nach den herabfallenden Schneeflocken aus, die Köpfe im Nacken, die Münder geöffnet, und schlucken den Schnee herunter. Wenn es mehr wäre und er dick am Boden läge, würden wir uns darin wälzen wie Hunde im Schmutz. Er erfüllt uns mit derselben Begeisterung. Aber unsere Mutter sieht aus dem Fenster und entdeckt uns draußen und auch den Schnee, und ruft uns, damit wir reinkommen und unsere Füße mit den dünnen Handtüchern abtrocknen. Wir haben keine Winterschuhe, die uns passen. Während wir im Haus sind, verwandelt sich der Schnee in Graupel.

Mein Vater geht im Zimmer auf und ab, klimpert mit den Schlüsseln in seiner Tasche. Er möchte immer, daß alles schneller geht, und jetzt möchte er losfahren, aber meine Mutter sagt, er müsse die Pferde noch etwas zurückhalten. Wir gehen hinaus und helfen ihm, die Eiskruste von den Autofenstern zu kratzen, und dann tragen wir Kartons hinaus und am Ende zwängen wir uns selbst ins Auto und fahren nach Süden. Ich weiß, es ist Süden, weil das Sonnenlicht von da kommt, es dringt jetzt schwach durch die Wolken, berührt mit einem Glitzern die vereisten Bäume und springt grell von den Eisflächen am Straßenrand zurück, so daß es schwierig ist, etwas zu erkennen.

Unsere Eltern sagen, wir fahren zu unserem neuen Haus. Diesmal wird uns das Haus richtig gehören, nicht nur gemietet sein. Es steht in einer Stadt, die Toronto heißt. Dieser Name bedeutet mir nichts. Ich denke an das Haus in meiner Schulfibel, weiß, mit einem Lattenzaun und einem Rasen davor und mit Gardinen an den Fenstern. Ich bin neugierig, wie mein Schlafzimmer aussieht.

Als wir bei dem Haus ankommen, ist es später Nachmittag. Zuerst glaube ich, daß sie sich geirrt haben müssen; aber nein, es ist schon das richtige Haus, denn mein Vater hat bereits mit einem Schlüssel die Tür aufgeschlossen. Das Haus steht nicht direkt an einer Straße, sondern eher auf einem Feld. Es ist quadratisch, ein Bungalow aus gelben Ziegelsteinen, inmitten einer Schlammwüste. An der einen Seite ist ein riesiges Loch im Boden, und ringsherum sind Erdhaufen. Die Straße, die zu dem Haus führt, ist auch nur Schlamm und Erde, sie ist ungepflastert und voller Schlaglöcher. In dem aufgeweichten Boden liegen ein paar Betonblöcke als Trittsteine, damit wir zur Tür kommen.

Innen im Haus ist alles noch viel entmutigender. Es gibt Türen und Fenster, das schon, und Wände, und die Heizung geht an. Im Wohnzimmer ist ein großes Panoramafenster, aber man sieht nur auf eine Fläche aus zerfurchtem Morast. Die Toilette ist zum Ziehen, aber innen in der Kloschüssel ist ein gelblichbrauner Schmutzring, und es schwimmen Zigarettenkippen darin herum; aus dem Heißwasserhahn kommt lauwarmes rötliches Wasser, wenn man ihn aufdreht. Die Fußböden sind auch nicht aus poliertem Holz, haben nicht einmal Linoleum. Sie sind aus breiten ungehobelten Brettern, mit Spalten dazwischen, grau vom Staub des Bauschutts und mit weißen Flecken gesprenkelt, wie Vogelschmutz. Nur ein Teil der Zimmer hat Glühbirnen, in den anderen ragen Drähte aus der Decke. In der Küche gibt es keine Arbeitsflächen, nur ein Spülbecken; und auch keinen Herd. Nichts ist angemalt. Überall ist Staub: auf den Fenstern, den Fensterbrettern, den Becken, dem Fußboden. Eine Menge tote Fliegen liegen herum.

»Wir werden kräftig zupacken müssen«, sagt Mutter, was bedeutet, daß wir uns nicht beklagen sollen. Wir werden uns Mühe geben müssen, sagt sie. Wir müssen das Haus selbst fertig machen, weil der Mann, der es hätte tun sollen, bankrott gegangen ist. Er hat sich aus dem Staub gemacht, so drückt sie es aus. Unser Vater ist nicht so fröhlich. Er geht durchs Haus, nimmt alles in Augenschein, klopft daran herum, murmelt vor sich hin und stößt kleine Pfiffe aus. »Dieser Hund, dieser Hund« ist, was er sagt.

Von irgendwoher, aus den Tiefen unseres Autos, gräbt unsere Mutter einen Primuskocher aus, den sie, da wir noch keinen Tisch haben, auf dem Küchenfußboden aufstellt. Sie macht eine Erbsensuppe warm. Mein Bruder geht nach draußen; ich weiß, daß er auf die Erdhaufen steigt oder überlegt, welche Möglichkeiten das große Loch im Boden eröffnet, aber ich habe nicht den Mut, ihm nachzugehen.

Ich wasche mir die Hände in dem rötlichen Wasser im Badezimmer. Das Becken hat einen Riß, was im Augenblick eine Katastrophe zu sein scheint, schlimmer als all die anderen Mängel und Unzulänglichkeiten. Ich betrachte mein Gesicht in dem staubverschmierten Spiegel. Die Birne an der Decke hat keinen Schirm, und mein Gesicht sieht blaß und krank aus, mit tiefen Schatten unter den Augen. Ich wische mir die Augen aus; ich weiß, daß es nicht richtig wäre, beim Weinen erwischt zu werden. Trotz seines rohen Zustands kommt es mir im Haus zu warm vor, vielleicht, weil ich noch immer meine dicken Sachen für draußen anhabe. Ich komme mir vor wie in einer Falle. Ich möchte wieder in dem Motel sein, am Straßenrand, in meinem alten wurzellosen Leben der Unbeständigkeit und Sicherheit.

In den ersten Nächten schlafen wir auf dem Fußboden, in unseren Schlafsäcken, die wir auf unsere Luftmatratzen legen. Dann tauchen ein paar Pritschen aus Armeebeständen auf, Sackleinen, das über einem Metallrahmen gespannt ist, der unten schmaler ist als oben, so daß man, wenn man sich nachts umdreht, runterfällt auf den Boden, und die Liege fällt auf einen drauf. Nacht für Nacht falle ich runter, und dann wache ich auf dem rauhen staubigen Boden auf und überlege, wo ich bin, und mein Bruder ist nicht da, um mich zu verspotten oder um mir zu sagen, daß ich still sein soll, denn ich bin ganz allein in diesem Zimmer. Zuerst fand ich den Gedanken an ein eigenes

Zimmer aufregend – ein leerer Raum, den ich so einrichten kann, wie ich will, ohne auf Stephen und seine verstreute Kleidung und seine Holzgewehre Rücksicht nehmen zu müssen –, aber jetzt fühle ich mich einsam. Ich war nachts noch nie allein in einem Zimmer.

Jeden Tag, während wir in der Schule sind, treffen in dem Haus neue Dinge ein. Ein Herd, ein Kühlschrank, ein Kartentisch und vier Stühle, damit wir wieder auf normale Weise essen können, an einem Tisch, und nicht mit gekreuzten Beinen auf einer Decke, die vor dem Kamin auf dem Fußboden ausgebreitet ist. Der Kamin funktioniert; das ist etwas im Haus, das fertiggestellt wurde. Wir verbrennen darin Holzstücke, die vom Hausbau übriggeblieben sind.

In seiner Freizeit hämmert unser Vater im Haus herum. Auf den Böden breiten sich Verkleidungen aus: schmale Hartholzdielen im Wohnzimmer, Steinfliesen in unseren Schlafzimmern, sie rücken Reihe um Reihe vor. Das Haus sieht allmählich immer mehr wie ein richtiges Haus aus. Aber das braucht alles viel länger, als mir lieb ist: von Lattenzäunen und weißen Gardinen sind wir in unserer Lagune aus Nachkriegsmorast weit entfernt.

7

Wir waren daran gewöhnt, unseren Vater in Windjacken, zerbeulten grauen Filzhüten, Flanellhemden, deren Ärmel unten fest zugeknöpft waren, damit die Moskitos nicht an seinen Armen raufkriechen konnten, und in dicken Hosen, die in Wollsocken gestopft waren, zu sehen. Abgesehen von den Filzhüten sah das, was unsere Mutter trug, nicht viel anders aus.

Jetzt jedoch trägt unser Vater Jacken und Krawatten und weiße Hemden und einen Tweedmantel und einen Schal. Er hat Galoschen, die er über seine Schuhe zieht und mit einer Schnalle zumacht, anstatt Lederstiefel, die mit Speckschwarten eingefettet sind, um sie wasserdicht zu machen. Die Beine unserer Mutter sind zum Vorschein gekommen, in Nylonstrümpfen, mit Nähten hinten. Und wenn sie ausgeht, malt sie sich mit Lippenstift einen Mund. Sie hat einen Mantel mit einem grauen Pelzkragen und einen Hut mit einer Feder, der ihre Nase viel zu lang aussehen läßt. Jedesmal wenn sie diesen Hut aufsetzt, betrachtet sie sich im Spiegel und sagt: »Ich seh aus wie die Hexe von Endor.«

Unser Vater hat einen neuen Beruf. Das erklärt alles. Er forscht jetzt nicht mehr nach Insekten im Wald, sondern er ist Universitätsprofessor. Die vielen übelriechenden Gläser und Flaschen, die früher überall herumstanden, sind fast alle verschwunden. An ihrer Stelle liegen jetzt im ganzen Haus Stöße bunter Zeichnungen herum, die seine Studenten gemacht haben. Alle von Insekten. Von Heuschrecken, Fichtenwicklern, Ringelspinnern, Holzbohrern, alle so groß wie eine ganze Seite, die einzelnen Körperteile fein säuberlich gekennzeichnet: Kieferzangen, Taster, Fühler, die Brust, der Hinterleib. Manche sind im Längs- oder Querschnitt, das bedeutet, daß sie aufgeschnitten sind, damit man sehen kann, was innen ist: Gänge, Verzweigungen, Verdickungen und zarte Fäden. Diese Art mag ich am liebsten.

Am Abend sitzt mein Vater in einem Sessel und hat ein Brett quer vor sich über die Armlehnen gelegt, und auf dem Brett liegen die Zeichnungen, die er mit einem roten Stift bearbeitet. Manchmal lacht er in sich hinein, während er es tut, oder er schüttelt den Kopf und zischt zwischen den Zähnen. »Idiot«, sagt er, oder »Holzkopf«. Ich stehe hinter seinem Sessel und sehe mir die Zeichnungen an, und er zeigt mir, daß der eine Student die Mundöffnung am falschen Ende angebracht hat und ein anderer keinen Platz für das Herz gelassen hat und daß noch ein anderer ein männliches Exemplar nicht von einem weiblichen unterscheiden kann. Aber danach beurteile ich die Zeichnungen nicht: Mir gefallen sie, je nach den Farben, besser oder schlechter.

Am Samstag steigen wir in sein Auto und fahren mit ihm zu dem Ort, an dem er jetzt arbeitet. Es ist das Zoologiegebäude, aber so nennen wir es nicht. Es ist einfach das Gebäude.

Das Gebäude ist riesig. Immer wenn wir dort sind, ist es so gut wie leer, weil Samstag ist; dadurch erscheint es noch größer. Es ist ein dunkelbrauner verwitterter Backsteinbau und sieht aus, als habe er Türmchen, obgleich er gar keine hat. An den Wänden wächst Efeu, jetzt im Winter blattlos, und überzieht sie mit skelettartigen Äderchen. Innen sind lange Korridore mit Hartholzböden, voller Flecken und von Generationen Studenten mit schneematschverschmutzten Winterstiefeln abgetreten, aber immer glänzend gebohnert. Es gibt Treppen, auch aus Holz, die laut knarren, wenn wir raufgehen, und ein Treppengeländer, auf dem wir nicht runterrutschen sollen, und Heizkörper aus Eisen, die dröhnende Schläge von sich geben und entweder eiskalt oder glühendheiß sind.

Im zweiten Stock gibt es Gänge, die in weitere Gänge führen, mit Regalen voller Gläser mit toten Eidechsen oder eingelegten Ochsenaugen. In einem Raum gibt es Glaskäfige mit Schlangen darin, Schlangen, die größer sind als alle, die wir je gesehen haben. Die eine ist eine zahme Boa Constrictor, und wenn der Mann, der sie versorgt, da ist, holt er sie raus und wickelt sie sich um den Arm, damit wir sehen können, wie sie etwas zerdrückt, bevor sie es auffrißt. Wir dürfen sie streicheln. Ihre Haut ist kühl und trocken. In anderen Käfigen sind Klapperschlangen, und der Mann zeigt uns, wie er ihnen das Gift aus ihren Fangzähnen melkt. Dazu trägt er einen Lederhandschuh. Die Giftzähne sind gebogen und hohl, und das Gift, das raustropft, ist gelb.

Im selben Raum befindet sich ein Betonbecken, das mit trübem grünlichem Wasser gefüllt ist, in dem große Schildkröten hocken, die

die Augen auf- und zuklappen und schwerfällig auf die Felssteine klettern, die man für sie hineingelegt hat; sie stoßen zischende Laute aus, wenn wir ihnen zu nahe kommen. Dieser Raum ist wärmer als die anderen und voller Dampf, denn die Schlangen und Schildkröten brauchen das; es riecht nach Moschus. Und dann gibt es noch einen Raum, in dem sich ein Käfig mit riesigen afrikanischen Kakerlaken befindet, weiß und so giftig, daß ihr Wärter sie jedesmal mit Gas betäuben muß, bevor er den Käfig aufmacht, um sie zu füttern oder um eine rauszuholen.

Unten im Keller sind Regale über Regale mit weißen Ratten und schwarzen Mäusen, ganz besonderen, die nicht wild sind. Sie fressen Nahrungskügelchen aus trichterartigen Gefäßen, die in ihren Käfigen aufgestellt sind, und trinken aus Flaschen mit Tropfverschlüssen. Sie haben Nester aus zernagten Zeitungen, in denen rosig gefärbte nackte Mäusebabys liegen. Sie krabbeln über- und untereinander und schlafen alle auf einem Haufen und beschnüffeln sich mit ihren zitternden Nasen. Der Mäusewärter erzählt uns, daß sie eine fremde Maus, die in ihren Käfig käme, eine mit einem falschen, fremden Geruch, totbeißen würden.

Der Keller riecht stark nach Mäusekot, ein Geruch, der durch das ganze Gebäude nach oben zieht, immer schwächer wird, je höher man kommt, sich mit dem Geruch von dem grünen Putzmittel vermischt, mit dem die Fußböden gereinigt werden, und mit den anderen Gerüchen, von Bohnerwachs und Möbelpolitur und Formaldehyd und dem der Schlangen.

Wir finden im ganzen Gebäude nichts abstoßend. Die Art, wie das alles angeordnet ist, kommt uns vertraut vor, wenn auch nicht in allen Einzelheiten und wenn wir auch noch nie so viele Mäuse auf einmal gesehen haben und von ihrer Menge und ihrem Gestank überwältigt sind. Wir würden die Schildkröten gern aus ihrem Teich holen und mit ihnen spielen, aber da sie beißende Schildkröten sind und bösartig, können sie einem den Finger abbeißen, und so lassen wir es lieber bleiben. Mein Bruder würde gern ein Ochsenauge aus einem der Gläser mitnehmen: So etwas würde die anderen Jungen beeindrucken.

Einige der oberen Räume sind Labors. Die Labors haben hohe Decken und Tafeln an der Stirnwand. Sie enthalten Reihen um Reihen von großen dunklen Pulten, eigentlich eher Tischen als Pulten, mit hohen Schemeln, um darauf zu sitzen. Zu jedem Tisch gehören zwei Lampen mit grünen Glasschirmen und zwei Mikroskope, alte Mikroskope, mit schweren dünnen Röhren und Messingbeschlägen.

Wir haben schon Mikroskope gesehen, aber noch nie so lange; wir können uns sehr lange mit ihnen beschäftigen, ohne uns zu langweilen. Manchmal bekommen wir Glasplatten mit Präparaten zum Ansehen: Schmetterlingsflügel, Querschnitte von Würmern, Planarien, mit hellroten und roten Farbstoffen gefärbt, damit die verschiedenen Teile zu erkennen sind. Manchmal stecken wir unsere Finger unter die Linse und betrachten unsere Fingernägel, die blassen Stellen, die sich vor ihrem tiefrosa gefärbten Himmel wie Hügel aufwölben, die Haut darum herum körnig und gefältelt wie am Rand einer Wüste. Oder wir zupfen uns Haare aus und sehen sie uns an, fest und glänzend wie die Borsten, die aus den Chitinhäuten von Insekten wachsen und an deren Ende wie winzige Zwiebelknollen die Haarwurzeln stecken.

Wir lieben Schorf. Wir puhlen ihn uns von der Haut – unter dem Mikroskop ist nicht genügend Platz für einen ganzen Arm oder ein Bein – und drehen die Vergrößerung auf, so weit es geht. Der Schorf sieht wie ein Felsen aus, zerklüftet, mit einem Glanz wie von Quarz; oder wie eine Art Pilz. Wenn es uns gelingt, von einem Finger etwas Schorf abzukratzen, dann legen wir den Finger unters Mikroskop und sehen zu, wie das Blut herausquillt, hellrot, in einem runden Knopf, wie eine Beere. Danach lecken wir das Blut ab. Wir sehen uns Ohrenschmalz an oder Rotz oder Schmutz von zwischen den Zehen, nachdem wir uns überzeugt haben, daß niemand in der Nähe ist: Wir wissen von allein, daß man so etwas nicht gutheißen würde. Unsere Neugier soll Grenzen haben, auch wenn diese Grenzen niemals genau definiert worden sind.

All diese Dinge tun wir am Samstagvormittag, während unser Vater Arbeiten in seinem Büro erledigt und unsere Mutter einkaufen geht. Sie sagt, dann hätte sie uns nicht zwischen den Füßen.

Das Gebäude überblickt die University Avenue, die zwischen Grünflächen verläuft, auf denen kupfergrüne Statuen von Männern auf Pferden stehen. Direkt gegenüber befindet sich das Parlament von

Ontario, das ebenfalls alt und schmuddelig ist. Ich glaube, es muß noch so ein Gebäude wie das Gebäude sein – voll langer knarrender Korridore und voller Regale mit eingelegten Eidechsen und Ochsenaugen.

Vom Gebäude aus sehen wir unseren ersten Weihnachtsumzug. Wir haben noch nie einen Umzug gesehen. Man kann diesen Umzügen im Radio zuhören, aber wenn man sie mit eigenen Augen sehen will, dann muß man sich schön warm einpacken und sich auf den Bürgersteig stellen, mit den Füßen stampfen und sich die Hände reiben, damit man warm bleibt. Manche Leute klettern auf die Reiterstatuen, um besser sehen zu können. Das haben wir nicht nötig, denn wir können in einem der großen Labors des Gebäudes auf der Fensterbank sitzen, von einer staubigen Glasscheibe vor dem Wetter geschützt, während ein warmer Luftzug von den eisernen Heizkörpern an unseren Beinen raufstreicht.

Von dort aus sehen wir uns die Menschen an, die als Schneeflocken verkleidet sind, als Elfen, als Kaninchen, als Zuckerpflaumenfeen, und die, weil wir von oben auf sie hinuntergucken, merkwürdig verkürzt aussehen. Es gibt Kapellen von Dudelsackpfeifern in Kilts und etwas, das aussieht wie große Torten, auf denen Leute sitzen und winken und die auf Rädern vorbeirollen. Es hat zu nieseln begonnen. Alle dort unten sehen kalt aus.

Der Nikolaus ist ganz am Ende, kleiner als erwartet. Seine Stimme und seine Glocken, die über den Lautsprecher kommen, sind wegen der staubigen Glasscheibe gedämpft; er schaukelt hinter seinem mechanischen Rentier hin und her, sieht durchgeweicht aus und wirft der Menge Kußhändchen zu.

Ich weiß, daß es nicht der echte Nikolaus ist, nur jemand, der sich so verkleidet hat; trotzdem hat sich meine Vorstellung vom Nikolaus gewandelt, hat eine neue Dimension angenommen. Nach diesem hier fällt es mir schwer, noch an ihn zu denken, ohne gleichzeitig an die Schlangen und die Schildkröten und die eingelegten Ochsenaugen zu denken und an die Eidechsen, die in ihren gelben Gläsern treiben, und an den umfassenden, nachhaltenden, würzigen, ehrwürdigen und verlorenen, aber auch tröstlichen Geruch von altem Holz, Möbelpolitur, Formaldehyd und fernen Mäusen.

Unterhosen des Empire

8

Es gibt Tage, an denen ich kaum aus dem Bett komme. Es kostet mich Mühe zu sprechen. Ich zähle meine Fortbewegung in einzelnen Schritten ab, noch einer und noch einer, bis zum Badezimmer. Diese Schritte sind große Leistungen. Ich konzentriere mich darauf, den Verschluß der Zahnpastatube abzuschrauben, die Zahnbürste bis an meinen Mund zu bringen. Nur mit Mühe schaffe ich es, meinen Arm zu heben und es zu tun. Ich habe das Gefühl, nichts wert zu sein und daß nichts, was ich tue, von irgendwelchem Nutzen ist, am wenigsten für mich selbst.

Was hast du zu deiner Verteidigung zu sagen? hatte Cordelia immer gefragt. Und ich erwiderte: *Nichts.* Mit diesem Wort brachte ich mich am Ende in Verbindung, mit einem Nichts, als wäre ich nichts, als gäbe es da überhaupt nichts.

Gestern nacht spürte ich, wie das Nichts näher kam. Es hatte mich noch nicht erreicht, aber es war auf dem Weg zu mir, wie ein Flügelschlag, wie ein Abkühlen des Windes, wie das erste leichte Ziehen einer Strömung. Ich wollte mit Ben reden. Ich rief zu Hause an, aber er war nicht da, der Anrufbeantworter war eingestellt. Ich hörte meine eigene Stimme, freundlich und beherrscht. *Hallo. Ben und ich können im Augenblick nicht ans Telefon kommen, aber hinterlassen Sie bitte eine Nachricht. Wir rufen zurück, sobald wir können.* Dann ein Piepston.

Eine körperlose Stimme, eine Engelsstimme, die durch die Luft weht. Wenn ich in diesem Augenblick tot umfiele, würde sie weitersprechen, ruhig und hilfreich, wie ein elektronisches Nachleben. Fast wäre ich in Tränen ausgebrochen, als ich ihr zuhörte.

»Einen dicken Kuß«, sagte ich in den leeren Raum. Ich schloß die Augen, dachte an die Berge entlang der Küste. Das ist zu Hause, sagte ich zu mir. Dort lebst du wirklich. In dieser Bühnenlandschaft, die viel zu schön ist, wie die Pappkulissen in einem Kinofilm. Es ist nicht echt, nicht eintönig, nicht flach, nicht schmutzig genug. Aber sie arbeiten schon daran. Man geht ein paar Meilen in diese Richtung oder ein paar Meilen in jene, dahin, wohin man aus den Panoramafenstern nicht sehen kann, und schon ist man im Land der Baumstümpfe.

Vancouver ist die Selbstmordhauptstadt dieses Landes. Man geht so lange nach Westen, bis man nicht weiter kann. Man kommt an den Rand. Dann fällt man runter.

Ich krieche unter dem Duvet hervor. Theoretisch bin ich sehr beschäftigt. Es gibt eine Menge zu erledigen, obgleich ich zu nichts davon Lust habe. Ich stöbere den Kühlschrank in der kleinen Küche durch, finde ein Ei, koche es, schlage es in eine Teetasse, verrühre es. Die diversen Kräuterteesorten würdige ich keines Blickes, sondern greife gleich nach dem wahren widerlichen Kaffee. Nervosität in der Tasse. Es tut gut zu wissen, daß ich schon bald so angespannt sein werde.

Ich gehe zwischen den abgetrennten Armen und hohlen Beinen auf und ab, kippe Schwärze in mich hinein. Mir gefällt dieses Studio, hier könnte ich arbeiten. Es hat genau die richtige Dosis Provisorium und Schmutz für mich. Sachen, die auseinanderfallen, machen mir Mut: Was auch geschieht, ich bin in besserer Verfassung als sie.

Heute hängen wir. Ein unglücklicher Ausdruck.

Ich zwänge mich in meine Sachen, bewege meine Arme und Beine, als gehörten sie jemand anderem, jemand, der nicht besonders groß ist oder sich nicht wohl fühlt. Ich ziehe wieder den taubenblauen Trainingsanzug an; ich habe nicht viel Kleidung dabei. Ich gebe nicht gern Gepäck auf, am liebsten stopfe ich alles unter den Flugzeugsitz. Ganz hinten in meinem Kopf hat sich die Vorstellung festgesetzt, daß ich, wenn da oben etwas schiefläuft, einfach meine Tasche unterm Sitz hervorhole und mit einem eleganten Satz aus dem Fenster springe, ohne etwas von meinen Sachen zurückzulassen.

Ich gehe nach unten an die Luft, gehe schnell, mit leicht geöffnetem Mund, die Straße entlang, schlag im Kopf den Rhythmus dazu. *Happy nie die Happy Gang.* Früher habe ich gejoggt, aber das ist nicht gut für die Knie. Von zuviel Beta-Karotin kriegt man eine orangefarbene Haut, von zuviel Kalzium Nierensteine. Gesundheit tötet.

Die alte Leere von Toronto gibt es nicht mehr. Jetzt ist es dort gerammelt voll: Toronto schwillt an, bis es platzt, soviel ist klar. Der Verkehr ist verblüffend, überall Gehupe und Gedrängel, die Leute fahren mit ihren Autos bis mitten auf die Kreuzung und sitzen dort fest, wenn die Ampeln auf Rot schalten. Ich bin froh, daß ich zu Fuß gehe. Jedes Gebäude, an dem ich hier zwischen den Lagerhäusern vorbeikomme, scheint zu schreien: *Renoviert mich! Renoviert mich!* Als ich in einem Immobilienbüro zum ersten Mal die Abkürzung Reno las, hielt ich das für Reno in Nevada, die Spielerstadt. Die Sprache hat mich überholt und läuft mir davon.

Ich komme an die Ecke King und Spadina Street, gehe in nördlicher Richtung weiter. Hier gab es früher die Textilgroßhandlung, wo man die Sachen billiger kaufen konnte, und das ist auch heute noch so; aber die alten jüdischen Delis verschwinden immer mehr, werden von chinesischen Läden, Korbmöbeln, Stickereien, Bambuswindspielen ersetzt. Einige Straßenschilder sind chinesisch untertitelt, das Multikulturelle ist auf dem Vormarsch, bei anderen steht *Das Modezentrum* unter dem Namen. Alles ist jetzt ein Zentrum. Früher gab es nirgends ein Zentrum.

Mir fällt ein, daß ich für die Eröffnung ein neues Kleid brauche. Ich habe natürlich eins mitgebracht; ich habe es sogar schon mit meinem Reisebügeleisen gebügelt, nachdem ich eine Ecke von Jons Arbeitstisch zum Bügeln leergeräumt und ein Handtuch drübergelegt hatte. Das Kleid ist schwarz, denn für solche Gelegenheiten eignet sich Schwarz am besten: ein einfaches, nüchternes schwarzes Kleid, wie die von den Frauen, die in Symphonie-Orchestern Cello spielen. Es ist ganz verkehrt, modischer zu sein als die Klientel.

Aber der Gedanke an dieses Kleid fängt an, mich zu deprimieren. Schwarz zieht Fussel an, und ich habe meine Kleiderbürste vergessen. Ich erinnere mich noch an die Reklame für Klebestreifen aus den vierziger Jahren: Wickeln Sie Klebestreifen um Ihre Hand, mit der Innenseite nach außen, und bürsten Sie so die Fussel von Ihren Kleidern. Ich stelle mir vor, wie ich dort in der Galerie stehe, umgeben von Einzelstücken aus teuren Boutiquen und von echten Perlen, witwenschwarz und voller Fusseln, wo der Klebestreifen nicht hingekommen ist. Es gibt noch andere Farben, Pink zum Beispiel: angeblich macht Pink die Feinde schwach, nachgiebig, läßt sie weich werden, vielleicht ist es deshalb die Farbe für kleine Mädchen. Ein Wunder, daß das Militär noch nicht darauf gekommen ist. Helme in blassem Pink, mit Rosetten, ein ganzes Bataillon, vorwärts zum Brückenkopf, raus aus den Gräben, alle in Pink. Jetzt ist für mich die Zeit gekommen, umzuschalten, ich könnte jetzt ein bißchen Pink gebrauchen.

Ich nehme mir die Auslagen mit den herabgesetzten Preisen vor. Jede wie ein Schrein, von innen beleuchtet, die ausgestellte Göttin, die Hand auf die Hüfte gelegt oder das Bein weit weggestreckt, die Gesichter beige und unnahbar. Elegante Kleider sind wieder in Mode, Schleifen und Flamencorüschen, schulterfrei, mit weiten Röcken, Puffärmel wie Stockrosen aus Tuch: alles, was ich für auf ewig erledigt gehalten habe. Und auch Miniröcke, so schlimm wie eh und je, aber da zieh ich die Grenze. Ich habe sie schon bei der letzten Runde nicht leiden können. Rüschen stehen mir nicht, ich sehe darin verboten aus, und auch schulterfrei ist nichts für mich wegen meines hohen Schlüsselbeins und wegen meiner Ellbogen, die wie Hühnerbeine herausstehen. Was ich brauche, ist was Vertikales, mit ein paar Falten vielleicht.

Ein SONDERANGEBOT-Schild lockt mich in »Die Seidenglanz-Boutique«. Allerdings ist es gar keine richtige Boutique. Vollgestopft mit Restbeständen, zu Billigpreisen. Es ist voll, aber das ist mir gerade recht. Verkäuferinnen schüchtern mich ein, ich lasse mich nicht gern beim Einkaufen ertappen. Verstohlen gehe ich die Verkaufsstände durch, lasse Ziermünzen, Seidenrosen, Goldfäden, mattweißes Leder unbeachtet auf meiner Suche. Was mir vorschwebt, ist etwas, das mich verwandelt, aber das wird immer schwieriger. Wenn man jung ist, fällt es leichter, sich zu verkleiden.

Ich nehme drei Kleider zum Ausprobieren mit in die Kabine: ein lachsfarbenes mit weißen Tupfern in Dollargröße, ein grellblaues mit Satineinsätzen und, um ganz sicherzugehen, eins in Schwarz, das sich auf jeden Fall eignet, wenn die anderen nichts sind. Das lachsfarbene wär mir am liebsten, aber werd ich mit den Tupfern fertig? Ich ziehe es über, mache den Reißverschluß und die Haken zu, drehe mich vor dem Spiegel, der, wie üblich, ungünstig beleuchtet ist, hin und her. Wenn ich einen solchen Laden hätte, würde ich alle Umkleidekabinen rosa streichen und etwas mehr Geld in die Spiegel stecken: denn was immer die Frauen auch sehen wollen, sich selbst bestimmt nicht; jedenfalls nicht in ihrem schlechtesten Licht.

Ich recke den Hals, versuche mich von hinten zu sehen. Vielleicht mit anderen Schuhen oder anderen Ohrringen? Das Preisschild baumelt hin und her, zeigt auf meinen Körper. Da sind die Tupfer, die über eine ziemlich große Fläche rollen. Erstaunlich, wieviel dicker man immer von hinten aussieht. Vielleicht, weil es dort weniger Ablenkung gibt von der Monotonie aus Hügel und Ebene.

Als ich mich wieder umdrehe, sehe ich meine Tasche auf dem Boden liegen, wo ich sie hingelegt habe, und nach so vielen Jahren sollte ich es besser wissen. Sie ist geöffnet. Die Wand der Kabine reicht nur bis ungefähr dreißig Zentimeter über den Boden, und in dem Spalt, dort unten, zieht sich gerade geräuschlos ein Arm zurück, die Hand hält mein Portemonnaie. Die Fingernägel glänzen Day-Glo-grün.

Ich trete mit meinem nackten Fuß hart auf das Handgelenk. Ich höre einen Aufschrei, lautes, mehrstimmiges Gekicher: Jugendliche auf dem Zug, Schulmädchen auf der Pirsch. Mein Portemonnaie fällt zu Boden, wie von der Tarantel gestochen fährt die Hand zurück.

Ich reiße die Tür auf. *Zum Teufel mit dir, Cordelia!* denke ich.

Aber Cordelia ist schon längst nicht mehr da.

9

Die Schule, in die wir geschickt werden, liegt ein ganzes Stück entfernt, an einem Friedhof vorbei, über eine Schlucht hinweg, durch eine breite kurvenreiche Straße, an der ältere Häuser stehen. Sie heißt Queen Mary Public School. Morgens gehen wir mit unserem Mittagessen in Papiertüten in unseren neuen festen Winterschuhen über den gefrorenen Matsch und durch die Überbleibsel eines Obstgartens bis zu der nächsten asphaltierten Straße; dort warten wir, bis der Schulbus angeholpert kommt, den Hügel hinauf und über die Schlaglöcher hinweg. Ich habe meinen neuen Skianzug an, meinen Rock habe ich um die Beine gewickelt und in die weiten Beine der Skihose gestopft, die beim Gehen aneinanderreiben. Man kann nicht mit Hosen in die Schule gehen, man muß einen Rock anhaben. Daran bin ich nicht gewöhnt, genausowenig wie an das Stillsitzen hinter einem Pult.

Wir essen unser Mittagbrot in dem kalten, schlecht beleuchteten Keller der Schule, wo wir unter Aufsicht in einer Reihe auf langen verschrammten Bänken sitzen, mit einer Girlande aus Heizungsrohren über unseren Köpfen. Die meisten Kinder gehen mittags zum Essen nach Hause, nur die aus dem Schulbus müssen hierbleiben. Wir bekommen kleine Flaschen mit Milch, die wir mit Strohhalmen austrinken, die wir durch die Pappdeckel der Flaschen stecken. Es ist das erste Mal, daß ich mit Strohhalm trinke, und es verblüfft mich.

Das Schulgebäude selbst ist alt und groß, aus leberbraunen Backsteinen, mit hohen Decken, langen bedrohlichen Fluren mit Holzfußböden und Heizkörpern, die entweder voll aufgedreht oder gar nicht an sind, so daß uns entweder zu heiß ist oder wir vor Kälte zittern. Die Fenster sind hoch und schmal und in viele einzelne Scheiben unterteilt, auf denen aus Papier geschnittene Figuren kleben; jetzt sind es Schneeflocken, denn es ist Winter. Es gibt eine Vordertür, die aber niemals von den Kindern benutzt wird. An der Rückseite sind zwei grandiose, mit Schnitzereien verzierte Eingänge, und über den Türen steht in geschwungener, feierlicher

Schrift: MÄDCHEN und JUNGEN. Wenn die Lehrerin auf dem Schulhof ihre Messingglocke läutet, müssen wir uns zu zweit aufstellen, nach Klassen geordnet, Mädchen und Jungen jeweils in einer eigenen Reihe, und durch unsere getrennten Türen gehen. Die Mädchen fassen sich an den Händen, die Jungen nicht. Wenn man durch die falsche Tür geht, kriegt man eins mit dem Riemen – jedenfalls sagen das alle.

Die JUNGEN-Tür macht mich sehr neugierig. Was mag das für ein Gefühl sein, durch eine andere Tür zu gehen, wenn man ein Junge ist? Was befindet sich dahinter, wofür man sich einen Schlag mit dem Riemen verdienen kann? Mein Bruder sagt, die Treppe dahinter sei nichts Besonderes, eine ganz gewöhnliche Treppe. Ein getrenntes Klassenzimmer haben die Jungen nicht, sie sind mit uns zusammen. Sie gehen durch ihre Tür JUNGEN und gelangen an denselben Ort wie wir. Ich sehe ein, daß die Jungen vielleicht ein eigenes Klo haben müssen, schließlich pinkeln sie anders als wir, und auch daß sie einen eigenen Schulhof haben, kann ich verstehen, weil sie immer so schubsen und sich prügeln. Aber das mit der Tür wundert mich. Ich würde da gern mal reinsehen.

Außer den getrennten Türen haben Jungen und Mädchen auch verschiedene Schulhöfe. Vorn, vor dem Lehrereingang, befindet sich ein Spielfeld, das mit roter Asche bedeckt ist, da ist der Spielplatz für die Jungen. Neben dem Schulhaus, von der Straße abgewandt, ist ein Hügel, in den Holzstufen gelegt sind, auf denen man raufklettern kann, ausgewaschene Rillen am Hang und oben ein paar verkümmerte Immergrün-Büsche. Nach altem Brauch gehört der Hügel den Mädchen, und die älteren stehen in Dreier- oder Vierergruppen dort oben, stecken die Köpfe zusammen, flüstern. Manchmal rennen die Jungen allerdings auch den Hügel hinauf, brüllend und die Arme schwenkend. Der zementierte Platz vor den Türen für JUNGEN und MÄDCHEN gehört allen, da ihn auch die Jungen überqueren müssen, um zu ihrer Tür zu gelangen.

Meinen Bruder sehe ich in der Schule nur beim Aufstellen. Zu Hause haben wir ein Telefon mit zwei Blechbüchsen und einem Stück Schnur installiert, der unsere beiden Schlafzimmerfenster miteinander verbindet und nicht besonders gut funktioniert. Wir schieben uns Zettel unter der Tür durch, auf denen in der Geheimschrift Außerirdischer Nachrichten stehen, in denen jede Menge X und Z vorkommen und die erst entschlüsselt werden müssen. Wir schubsen und stoßen uns unter dem Tisch, während unsere Gesichter oben unbeweglich geradeaus über das Tischtuch blicken; manchmal binden wir unsere Schuhbänder zusammen, um Signale zu geben. Das sind die Hauptkommunikationsformen, die zwischen meinem Bruder und mir stattfinden, scheppernde Blechbüchsenmeldungen, Sätze ohne Vokale, Morsezeichen mit den Füßen.

Aber tagsüber verliere ich ihn aus den Augen, sobald wir aus dem Haus sind. Er geht weit vor mir, wirft mit Schneebällen, und im Bus sitzt er immer hinten, in einem lauten Knäuel älterer Jungen. Und wenn die Schule aus ist, läuft er, nachdem er mit den Prügeleien, die in jeder Schule von einem Neuen erwartet werden, durch ist, auf und davon, um mitzuhelfen, gegen die Jungen von der katholischen Schule in der Nähe Krieg zu führen. Die Schule heißt Unsere Liebe Frau der Immerwährenden Hilfe, aber die Jungen aus unserer Schule nennen sie Unsere Liebe Frau der Immerwährenden Hölle. Die Jungen aus dieser katholischen Schule sollen sehr grob sein, sie tun angeblich Steine in ihre Schneebälle.

Bei diesen Anlässen hüte ich mich, mit meinem Bruder zu reden oder ihn oder irgendeinen anderen Jungen auf mich aufmerksam zu machen. Jungen, die jüngere Schwestern haben, oder überhaupt eine Schwester oder eine Mutter, werden verspottet; das ist wie mit neuen Sachen zum Anziehen. Wenn mein Bruder irgendwas Neues bekommt, macht er es ganz schnell schmutzig, damit man es nicht merkt; und wenn er mit mir oder meiner Mutter irgendwo hingehen muß, geht er ein Stück vor oder hinter uns oder auf der anderen Straßenseite. Wenn er meinetwegen verhöhnt wird, muß er sich noch mehr prügeln. Es wäre gemein von mir, ihn anzureden, ihn beim Namen zu rufen. Das kann ich verstehen, deshalb passe ich auf.

Und so bleiben mir nur die Mädchen, endlich richtige Mädchen, aus Fleisch und Blut. Aber ich bin es nicht gewohnt, mit Mädchen umzugehen, und ihre Sitten und Gebräuche sind mir fremd. Mir ist unbehaglich, wenn ich mit ihnen zusammen bin, ich weiß nicht, was ich sagen soll. Ich kenne die Spielregeln der Jungen, die stillschweigend befolgt werden, aber bei Mädchen habe ich ständig das

Gefühl, jeden Augenblick am Rande eines unvorhergesehenen, katastrophalen Schnitzers zu stehen.

Ein Mädchen namens Carol Campbell freundet sich mit mir an. Eigentlich kann sie gar nicht anders, denn sie ist das einzige Mädchen aus meiner Klasse, das auch mit dem Schulbus fährt. Die Kinder, die mit dem Bus in die Schule kommen und ihr Mittagbrot im Keller essen, anstatt nach Hause zu gehen, werden ein bißchen wie Ausländer behandelt, und es besteht die Gefahr, daß sie beim Aufstellen, wenn es läutet, niemanden haben, mit dem sie sich in die Reihe stellen können. Daher sitzt Carol im Schulbus neben mir, hält beim Aufstellen meine Hand, flüstert mit mir und ißt neben mir auf der Holzbank im Keller.

Carol wohnt in einem der älteren Häuser auf der anderen Seite des aufgegebenen Obstgartens, ein bißchen näher an der Schule; es ist ein gelbes Backsteinhaus, zweistöckig und mit grünen Läden an den Fenstern. Sie ist ein untersetztes Mädchen und lacht gern und oft. Sie sagt, ihre Haare seien honigblond und ihr Haarschnitt ein Bubikopf und daß sie alle zwei Monate zum Friseur gehen müsse, um ihn sich schneiden zu lassen. Ich wußte gar nicht, daß es so was wie Bubiköpfe und Friseure gibt. Meine Mutter geht nicht zum Friseur. Sie trägt ihr Haar lang, nur an den Seiten hochgesteckt, wie bei den Frauen auf den Kriegsplakaten, und meine Haare sind nie geschnitten worden.

Carol und ihre jüngere Schwester haben für den Sonntag Kleider, die zusammenpassen: braune Tweedmäntel mit Samtkragen, runde braune Samthüte mit einem Gummiband unter dem Kinn, damit sie nicht wegfliegen. Sie haben braune Handschuhe und kleine braune Täschchen. Das alles erzählt sie mir. Sie gehören der anglikanischen Kirche an. Carol fragt mich, zu welcher Kirche ich gehöre, und ich sage ihr, daß ich es nicht weiß. In Wirklichkeit gehen wir nie in die Kirche.

Nach der Schule gehen Carol und ich zusammen nach Hause, nicht denselben Weg, den wir morgens mit dem Schulbus fahren, sondern einen anderen Weg, durch Seitenstraßen und über eine zerfallende Holzbrücke für Fußgänger, die über die Schlucht führt. Man hat uns gesagt, daß wir diesen Weg nicht allein gehen und daß wir nicht hinunter in die Schlucht dürfen. Dort unten könnten Männer sein, sagt

Carol. Keine gewöhnlichen Männer, sondern solche, die irgendwie anders sind, schattenhaft, namenlos, die einem etwas antun könnten. Sie lächelt und flüstert, wenn sie *Männer* sagt, als handle es sich um einen besonders aufregenden Witz. Wir überqueren die Brücke leichten Fußes, weichen den Stellen aus, an denen die Bretter durchgefault sind, und halten Ausschau nach Männern.

Carol lädt mich nach der Schule in ihr Haus und zeigt mir ihren Schrank mit ihren Kleidern. Sie hat eine Menge Kleider und Röcke; sie hat sogar einen Morgenmantel und dazu passende weiche Pantoffeln. Ich habe noch nie so viele Mädchenkleider auf einem Haufen gesehen.

Sie läßt mich von der Tür aus in ihr Wohnzimmer sehen, aber reingehen dürfen wir nicht. Sie selbst darf auch nicht rein, außer wenn sie Klavierspielen übt. Im Wohnzimmer stehen ein Sofa und zwei Sessel und dazu passende Vorhänge, alle aus einem rosageblümten beigefarbenen Stoff, Chintz, wie Carol sagt. Sie spricht es voller Ehrfurcht aus, als wäre es irgend etwas Heiliges, und ich spreche es in Gedanken nach: *Chintz*. Das hört sich an wie der Name eines Flußkrebses oder irgendeines außerirdischen Wesens auf dem fernen Planeten meines Bruders.

Carol erzählt mir, daß ihre Klavierlehrerin ihr mit einem Lineal auf die Finger haut, wenn sie eine falsche Note spielt, und daß ihre Mutter sie mit der Rückseite der Haarbürste oder auch mit einem Hausschuh schlägt. Und wenn es sich um etwas wirklich Schlimmes handelt, muß sie warten, bis ihr Vater nach Hause kommt und sie mit seinem Gürtel verdrischt, auf den nackten Po. All diese Dinge sind geheim. Sie sagt, ihre Mutter singe in einem Radioprogramm mit, unter einem anderen Namen, und wir hören tatsächlich, wie ihre Mutter im Wohnzimmer mit lauter zittriger Stimme Tonleitern übt. Sie sagt, ihr Vater nehme in der Nacht ein paar von seinen Zähnen raus und lege sie in ein Wasserglas neben seinem Bett. Sie zeigt mir das Glas, aber es sind keine Zähne drin. Es scheint nichts zu geben, was sie nicht erzählen würde.

Sie erzählt mir von Jungen in der Schule, die angeblich in sie verliebt sind, aber ich muß ihr versprechen, es nicht weiterzusagen. Sie fragt mich, welche Jungen in mich verliebt sind. Darüber habe ich mir noch gar keine Gedanken gemacht, aber ich sehe ein, daß sie darauf eine Antwort erwartet, irgendeine. Ich sage ihr, daß ich mir nicht ganz sicher bin.

Carol kommt zu mir nach Hause und nimmt alles in sich auf – die ungestrichenen Wände, die Drähte, die aus den Decken ragen, die unfertigen Fußböden, die Armeepritschen – mit ungläubigem Frohlocken. »Da drin *schläfst* du?« sagt sie. »Und da *ißt* du? Das sind deine *Kleider*?« Meine meisten Anziehsachen, nicht gerade viel, sind Hosen und Strickjacken. Ich besitze zwei Kleider, eins für den Sommer und eins für den Winter, und einen Umhang und einen Rock aus Wollstoff für die Schule. Ich habe plötzlich den Verdacht, daß ich vielleicht mehr haben sollte.

Carol erzählt allen in der Schule, daß wir bei uns zu Hause auf dem Fußboden schlafen. Sie tut so, als würden wir es mit Absicht tun, weil wir vom Land kommen; wir glaubten eben daran, das zu tun. Sie ist enttäuscht, als unsere richtigen Betten aus dem Lager eintreffen, mit vier Beinen und Matratzen, so wie die Betten von allen anderen Leuten auch. Sie verbreitet, daß ich nicht wisse, welcher Kirche ich angehöre, und daß wir an einem Kartentisch essen. Sie gibt diese Einzelheiten nicht etwa geringschätzig weiter, sondern so, als handle es sich um exotische Besonderheiten. Schließlich stehe ich beim Aufstellen neben ihr, und sie will, daß man mich bestaunt. Genauer gesagt, möchte sie selbst angestaunt werden, weil sie solch erstaunliche Dinge zu berichten weiß. Es ist, als berichtete sie von den grotesken Riten eines primitiven Stammes: wahr, aber unglaublich.

10

Am Samstag nehmen wir Carol Campbell zum Gebäude mit. Als wir hineingehen, rümpft sie die Nase und fragt: »Hier *arbeitet* euer Vater?« Wir zeigen ihr die Schlangen und die Schildkröten; sie stößt einen Ton aus, der so ähnlich wie »iih« klingt, und sagt, daß sie die nicht anfassen würde. Das überrascht mich; meine Eltern haben mich schon so lange daran gewöhnt, nicht so zu empfinden, daß ich diese Gefühle gar nicht mehr habe. Genau wie Stephen. Es gibt kaum etwas, das wir nicht anfassen würden, wenn wir dazu Gelegenheit haben.

Ich glaube, Carol Campbell ist ein Angsthase. Aber gleichzeitig merke ich, daß ich fast ein bißchen stolz auf ihre Empfindlichkeit bin. Mein Bruder mustert sie mit komischen Blicken: mit Verachtung, ja, und wenn ich so was sagte, würde er sich bestimmt über mich lustig machen. Aber in seinen Blicken schwingt etwas mit, etwas wie ein unsichtbares Nicken, als habe sich etwas, das er schon immer geahnt hat, nun doch bewahrheitet.

Eigentlich müßte er sie von jetzt an ignorieren, aber er versucht es noch mal mit den Gläsern, in denen die Eidechsen und die Ochsenaugen sind. »Iih«, sagt sie. »Stell dir vor, jemand steckt dir eine hinten ins Kleid?« Mein Bruder fragt, was sie davon hält, ein paar davon zum Abendessen serviert zu bekommen? Er gibt kauende und schmatzende Geräusche von sich.

»Iih«, sagt Carol und verzieht das Gesicht und schüttelt sich. Ich kann nicht so tun, als wäre ich entsetzt und angeekelt. Das würde mir mein Bruder nicht abnehmen. Und ich kann auch nicht mitmachen, als er damit anfängt, sich widerwärtige Speisen auszudenken, Kriechburgers und Blutegelkaugummi, was ich, wenn wir allein oder mit anderen Jungen zusammen wären, bedenkenlos tun würde. Also halte ich den Mund.

Als wir von dem Gebäude zurückkommen, gehe ich mit zu Carol. Sie fragt mich, ob ich den neuen Twinset ihrer Mutter sehen möchte. Ich weiß nicht, was sie damit meint, aber es hört sich interessant an, deshalb sage ich ja. Sie führt mich verstohlen ins Schlafzimmer ihrer Mutter und sagt, daß sie wirklich dran ist, wenn man uns erwischt, und zeigt mir den Twinset, der zusammengelegt auf einem Bord liegt. Der Twinset ist nichts weiter als zwei Pullis, beide von derselben Farbe, der eine mit Knöpfen vorn, der andere ohne. Ich habe Mrs. Campbell schon mal in einem anderen Twinset gesehen, einem beigefarbenen, aus dem ihre Brüste vorne rausstachen, und den Pulli mit Knöpfen hatte sie wie ein Cape um ihre Schultern gelegt. Das ist also alles. Ich bin enttäuscht, ich hatte irgendwas mit Zwillingen erwartet.

Carols Mutter und Vater schlafen nicht in einem großen Bett, wie meine Eltern es tun. Sie schlafen in zwei kleinen Betten, die völlig gleich sind, mit passenden rosafarbenen Chenille-Bettdecken drauf und passenden Nachttischchen daneben. Diese Betten heißen Zwillingsbetten, was mir einleuchtender vorkommt als das Twinset. Trotzdem ist es komisch, sich vorzustellen, wie Mr. und Mrs. Campbell in der Nacht darin liegen, mit verschiedenen Köpfen – seiner mit einem Schnurrbart, ihrer ohne –, aber trotzdem wie Zwillinge identisch unter den Decken. Die Bettdecken, die Nachttischchen, die Lampen, die Kommoden, alles und jedes in ihrem Schlafzimmer ist doppelt da – deshalb denke ich wahrscheinlich, daß Carols Eltern wie Zwillinge sind. Das Zimmer meiner Eltern ist nicht so symmetrisch und auch nicht so ordentlich.

Carol sagt, daß ihre Mutter Gummihandschuhe anzieht, wenn sie das Geschirr abwäscht. Sie zeigt mir diese Gummihandschuhe und eine Art Sprühdose, die am Wasserhahn befestigt ist. Sie dreht den Hahn auf und besprüht das Innere des Spülbeckens damit und aus Versehen auch den Fußboden, bis Mrs. Campbell in ihrem beigefarbenen Twinset reinkommt, die Stirn runzelt und sagt, daß wir lieber nach oben spielen gehen sollen. Vielleicht runzelt sie auch gar nicht die Stirn. Ihr Mund ist ein bißchen nach unten gebogen, auch wenn sie lächelt, so daß sich schwer sagen läßt, ob sich freut oder nicht. Ihre Haare haben die gleiche Farbe wie die von Carol, aber sie sind in einer Dauerwelle über den ganzen Kopf verteilt. Es ist Carol, die mich darauf hinweist, daß es sich um eine Dauerwelle handelt. Eine Dauerwelle hat nichts mit Wasser zu tun. Sie sieht aus wie Puppenhaar, sehr ordentlich, und so, als wäre das Haar an der Kopfhaut festgenäht.

Je verwirrter ich bin, um so zufriedener scheint Carol. »Du hast nicht gewußt, was eine *Dauerwelle* ist?« sagt sie begeistert. Sie ist ganz versessen darauf, mir Dinge zu erklären, ihnen Namen zu geben, sie mir vorzuführen. Sie geleitet mich durch ihr Haus, als wäre es ein Museum, als hätte sie alles, was drin steht, eigenhändig zusammengetragen. Unten im Flur, neben einem Kleiderständer – »Du kennst keinen *Kleiderständer?*« –, sagt sie, daß ich ihre beste Freundin bin.

Carol hat noch eine andere Freundin, die manchmal ihre beste Freundin ist und manchmal nicht. Sie heißt Grace Smeath. Carol zeigt sie mir im Bus, genauso wie sie mir den Twinset und den Kleiderständer gezeigt hat: als einen Gegenstand, der Bewunderung verlangt.

Grace Smeath ist ein Jahr älter und eine Klasse über uns. In der Schule spielt sie mit den Mädchen aus ihrer Klasse. Aber nach der Schule und am Samstag spielt sie mit Carol. Auf unserer Seite der Schlucht gibt es keine Mädchen aus ihrer Klasse.

Grace wohnt in einem zweistöckigen roten Backsteinwürfel mit einer Veranda davor, die von zwei dicken runden weißen Pfeilern getragen wird. Sie ist größer als Carol, hat dickes sprödes dunkles Haar, das zu zwei Zöpfen geflochten ist. Ihre Haut ist sehr blaß, wie Körper unter Badeanzügen, aber von Sommersprossen überzogen. Sie trägt eine Brille. Gewöhnlich hat sie einen grauen Rock mit Schulterträgern an und einen roten Pullover, der mit kleinen Wollkügelchen besetzt ist. Ihre Sachen riechen ein bißchen wie das Haus der Smeaths, nach Scheuersand und gekochten Rüben und schmutziger Wäsche und der Erde unter Terrassen. Ich finde Grace schön.

Ich gehe samstags nicht mehr ins Gebäude. Statt dessen spiele ich mit Carol und Grace. Weil es Winter ist, spielen wir meistens im Haus. Mit Mädchen zu spielen ist anders, und zuerst komme ich mir komisch vor dabei, befangen, als täte ich nur so, als wär ich ein Mädchen. Aber es dauert nicht lange, bis ich mich daran gewöhnt habe.

Wir spielen meistens, was sich Grace ausdenkt, denn wenn wir was spielen wollen, wozu sie keine Lust hat, kriegt sie Kopfschmerzen und geht nach Hause, oder sagt, daß wir nach Hause gehen müssen. Sie wird nie laut, nie wütend und weint auch nie; sie ist still vorwurfsvoll, als wären wir schuld an ihrem Kopfschmerz. Und weil uns mehr daran liegt, mit ihr zu spielen, als ihr, mit uns zu spielen, geht immer alles nach ihrem Kopf.

Wir malen die Bilder in Graces Filmstar-Malbuch an, das die Filmstars in verschiedenen Kleidern zeigt und wie sie verschiedene Dinge tun: Sie führen ihre Hunde aus, gehen in Segelanzügen segeln, wirbeln in Abendkleidern durch den Ballsaal. Der Lieblingsfilmstar von Grace ist Esther Williams. Ich habe keinen Lieblingsfilmstar – ich war noch nie in einem Kino –, aber ich sage, es sei Veronica Lake, weil mir der Name gefällt. Das Veronica Lake-Buch besteht aus ausschneidbaren Ankleidepuppen, Veronica Lake in ihrem Badeanzug und mit mehreren Dutzend weiterer Kostüme, die man ihr mit kleinen Schlaufen über die Schultern hängen kann. Grace läßt nicht zu, daß wir diese Kleidungsstücke ausschneiden, aber wir dürfen die Papierpuppe an- und ausziehen, sobald sie selbst es getan hat, und wir dürfen auch in ihrem Malbuch malen, solange wir innerhalb der Linien bleiben. Sie möchte, daß diese Bücher alle angemalt werden. Sie sagt uns, welche Farben wir für die einzelnen Teile nehmen sollen. Ich weiß, was mein Bruder tun würde – grüne Haut für Esther, Fühler von Käfern und haarige Beine für Veronica, acht Stück –, aber ich tue es lieber nicht. Auf jeden Fall gefallen mir die Anziehsachen.

Wir spielen Schule. Grace hat ein paar Stühle und einen Holztisch in ihrem Keller und eine kleine Tafel und Kreide. Wir stellen sie unter der Wäscheleine auf, die im Haus gespannt ist und auf der die Unterwäsche der Smeaths zum Trocknen aufgehängt wird, wenn es draußen regnet oder schneit. Der Keller ist nicht fertig ausgebaut: Der Boden ist aus Zement, die Pfeiler, die das Haus stützen, sind aus Ziegelsteinen, die Wasserrohre und Drähte liegen nicht unter Putz, und die Luft riecht nach Kohlenstaub, denn der Kohleverschlag steht direkt neben der Schultafel.

Grace ist immer die Lehrerin, und Carol und ich sind immer die Schülerinnen. Wir müssen Rechtschreibübungen machen und Rechenaufgaben lösen; es ist wie in der richtigen Schule, nur noch schlimmer, weil wir nie Bilder malen dürfen. Wir können auch nicht so tun, als störten wir den Unterricht, denn Grace mag keine Unordnung.

Oder wir sitzen bei Grace im Zimmer, auf dem Fußboden, zwischen ganzen Stößen alter Eaton-Kataloge. Ich habe auch früher schon welche gesehen: Oben im Norden liegen sie auf den Klohäuschen und werden als Toilettenpapier verwendet. Die Eaton-Kataloge erinnern mich an den Geruch dieser Plumpsklos, an das Summen der Fliegen, unten in dem Loch, an den Karton mit Kalk und den Holzlöffel, um den Kalk auf die alten und neueren Haufen, die in allen Formen und Brauntönen unten liegen, zu streuen. Aber hier behandeln wir diese Kataloge voller Respekt. Wir schneiden die kleinen bunten Figuren aus und kleben sie in Sammelhefte. Dann schneiden wir auch noch andere Dinge aus – Kochtöpfe, Möbel – und kleben sie rund um die Figuren. Die Figuren sind immer Frauen. Wir bezeichnen sie als »meine Dame«. »Meine Dame bekommt diesen Kühlschrank«, sagen wir. »Meine Dame bekommt diesen Vorleger.« »Das ist der Regenschirm von meiner Dame.«

Grace und Carol zeigen sich gegenseitig ihre vollgeklebten Heftseiten und sagen: »Ach, deins ist so schön. Meins ist nicht so schön. Meins ist *schrecklich*.« Das sagen sie jedesmal, wenn wir mit den Einklebeheften spielen. Ihre Stimmen klingen schmeichlerisch und falsch; ich kann genau hören, daß sie es gar nicht so meinen, jede von ihnen findet ihre eigene Dame auf ihrer eigenen Seite am schönsten. Aber man muß so was eben sagen, deshalb sage ich es nach einiger Zeit auch.

Ich finde dieses Spiel ermüdend – es ist das Gewicht, die Ansammlung all dieser Dinge, der Besitz, um den man sich kümmern, den man zusammenpacken, in Autos stopfen, wieder auspacken müßte. Ich weiß eine ganze Menge über Umzüge. Aber Carol und Grace sind noch nie umgezogen. Jede ihrer Damen wohnt in einem Haus, in dem sie schon immer gewohnt hat. Sie können immer mehr und mehr Sachen dazutun, die Seiten ihrer Hefte mit Eßzimmereinrichtungen, Betten, Stapeln von Handtüchern, einem Geschirrservice nach dem anderen anfüllen, ohne sich was dabei zu denken.

Ich fange an, Sachen zu wollen, die ich früher nie wollte: Zöpfe, einen Morgenmantel, eine eigene Handtasche. Etwas tut sich mir auf, enthüllt sich mir. Ich sehe, daß es eine ganze Welt von Mädchen und dem, was sie tun, gibt, eine Welt, von der ich bis jetzt nichts gewußt habe, und daß ich dazugehören kann, ohne mich auch nur im geringsten anzustrengen. Ich brauche mit niemandem Schritt zu halten, nicht genausoschnell zu laufen, nicht genausogut zu zielen, keine laut knallenden Töne auszustoßen, keine Botschaften zu entschlüsseln, nicht auf Befehl zu sterben. Ich brauche mir keine Gedanken zu machen, ob mir all dies gut gelungen ist, genausogut wie einem Jungen. Ich brauche nichts anderes zu tun, als mich auf den Boden zu setzen und mit einer Handarbeitsschere aus dem Eaton-Katalog Bratpfannen auszuschneiden und zu sagen, daß es nicht schön geworden ist. Zum Teil ist das eine Erleichterung.

11

Zu Weihnachten bekomme ich von Carol ein paar Fläschchen Friendship's Garden-Badesalz, und von Grace einen Bildband von Virginia Mayo. Ich packe ihre Geschenke als allererste aus.

Ich bekomme auch ein Fotoalbum, für die Bilder, die ich mit meinem Fotoapparat mache. Die Seiten und der Einband sind schwarz, sie sind mit etwas zusammengebunden, das wie ein dicker schwarzer Schnürsenkel aussieht; dazu gehört ein Päckchen mit schwarzen Dreiecken, die auf einer Seite kleben und in die man die Fotos stecken kann. Bis jetzt habe ich mit meinem Fotoapparat nur einen einzigen Film verknipst. Ich überlege mir jedesmal genau, wie das Bild aussehen wird, wenn ich auf den Knopf drücke. Ich will keine Bilder vergeuden. Wenn die Bilder entwickelt sind und ich sie zurückerhalte, kriege ich auch die Negative. Ich halte sie gegen das Licht: Alles, was auf dem richtigen Bild weiß ist, ist auf dem Negativ schwarz. Schnee, zum Beispiel, ist schwarz, und auch die Augen und Zähne der Leute auf den Fotos.

Mit den schwarzen Dreiecken klebe ich die Bilder in das Album. Ein paar der Bilder sind von meinem Bruder, wie er mit Schneebällen ausholt und zu werfen droht. Ein paar sind von Carol, ein paar von Grace. Von mir gibt es nur das eine Bild, auf dem ich vor der Moteltür mit der Neun stehe, das war vor ziemlich langer Zeit, vor einem Monat. Schon jetzt sieht dieses Kind viel jünger aus, ärmer, weiter entfernt, eine geschrumpfte, einfältige Ausgabe meiner selbst.

Außerdem bekomme ich zu Weihnachten auch noch ein rotes Plastiktäschchen, oval, mit einer goldgetönten Spange und einem Griff oben. Im Haus ist sie weich und schmiegsam, aber draußen in der Kälte wird sie hart, so daß die Sachen, die ich hineingesteckt habe, klappern. Ich bewahre mein Taschengeld darin auf, fünf Cents die Woche.

Inzwischen haben wir im Wohnzimmer einen Hartholzfußboden, den meine Mutter auf den Knien bohnert und dann mit einer schweren Bürste an einem Besenstiel poliert. Wenn sie die Bürste hin- und

72

herschiebt, macht sie ein Geräusch wie Brandungswellen. Die Wohnzimmerwände sind gemalt, alles ist jetzt fest installiert, auch die Fußbodenleisten sind befestigt. Wir haben sogar Vorhänge; sie werden Gardinen genannt. Die öffentlichen, sichtbaren Teile des Hauses sind zuerst fertig gemacht worden.

Unsere Schlafzimmer bleiben in einem etwas roheren Zustand. Dort haben die Fenster noch keine Gardinen. Wenn ich nachts in meinem Bett liege, kann ich durch mein Fenster sehen, wie es draußen schneit, weil durch das Schlafzimmerfenster meines Bruders, neben meinem, Licht fällt.

Es ist die dunkelste Zeit des Jahres. Sogar tagsüber scheint es dunkel zu sein; und am Abend, wenn die Lampen brennen, ist alles von dieser Dunkelheit erfüllt wie von Nebel. Draußen brennen nur ein paar Straßenlaternen, und sie stehen weit auseinander und sind nicht besonders hell. Die Lampen in den Häusern geben ein gelbliches Licht ab, es ist nicht kalt und grün, sondern ein mattes Buttergelb mit einem Stich ins Bräunliche. Alle Farben in den Häusern sind von Dunkelheit durchsetzt: kastanienbraun, pilzbeige, mattgrün, ein staubiges Rosa. Diese Farben sehen ein bißchen schmutzig aus, wie die viereckigen Fächer in einem Tuschkasten, wenn man vergißt, den Pinsel auszuwaschen.

Wir haben eine kastanienbraune Truhe, die aus dem Speicher gekommen ist, mit einem rot und braun gemusterten Teppich davor. Wir haben eine Stehlampe mit drei Birnen. In dem abendlichen Lampenlicht ist die Luft geronnen wie eingedickter Mostrich; schwerere Lichtschichten sammeln sich in den Wohnzimmerecken. Während der Nacht sind die Gardinen zugezogen, Lagen und Lagen von Stoff, gegen den Winter zusammengezogen, das trübe schwere Licht hortend, im Hause haltend.

In diesem Licht breite ich die Abendzeitung auf den gebohnerten Hartholzdielen aus und lese, mit aufgestützten Ellbogen und auf den Knien, die Comics. In den Comics gibt es Menschen, die runde Löcher als Augen haben, andere, die einen auf der Stelle hypnotisieren können, andere, deren Identität geheim ist, wieder andere, die ihr Gesicht in alle möglichen Formen verwandeln können. Ich bin eingehüllt in den Geruch von frischer Druckerschwärze und Bohnerwachs, in den Kommodengeruch meiner kratzenden Socken, der sich mit dem meiner verschorften Knie vermischt, in den kratzigen warmen Geruch von Wolldecken und das strenge Katzenklo-Aroma von Baumwollunterhosen. Hinter mir spielt das Radio als Einstimmung in die Sechsuhrnachrichten Don Messer and His Islanders, Square Dance aus den Küstenprovinzen. Das Radio ist aus dunklem poliertem Holz und hat ein einzelnes grünes Auge, das in der Skala entlanggleitet, wenn man den Knopf dreht. Zwischen den verschiedenen Stationen gibt das Auge unheimliche Geräusche aus dem Weltraum von sich. Radiowellen, sagt Stephen.

Grace Smeath fragt mich jetzt oft, ob ich nach der Schule mit zu ihr komme, aber Carol fragt sie nicht. Sie erklärt Carol, daß sie einen Grund hat, sie nicht einzuladen: es ist wegen ihrer Mutter. Ihre Mutter ist müde, so daß Grace nicht mehr als eine beste Freundin nach Hause mitbringen kann.

Die Mutter von Grace hat ein krankes Herz. Grace macht daraus kein Geheimnis, wie Carol das tun würde. Sie sagt es sachlich, höflich, so als würde sie einen bitten, sich die Füße auf der Matte abzutreten; aber auch ein wenig selbstzufrieden, als hätte sie irgendein Privileg oder eine moralische Überlegenheit, die wir beide nicht teilen können. Es ist dieselbe Einstellung, die sie gegenüber dem Gummibaum hat, der in ihrem Haus auf halber Höhe auf dem Treppenabsatz steht. Es ist die einzige Pflanze in ihrem Haus, und wir dürfen sie nicht anfassen. Sie ist sehr alt und muß Blatt um Blatt mit Milch abgewischt werden. Mrs. Smeaths krankes Herz ist genauso. Seinetwegen müssen wir auf Zehenspitzen gehen, ganz leise, unser Lachen unterdrücken, tun, was Grace sagt. Kranke Herzen haben durchaus ihren Nutzen; sogar ich kann das sehen.

Mrs. Smeath muß sich jeden Nachmittag ausruhen. Das tut sie nicht in ihrem Schlafzimmer, sondern auf dem Sofa im Wohnzimmer, lang ausgestreckt, ohne Schuhe und in eine Strickdecke eingewickelt. So finden wir sie immer vor, wenn wir nach der Schule zu Grace gehen, um zu spielen. Wir kommen durch die Hintertür herein, steigen die Treppenstufen zur Küche hinauf, bemühen uns, so leise wie möglich zu sein, wenn wir ins Wohnzimmer gehen, bis zu der französischen Doppeltür, die auf die Veranda führt, durch deren Glasscheiben wir spähen und feststellen, ob ihre Augen offen oder zu sind. Sie schläft nie. Aber es besteht immer die Möglichkeit – das hat Grace uns in demselben sachlichen Ton eingeschärft –, daß sie jeden Tag tot sein könnte.

Mrs. Smeath ist nicht wie Mrs. Campbell. Zum Beispiel besitzt sie keine Twinsets, sie verachtet sie. Das weiß ich, weil Mrs. Smeath einmal, als Carol mit den Twinsets ihrer Mutter angab, »Ach, wirklich« sagte, und zwar nicht als Frage, sondern um Carol das Wort abzuschneiden. Sie legt keinen Lippenstift und auch keinen Gesichtspuder auf, nicht einmal, wenn sie ausgeht. Sie ist kräftig gebaut und hat quadratische Zähne mit Lücken dazwischen, so daß man jeden Zahn einzeln sieht, ihre Haut ist so rauh, als hätte sie sie mit einer Kartoffelbürste geschrubbt. Ihr Gesicht ist rund und nichtssagend, so weiß wie das von Grace, aber ohne Sommersprossen. Sie trägt eine Brille, wie Grace auch, aber ihre hat ein Stahlgestell, kein braunes. Ihr Haar trägt sie in einem Mittelscheitel, an den Schläfen wird es schon grau, es ist geflochten und mit einem Gewirr von Haarnadeln zu einer flachen Haarkrone hochgesteckt.

Sie trägt bedruckte Hauskleider, nicht nur morgens, sondern die meiste Zeit. Über den Kleidern trägt sie Latzschürzen, die unter den Brüsten ausgeleiert sind, so daß es aussieht, als habe sie nur eine Brust und nicht zwei, eine einzige Brust vor ihrem Körper, bis runter zur Taille. Sie trägt feste Baumwollstrümpfe mit Nähten, so daß es aussieht, als wären ihre Beine ausgestopft und hinten zusammengenäht. Sie trägt braune Halbschuhe. Manchmal hat sie statt der Strümpfe dünne Baumwollsocken an, und ihre Beine ragen weiß und so dünn behaart wie ein Frauenschnurrbart daraus hervor. Sie hat auch einen Schnurrbart, wenn auch keinen sehr starken, nur ein paar Härchen um die Mundwinkel. Sie lächelt oft, die Lippen über den großen Zähnen geschlossen; aber sie lacht nicht, genau wie Grace.

Sie hat große Hände, knochig und rot vom Waschen. Es gibt viel zu waschen, weil Grace noch zwei jüngere Schwestern hat, die von ihr Röcke und Blusen und auch Unterhosen weitergereicht bekommen. Ich bin es gewohnt, von meinem Bruder die Pullover zu bekommen, aber keine Unterhosen. Diese Unterhosen, dünn und grau verfärbt vom Alter, hängen über unseren Köpfen auf der Leine, wenn wir bei Grace im Keller sitzen und so tun, als wären wir Schulkinder.

Vor dem Valentinstag müssen wir in der Schule aus rotem Papier Herzen ausschneiden und mit Schnipseln aus Papierdeckchen verzieren und an die hohen schmalen Fensterscheiben kleben. Als ich meine ausschneide, muß ich an das kranke Herz von Mrs. Smeath denken. Was ist damit nicht in Ordnung? Ich stelle mir vor, wie es sich unter ihrer Wolldecke und ihrer gewölbten Schürze versteckt und in dem dicken fleischigen Dunkel ihres Körpers pumpt: unantastbar, intim. Bestimmt ist es rot, mit einem rötlich-schwarzen Fleck oben drauf, wie die faule Stelle an einem Apfel, oder wie ein blauer Fleck. Es tut weh, wenn ich daran denke. Ein kleiner scharfer Stich fährt durch meinen Körper, genau wie damals, als sich mein Bruder seinen Finger an einem Stück Glas schnitt. Aber dieses kranke Herz ist auch unwiderstehlich. Es ist eine Kuriosität, eine Mißbildung. Eine schreckliche Kostbarkeit.

Tag für Tag drücke ich die Nase gegen die Scheiben der französischen Tür, um mich davon zu überzeugen, daß Mrs. Smeath noch am Leben ist. So werde ich sie für alle Zeiten vor mir sehen: unbeweglich daliegend, wie etwas in einem Museum, den Kopf auf dem Sofaschoner, der auf der Sofalehne befestigt ist, mit einem Kopfkissen unter dem Nacken und hinter ihr, auf dem Treppenabsatz, der Gummibaum, während sie den Kopf zur Seite dreht, um uns anzusehen, mit ihrem abgescheuerten Gesicht, das ohne die Brille in dem dunklen Raum weiß und merkwürdig hell schimmert, wie ein phosphoreszierender Pilz. Sie ist zehn Jahre jünger, als ich es heute bin. Warum hasse ich sie so? Warum interessiere ich mich auch nur im geringsten dafür, was in ihrem Kopf vorging?

12

Der Schnee verwäscht und bleibt in den Schlaglöchern auf den Straßen bei unserem Haus als matschige Flüssigkeit zurück. Über Nacht bilden sich auf diesen Tümpeln dünne Eisblasen; wir zerhacken sie mit unseren Stiefelabsätzen. Von den Dachvorsprüngen splittern Eiszapfen und fallen herunter, und wir lesen sie auf und lecken an ihnen, als wäre es Eis am Stiel. Wir lassen unsere Fausthandschuhe an den Bändern baumeln. Wenn wir aus der Schule kommen, sehen wir auf dem Heimweg nasses Papier unter den Hecken, alte Hundehaufen und Krokusse, die durch den körnigen, rußiggrauen Schnee stoßen. In den Rinnsteinen fließt bräunlich gefärbtes Wasser; die Holzbrücke über der Schlucht ist rutschig und weich und hat ihren modrigen Geruch zurückgewonnen.

Unser Haus sieht aus wie nach einem Krieg übriggeblieben: drumherum Schutt, Verheerung. Meine Eltern stehen, die Hände in die Hüften gestemmt, hinter dem Haus, betrachten die Schlammwüste und planen ihren Garten. Schon jetzt ragen hier und da Queckebüschel aus dem Boden. Quecke wächst überall, sagt mein Vater. Er sagt auch, daß der Bauunternehmer, derselbe, der sich aus dem Staub gemacht hat, den festen Lehm von der Kellerausschachtung rings um das Haus verteilt hat, über die Muttererde. »Nicht nur ein Gauner, auch ein Idiot«, sagt mein Vater.

Mein Bruder beobachtet den Wasserspiegel in dem großen Loch neben unserer Haustür und wartet darauf, daß das Loch endlich austrocknet, damit er es als Bunker verwenden kann. Er hätte gern ein Dach darüber gezogen, aus Stöcken und alten Planken, aber das wird nicht gehen, weil das Loch viel zu groß ist, und außerdem würde man es ihm nicht erlauben. Deshalb hat er den Plan, dort unten einen Tunnel zu graben, an der Seite des Lochs, und über eine Strickleiter rauf- und runterzuklettern. Er hat keine Strickleiter, aber er sagt, daß er sich eine machen wird, wenn er einen Strick hat.

Er und die anderen Jungen rennen durch den Schlamm; an ihren Stiefelsohlen bilden sich große Extrafüße aus Lehm und hinterlassen

Spuren wie von Monstern. Sie ducken sich in dem alten Obstgarten hinter die Bäume, beschießen sich und schreien:

»Du bist tot!«

»Bin ich nicht!«

»Du bist tot!«

Oder sie drängen sich alle im Zimmer meines Bruders, liegen auf dem Bauch auf seinem Bett oder auf dem Fußboden, blättern in seinen Riesenstapeln von Comic-Heften. Manchmal mache ich mit, wühle in den bunten Seiten herum, eingehüllt in den abgestandenen Geruch der Jungen. Jungen riechen anders als Mädchen. Sie haben einen scharfen, ledrigen Geruch, wie etwas von untendrunter, wie alte Stricke, wie feuchte Hunde. Wir halten die Tür geschlossen, weil meine Mutter Comics nicht mag. Das Lesen der Comics geht in ehrfürchtigem Schweigen vor sich, nur ab und zu wird einsilbig über einen Tausch verhandelt.

Mein Bruder sammelt jetzt Comics. Irgendwas hat er immer gesammelt. Früher waren es Milchflaschendeckel von Dutzenden verschiedener Molkereien; er trug ganze Bündel davon in seinen Taschen mit sich herum, sie wurden mit Gummibändern zusammengehalten, er warf Milchflaschendeckel gegen andere Jungen an die Wand, um neue dazuzugewinnen. Dann waren es Brause- und Cocaverschlüsse, dann Zigarettenbilder, dann Autoschilder aus den verschiedenen Provinzen und Staaten. Es gibt keine Möglichkeit, Comic-Hefte zu gewinnen. Statt dessen tauscht man, ein gutes gegen drei oder vier weniger wertvolle.

In der Schule schneiden wir Ostereier aus, in Rosa und Rot und Blau, und kleben sie an die Fenster. Danach Tulpen, und schon bald danach gibt es die richtigen Tulpen. Es scheint die Regel zu sein, daß die Papiersachen immer vor den richtigen auftauchen.

Grace bringt ein langes Springseil mit, und sie und Carol zeigen mir, wie man es schwingt. Während wir es herumschwingen, singen wir mit monotonen hellen Stimmen:

Salome, die Tänzerin, tanzt den Hoochie Kootch;
und wenn sie Hoochie Kootchie tanzt,
sind ihre Kleider footsch.

Grace legt eine Hand auf den Kopf und die andere an die Hüfte und wackelt mit dem Hintern. Sie tut das mit vollkommenem Anstand; sie hat ihren Faltenrock mit den Schulterträgern an. Ich weiß, daß Salome eigentlich mehr wie die Filmstars in unseren Anziehpuppenheften aussehen sollte. Ich stelle mir durchsichtige Röcke vor, hochhackige Schuhe mit Sternen an den Zehen, Hüte, die mit Früchten und Federn besteckt sind, hochgezogene Augenbrauen, dünn wie Bleistiftstriche; Fröhlichkeit und Ausschweifung. Aber Grace mit ihrem Faltenrock und ihren Schulterträgern schafft es, das alles auszulöschen.

Unser zweites Spiel ist Probe. Wir spielen es an der Wand von Carols Haus. Wir werfen unsere Gummibälle gegen die Wand und fangen sie auf, wenn sie wieder runterkommen, und klatschen in die Hände und drehen uns um uns selbst und singen:

Werfen, laufen, lachen, reden, mit der einen Hand,
mit der andern Hand, mit dem einen Fuß, mit dem
andern Fuß, vorne klatschen, hinten klatschen,
hinten und vorn, vorn und hinten, didel, deideldum,
Knicks und Gruß und rundherum.

Bei *rundherum* wirft man den Ball und dreht sich einmal um sich selbst, bevor man ihn wieder auffängt. Das ist am schwersten, noch schwerer als mit der linken Hand.

Die Sonne bleibt immer länger am Himmel und geht goldrot unter. Die Weidenbäume werfen gelbe Kätzchen über die Brücke; die Ahornflügel drehen sich im Fallen um sich selbst, und wir ziehen die klebrigen Samenschalen auseinander und stecken sie uns wie Zwicker auf die Nase. Die Luft ist warm, feucht, wie unsichtbarer Nebel. Zur Schule haben wir Baumwollkleider und Wolljacken an, die wir ausziehen, wenn wir nach Hause gehen. Die alten Bäume im Obstgarten stehen in Blüte, weiß und rosa; wir klettern hinauf, atmen ihre Handlotion-Düfte, oder wir sitzen im Gras und flechten Ketten aus Löwenzahn. Wir machen Graces Zöpfe auf, so daß ihr Haar in dicken braunen Wellen über ihren Rücken fällt, und winden ihr die Löwenzahnketten wie eine Krone um den Kopf. »Jetzt bist du eine Prinzessin«, sagt Carol und streicht ihr über das Haar. Ich mache ein Foto von Grace und klebe es in mein Fotoalbum. Da sitzt sie, geziert lächelnd, mit Blumen geschmückt.

Auf dem Feld gegenüber von Carols Haus schießen neue Häuser aus dem Boden, und am Abend klettern Kinder, Jungen und Mädchen, in ihnen herum, in dem frischen Holzgeruch von Hobelspänen, spazieren durch Wände, die noch gar nicht existieren, klettern auf Leitern, an deren Stelle schon bald Treppen sein werden. Das ist verboten.

Carol klettert nicht in die oberen Stockwerke, weil sie Angst hat. Grace klettert auch nicht rauf, aber nicht, weil sie Angst hat: Sie will nur nicht, daß jemand, irgendein Junge, ihre Unterhosen sieht. In der Schule dürfen die Mädchen keine Hosen tragen, aber Grace zieht auch nach der Schule nie welche an. Und so stehen die beiden unten im Erdgeschoß, während ich raufklettere, die Balken entlang, zwischen denen noch keine Decken gezogen sind, und dann weiter hinauf bis in den Dachboden. Ich sitze ganz oben unterm Dach im Gebälk, in diesem Haus aus Luft, bade in der rotgoldenen Sonne, die jetzt untergeht, blicke nach unten. Ich denke nicht ans Fallen. Noch habe ich keine Angst vor Höhen.

Eines Tages erscheint jemand mit einem Beutel Murmeln auf dem Schulhof, und am nächsten Tag haben alle welche. Die Jungen lassen den Jungenspielplatz in Stich und kommen in Scharen auf den gemeinsamen Spielplatz vor den Türen, auf denen JUNGEN und MÄDCHEN steht; sie müssen hierherkommen, weil man zum Murmelspielen einen glatten Boden braucht, und der Jungenschulhof ist ein Ascheplatz.

Beim Murmelspielen ist man entweder derjenige, der das Ziel vorgibt, oder derjenige, der wirft. Beim Werfen geht man auf ein Knie, nimmt Maß und rollt die Murmel wie eine Kugel beim Kegeln auf die Zielmurmel zu. Wenn man sie trifft, bekommt man sie und auch die eigene Murmel. Wenn man sie verfehlt, verliert man seine Murmel. Wenn man das Ziel vorgibt, setzt man sich, die Beine weit auseinander, auf den Boden und legt eine Murmel vor sich auf einen Riß im Zement. Es kann eine ganz gewöhnliche Murmel sein, allerdings werfen dann nicht so viele danach, außer man setzt zwei Murmeln gegen eine. Meistens sind die Zielmurmeln wertvoller: Katzenaugen, klares Glas mit einer Blume aus farbigen Blütenblättern in der Mitte, rot oder gelb oder grün oder blau; Puris, pur einfarbige Kugeln, lupenrein wie gefärbtes Wasser oder Saphire oder Rubine; Wasserbabys, in denen bunte Staubfäden wie unter Wasser schweben; Bowlies, Metallkugeln; Aggies, Tonkugeln, wie Murmeln, nur größer. All diese exotischen Exemplare gehen von Gewinner zu Gewinner. Sie zu kaufen ist Betrug, man muß sie gewinnen.

Die Zielmurmeln werden von ihren Besitzern laut ausgerufen: *Puri, Puri, Baby, Baby,* die einzelnen Silben werden in einer Art Singsang gedehnt, die Stimme fällt ab, als riefe man Hunde oder Kinder, die weggelaufen sind. Diese Rufe klingen trauernd, auch wenn das gar nicht beabsichtigt ist. Ich sitze selbst ganz genau so da, die kalten Murmeln rollen zwischen meine gespreizten Beine, sammeln sich in meinem ausgebreiteten Rock, und ich rufe mit Kummer in der Stimme: *Katzenauge, Katzenauge,* und verspüre nichts als Habgier und köstlichen Schrecken.

Die Katzenaugen sind meine Lieblinge. Wenn ich wieder eins gewonnen habe, warte ich, bis ich allein bin, und dann hole ich es hervor und sehe es mir an, drehe es im Licht hin und her. Die Katzenaugen sind wirklich wie Augen, aber nicht wie die Augen von Katzen. Sie sind wie die Augen von etwas Unbekanntem, das es aber trotzdem gibt; wie das grüne Auge am Radio; wie die Augen von Außerirdischen auf einem fernen Planeten. Mein Lieblingskatzenauge ist blau. Ich hebe es in meinem roten Plastiktäschchen auf, damit es nicht verlorengeht. Ich setze meine anderen Katzenaugen aufs Spiel und lasse auf sie werfen, aber nicht dieses blaue.

Ich habe nicht viele Murmeln, denn ich bin kein guter Werfer. Mein Bruder ist von tödlicher Zielsicherheit. Er geht mit fünf ganz gewöhnlichen Murmeln, die in einer Crown Royal-Whisky-Tüte stecken, in die Schule, und wenn er wieder nach Hause kommt, sind die Tüte und alle seine Taschen ausgebeult. Er hebt seine Gewinne in Gläsern mit Schraubverschlüssen auf, die er von meiner Mutter hat und auf seinem Schreibtisch in einer Reihe aufstellt. Aber er verliert nie ein Wort über seine Geschicklichkeit. Er stellt einfach nur die Gläser auf.

Eines Samstags legt er am Nachmittag seine schönsten Murmeln – seine Puris, Wasserbabys und Katzenaugen, seine Edelsteine und

Kostbarkeiten – in ein Glas. Er nimmt das Glas und bringt es irgendwo runter in die Schlucht, unter die Holzbrücke, und vergräbt es dort. Dann zeichnet er eine sehr genau ausgearbeitete Schatzkarte, auf der eingetragen ist, wo er die Murmeln vergraben hat; er steckt die Karte in ein anderes Glas und vergräbt es ebenfalls. Er erzählt mir, daß er das getan hat, aber er sagt nicht, warum, und auch nicht, wo die Gläser vergraben sind.

13

Das unfertige Haus und sein Vorgarten aus Schlamm und der Lehmberg daneben bleiben hinter uns zurück; ich betrachte sie durch das Rückfenster des Autos, in dem ich, eingeklemmt zwischen Kartons mit Essen, Schlafsäcken und Regenmänteln, sitze. Ich habe eine blaugestreifte Wolljacke von meinem Bruder und abgewetzte Cordhosen an. Grace und Carol stehen unter den Apfelbäumen, in ihren Röcken, sie winken mir nach, verschwinden. Sie müssen noch in die Schule gehen; ich nicht. Ich beneide sie. Schon hüllt mich der Reisegeruch von Teer und Gummi ein, aber ich heiße ihn nicht willkommen. Ich werde aus meinem neuen Leben gerissen, dem Leben von Mädchen.

Ich überlasse mich wieder dem vertrauten Anblick von Hinterköpfen und Ohren und dem weißen Strich des Highways dahinter. Wir fahren durch die Felder und Wiesen mit ihren Silos und Ulmen und ihrem Geruch nach frisch geerntetem Heu. Die großblättrigen Bäume werden kleiner, es kommen immer mehr Nadelhölzer, die Luft wird kühler, der Himmel nimmt ein eisigeres Blau an; wir lassen den Frühling immer weiter hinter uns zurück. Wir kommen zu den ersten Granitrücken, den ersten Seen; in den Schatten liegt noch Schnee. Ich beuge mich nach vorn, stütze meine Arme auf die Rücklehne des Vordersitzes. Ich komme mir vor wie ein Hund, mit gespitzten Ohren, schnuppernd.

Der Norden riecht anders als die Stadt: klarer, dünner. Man kann weiter sehen. Eine Sägemühle, ein Berg aus Sägemehl, ein Sägemehlbrenner in Form eines Indianerzelts; die Schornsteine der Kupferschmelzer, die Felsen ringsum ohne Bäume, verbrannt aussehend, Haufen geschwärzter Schlacke: All dies hatte ich den ganzen Winter über vergessen, aber jetzt ist alles wieder da, und als ich es sehe, erinnere ich mich daran, ich erkenne es wieder, ich begrüße es, als wäre es mein Zuhause.

Männer stehen an Ecken, vor Läden, vor kleinen Bankgebäuden, vor Bierstuben aus grauen Asphaltschindeln. Ihre Hände sind in den

Taschen ihrer Windjacken vergraben. Manche haben dunkle Indianergesichter, andere sind einfach nur braun. Ihr Gang ist anders als der von Männern im Süden, langsamer, bedächtiger; sie reden nicht so viel, und da sind längere Pausen zwischen ihren Wörtern. Mein Vater klappert mit den Schlüsseln und dem Wechselgeld in seinen Taschen, während er mit ihnen redet. Sie reden vom Wasserspiegel, von der Trockenheit in den Wäldern und davon, wie die Fische beißen. »'n bißchen quatschen«, nennt er das. Er kommt mit einer braunen Einkaufstüte voller Lebensmittel zum Wagen zurück und verstaut sie hinter meinen Füßen.

Mein Bruder und ich stehen neben einem halbverfallenen Bootssteg an einem langgezogenen blauen, von zerklüfteten Felsen gesäumten See. Es ist Abend, mit einem melonenfarbenen Sonnenuntergang und den Rufen von Eistauchern aus der Ferne, ein gedehnter, ansteigender Ton, wie das Heulen von Wölfen. Wir angeln. Es gibt eine Menge Moskitos, aber ich bin an sie gewöhnt, ich mache mir kaum noch die Mühe, nach ihnen zu schlagen. Das Angeln geht ohne Worte vor sich: das Auswerfen der Leine, das Aufschlagen des Köders, das Geräusch des Einholens. Wir behalten den Köder im Auge, um festzustellen, ob etwas ihm folgt. Wenn es ein Fisch ist, tun wir unser Bestes, ihn in den Kescher zu bekommen, dann treten wir auf ihn, um ihn festzuhalten, und versetzen ihm einen Schlag über den Kopf, stoßen ihm hinter den Augen ein Messer in den Kopf. Ich besorge das Drauftreten, mein Bruder den Schlag und das Abstechen. Trotz seines Schweigens ist er angespannt, wach, die Mundwinkel straff. Ich überlege, ob meine Augen in der rosafarbenen Dämmerung genauso glühen wie seine, wie die eines Tieres.

Wir leben in einem verlassenen Holzfällerlager. Wir schlafen auf unseren Luftmatratzen, in unseren Schlafsäcken, in den Holzkojen, in denen früher die Holzfäller geschlafen haben. Schon jetzt wirkt das Holzfällerlager sehr alt, obgleich es erst zwei Jahre leersteht. Manche Holzfäller haben Inschriften hinterlassen, ihren Namen, ihre Initialen, ineinander verschlungene Herzen, kurze schmutzige Wörter und grobschlächtige Bilder von Frauen, die in die Holzbalken der Wände geschnitzt oder mit Bleistift hingemalt sind. Ich finde eine alte Dose mit Ahornsirup, der Deckel ist verrostet, aber als Stephen und ich sie endlich aufkriegen, ist der Sirup verschimmelt. Für mich ist diese Sirupdose ein Relikt, wie etwas, das bei einer alten Grabstätte ausgegraben wurde.

Wir streifen durch den Wald, stöbern zwischen den Bäumen herum, suchen nach Knochen, nach Hügeln im Boden, die ein Zeichen für Ausgrabungen sein könnten, für Umrisse von Gemäuern, wir drehen Stämme und Felssteine um, um nachzusehen, was darunter ist. Wir würden gern eine untergegangene Zivilisation entdecken. Wir finden einen Käfer, viele kleine gelbe und weiße Wurzeln, eine Kröte. Nichts Menschliches.

Unser Vater hat seine Stadtbekleidung abgelegt, ist wieder er selbst geworden. Er hat seine alte Jacke an, seine ausgebeulten Hosen, seinen zerdrückten Filzhut, in dem die Angelfliegen stecken. In seinen schweren, mit Speck eingeriebenen Schnürstiefeln stampft er durch die Wälder, mit einer Axt im Lederholster und mit uns im Gefolge. In den Wäldern hat sich der Ringelspinner in diesem Jahr wie noch nie vermehrt: Er frohlockt, seine Gnomenaugen leuchten in seinem Kopf wie blaugraue Knöpfe. Die Raupen sind überall in den Wäldern, gestreift und borstig. Sie hängen an Seidenfäden von den Zweigen, bilden einen hängenden Vorhang, den man aus dem Weg schieben muß; sie wälzen sich über den Boden wie ein zu Leben erwachter Teppich, sie überqueren die Straßen, verwandeln sich unter den Rädern der Holzlaster zu einem körnigen Brei. Die Bäume in ihrer Nähe sind kahlgefressen, als wären sie verbrannt; um ihre Stämme liegen die Fäden der Raupen wie Netze.

»Merkt euch das eine«, sagt unser Vater. »Das hier ist eine klassische Plage. Es wird lange dauern, bis ihr eine solche Plage noch einmal zu sehen bekommt.« So habe ich die Leute über Waldbrände reden hören oder über den Krieg: Respekt und Staunen vermischt mit dem Gefühl einer Katastrophe.

Mein Bruder bleibt stehen und läßt die Raupen über seine Füße kriechen, an der einen Seite rauf und an der anderen Seite wieder runter, wie eine Welle. »Als du noch ganz klein warst, hab ich dich dabei ertappt, wie du welche essen wolltest«, sagt unsere Mutter. »Du hattest eine ganze Handvoll, du hast sie zerquetscht. Du warst drauf und dran, sie dir in den Mund zu stopfen, als ich's gemerkt hab.«

»In mancher Hinsicht sind sie wie ein einziges Tier«, sagt unser Vater. Er sitzt an dem Brettertisch, den die Holzfäller zurückgelassen haben, und ißt gebratenes Dosenfleisch und Kartoffeln. Während des ganzen Essens redet er von den Ringelspinnern: wie viele es sind, wie geschickt sie sind, welche verschiedenen Methoden es gibt, sie zu bekämpfen. Es ist falsch, sie mit DDT und anderen Insektiziden zu besprühen, sagt er. Das vergiftet nur die Vögel, die ihre natürlichen Feinde sind, während sie selbst, da sie ja Insekten und daher erfinderisch sind, sogar erfinderischer als die Menschen selbst, eben einfach gegen die Sprühmittel resistent werden, so daß am Ende nichts anderes herauskommt als tote Vögel und immer mehr Ringelspinner. Er arbeitet an etwas anderem: einem Wachstumshormon, das ihr System durcheinanderbringt und sie dazu verführt, sich zu verpuppen, bevor es Zeit ist. Vorzeitiges Altern. Aber wenn er zu Wetten neigte, sagt er, dann würde er sein Geld auf die Insekten setzen. Insekten sind älter als Menschen, sie haben mehr Erfahrung im Überleben, und es gibt von ihnen sehr viel mehr, als es Menschen gibt. Und außerdem werden wir uns wahrscheinlich sowieso noch vor Ende dieses Jahrhunderts mit der Atombombe in die Luft jagen, so wie sich die Dinge entwickeln. Die Zukunft gehört den Insekten.

»Kakerlaken«, sagt mein Vater, »das ist das einzige, was übrigbleibt, wenn's soweit ist.« Er sagt das ganz vergnügt, spießt dabei eine Kartoffel auf.

Ich sitze da und esse das gebratene Dosenfleisch und trinke meine Milch, die aus Pulver angerührt ist. Am besten schmecken mir die kleinen Klumpen, die obendrauf schwimmen. Ich denke an Carol und Grace, meine beiden besten Freundinnen. Gleichzeitig kann ich mich gar nicht mehr genau erinnern, wie sie aussehen. Hab ich wirklich im Schlafzimmer von Grace auf dem Fußboden gesessen, auf ihrem geflochtenen Bettvorleger, und Bilder von Bratpfannen und Waschmaschinen aus dem Eaton-Katalog geschnitten und in ein Heft geklebt? Es kommt mir bereits jetzt höchst unwahrscheinlich vor, und doch weiß ich, daß ich es getan habe.

Hinter dem Holzfällerlager ist ein riesiger Kahlschlag, wo die Bäume gefällt wurden. Nur die Wurzeln und Baumstümpfe sind übrig. Eine Menge Sand gibt es dort. Und es wachsen da Blaubeersträucher, wie nach einem Feuer: erst das Afterkreuzkraut, dann die Blaubeeren. Wir pflücken die Beeren in Blechkannen. Unsere Mutter zahlt uns einen Cent für die Kanne. Sie macht daraus Blaubeerpudding und Blaubeersoße und eingemachte Blaubeeren, die sie in Gläsern in einem großen Kessel im Freien über dem Feuer einkocht.

Die Sonne brennt herunter, die Hitze steigt flimmernd vom Sand auf. Ich habe ein Baumwolltaschentuch auf dem Kopf, das zu einem Dreieck gefaltet und hinter den Ohren befestigt ist, und das vorn ganz feucht ist vom Schweiß. Um uns herum surren Fliegen. Ich bemühe mich, darüber hinwegzuhören, darüber hinaus, konzentriere mich auf das Geräusch von Bären. Ich bin nur nicht sicher, wie es sich anhören würde, aber ich weiß, daß Bären Blaubeeren mögen und daß sie unberechenbar sind. Manchmal laufen sie weg. Sie können aber auch hinter einem herkommen. Wenn sie kommen, sollte man sich auf den Boden legen und so tun, als wäre man tot. Jedenfalls sagt das mein Bruder. Dann gehen sie vielleicht wieder weg, sagt er; oder sie holen dir deine Eingeweide raus. Ich kenne die Eingeweide von Fischen, so daß ich es mir ziemlich gut vorstellen kann. Mein Bruder findet einen Haufen Bärenkot, blau und gesprenkelt und wie von einem Menschen, und er stochert mit einem Stock darin herum, um festzustellen, wie frisch er ist.

An den Nachmittagen, wenn es zu heiß ist, um Beeren zu pflücken, schwimmen wir in dem See, in demselben Wasser, aus dem die Fische kommen. Ich darf nicht weiter hinein, als ich stehen kann. Das Wasser ist eisig kalt, trübe; dort unten, weiter hinten, wo der Sand nach unten abfällt und es tief wird, gibt es Felsblöcke, die mit Schlamm überzogen sind, versunkene Baumstämme, Krebse, Blutegel, riesige Hechte mit vorspringendem Kiefer. Stephen sagt, Fische können riechen. Er sagt, daß sie uns riechen und uns ausweichen.

Wir sitzen am Ufer, auf den Felsen, die auf dem schmalen Strand aus dem Sand ragen, und werfen Brotstücke ins Wasser, um zu sehen, wen wir damit verführen können: Elritzen, ein paar Flußbarsche. Wir suchen uns flache Steine und lassen sie auf dem Wasser hüpfen, oder wir üben rülpsen, oder wir legen unseren Mund an die Innenseite unserer Arme und pusten ganz fest, um Furztöne zu erzeugen, oder wir nehmen den Mund voller Wasser und spucken es, so weit wie möglich, wieder aus. Bei diesen Wettspielen gewinne ich nie, bin eher wie ein Zuschauer; obgleich mein Bruder gar nicht angibt damit und wahrscheinlich nur für sich genau dasselbe tun würde, auch wenn ich nicht da wäre.

Manchmal schreibt er pinkelnd was auf den schmalen Sandstreifen oder aufs Wasser. Er gibt sich dabei große Mühe, als wäre es wichtig, daß es gut gelingt; der feine Strahl kommt im Bogen vorne aus seiner Badehose, seiner Hand und ihrem Extrafinger, die Schrift ist eckig, wie seine richtige Schrift, und sie endet immer mit einem Punkt. Seinen Namen schreibt er nie und auch keine schmutzigen Wörter, wie andere Jungen es tun, das weiß ich von den Schneehaufen. Aber er schreibt: MARS. Oder, wenn er glaubt, daß er es schaffen kann, etwas Längeres: JUPITER. Bis zum Ende des Sommers hat er das gesamte Sonnensystem bereits dreimal in Pinkelschrift geschrieben.

Es ist Mitte September; die Blätter färben sich schon, dunkelrot, hellgelb. Nachts, wenn ich aufs Klo muß, ohne Taschenlampe durch die Dunkelheit, weil ich so besser sehen kann, stehen die Sterne scharf und kristallklar am Himmel, und vor mir geht mein Atem. Durch das Fenster sehe ich meine Eltern, die neben der Kerosinlampe sitzen, sie sind wie ein fernes Bild in einem Rahmen aus Schwärze. Es ist beunruhigend, sie so zu beobachten, durch das Fenster, und zu wissen, daß sie nicht wissen, daß ich sie sehen kann. Es ist, als gäbe es mich nicht, oder sie nicht.

Als wir aus dem Norden in die Stadt zurückkommen, ist es so, als kämen wir von einem Berg herab. Wir steigen durch Schichten von Klarheit, Kühle und ungebrochenem Licht hinunter, an den letzten Granitausläufern vorbei, an dem letzten kleinen See mit zerklüfteten Ufern, hinunter in die dickere Luft, die Feuchtigkeit und die warme Schwere, in das Zirpen der Grillen und die Strauch- und Wiesengerüche des Südens.

Am Nachmittag erreichen wir unser Haus. Es sieht fremd aus, anders, wie verzaubert. Überall sind Disteln und Goldruten in die Höhe geschossen, wie eine Dornenhecke, aus dem Schlamm. Das große Loch und der Lehmberg von nebenan sind verschwunden, an ihrer Stelle steht dort ein neues Haus. Wie konnte das geschehen? Auf solche Veränderungen war ich nicht gefaßt.

Grace und Carol stehen unter den Apfelbäumen, an genau derselben Stelle, an der ich sie zurückgelassen habe. Aber sie sehen nicht mehr so aus wie vorher. Sie sehen überhaupt nicht aus wie die Bilder von ihnen, die ich in den vergangenen vier Monaten in meinem Kopf mit mir herumgetragen habe, wechselnde Bilder, mit nur wenigen Merkmalen. Vor allem sind sie größer; und sie haben andere Sachen an.

Sie kommen nicht herübergelaufen, hören nur mit dem auf, was sie gerade tun, und starren uns an, als wären wir neu hier, als hätte ich noch nie zuvor hier gewohnt. Bei ihnen ist ein drittes Mädchen. Ich sehe sie an, ohne Vorahnung. Ich habe sie noch nie gesehen.

14

Grace winkt. Nach einem Moment winkt auch Carol. Das dritte Mädchen winkt nicht. Sie stehen zwischen den Astern und den Goldruten und warten, während ich auf sie zugehe. Die Apfelbäume sind mit vernarbten Äpfeln bedeckt, mit roten und gelben; ein paar von den Äpfeln sind abgefallen und verfaulen am Boden. Es riecht süßlich und gärig, und die Luft ist vom Summen berauschter Wespen erfüllt. Die Äpfel am Boden zerquetschen unter meinen Füßen.

Grace und Carol sind brauner, weniger teigig; ihre Gesichter breiter, ihre Haare heller. Das dritte Mädchen ist größer als die beiden. Sie trägt keinen Sommerrock wie Grace und Carol, sondern Cordhosen und einen Pullover. Carol und Grace sind stämmig, aber dieses dritte Mädchen ist dünn, ohne zerbrechlich zu wirken: schlaksig, sehnig. Sie hat dunkelblonde Haare, einen langen Pagenschnitt und Ponyfransen, die ihr fast in die grünen Augen fallen. Ihr Gesicht ist länglich, ihr Mund ein wenig schief; die Oberlippe ist etwas schräg, als wäre sie aufgeschnitten und danach schief zusammengenäht worden.

Aber wenn sie lächelt, wird ihr Mund gerade. Sie lächelt wie eine Erwachsene, als hätte sie es einstudiert und täte es aus Höflichkeit. Sie streckt mir die Hand entgegen. »Hallo, ich bin Cordelia. Und du mußt...«

Ich starre sie an. Wenn sie eine Erwachsene wäre, würde ich die Hand nehmen, sie schütteln, ich wüßte, was ich sagen kann. Aber Kinder geben sich nicht so die Hand.

»Elaine«, sagt Grace.

Cordelia gegenüber bin ich schüchtern. Ich habe zwei Tage lang auf dem Rücksitz des Autos verbracht, habe in einem Zelt geschlafen; mir ist bewußt, wie schmutzig ich bin, und wie ungekämmt. Cordelia sieht an mir vorbei zu meinen Eltern, die das Auto abladen. Ihr Blick ist prüfend, belustigt. Ohne mich umzudrehen, kann ich den alten Filzhut meines Vaters sehen, seine Stiefel, die Bartstoppeln in seinem Gesicht, die ungeschnittenen Haare meines Bruders und seinen abgewetzten Pullover und die ausgebeulten Hosenbeine, die grauen Hosen meiner Mutter, ihr kariertes Männerhemd, ihr Gesicht ohne jedes Make-up.

»Du hast Hundekacke an den Schuhen«, sagt Cordelia.

Ich sehe nach unten. »Das ist nur ein verfaulter Apfel.«

»Aber es ist dieselbe Farbe, nicht?« sagt Cordelia. »Nicht die harte, sondern die, die weich und quatschig ist wie Erdnußbutter.« Ihre Stimme hat jetzt einen vertraulichen Ton, als ginge es um irgendwelche intimen Dinge, von denen nur sie und ich wissen und in denen wir einer Meinung sind. Sie zieht einen Kreis, nur für uns beide.

Cordelia wohnt ein Stückchen weiter östlich als ich, in einem der Häuser, die noch nicht einmal so alt sind wie unseres, mit der gleichen aufgewühlten Erde ringsherum. Aber ihr Haus ist kein Bungalow, es hat zwei Stockwerke. Im Erdgeschoß hat es ein Eßzimmer, das durch einen Vorhang vom Wohnzimmer getrennt ist. Man kann ihn zurückziehen, um beide Zimmer in einen einzigen großen Raum zu verwandeln. Sie haben ein Bad ohne Badewanne, das Gästetoilette genannt wird.

Die Farben in Cordelias Haus sind heller als die in anderen Häusern. Hellgrau und hellgrün und weiß. Zum Beispiel ist das Sofa apfelgrün. Nichts ist geblümt oder braun oder aus Samt. Da ist ein Bild mit grauem Rahmen, auf dem die beiden älteren Schwestern von Cordelia dargestellt sind, in Pastelltönen gemalt, als sie noch kleiner waren, beide in Faltenröcken mit flauschigem Haar und verhangenem Blick. Es gibt dort echte Blumen, gleich mehrere Sorten auf einmal, die in dicken geschwungenen Vasen aus schwedischem Glas stecken. Cordelia erklärt uns, daß sie aus schwedischem Glas sind. Schwedisches Glas ist das beste, sagt sie.

Cordelias Mutter arrangiert die Blumensträuße selbst, sie trägt dabei Gartenhandschuhe. Meine Mutter arrangiert keine Blumen. Manchmal steckt sie welche in einen Krug und stellt sie auf den Eßtisch, aber das sind Blumen, die sie selbst gepflückt hat, auf ihren Trainingsspaziergängen, in ihren langen Hosen, neben der Straße oder in der Schlucht. Eigentlich ist es Unkraut. Sie würde nie auf die Idee kommen, Geld für Blumen auszugeben. Mir fällt zum erstenmal auf, daß wir nicht reich sind.

Cordelias Mutter hat eine Putzfrau. Sie ist die einzige von unseren Müttern, die eine hat. Sie nennen sie einfach die Frau. An den Tagen, an denen die Frau kommt, müssen wir aus dem Weg sein.

»Die Frau, die wir vor dieser hatten«, berichtet Cordelia, mit flüsternder, skandalumwitterter Stimme, »haben wir dabei erwischt, wie sie Kartoffeln gestohlen hat. Sie stellte ihre Tasche hin, und da rollten sie alle heraus, über den ganzen Fußboden. Es war furchtbar peinlich.« Damit meint sie nicht, peinlich für die Frau, sondern peinlich für sie. »Wir mußten sie natürlich entlassen.«

Cordelias Familie ißt gekochte Eier nicht aus einer Schale, in der sie verrührt werden, sondern aus Eierbechern. Auf jedem Eierbecher stehen Initialen, für jedes Mitglied der Familie. Sie haben auch Serviettenringe, jeder seinen eigenen, auch mit Initialen darauf. Bis jetzt habe ich noch gar nicht von Eierbechern gehört, und Grace bestimmt auch nicht, weil sie nichts sagt. Carol erklärt mit etwas unsicherer Stimme, daß sie auch welche haben.

»Nachdem man das Ei gegessen hat«, erklärt uns Cordelia, »muß man unten in die Schale ein Loch machen.«

»Wozu?« fragen wir.

»Damit die Hexen nicht in See stechen können.« Sie sagt es leichthin, aber auch zornig, als sei es dumm, diese Frage zu stellen. Aber vielleicht ist es auch nur ein Scherz, mit dem sie uns necken will. Ihre beiden älteren Schwestern tun das auch immer. Es läßt sich schwer sagen, wann sie es ernst meinen. Sie reden immer irgendwie so geschwollen, so spottend, als würden sie jemanden nachmachen, fragt sich nur, wen oder was.

»Ich wär fast *gestorben*«, sagen sie. Oder: »Ich seh aus wie Gottes Zorn.« Manchmal sagen sie: »Ich seh aus wie eine absolute Vettel«, und manchmal: »Ich seh aus wie Haggis McBaggis.« Das ist eine häßliche alte Frau, die sie sich anscheinend ausgedacht haben. Aber sie glauben nicht wirklich, daß sie fast gestorben wären oder daß sie häßlich aussehen. Beide sind wunderschön: die eine dunkel und leidenschaftlich, die andere blond, freundlich und gefühlvoll. Cordelia ist nicht in der gleichen Art schön.

Die beiden älteren Schwestern von Cordelia heißen Perdita und Miranda, aber so nennt sie niemand. Sie werden Perdie und Mirrie genannt. Perdie ist die mit den dunklen Haaren; sie nimmt Ballettunterricht, und Mirrie spielt Bratsche. Die Bratsche steht im Schrank, und Cordelia holt sie raus und zeigt sie uns, wie sie geheimnisvoll und bedeutend in ihrem mit Samt ausgekleideten Kasten liegt. Perdie und Mirrie machen sich auf eine schleppende, sanfte Weise übereinander und über sich selbst lustig, weil sie diese Dinge tun, aber Cordelia sagt, sie sind talentiert. Das hört sich wie eine Schutzimpfung an, wie etwas, das einem widerfährt und ein Zeichen hinterläßt. Ich frage Cordelia, ob sie auch talentiert sei, aber sie schiebt ihre Zunge in den Mundwinkel und dreht sich um, als wäre sie mit etwas anderem sehr beschäftigt.

Cordelia müßte eigentlich Cordie sein, aber das ist nicht so. Sie besteht darauf, bei ihrem vollen Namen gerufen zu werden: Cordelia. Alle drei Namen sind ungewöhnlich; kein anderes Mädchen in der Schule hat solche Namen. Cordelia sagt, sie sind aus Shakespeare. Sie scheint darauf stolz zu sein, als sei es etwas, das wir alle anerkennen müßten. »Das war Mummie's Idee«, sagt sie.

Alle drei nennen ihre Mutter Mummie und gehen liebevoll und sanft mit ihr um, als wäre sie ein kluges, aber eigenwilliges Kind, dem man nachgeben muß. Sie ist winzig klein, zerbrechlich, geistesabwesend; sie trägt ihre Brille an einer Silberkette um den Hals und nimmt Malunterricht. Ein paar von ihren Bildern hängen oben im Flur, im ersten Stock, grünliche Bilder von Blumen, von Rasenflächen, von Flaschen und Vasen.

Die Mädchen haben um ihre Mummie ein Netz der Verschwörung gesponnen. Sie sind sich einig, ihr manche Dinge zu verschweigen. »Davon sollte Mummie nichts wissen«, ermahnen sie sich gegenseitig. Aber sie wollen sie nicht enttäuschen. Perdie und Mirrie tun, was sie wollen, so gut es eben geht, ohne Mummie zu enttäuschen. Cordelia ist nicht so geschickt: sie bringt es nicht so leicht fertig zu tun, was sie will, sie enttäuscht Mummie häufiger. Das sagt Mummie, wenn sie böse ist: »Ich bin von dir enttäuscht.« Wenn sie sehr enttäuscht ist, wird Cordelias Vater in die Sache hineingezogen, und dann wird es ernst. Keines der Mädchen macht Scherze oder spricht schleppend-spöttisch, wenn von ihm die Rede ist. Er ist groß, schroff, charmant, aber wir haben ihn oben auch schon schreien hören.

Wir sitzen in der Küche und geben uns Mühe, dem Mop der Frau auszuweichen, und warten, daß Cordelia zum Spielen runterkommt. Sie hat wieder einmal enttäuscht, sie muß ihr Zimmer aufräumen. Perdie kommt hereingeschlendert, ihren Kamelhaarmantel lässig und elegant über eine Schulter geworfen, die Schulbücher auf die Hüfte gestützt. »Wißt ihr, was Cordelia werden will, wenn sie groß ist?« fragt sie mit ihrer heiseren, spöttisch-ernsten Stimme in vertraulichem Ton. »Ein Pferd!« Und wir wissen überhaupt nicht, ob es wahr ist oder nicht.

Cordelia besitzt einen Schrank mit Kostümen zum Verkleiden: alte Kleider ihrer Mummie, alte Schals, alte Tücher, die man sich umschlingen und auf alle möglichen Arten drapieren kann. Früher gehörten sie Perdie und Mirrie, aber die sind jetzt zu alt dafür. Cordelia möchte, daß wir Theaterstücke aufführen, wobei ihr Wohnzimmer mit dem Vorhang die Bühne sein soll. Sie hat die Idee, daß wir Stücke einüben und dann Eintritt nehmen. Sie knipst das Licht aus, hält sich eine Taschenlampe unters Kinn, stößt ein unheimliches Lachen aus: so macht man das. Cordelia war schon ein paarmal im Theater und einmal im Ballett: *Giselle*, sagt sie, ganz beiläufig, als wüßten wir, was das ist. Aber irgendwie geraten diese Stücke niemals so, wie sie sie haben möchte. Carol kichert und vergißt, was sie sagen soll. Grace kann es nicht leiden, wenn man ihr sagt, was sie tun soll, und behauptet, Kopfschmerzen zu haben. Erfundene Geschichten interessieren sie nicht, außer es kommen auch eine Menge richtiger Dinge darin vor: Toaster, Bügelbretter, die Garderobe von Filmstars. Für Cordelias Melodramen hat sie nichts übrig.

»Und jetzt tötest du dich«, sagt Cordelia.

»Warum?« fragt Grace.

»Weil du verlassen worden bist«, sagt Cordelia.

»Ich will aber nicht«, sagt Grace. Carol, die das Dienstmädchen spielt, fängt an zu kichern.

Also verkleiden wir uns nur und laufen die Treppe runter und aus dem Haus, über den frischen Rasen, mit unseren langen Schals, die wir hinter uns herziehen, unsicher, was als nächstes passieren wird. Niemand will Jungenrollen übernehmen, weil es für sie keine schönen Kostüme gibt, und manchmal malt sich Cordelia zum Schluß mit

Perdies Augenbrauenstift einen Schnurrbart unter die Nase und hängt sich einen alten Samtvorhang über, um doch noch so etwas wie Handlung hineinzubringen.

Wir sind jetzt vier, nicht mehr drei, wenn wir von der Schule nach Hause gehen. Unterwegs kommen wir in einer Nebenstraße an einem kleinen Laden vorbei, in dem wir unser Taschengeld für Kaugummibälle, rote Lakritzstangen, orangefarbenes Eis am Stiel ausgeben, die wir unter uns aufteilen. Im Rinnstein liegen Roßkastanien, naß und glänzend; wir stopfen sie uns in die Taschen unserer Wolljacken, ohne recht zu wissen, was wir damit anfangen sollen. Die Jungen aus unserer Schule und die katholischen Jungen aus Unsere Liebe Frau der Immerwährenden Hilfe bewerfen sich damit. Aber das würden wir nicht tun. Dabei kann man ein Auge verlieren.

Der Pfad, der zu der Holzbrücke führt, ist trocken, staubig; die Blätter an den Zweigen, die über uns hängen, sind stumpfgrün und vom Sommer erschöpft. Neben dem Pfad wächst ein Unkrautdickicht: Goldruten, Ambrosia, Astern, Kletten, tödlicher Nachtschatten, dessen Beeren so rot sind wie Valentinbonbons. Cordelia sagt, damit könne man jemanden gut vergiften. Der Nachtschatten riecht nach Erde, feucht, lehmig, bitter, und nach Katzenpisse. Hier schleichen Katzen herum, wir sehen sie jeden Tag, wie sie am Boden kauern, sich ducken, im Schmutz scharren, uns mit ihren gelben Augen anstarren, als wären wir etwas, das sie jagen.

In dem Dickicht liegen leere Schnapsflaschen und Kleenex-Tücher. Eines Tages finden wir einen Pariser. Cordelia weiß, daß es Pariser genannt wird, Perdie hat es ihr mal gesagt, als sie noch klein war und einen für einen Luftballon hielt. Sie weiß, daß es etwas ist, was Männer benutzen, die Sorte Männer, vor denen wir uns in acht nehmen sollen; aber sie weiß nicht, warum es so genannt wird. Wir heben es mit einem Stock hoch und betrachten es eingehend: weißlich, schlaff, dehnbar, wie etwas im Inneren von Fischen. »Iiih«, sagt Carol. Wir tragen es den Hügel hinauf und schieben es durch ein Gully auf der Straße; dort unten schwimmt es im dunklen Wasser, naß und bleich. Sogar so was nur zu finden, ist schmutzig, sogar es zu verstecken.

Die Holzbrücke ist noch schiefer, noch verrotteter, als ich sie in Erinnerung habe. Es gibt jetzt noch mehr Stellen, an denen die Planken zerfallen sind. In der Regel bleiben wir sonst immer in der Mitte, aber heute geht Cordelia direkt ans Geländer und lehnt sich dagegen, um darüber hinweg zu sehen. Zögernd folgen wir ihr, eine nach der anderen. In dieser Jahreszeit ist der Fluß unten nicht tief; wir können den Müll sehen, den die Leute dort runtergeworfen haben, die abgefahrenen Reifen, die zerbrochenen Flaschen und rostiges Eisen.

Cordelia sagt, daß der Fluß aus zersetzten Toten besteht, weil er direkt aus dem Friedhof kommt. Sie sagt, daß die toten Menschen rauskommen aus dem Fluß, in dichten Nebel gehüllt, um dich zu holen, wenn du daraus trinkst oder reingehst, oder auch nur in seine Nähe kommst. Sie sagt, mit uns hätten sie es nur deshalb noch nicht getan, weil wir auf der Brücke bleiben und weil die Brücke aus Holz ist. Brücken, die über Flüsse mit Toten führen, so wie hier, sind sicher.

Carol hat Angst, jedenfalls tut sie so. Grace sagt, daß Cordelia albern ist.

»Du kannst es ja mal probieren«, sagt Cordelia. »Geh doch runter. Oder traust du dich nicht?« Aber das tun wir nicht.

Ich weiß, daß es nur ein Spiel ist. Meine Mutter geht auf ihren Spaziergängen dort runter, mein Bruder geht mit den anderen älteren Jungen dort runter. Sie waten in ihren Gummistiefeln durch die Abflußkanäle und schwingen an den tiefen Ästen und den unteren Balken der Brücke. Die Schlucht ist für uns nicht verboten, weil dort Tote sind, sondern wegen der Männer. Trotzdem überlege ich mir, wie die Toten wohl aussehen würden. Einerseits glaube ich an sie, und andererseits wieder nicht, beides gleichzeitig.

Wir pflücken blaue und weiße Feldblumen und ein paar von den Nachtschattenbeeren und legen sie auf Blättern von Kletten neben dem Pfad hin, obendrauf je eine Roßkastanie. Es sollen Mahlzeiten sein, aber für wen, ist nicht klar. Als wir damit fertig sind, gehen wir den Hügel hinauf, lassen diese Gedecke hinter uns, die zur Hälfte Kränze, zur Hälfte Mahlzeiten sind. Cordelia sagt, wir müssen unsere Hände gut waschen, wegen der tödlichen Nachtschattenbeeren; wir müssen den giftigen Saft abwaschen. Sie sagt, ein Tropfen kann einen in einen Zombie verwandeln.

Am nächsten Tag, als wir aus der Schule kommen, sind unsere Blumenmahlzeiten verschwunden. Wahrscheinlich haben die Jungen sie kaputtgemacht, das würde zu ihnen passen; oder die hier lauernden Männer. Aber Cordelia reißt die Augen auf, flüstert, blickt über die Schulter.

»Das waren die Toten«, sagt sie. »Wer denn sonst?«

15

Wenn die Lehrerin klingelt, stellen wir uns in einer Reihe vor der MÄDCHEN-Tür auf, zu zweit, halten uns an den Händen: Carol und ich, und Grace und Cordelia hinter uns, weil sie eine Klasse höher sind. Mein Bruder steht drüben vor JUNGEN. In der Pause verschwindet er auf den Ascheplatz, auf dem er sich letzte Woche beim Fußballspielen die Lippe so aufgeschlagen hat, daß sie genäht werden mußte. Ich habe mir die Stiche genau angesehen, es war schwarzer Faden, und ringsherum purpurrote Schwellungen. Ich bewundere sie. Ich kenne die Achtung, die Wunden eintragen.

Jetzt, da ich wieder Röcke statt Hosen trage, muß ich aufpassen, wie ich mich bewege. Im Rock kann man beim Sitzen nicht die Beine breit machen, man kann nicht hoch springen oder auf dem Kopf stehen, ohne sich lächerlich zu machen. Ich mußte die Bedeutung der Unterwäsche neu erlernen, die eine eigene Liturgie besitzt:

Ich sehe Briten und Franzosen,
ich sehe deine Unterhosen.

Oder auch:

Ungewaschen, ungekämmt,
ohne Hose, ohne Hemd.

Das rufen die Jungen hinter uns her und schneiden dabei Gesichter wie Affen.

Über Unterwäsche wird viel spekuliert, vor allem über die der Lehrerinnen. Männliche Unterwäsche ist ohne jede Bedeutung. Außerdem gibt es sowieso nicht gerade viel männliche Lehrer, und die wenigen, die es gibt, sind schon älter; junge Männer sind nicht da, weil der Krieg sie verschlungen hat. Die Lehrerinnen sind meistens Frauen, die schon ein bestimmtes Alter überschritten haben, Frauen, die nicht verheiratet sind. Verheiratete Frauen arbeiten nicht; das wissen wir von unseren eigenen Müttern. Ältere unverheiratete Frauen sind irgendwie komisch, zum Lachen.

In der Pause teilt Cordelia Unterwäsche aus: lavendelfarbene Rüschen für Miss Pigeon, die dick und zuckersüß ist; Schottenkaros für Miss Stuart, mit Spitze gesäumt, passend zu ihren Taschentüchern; lange Unterhosen aus rotem Satin für Miss Hatchett, die schon über sechzig ist und Granatbroschen trägt. In Wirklichkeit glauben wir nicht, daß diese Unterwäsche tatsächlich existiert, aber schon die Vorstellung bereitet uns ein boshaftes Vergnügen.

Unsere Klassenlehrerin ist Miss Lumley. Es heißt, daß sie jeden Morgen, bevor die Klingel ertönt, sogar noch im späten Frühling, wenn es draußen schon warm ist, hinten im Klassenzimmer ihre Unterhosen auszieht, die angeblich aus dicker marineblauer Wolle sind und nach Mottenkugeln und anderen, schwer definierbaren Dingen riechen. Das wird oft erzählt, nicht als Spekulation oder als ein weiteres Unterwäschemärchen, sondern als eine Tatsache. Einige Mädchen behaupten steif und fest, daß sie beim Nachsitzen nach der Schule genau gesehen haben, wie Miss Lumley ihre dicken Unterhosen wieder angezogen hat, und einige andere wollen sie in der Garderobe hängen gesehen haben. Die Aura dieser dunklen, geheimnisvollen, abstoßenden Unterhosen hängt Miss Lumley an und färbt die Luft um sie. Sie macht sie noch erschreckender; aber sie ist sowieso schon erschreckend.

Meine Klassenlehrerin vom Vorjahr war freundlich, aber so wenig denkwürdig, daß Cordelia sie beim Unterwäschespiel nicht einmal erwähnt. Sie hatte ein Gesicht wie ein Brötchen mit einer Farbe wie Mandelsüßspeise, und sie herrschte durch Schmeichelei. Miss Lumley herrscht durch Furcht. Sie ist klein und hat eine Figur wie ein Rechteck, so daß ihre eisengraue Wolljacke völlig gerade von den Schultern bis zur Hüfte fällt, ohne von einer Taille unterbrochen zu werden. Sie trägt diese Wolljacke ständig und dazu eine Reihe dunkler Röcke, die unmöglich ein und derselbe sein können. Ihre Brille, hinter der ihre Augen kaum zu sehen sind, hat ein Stahlgestell, ihre Schuhe sind schwarz mit Keilabsätzen, und auf ihrem Mund liegt ein winziges lippenloses Lächeln. Sie schickt niemals Kinder zum Direktor, damit sie Prügel kriegen, das besorgt sie selbst vor der versammelten Klasse, mit ausgestrecktem Arm hält sie den schwarzen Gummiriemen, und ihre Schläge sind schnell und wirksam, ihr Gesicht weiß und zitternd, während wir zusehen, bei jedem Schlag zusammenzucken und unsere Augen sich unwillkürlich mit Tränen füllen. Manche Mädchen schniefen hörbar, wenn sie es tut, auch wenn sie gar nicht selbst betroffen sind, aber das ist nicht klug: Miss Lumley kann lautes Schniefen nicht leiden und sagt dann höchstens: »Ich werd dir gleich was zum Heulen geben.« Wir lernen, gerade zu sitzen, die Augen nach vorn gerichtet, mit leeren, ausdruckslosen Gesichtern und beiden Füßen fest am Boden, während wir dem Klatschen eines Gummiriemens auf zuckendem Fleisch lauschen.

Meistens sind es Jungen, die den Riemen bekommen. Man glaubt, daß sie es nötiger haben. Außerdem sitzen sie nie still, vor allem nicht in der Nähstunde. Man erwartet von uns, daß wir für unsere Mütter Topflappen nähen. Die Jungen scheinen nicht besonders begabt dafür; ihre Stiche sind groß und unbeholfen, und sie stechen sich gegenseitig mit den Nadeln. Miss Lumley pirscht die Gänge auf und ab und teilt mit einem Lineal Schläge auf ihre Handknöchel aus.

Das Klassenzimmer hat eine hohe Decke und ist gelblichbraun gestrichen, vorne und an der einen Seite sind Tafeln, und auf der anderen Seite hohe, mehrfach unterteilte Fenster über den Heizkörpern. Über der Tür zur Garderobe, so daß man immer das Gefühl hat, von hinten beobachtet zu werden, hängt ein großes Foto vom König und von der Königin, der König mit Orden behängt, die Königin im weißen Ballkleid und mit einem Diamantendiadem. In mehreren Reihen stehen hohe Holzpulte für jeweils zwei Schüler hintereinander, die Schreibplatten sind abgeschrägt, und in ihnen sind Löcher für die Tintenfässer. Es unterscheidet sich in nichts von allen anderen Klassenzimmern in der Queen Mary-Schule, trotzdem sieht es düsterer aus, vielleicht weil es weniger ausgeschmückt ist. Unsere alte Lehrerin hatte in ihren vielen Bemühungen, uns zu beschwichtigen, Papierdeckchen mit in die Schule gebracht, und an ihren Fenstern klebten immer Pflanzen aus Papier. Miss Lumley trägt den Jahreszeiten zwar auf ähnliche Weise Rechnung, aber unter ihren blitzenden stahlgeränderten Blicken wirken die Pflanzen, die wir mitbringen, kleiner, wie geschrumpft, und reichen nie aus, die nackten Wände und Fensterscheiben zu verdecken. Außerdem hängt Miss Lumley unser herbstliches Laub und unsere Kürbisse nicht auf, wenn sie unsymmetrisch sind. Sie hat ihre Prinzipien.

Es ist jetzt alles britischer als im letzten Jahr. Wir zeichnen den Union Jack mit dem Lineal und versuchen uns die verschiedenen Kreuze zu merken, St. George von England, St. Patrick von Irland, St. Andrew von Schottland, St. David von Wales. Unsere Fahne ist rot und hat nur in der einen Ecke einen Union Jack, aber einen Heiligen hat Kanada nicht. Wir lernen all die rosafarbenen Teile der Weltkarte auswendig.

»Im Britischen Empire geht die Sonne niemals unter«, sagt Miss Lumley und tippt mit ihrem langen hölzernen Zeigestock an die aufrollbare Karte. In Ländern, die nicht zum Britischen Weltreich gehören, schneidet man den Kindern die Zunge ab, vor allem den Jungen. Vor dem Britischen Weltreich gab es in Indien auch keine Straßen und keine Post, und in Afrika tobten Stammeskämpfe mit Speeren, und sie hatten auch nichts Richtiges anzuziehen. Die Indianer Kanadas kannten das Rad nicht und hatten kein Telefon, und sie aßen die Herzen ihrer Feinde in dem heidnischen Glauben, daß es ihnen Mut verleihen würde. Das Britische Weltreich änderte das alles. Es führte das elektrische Licht ein.

Jeden Morgen, wenn Miss Lumley auf ihrer Stimmpfeife einen dünnen metallischen Ton bläst, stehen wir auf und singen *God Save the King*. Und wir singen auch:

Rule Britannia, Britannia rules the waves;
Britons never, never, never shall be slaves!

Weil wir Briten sind, werden wir niemals Sklaven sein. Aber wir sind keine richtigen Briten, weil wir auch Kanadier sind. Das ist nicht ganz so gut, auch wenn wir unser eigenes Lied haben:

In days of yore, from Britain's shore,
Wolfe, the dauntless hero, came
And planted firm Britannia's flag
On Canada's fair domain.
Here may it wave, our boast, our pride
And join in love together
The thistle, shamrock, rose entwine
The Maple Leaf forever.

Miss Lumleys Unterkiefer zittert erschreckend, wenn wir dies singen. Wolfe klingt wie ein Name, dem man einem Hund geben würde, aber er hat die Franzosen besiegt. Das ist erstaunlich, denn ich habe schon Franzosen gesehen, oben im Norden gibt es eine ganze Menge, folglich kann er sie nicht alle besiegt haben. Das Schwierigste auf unserer roten Fahne sind die Ahornblätter. Es gibt niemanden, der sie richtig hinkriegt.

Miss Lumley bringt Zeitungsausschnitte über die königliche Familie mit und befestigt sie an der Seitentafel. Manche sind ziemlich alt, sie zeigen Prinzessin Elizabeth und Prinzessin Margaret Rose in Pfadfinderuniformen, als sie zur Zeit der Bombenangriffe im Radio oder anderswo Reden halten. So sollten wir auch sein, will Miss Lumley damit andeuten: standhaft, treu, mutig, heroisch.

Es gibt aber auch noch andere Zeitungsbilder, auf denen ausgemergelte Kinder in schäbigen Sachen zu sehen sind, die vor Trümmerhaufen stehen. Diese Bilder sollen uns daran erinnern, daß es in Europa viele hungernde Kriegswaisen gibt, und wir sollen immer dran denken und unsere Brotrinde und Kartoffelschalen und alles andere, was auf unsern Tellern liegt, aufessen, weil Verschwendung eine Sünde ist. Auch sollen wir uns nicht beklagen. Wir haben eigentlich kein Recht dazu, denn wir haben Glück: Die Häuser der englischen Kinder sind zerbombt, unsere nicht. Wir bringen von zu Hause unsere abgetragenen Sachen mit, und Miss Lumley verpackt sie in braunen Päckchen und schickt sie nach England. Ich habe nicht besonders viel zum Mitbringen, weil meine Mutter unsere abgetragenen Sachen zerreißt und als Staubtücher verwendet, aber es gelingt mir, ein paar Cordhosen zu retten, die früher mal meinem Bruder gehört haben, dann mir, aber jetzt zu klein geworden sind, und ein Viyella-Hemd von meinem Vater, das aus Versehen falsch gewaschen wurde und eingelaufen ist. Ich bekomme ein komisches Gefühl auf der Haut, wenn ich an jemand anderen denke, an jemand in England, der in meinen Sachen herumläuft. Meine Sachen kommen mir vor wie ein Teil von mir, selbst die, aus denen ich rausgewachsen bin.

All diese Dinge – die Fahnen, die Stimmpfeifenlieder, das Britische Weltreich und die Prinzessinnen, die Kriegswaisen, sogar die Prügel – stehen vor dem geheimnisvollen marineblauen Hintergrund von Miss Lumleys unsichtbaren Unterhosen. Ich kann den Union Jack nicht malen, und ich kann nicht *God Save the King* singen, ohne an sie zu denken. Gibt es sie wirklich, oder doch nicht? Werde ich je im Klassenzimmer sein, wenn sie gerade dabei ist, sie anzuziehen oder – unvorstellbar – sie auszuziehen?

Ich habe keine Angst vor Schlangen oder Würmern, aber ich habe Angst vor diesen Unterhosen. Ich weiß, daß es noch schlimmer für mich wäre, sie eines Tages mit eigenen Augen zu sehen. Sie sind etwas Sakrosanktes, Heiliges und gleichzeitig etwas tief Beschämendes. Was immer mit ihnen nicht stimmt, könnte auch mit mir nicht stimmen, denn wenn Miss Lumley auch nicht gerade dem entspricht, was man sich unter einem Mädchen vorstellt, so ist sie doch auch kein Junge. Wenn die Handglocke ertönt und wir uns vor unserer MÄDCHEN-Tür in einer Reihe aufstellen, dann schließt die Kategorie, in der wir sind – was immer das sein mag –, auch sie mit ein.

Tödlicher Nachtschatten

16

Ich gehe die Queen's Street entlang, komme an Läden mit gebrauchten Comics vorbei, an Schaufenstern mit Kristallkugeln und Muscheln, an haufenweise düsteren schwarzen Kleidern. Ich wünschte, ich wäre wieder in Vancouver und säße mit Ben vor dem Kamin und sähe hinaus auf den Hafen, während sich hinten im Garten die großen Schnecken über das Grünzeug hermachen. Offene Kamine, Gärten: Als ich früher hierherkam, um Jon in seiner Wohnung über dem Koffergroßhandelsgeschäft zu besuchen, habe ich nie an so was gedacht. Gleich um die Ecke befand sich die Maple Leaf Tavern, in der ich im Dunkeln Bier vom Faß trank, zwei Verkehrsampeln von der Kunstschule entfernt, in der ich nackte Frauen zeichnete und mir das Herz verzehrte. Die Straßenbahnen brachten die Fenster zum Klirren. Es gibt immer noch Straßenbahnen.

»Ich will nicht fahren«, hatte ich zu Ben gesagt.

»Du mußt ja nicht«, sagte er. »Sag's ab. Komm runter nach Mexiko.«

»Aber sie haben sich soviel Mühe gegeben«, sagte ich. »Hör zu, weißt du eigentlich, wie schwer es ist, irgendwo eine Retrospektive zu kriegen, wenn man 'ne Frau ist?«

»Ist das denn so wichtig?« fragte er. »Du verkaufst deine Bilder auch so.«

»Ich muß fahren«, sagte ich. »Es wär nicht richtig.« Man hat mich erzogen, bitte und danke zu sagen.

»Na schön«, sagte er. »Du weißt schon, was du tust.« Er umarmte mich.

Ich wünschte, er hätte recht.

Da ist Sub-Versions, zwischen einem Zulieferer für Restaurants und einem Tätowiersalon. Beide werden mit der Zeit verschwinden: Wenn erst mal Galerien wie Sub-Versions Fuß gefaßt haben, steht das an der Wand geschrieben.

Ich öffne die Tür zur Galerie, gehe mit dem flauen Gefühl hinein, das mich in Galerien immer überkommt. Das liegt an den Teppichen, dieser gewollten Stille, dieser Scheinheiligkeit des Ganzen: Galerien gleichen Kirchen, da ist zuviel Ehrfurcht; man hat immer das Gefühl, man müßte auf die Knie fallen. Und außerdem gefällt es mir nicht, daß Bilder ausgerechnet hier landen sollten, an diesen Wänden mit ihrem neutralen Anstrich, mit den Deckenstrahlern an Schienen, sterilisiert, sicher und akzeptabel gemacht. Es hat den Anschein, als wäre jemand herumgegangen und hätte die Bilder eingesprüht, um den Geruch abzutöten. Den Geruch von Blut an der Wand.

Diese Galerie ist nicht total sterilisiert, sie weist immerhin Züge der Avantgarde auf: ein Heizungsrohr liegt nicht unter Putz, eine Wand ist schwarz. Ich verschwende keinen einzigen Blick auf das, was noch an den Wänden hängt, ich hasse all die neoexpressionistischen schmutzigen Grüntöne und verwesenden Orangefarben, postdies, post-jenes. Heutzutage ist alles *post*, als wären wir nicht viel mehr als eine Fußnote zu etwas Früherem, das real genug war, um einen Namen zu haben.

Ein paar meiner Bilder sind schon ausgepackt und lehnen an der Wand. Sie wurden bei wem immer sie gehören aufgespürt, angefordert, abgeholt. Wem immer sie gehören, bin nicht ich; Pech, denn ich würde jetzt einen besseren Preis für sie bekommen. Die Namen der Besitzer werden auf kleinen weißen Kärtchen neben den Bildern stehen, zusammen mit meinem, als wäre bloßer Besitz gleichbedeutend mit kreativer Arbeit. Was sie auch wirklich glauben.

Wenn ich mir das Ohr abschnitte, würde dann der Marktwert steigen? Oder, noch besser, wenn ich meinen Kopf in den Herd steckte, mir eine Kugel ins Gehirn jagte. Was reiche Kunstsammler unter anderem gerne kaufen, ist ein bißchen Verrücktheit aus zweiter Hand.

Nicht zur Wand gedreht ist eine Arbeit, die ich vor zwanzig Jahren gemalt habe: Mrs. Smeath, wunderschön in Temperafarben, mit ihrer grauen Haarnadelkrone und ihrem Kartoffelgesicht und ihrer Brille, die außer ihrer geblümten einbrüstigen Latzschürze nichts weiter anhat. Sie sitzt zurückgelehnt auf ihrem kastanienbraunen Samtsofa, fährt zum Himmel auf, der von Gummibäumen erfüllt ist, während der Mond in Form eines Stickdeckchens am Horizont schwebt. *Gummibaum: die Himmelfahrt*, habe ich es genannt. Die Engel, von denen sie umgeben ist, sind Weihnachtsaufkleber von 1940, kleine

Mädchen in Weiß, gewaschen und gebügelt, mit regelmäßigen Löckchen. Das Wort *Himmel* steht in kindlicher Schablonenschrift obendrüber. Damals fand ich das raffiniert.

Wenn ich mich recht erinnere, habe ich dafür von der Kritik Prügel bezogen. Aber nicht wegen der Schablone.

Ich sehe mir dieses Bild nicht sehr lange an, keines der Bilder. Wenn ich es tue, fallen mir Dinge auf, die verkehrt sind. Ich werde nach einem Exacto-Messer greifen, sie abfackeln, die Wände abräumen wollen. Noch einmal von vorn anfangen.

Aus dem Hintergrund der Galerie kommt eine Frau mit großen Schritten auf mich zu, sie hat eine gemäßigte blonde Igelfrisur, trägt einen purpurroten Overall und grüne Lederstiefel. Mir wird sofort klar, daß ich diesen taubenblauen Jogginganzug nicht hätte anziehen sollen. Taubenblau ist unbedeutend. Ich hätte Nonnenschwarz anhaben sollen, Draculaschwarz, wie es sich für eine ordentliche Malerin gehört. Ich hätte einen blutigen Vampirlippenstift auflegen sollen, anstatt mich mit Rose Perfection kleinzumachen. Aber dann sähe ich wirklich aus wie Haggis McBaggis. In meinem Alter verträgt die Haut keine Geleerottöne mehr, ich würde ganz weiß und runzlig aussehen.

Aber ich werde den Jogginganzug durchziehen. Ich werde so tun, als wär's so gemeint. Es kann Bilderstürmerei ausdrücken, was wissen die schon? Ein taubenblauer Jogginganzug ist ganz ohne Prätentionen. Das gute daran, unmodisch zu sein, ist, daß man nie modisch war, also auch nie das Modell des Vorjahres trägt. Das ist auch die Ausrede bei meiner Malerei; jedenfalls war sie das jahrelang.

»Hallo«, sagt die Frau. »Sie müssen Elaine sein! Sie sehen ganz anders aus als auf dem Bild.« Was bedeutet das, denke ich: besser oder schlechter? »Wir haben schon so oft telefoniert. Ich bin Charna.« Früher gab es in Toronto keine Namen wie Charna. Meine Hand wird zerquetscht, diese Frau trägt an die zehn schwere Silberringe an den Fingern, wie ein Schlagring. »Wir denken gerade über die Anordnung nach.« Es sind noch zwei andere Frauen da; beide sehen zehnmal so künstlerisch aus wie ich. Sie tragen Ohrringe von abstrakter Kunst, bizarre Frisuren. Ich komme mir verstaubt vor.

Sie haben aus einem Feinkostladen Gourmetschnitten mit Bambussprossen und Avocados geholt, dazu gibt es Kaffee mit heißer

Milch, und wir essen und trinken, während wir über die Anordnung der Bilder diskutieren. Ich sage, daß mir eine chronologische Anordnung am liebsten wäre, aber Charna hat andere Vorstellungen, sie möchte, daß die Dinge klanglich zusammenpassen, Resonanzen schaffen und Aussagen machen, die sich wechselseitig verstärken. Ich werde noch nervöser, diese Sprache läßt mich zusammenzucken. Ich lege einige Energie in mein Schweigen, widerstehe dem Impuls zu sagen, ich hätte Kopfschmerzen und wolle nach Hause. Ich sollte dankbar sein, diese Frauen sind auf meiner Seite, sie haben diese ganze Sache für mich geplant, es ist eine Ehre für mich, ihnen gefällt, was ich mache. Trotzdem fühle ich mich in der Minderheit, als wären sie eine andere Spezies, mit der ich nichts gemein habe.

Morgen kommt Jon von seinem Motorsägenmord aus Los Angeles zurück. Ich kann es kaum erwarten. Wir werden seine Frau ausmanövrieren, mittags zusammen essen gehen und uns besonders gerissen vorkommen. Aber das ist im Grunde ein sehr zivilisierter Stil, mit dem Ex-Ehemann kameradschaftlich essen zu gehen: eine gute Coda nach all dem zerschlagenen Porzellan und den Blutbädern. Wir kennen uns seit Urzeiten; in meinem Alter, in unserem Alter, bedeutet das eine Menge. Und von hier aus gesehen, hat er etwas Erleichterndes.

Es kommt noch jemand herein, eine weitere Frau. »Andrea!« sagt Charna und stolziert auf sie zu. »Du kommst spät!« Sie gibt Andrea einen Kuß auf die Wange und führt sie am Arm zu mir. »Andrea möchte was über Sie schreiben«, sagt sie. »Zur Eröffnung.«

»Davon hat man mir nichts gesagt«, sage ich. Es ist ein Überfall.

»Es hat sich erst in letzter Minute ergeben«, sagt Charna. »Ist aber ein Glück für uns. Ich setz euch ins Hinterzimmer, okay? Ich bring euch Kaffee. Wir müssen ein bißchen klappern, gehört dazu«, fügt sie, zu mir gewandt, mit einem etwas schiefen Lächeln hinzu. Ich lasse zu, daß man mich durch den Korridor schiebt; ich lasse mich noch immer von Frauen wie Charna herumkommandieren.

»Ich hab Sie mir ganz anders vorgestellt«, sagt Andrea, als wir uns hinsetzen.

»Wie anders?« frage ich.

»Größer«, sagt sie.

Ich lächle. »Ich bin größer.«

Andrea mustert meinen taubenblauen Jogginganzug. Sie selbst trägt Schwarz, anerkannt modisches schimmerndes Schwarz, kein Überbleibsel von Anfang der sechziger Jahre, wie es bei mir der Fall wäre. Sie hat rotes Haar aus der Sprühdose, kompromißlos; es ist zu einer eichelförmigen Kappe geschnitten. Sie ist erschreckend jung; mir kommt sie wie ein Teenager vor, obgleich ich weiß, daß sie über zwanzig sein muß. Wahrscheinlich bin ich für sie eine merkwürdige alte Vogelscheuche, so etwas wie eine ihrer High-School-Lehrerinnen. Wahrscheinlich hat sie vor, mich in die Pfanne zu hauen. Wahrscheinlich wird sie es schaffen.

Wir sitzen uns an Charnas Schreibtisch gegenüber, und Andrea setzt ihre Kamera ab und fummelt an ihrem Kassettenrecorder herum. Andrea schreibt für eine Zeitung. »Es ist für das Ressort Modernes Leben«, sagt sie. Ich weiß, was das heißt, das waren früher die Frauenseiten. Komisch, daß sie es jetzt Modernes Leben nennen, als wären nur die Frauen am Leben und all die anderen Dinge, zum Beispiel Sport, für die Toten.

»Modernes Leben? Aha«, sage ich. »Ich bin Mutter von zwei Kindern. Ich backe Kuchen.« Stimmt alles. Andrea wirft mir einen giftigen Blick zu und stellt das Gerät an.

»Wie gehen Sie damit um, berühmt zu sein?« fragt sie.

»Berühmt wohl kaum«, sage ich. »Berühmt sind die Titten von Elizabeth Taylor. Das hier ist nur ein kleiner Medienpickel.«

Darüber grinst sie. »Also, könnten Sie mir vielleicht etwas über Ihre Künstlergeneration sagen – Ihre Künstlerinnengeneration – und deren Hoffnungen und Ziele?«

»Sie meinen Malerinnen«, sage ich. »Und welche Generation ist das?«

»Die Siebziger, schätz ich«, sagt sie. »Das war, als die Frauen – das war, als Sie zuerst auf sich aufmerksam gemacht haben.«

»Die Siebziger sind nicht meine Generation«, sage ich.

Sie lächelt. »Na«, sagt sie, »was dann?«

»Die Vierziger.«

»Die Vierziger?« Das ist, was sie betrifft, Archäologie. »Aber damals konnten Sie doch unmöglich...«

»Da bin ich aufgewachsen«, sage ich.

»Ach, richtig«, sagt sie. »Sie meinen, das hat Sie *geformt*. Können

Sie beschreiben, auf welche Weise, wie es sich in Ihrer Arbeit wider-spiegelt?«

»In den Farben«, sage ich. »Die meisten Farben, die ich verwende, sind Vierziger-Farben.« Ich werde etwas zugänglicher. Wenigstens sagt sie nicht die ganze Zeit *irgendwie* und *wissen Sie*. »Der Krieg. Es gibt Menschen, die sich an den Krieg erinnern, und solche, die es nicht tun. Das ist ein Bruch. Das ist ein Unterschied.«

»Sie meinen den Vietnam-Krieg?« fragt sie.

»Nein«, sage ich kühl. »Den Zweiten Weltkrieg.« Sie sieht mich ein wenig ängstlich an, als wäre ich gerade von den Toten auferstanden, und noch dazu nicht vollständig. Daß ich *so* alt bin, wußte sie nicht. »Also«, sagt sie. »Was ist das für ein Unterschied?«

»Wir haben eine lange Konzentrationsspanne«, sage ich. »Wir essen auf, was auf unserem Teller liegt. Wir heben Bindfäden auf. Wir sind sparsam.«

Sie sieht verblüfft aus. Mehr will ich über die vierziger Jahre nicht sagen. Ich beginne zu schwitzen. Ich komme mir vor, als säße ich beim Zahnarzt, nicht gerade anmutig, mit offenem Mund, während ein mir Unbekannter mit einer Lampe und einem Spiegel in meine Mundhöhle starrt, auf etwas, das ich selbst nicht sehen kann.

Mit einem Lächeln läßt sie den Krieg glatt hinter sich und kehrt zu den Frauen zurück. Da fühlt sie sich sowieso wohler. Hat eine Frau es schwerer, fühle ich mich diskriminiert, unterbewertet? Wie war das, wenn man Kinder hatte? Meine Antworten sind nicht gerade hilfreich: Alle Maler fühlen sich unterbewertet. Man kann malen, während sie in der Schule sind. Mein Mann war phantastisch, er hat mir sehr geholfen, auch finanziell. Ich sage nicht, welcher meiner Männer.

»Sie empfinden es also nicht als herabsetzend, von einem Mann unterstützt zu werden?« fragt sie.

»Die Männer werden die ganze Zeit von Frauen unterstützt«, sage ich. »Was ist so schlimm daran, wenn mal ein bißchen andersrum unterstützt wird?«

Was ich zu sagen habe, ist nicht gerade das, was sie hören möchte. Empörung und Skandal wären ihr lieber, obgleich sie über sich selbst wahrscheinlich auch nicht so was erzählen könnte, dazu ist sie zu jung. Aber von Leuten meines Alters erwartet man empörende Geschichten von Gewalt und Erniedrigung, zumindest aber Beleidigungen und Zurücksetzungen. Von Kunstlehrern, die uns in den Hintern kneifen, die uns *Baby* nennen, die uns fragen, warum es wohl keine großen Malerinnen gibt, so was. Sie würde es gern sehen, wenn ich zornig wäre, und etwas wunderlich.

»Hatten Sie weibliche Mentoren?« fragt sie.

»Weibliche was?«

»Lehrerinnen oder andere Malerinnen, die Sie irgendwie bewundert haben.«

»Müßte es nicht Mentressen heißen?« frage ich boshaft. »Nein, hat's nicht gegeben. Mein Lehrer war ein Mann.«

»Und wer war das?« fragt sie.

»Josef Hrbik. Er war sehr nett zu mir«, füge ich schnell hinzu. Er würde ihr so richtig in den Kram passen, aber das wird sie von mir nicht hören. »Von ihm hab ich gelernt, wie man nackte Frauen zeichnet.«

Das verblüfft sie. »Und wie steht's mit dem Feminismus?« fragt sie. »Eine Menge Leute bezeichnen Sie als feministische Malerin, wissen Sie.«

»Ja, wie steht's damit?« sage ich. »Ich hasse Parteilinien, ich hasse Ghettos. Auf jeden Fall bin ich zu alt, um ihn erfunden zu haben, und Sie sind zu jung, um ihn zu verstehen, wozu also groß darüber reden?«

»Für Sie ist diese Klassifikation also ohne Bedeutung?« sagt sie.

»Es freut mich, daß Frauen meine Arbeit mögen. Warum sollte ich mich nicht darüber freuen?«

»Mögen Männer Ihre Arbeiten?« fragt sie listig. Sie hat die Unterlagen durchgesehen, sie hat ein paar von den alten Artikeln gelesen, in denen ich als Hexe und Sukkubus dargestellt bin.

»Welche Männer?« sage ich. »Nicht alle mögen meine Arbeiten. Aber nicht, weil ich eine Frau bin. Wenn ihnen die Arbeit von einem Mann nicht gefällt, dann nicht, weil er ein Mann ist. Sie mögen sie einfach nicht.« Ich bewege mich auf schwankendem Boden, und das macht mich wütend. Meine Stimme ist ruhig; aber der Kaffee in mir brodelt.

Sie runzelt die Stirn, macht sich am Kassettenrecorder zu schaffen. »Aber warum malen Sie dann diese vielen Frauen?«

»Was sollte ich sonst malen, Männer?« sage ich. »Ich bin Malerin. Maler malen Frauen. Rubens malte Frauen, Renoir malte Frauen, Picasso malte Frauen. Jeder malt Frauen. Ist es etwa nicht in Ordnung, Frauen zu malen?«

»Aber nicht so«, sagt sie.

»Wie so?« sage ich. »Im übrigen, warum sollten meine Frauen genauso aussehen wie die Frauen von allen anderen?« Ich ertappe mich dabei, wie ich an meinen Fingern pule, und höre auf. Jeden Augenblick werden meine Zähne zu klappern beginnen wie bei einer in die Enge getriebenen Maus. Ihre Stimme scheint sich immer weiter von mir zu entfernen, ich kann sie kaum noch hören. Aber ich sehe sie ganz deutlich: das Rippenmuster am Halsausschnitt ihres Pullovers, die feinen Härchen auf ihrer Wange, das Schimmern eines Knopfes. Ich höre, was sie nicht sagt. *Was du trägst, ist stupide. Deine Bilder sind Mist. Sitz gerade und widersprich nicht.*

»Warum malen Sie?« sagt sie, und ich kann sie jetzt wieder klar und deutlich hören. Ich kann ihren Ärger über mich und meine Verweigerungen hören.

»Warum tut man überhaupt irgendwas?« sage ich.

17

Es wird früher dunkel. Auf dem Heimweg von der Schule gehen wir durch den Qualm verbrennender Blätter. Es regnet, und wir müssen im Haus spielen. Wir sitzen in Graces Zimmer auf dem Fußboden, sind wegen Mrs. Smeaths krankem Herzen leise und schneiden Nudelhölzer und Bratpfannen aus und kleben sie rund um unsere Papierdamen.

Aber Cordelia beendet dieses Spiel in kürzester Zeit. Sie weiß auf den ersten Blick, wie es scheint, warum es in Graces Haus so viele Eaton-Kataloge gibt. Weil die Smeaths ihre Sachen danach kaufen, die ganze Familie – sie bestellen sie aus dem Eaton-Katalog. Unter den dort abgebildeten Mädchensachen sind auch die karierten Kleider, die Trägerröcke, die Wintermäntel, die Grace und ihre Schwestern anhaben, aus grobem, haltbarem Wollstoff, mit Kapuzen, in drei verschiedenen Farben: Irischgrün, Königsblau, Kastanienbraun. Es gelingt Cordelia, uns zu verstehen zu geben, daß sie selbst niemals einen Mantel aus dem Eaton-Katalog anziehen würde. Aber sie sagt es nicht laut. Wie wir alle, möchte auch sie sich mit Grace gut stehen.

Sie übergeht die Kochtöpfe, blättert weiter. Sie widmet sich den Büstenhaltern, den kunstvoll mit Spitzen und Zwickeln verarbeiteten Korsetts – sie heißen Miederwaren – und malt den Modellen, deren Fleisch aussieht als hätte man es mit einer dünnen Schicht beigefarbenem Gipses überpinselt, Schnurrbärte an. Mit einem Bleistift macht sie ihnen Haare unter die Arme und vorn auf den Brustkorb, zwischen die Brüste. Sie liest die Texte vor, schüttet sich aus vor Lachen: »›Köstlich verpackt in zarter Spitze, mit Extrastütze für die reife Figur.‹ Das heißt große Titten. Hier, seht euch das an! *Schalengrößen!* Wie Obstschalen!«

Brüste faszinieren Cordelia, und sie erfüllen sie mit Verachtung. Ihre beiden älteren Schwestern haben inzwischen welche. Perdie und Mirrie sitzen in ihrem Zwillingsbett-Zimmer mit den geblümten Musselin-Volants, feilen sich die Nägel, lachen leise; oder sie erhitzen in der Küche braunes Wachs in kleinen Töpfen, bis es weich wird, und nehmen es mit nach oben, um es sich auf die Beine zu streichen. Sie sehen in den Spiegel, verziehen traurig das Gesicht: »Ich sehe aus wie Haggis McBaggis! Das ist der Fluch!« Ihre Papierkörbe riechen nach welkenden Blumen.

Sie sagen Cordelia, daß es Dinge gibt, für die sie noch zu jung ist, und dann erzählen sie ihr diese Dinge trotzdem. Cordelia gibt diese Wahrheiten mit Flüsterstimme und großen Augen weiter: Der Fluch ist, wenn zwischen deinen Beinen Blut raussickert. Wir wollen ihr nicht glauben. Sie liefert den Beweis: eine Monatsbinde, die sie aus Perdies Abfallkorb stibitzt hat. Es ist eine braune Kruste drauf, wie von getrockneter Bratensoße. »Das ist kein Blut«, sagt Grace voller Ekel, und sie hat recht, es sieht völlig anders aus, als wenn man sich in den Finger geschnitten hat. Cordelia ist empört. Aber sie kann nichts beweisen.

Ich habe mir bis jetzt noch nicht viel Gedanken über die Körper erwachsener Frauen gemacht. Aber nun enthüllen sich diese Körper in ihrem wahren, erschreckenden Licht: fremd und bizarr, behaart, weich, monströs. Wir drücken uns vor dem Zimmer herum, in dem sich Perdie und Mirrie das Wachs von den Beinen schälen und dabei kleine Schmerzensschreie ausstoßen, bemühen uns, etwas durchs Schlüsselloch zu erkennen, kichern: Sie machen uns verlegen, obwohl wir nicht wissen, warum. Sie merken, daß wir über sie lachen, und kommen zur Tür, um uns wegzuscheuchen. »Hau endlich mit deinen kleinen Freundinnen ab, Cordelia!« Sie lächeln ein wenig unheilverkündend, als wüßten sie schon jetzt, was uns bevorsteht. »Wartet nur ab«, sagen sie.

Das macht uns angst. Was immer mit ihnen geschehen ist, was sie runder, weicher gemacht hat, was sie dazu gebracht hat zu gehen, statt zu rennen, als gingen sie plötzlich an einer unsichtbaren Leine, die sie festhält – was immer das sein mag, es könnte auch mit uns geschehen. Verstohlen betrachten wir auf der Straße die Brüste der Frauen, die unserer Lehrerinnen; aber nicht die unserer Mütter, das wäre zu nah, zu unbehaglich. Wir suchen unsere Beine und Unterarme nach kleinen Härchen ab, unsere Brüste nach Schwellungen. Aber es ist nichts zu sehen: noch sind wir sicher.

Cordelia blättert in den letzten Seiten des Katalogs. Auf Schwarzweißbildern sind graue und schwarze Krücken und Stützen und Prothesen abgebildet. »Brustpumpen«, sagt sie. »Seht ihr das? Damit könnt ihr eure Titten aufpumpen, damit sie größer werden, wie mit einer Fahrradpumpe.« Und wir wissen nicht, was wir glauben sollen.

Unsere Mütter können wir nicht fragen. Man kann sie sich nur schwer ohne Kleid vorstellen, oder daß sie überhaupt unter ihren Kleidern Körper haben. Es gibt eine Menge Dinge, über die sie nicht reden. Zwischen ihnen und uns ist eine Kluft, ein Abgrund, der immer tiefer wird. Er ist erfüllt von Wortlosigkeit. Sie wickeln den Abfall in mehrere Lagen Zeitungspapier und schnüren ihn mit einem Bindfaden zusammen, und selbst dann tropft es noch auf den frisch gebohnerten Fußboden. An ihrer Wäscheleine hängen Unterhosen, Nachthemden, Socken, eine Schaustellung befleckter Intimität, die sie, mit ihren Händen in dem grauen flockigen Wasser, gewaschen und ausgespült haben. Sie wissen über Klobürsten Bescheid, über Klobrillen, über Krankheitserreger. Die Welt ist schmutzig, egal, wieviel sie putzen, und wir wissen, daß sie unsere schmierigen kleinen Fragen nicht willkommenheißen würden. Und so läuft ein endloses Geflüster zwischen uns um, von Kind zu Kind, in dem sich der Schrecken sammelt.

Cordelia sagt, Männer haben Mohrrüben zwischen den Beinen. Es sind keine richtigen Mohrrüben, sondern etwas Schlimmeres. Sie sind von Haaren bedeckt. Aus dem Ende kommt Samen raus, der in die Bäuche der Frauen gelangt, wo er zu Babys heranwächst, ob man will oder nicht. Manche Männer haben ihre Mohrrüben durchstechen lassen und Ringe durchgezogen, wie durch Ohrläppchen.

Cordelia sagt nicht genau, wie der Samen rauskommt und wie er aussieht. Sie sagt, er ist unsichtbar, aber ich glaube nicht, daß das so ist. Wenn es diesen Samen überhaupt gibt, dann müßte er eher so aussehen wie Vogelsamen oder Mohrrübensamen, länglich und dünn. Wie die Mohrrübe reinkommt, um den Samen einzupflanzen, kann sie auch nicht genau sagen. Eine naheliegende Möglichkeit wäre der Bauchnabel, aber dann müßte es da einen Schnitt geben, einen Riß. Die ganze Geschichte ist ziemlich fragwürdig, und die Vorstellung, daß wir selbst durch einen solchen Akt entstanden sein könnten, ist grauenhaft. Ich denke an die Betten, in denen all diese Dinge angeblich stattfinden: an die Zwillingsbetten in Carols Haus, die immer so ordentlich gemacht sind, an das elegante Himmelbett bei Cordelia, an das dunkle mahagonifarbene Bett bei Grace, das mit seiner Häkeldecke und den vielen Wolldecken darüber immer so respektabel wirkt. Solche Betten leugnen schon von sich aus diese Geschichten, weisen sie von sich. Ich muß an Carols Mutter mit ihrem verkniffenen Mund denken und an Mrs. Smeath in ihrer mit Haarnadeln hochgesteckten Haarkrone aus grauen Zöpfen. Sie würden ihre Lippen spitzen, sich würdevoll aufrichten. Sie würden es nicht zulassen.

»Gott macht Babys«, sagt Grace in der Bestimmtheit, die sie an sich hat, was bedeutet, daß es keinen Sinn hat, noch weiter darüber zu reden. Sie setzt ihr zugeknöpftes verächtliches Lächeln auf, und wir sind beruhigt. Besser Gott als wir.

Aber es bleiben Zweifel. Zum Beispiel weiß ich auch eine ganze Menge. Ich weiß, daß »Mohrrübe« nicht das richtige Wort ist. Ich habe Libellen und Käfer herumfliegen sehen, die aneinandersteckten, eine auf dem Rücken der anderen; ich weiß, daß man es »paaren« nennt. Ich weiß von den Legeröhren, mit denen Insekten Eier legen, auf Blätter, auf Raupen, auf die Wasseroberfläche; sie sind, ganz deutlich beschriftet, auf den Blättern mit den Insektenzeichnungen abgebildet, die mein Vater zu Hause korrigiert. Ich weiß über Ameisenköniginnen Bescheid und über die weiblichen Gottesanbeterinnen, die ihre männlichen Artgenossen auffressen. Aber das alles ist keine große Hilfe. Ich stelle mir Mr. und Mrs. Smeath vor, splitternackt, Mr. Smeath auf dem Rücken von Mrs. Smeath. Aber so ein Bild nutzt einem auch nicht viel, selbst wenn man sie sich nicht im Flug vorstellt.

Ich könnte meinen Bruder fragen. Aber auch wenn wir beide zusammen Schorf und das Zeug zwischen den Zehen unterm Mikroskop untersucht haben, auch wenn wir keine Angst haben vor eingelegten Ochsenaugen und Fischeingeweiden und vor dem, was unter toten Baumstämmen zu finden ist, wäre es geschmacklos, möglicherweise verletzend, ihm diese Frage zu stellen. Ich denke an seine eckige Schrift, mit der er JUPITER in den Sand geschrieben hat, mit seinem geübten Extrafinger. Nach Cordelias Version wird er später mal mit Haaren bedeckt sein. Vielleicht weiß er das noch gar nicht.

Cordelia sagt, die Jungen stecken einem die Zunge in den Mund, wenn sie einen küssen. Nicht die Jungen, die wir kennen, ältere. Sie sagt das ganz genau so, wie mein Bruder »Schneckensaft« oder »Rotz« sagt, wenn Carol gerade zuhört, und Carol macht auch ganz genau dasselbe, sie rümpft die Nase, schüttelt sich genauso. Grace sagt, daß Cordelia ekelhaft ist.

Ich denke an die Spucke, die man manchmal sieht, in der Stadt, auf dem Gehweg; oder an die Rinderzungen beim Fleischer. Warum sollten sie so etwas tun, ihre Zunge in anderer Leute Mund stecken? Natürlich nur, um ekelhaft zu sein. Einfach nur, um zu sehen, was man dann tut.

18

Ich gehe die Kellertreppe hinauf, auf deren Stufen schwarze Gummi-profile genagelt sind. Mrs. Smeath steht mit ihrer Latzschürze am Abwaschbecken in der Küche. Sie hat ihr Nickerchen gemacht und ist jetzt auf den Beinen und bereitet das Abendessen vor. Sie schält Kartoffeln; sie schält oft irgend etwas. Die Schale fällt in einer langen hellen Spirale aus ihren großen knochigen Händen. Das Messer, das sie zum Schälen verwendet, ist so abgenutzt, daß die Schneide ganz dünn geworden ist, nur noch ein halbmondförmiger Rest. Die Küche ist voller Dampf, und es riecht nach Fett und ausgekochten Knochen.

Mrs. Smeath dreht sich um und sieht mich an, in der linken Hand hält sie eine geschälte Kartoffel, in der rechten das Messer. Sie lächelt. »Grace sagt, deine Familie geht nicht in die Kirche«, sagt sie. »Viel-leicht möchtest du mit uns kommen. In unsere Kirche.«

»Ja«, sagt Grace, die hinter mir die Treppe raufgekommen ist. Und es ist eine angenehme Vorstellung. Ich werde Grace an den Sonntag-vormittagen ganz für mich allein haben, ohne Carol und Cordelia. Grace ist noch immer die Begehrteste, diejenige, die jeder von uns haben will.

Als ich meinen Eltern von meinem Plan erzähle, sehen sie besorgt aus. »Bist du sicher, daß du wirklich hingehen willst?« fragt meine Mutter. Als sie klein war, mußte sie immer in die Kirche gehen, sagt sie, ob sie wollte oder nicht. Ihr Vater war sehr streng. Sie durfte sonntags nicht pfeifen. »Bist du dir auch ganz sicher?«

Mein Vater sagt, er hält nichts von Gehirnwäsche, schon gar nicht bei Kindern. Wenn man erwachsen ist, kann man selbst entscheiden, ob man zu einer Kirche gehören will. Die Religion ist seiner Meinung nach für viele Kriege und viel Blutvergießen verantwortlich, auch für Heuchelei und Intoleranz. »Natürlich sollte jeder gebildete Mensch die Bibel kennen«, sagt er. »Aber sie ist erst acht.«

»Fast neun«, sage ich.

»Na ja«, sagt mein Vater. »Aber glaub nicht alles, was du hörst.«

Am Sonntag ziehe ich die Kleider an, die meine Mutter und ich ausgesucht haben, ein Kleid aus dunkelblauem und grünem Wollstoff, weiß gerippte Strümpfe, die mit Strumpfbändern an meinem steifen weißen Baumwolleibchen befestigt sind. Ich besitze jetzt mehr Kleider als früher, aber ich gehe nicht mit meiner Mutter einkaufen, um sie auszusuchen, so wie Carol es tut. Meine Mutter haßt Einkäufe, und sie näht auch nicht. Meine Mädchenkleider sind alle gebraucht, ich bekomme sie von einer entfernten Freundin meiner Mutter geschenkt, die eine etwas größere Tochter hat. Keines dieser Kleider paßt mir besonders gut; die Säume an den Röcken hängen, und die Ärmel haben dicke Falten unter den Armen. Ich denke, das ist bei Kleidern nun mal so. Aber die weißen Strümpfe sind neu und kratzen sogar noch mehr als die braunen, die ich zur Schule anziehe.

Ich hole meine blaue Katzenaugenmurmel aus meinem roten Plastiktäschchen und lege sie in die Schreibtischschublade, und stecke statt dessen das Fünfcentstück hinein, das meine Mutter mir für den Klingelbeutel gegeben hat. Ich gehe die ausgefahrenen Straßen zu Graces Haus. Ich trage Halbschuhe, für Stiefel ist es noch zu früh. Grace macht die Haustür auf, als ich klingle. Sie muß auf mich gewartet haben. Sie hat auch ein Kleid an und weiße Strümpfe und marineblaue Schleifen an den Zöpfen. Sie mustert mich von oben bis unten. »Sie hat keinen Hut«, sagt sie.

Mrs. Smeath, die im Flur steht, betrachtet mich, als wäre ich ein Waisenkind an ihrer Schwelle. Sie schickt Grace nach oben, um einen Hut zu holen, und Grace kommt mit einem alten dunkelblauen Samthut mit einem Gummiband unter dem Kinn zurück. Er ist mir zu klein, aber Mrs. Smeath sagt, daß er für den Augenblick ginge. »Wir gehen nicht ohne Kopfbedeckung in unsere Kirche«, sagt sie. Sie betont *unsere*, als gäbe es noch andere, minderwertige, barhäuptige Kirchen.

Mrs. Smeath hat eine Schwester, die mit uns in die Kirche geht. Sie heißt Tante Mildred. Sie ist älter und war als Missionarin in China. Sie hat genauso knochige rote Hände, genauso eine Brille mit Stahlrand, genauso eine Haarkrone wie Mrs. Smeath, nur ist bei ihr das ganze Haar grau, und die Haare in ihrem Gesicht sind auch grau, und es sind viel mehr. Beide haben Hüte auf, die wie unordentlich verpackte Filzbündel aussehen, aus denen nach allen Seiten die Ecken und Enden rausstehen. Ich habe solche Hüte in einem Eaton-Katalog gesehen, der schon mehrere Jahre alt war, getragen von Mannequins mit glatt nach hinten gestrichenem Haar und hohen Wangenknochen und dunkelroten, schimmernden Mündern. Auf Mrs. Smeath und auf ihrer Schwester haben sie nicht dieselbe Wirkung.

Als alle Smeaths ihre Mäntel und Hüte anhaben, klettern wir in ihr Auto: Mrs. Smeath und Tante Mildred vorn, ich und Grace und ihre beiden kleinen Schwestern hinten. Auch wenn ich Grace verehre, so ist diese Verehrung doch keineswegs körperlich, und so dicht neben ihr auf dem Rücksitz des Autos eingepfercht zu sein, ist mir peinlich. Direkt vor meinem Gesicht sitzt Mr. Smeath hinter dem Lenkrad. Er ist klein und hat eine Glatze und ist sonst so gut wie nie zu sehen. Das gleiche gilt für Cordelias und Carols Vater: Im täglichen Leben der Häuser sind die Väter meist unsichtbar.

Wir fahren durch die fast leeren sonntäglichen Straßen, folgen den Straßenbahnschienen in Richtung Westen. Die Luft im Auto füllt sich mit dem verbrauchten Atem der Smeaths, ein abgestandener Geruch wie getrockneter Speichel. Die Kirche ist groß und aus Ziegelsteinen gebaut; ganz oben ist kein Kreuz, sondern so was Ähnliches wie eine Zwiebel, das sich dreht. Ich erkundige mich nach dieser Zwiebel, die vielleicht etwas Religiöses bedeutet, von dem ich nichts weiß, aber Grace sagt, es ist ein Ventilator.

Mr. Smeath stellt das Auto ab, und wir steigen aus und gehen hinein. Wir setzen uns in einer Reihe auf eine lange Bank aus dunklem glänzendem Holz. Es ist das erste Mal, daß ich in einer Kirche bin. Die Decke ist sehr hoch, und die Lampen, die wie Heckenwinden geformt sind, hängen an Ketten herunter, und ganz vorn ist ein einfaches goldenes Kreuz und eine Vase mit weißen Blumen. Dahinter sind drei Fenster mit bemalten Glasscheiben. Auf dem größten, dem in der Mitte, ist Jesus, ganz in Weiß, mit zur Seite ausgestreckten Händen und mit einem weißen Vogel, der über seinem Kopf schwebt. Darunter steht in dicken schwarzen Bibelbuchstaben, mit Punkten zwischen den Wörtern: DAS · KÖNIGREICH · GOTTES · IST · IN · DIR. Links davon ist noch mal Jesus, seitlich sitzend und in Rosarot; zwei Kinder lehnen an seinen Knien. Darunter steht LASSET · DIE · KINDER · ZU · MIR · KOMMEN. Beide Jesuse haben Heiligenscheine. Auf der anderen Seite ist eine Frau in

Blau, ohne Heiligenschein, ihr Gesicht ist zu einem Teil mit einem weißen Tuch bedeckt. Sie trägt einen Korb und hält eine Hand helfend nach unten. Zu ihren Füßen sitzt ein Mann, der etwas um den Kopf hat, das wie ein Verband aussieht. Dort steht: DIE · GRÖSSTE · ABER · IST · DIE · BARMHERZIGKEIT. Rund um die Fenster sind breite Ränder, um die sich gemalte Weinranken schlingen, und Trauben und verschiedene Blumensorten. Hinter den Fenstern ist elektrisches Licht, das sie erleuchtet. Ich kann meinen Blick kaum von ihnen wenden.

Dann ertönt Orgelmusik, und alle stehen auf, und ich bin verwirrt. Ich passe auf, was Grace tut, stehe auf, wenn sie aufsteht, setze mich hin, wenn sie sich hinsetzt. Wenn gesungen wird, hält sie das Gesangbuch auf und zeigt mit dem Finger darauf, aber ich kenne keine der Melodien. Nach einer Weile wird es Zeit für uns, in die Sonntagsschule zu gehen, und wir stellen uns mit den anderen Kindern in einer Reihe auf und gehen in den Keller der Kirche.

An der Tür zur Sonntagsschule ist eine Tafel, auf der mit bunter Kreide steht: KILROY WAR HIER. Daneben ist eine Zeichnung von den Augen und der Nase eines Mannes, der über einen Zaun guckt.

Die Sonntagsschule ist in Klassen aufgeteilt, genauso wie die normale Schule. Aber die Lehrerinnen sind jünger; unsere ist bestimmt noch nicht zwanzig und trägt einen hellblauen Hut mit Schleier. In unserer Klasse sind nur Mädchen. Die Lehrerin liest uns die Bibelgeschichte von Josef und seinem bunten Mantel vor. Dann hört sie sich an, wie die Mädchen etwas aufsagen, das sie auswendig lernen mußten. Ich sitze auf meinem Stuhl und baumle mit den Beinen. Ich habe nichts auswendig gelernt. Die Lehrerin lächelt mir zu und sagt, sie hofft, daß ich jetzt jede Woche komme.

Danach gehen die verschiedenen Klassen alle in einen großen Raum mit grauen Holzbänken, die in einer Reihe stehen, so wie die Bänke, auf denen wir sitzen, wenn wir in der Schule unser Mittagbrot essen. Wir sitzen auf den Bänken, die Lampen sind aus, und auf einer leeren Wand am andern Ende des Raums werden Farbdias gezeigt. Die Dias sind keine Fotos, sondern gemalte Bilder. Sie sehen altmodisch aus. Auf dem ersten ist ein Ritter zu sehen, der durch den Wald reitet und nach oben starrt, wo ein Lichtstrahl durch die Bäume fällt. Die Haut des Ritters ist sehr weiß, seine Augen sind so groß wie die eines Mädchens, und seine Hand liegt an der Stelle seines Körpers, an der sein Herz sein muß, unter seiner Rüstung, die so aussieht wie die Kotflügel von einem Auto. Unter seinem großen, leuchtenden Gesicht kann ich die Lichtschalter und die oberen Bretter der Wandverkleidung und eine Ecke des kleinen Klaviers sehen, das etwas ins Bild ragt.

Das nächste Bild zeigt denselben Ritter, nur kleiner, und darunter stehen die Worte, die wir zu dumpfen Akkorden des unsichtbaren Klaviers mitsingen:

Treu will ich sein für sie, die mir vertrauen,
Rein will ich sein für sie, die lieben,
Stark will ich sein, denn Leid ist überall,
Kühn will ich sein, denn es ist viel zu wagen.

Neben mir im Dunkeln höre ich Graces Stimme, die immer höher und höher wird, dünn und schwach wie die Stimme eines Vogels. Sie kennt die Wörter; sie kannte auch die Wörter des Abschnitts aus der Bibel, den sie hatte auswendig lernen müssen. Als wir unsere Köpfe senken, um zu beten, spüre ich Güte in mir, ich fühle mich aufgenommen. Gott liebt mich, wer immer er sein mag.

Nach der Sonntagsschule gehen wir wieder in die richtige Kirche, wo der letzte Teil stattfindet, und ich lege meine Fünfcentmünze auf den Sammelteller. Dann kommt etwas, das Lobpreisung Gottes heißt. Dann verlassen wir die Kirche und quetschen uns wieder ins Smeathsche Auto, und Grace sagt vorsichtig: »Dürfen wir uns die Züge ansehen, Daddy?«, und die kleinen Mädchen rufen begeistert: »Ja, ja.«

»Wart ihr denn brav?« fragt Mr. Smeath, und die kleinen Mädchen rufen wieder: »Ja, ja.«

Mrs. Smeath gibt einen unentschlossenen Laut von sich. »Also gut«, sagt Mr. Smeath zu den kleinen Mädchen. Er fährt mit dem Auto in Richtung Süden, durch die leeren Straßen, neben den Straßenbahngleisen, an einer einzelnen Straßenbahn vorbei, die wie eine dahingleitende Insel wirkt, bis wir schließlich in der Ferne den flachen grauen See erkennen, und unter uns, über den Rand eines kleinen Hangs hinweg, eine flache graue Ebene, die mit Eisenbahngleisen bedeckt ist. Auf dieser metallüberzogenen Ebene rangieren mehrere Züge langsam hin und her. Weil Sonntag ist und weil dieser Ausflug für die Smeaths offenbar zur sonntäglichen Routine nach der Kirche gehört, kommt mir der Gedanke, daß die Schienen und die trägen schwerfälligen Lokomotiven etwas mit Gott zu tun haben. Außerdem ist mir klar, daß es in Wirklichkeit nicht die kleinen Mädchen sind, die die Züge sehen wollen, und auch nicht Grace, sondern Mr. Smeath selbst.

Wir bleiben dort so lange im Auto sitzen und sehen den Zügen zu, bis Mrs. Smeath sagt, daß das Essen verkocht. Danach fahren wir wieder zu Grace.

Ich bin zum Sonntagessen eingeladen. Es ist das erste Mal, daß ich bei Grace zum Essen bleibe. Vor dem Essen nimmt mich Grace mit nach oben, damit wir uns die Hände waschen können, und ich erfahre wieder etwas Neues über ihr Haus: Man darf nur vier Blätter Toilettenpapier verwenden. Die Seife im Badezimmer ist schwarz und rauh. Grace sagt, es ist Teerseife.

Das Essen besteht aus gebackenem Schinken und gebackenen Bohnen und gebackenen Kartoffeln und Kürbismus. Mr. Smeath schneidet den Schinken, Mrs. Smeath legt das Gemüse auf die Teller, die herumgereicht werden. Die kleinen Schwestern von Grace mustern mich durch ihre Brillen, als ich zu essen beginne.

»In diesem Haus danken wir vor dem Essen«, sagt Tante Mildred und lächelt fest. Ich habe keine Ahnung, was sie meint. Ich sehe Mr. Smeath an: Warum müssen wir ihm extra danken? Aber sie beugen jetzt alle den Kopf und falten die Hände, und Grace sagt: »O Herr, wir danken Dir wahrhaft für alles, was wir von Dir empfangen, Amen«, und Mr. Smeath sagt: »Gutes Essen, guter Trank, guter Gott, jetzt ran«, und blinzelt mir zu. »Lloyd«, sagt Mrs. Smeath, und Mr. Smeath stößt ein kurzes, verschwörerisches Lachen aus.

Nach dem Essen sitzen Grace und ich im Wohnzimmer auf dem Samtsofa, demselben, auf dem Mrs. Smeath ihre Nickerchen macht. Es ist das erste Mal, und ich habe das Gefühl, daß ich auf irgend etwas Auserwähltem sitze, einem Thron oder einem Sarg. Wir lesen die Sonntagsschulzeitung, in der die Geschichte von Josef steht, und noch eine neuere Geschichte von einem Jungen, der Geld vom Sammelteller stiehlt, es dann aber bereut und zur Sühne Altpapier und Flaschen für die Kirche sammelt. Die Bilder sind in Schwarz und

Weiß mit Feder und Tinte gezeichnet, aber vorn auf dem Titelblatt ist ein buntes Bild von Jesus, in Pastellgewändern, von Kindern umgeben, alle von verschiedener Hautfarbe, braun, gelb, weiß, alle sauber und hübsch, manche halten sich an den Händen, andere starren mit großen andächtigen Augen zu ihm auf. Dieser Jesus hat keinen Heiligenschein.

Mr. Smeath ist in dem kastanienbraunen Sessel eingenickt, sein runder Bauch steht vor. Aus der Küche ist das Klappern von Besteck zu hören. Mrs. Smeath und Tante Mildred waschen das Geschirr ab.

Ich komme erst am späten Nachmittag wieder nach Hause, mit meinem roten Plastiktäschchen und meiner Sonntagsschulzeitung.

»War es schön?« fragt meine Mutter, noch immer etwas besorgt.

»Hast du was gelernt?« fragt mein Vater.

»Ich muß einen Psalm auswendig lernen«, sage ich wichtig. Das Wort *Psalm* klingt wie eine geheime Losung. Ich bin ein bißchen verärgert über meine Eltern. Es gibt Dinge, die sie mir vorenthalten haben, Dinge, die ich wissen muß. Das mit den Hüten, zum Beispiel: Wie hatte meine Mutter die Sache mit den Hüten vergessen können? Gott ist für mich kein völlig Unbekannter: er kommt in den Morgengebeten in der Schule vor und sogar in *God Save the King*. Aber wie es scheint, gehört noch mehr dazu, gibt es noch mehr Dinge, die gelernt werden müssen, noch mehr Lieder, die gesungen werden müssen, noch mehr Fünfcentstücke, die gespendet werden müssen, bevor er völlig zufriedengestellt ist. Aber ich mache mir Sorgen wegen des Himmels. Wie alt werde ich sein, wenn ich dort hinkomme? Was geschieht, wenn ich schon alt bin bei meinem Tod? Im Himmel möchte ich genauso alt sein, wie ich gerade bin.

Grace hat mir eine Bibel geliehen, ihre zweitbeste. Ich gehe in mein Zimmer und beginne zu lernen: *Die Himmel erzählen die Ehre Gottes, und die Feste verkündigt Seiner Hände Werk. Ein Tag sagt's dem andern, und eine Nacht tut's kund der andern.*

Ich habe noch immer keine Gardinen in meinem Schlafzimmer. Ich sehe aus dem Fenster, sehe hinauf: Dort oben sind die Himmel, sind die Sterne, wo sie sonst auch waren. Jetzt sehen sie nicht mehr kalt und weiß und fern aus, wie Alkohol und Emailleschüsseln. Jetzt sehen sie wachsam aus.

19

Die Mädchen stehen in kleinen Grüppchen auf dem Schulhof oder oben auf dem Hügel, sie flüstern und arbeiten an ihren Strickspulen. Es ist jetzt Mode, eine Spule mit vier Nägeln an dem einen Ende und dazu ein Wollknäuel zu haben. Man schlingt die Wolle zweimal um jeden Nagel und verwendet einen fünften Nagel, um die unteren Schlaufen über die oberen zu ziehen. Aus dem anderen Ende der Spule baumelt ein dicker runder Wollschwanz, den man wie eine flache Schlangenhaut aufrollen und zu einem Untersetzer für die Teekanne zusammennähen soll. Ich habe eine solche Spule, und Grace und Carol auch, sogar Cordelia hat eine, auch wenn ihre Wolle völlig verknotet ist.

Diese Grüppchen flüsternder Mädchen mit ihren Strickspulen und bunten Wollschwänzen haben etwas mit Jungen zu tun, mit der Trennung von den Jungen. Jede Mädchengruppe schließt immer ein paar andere Mädchen aus, aber stets alle Jungen. Die Jungen schließen uns auch aus, aber bei ihnen ist der Ausschluß eine aktive Angelegenheit, sie machen es sehr deutlich. Das haben wir nicht nötig.

Ab und zu gehe ich noch zu meinem Bruder ins Zimmer und liege am Boden und lese Comics, aber niemals, wenn ein anderes Mädchen da ist. Allein werde ich geduldet, aber nicht als Teil einer Mädchengruppe. Das ist ein stillschweigendes Übereinkommen.

Früher waren die Jungen für mich etwas Selbstverständliches, ich war an sie gewöhnt. Aber jetzt passe ich besser auf, weil Jungen anders sind. Zum Beispiel baden sie nicht so oft, wie sie sollten. Sie riechen schmutzig, nach Kopfhaut, aber auch nach Leder – von den Knieflicken auf ihren Knickerbockern, und nach Wolle – von den Knickerbockern, die nur bis über die Knie reichen und wie Fußballhosen geschnürt werden. Weiter unten an den Beinen haben sie dicke Wollsocken an, die gewöhnlich feucht sind und runterrutschen. Wenn sie draußen sind, tragen sie Lederhelme auf dem Kopf, die unter dem Kinn befestigt werden. Ihre Sachen sind khakifarben oder marineblau oder grau oder dunkelgrün, Farben, auf denen man den

Schmutz nicht so leicht sieht. Das Ganze hat ein bißchen etwas von Militär an sich. Die Jungen sind stolz auf ihre trübe, farblose Kleidung, ihre runterrutschenden Socken, ihre dreckige, mit Tinte beschmierte Haut. Auf Schmutz sind sie fast so stolz wie auf Wunden. Sie arbeiten hart daran, sich wie Jungen aufzuführen. Sie reden einander beim Nachnamen an, jede zusätzliche Unsauberkeit wird laut gefeiert: »He, Robertson! Wisch dir den Rotz ab!« »Wer hat da eben gefurzt?« Sie boxen sich gegenseitig auf die Oberarme und sagen: »Da hast du's!« »Du auch!« Es scheinen von ihnen immer mehr im Zimmer zu sein, als in Wirklichkeit da sind.

Mein Bruder boxt auch auf die Arme und macht Bemerkungen über Gerüche wie alle anderen, aber er hat ein Geheimnis. Er würde es den andern Jungen nie verraten, weil sie über ihn auf bestimmte Art lachen würden.

Das Geheimnis ist, daß er eine Freundin hat. Diese Freundin ist so geheim, daß sie nicht einmal selbst davon weiß. Ich bin die einzige, der er es erzählt hat, und ich mußte einen Doppelschwur leisten, es niemandem zu erzählen. Selbst wenn wir allein sind, darf ich ihren Namen nicht aussprechen, sondern immer nur ihre Anfangsbuchstaben, B. W. Manchmal murmelt mein Bruder sie vor sich hin, wenn andere Leute da sind, zum Beispiel meine Eltern. Wenn er sie sagt, starrt er mich an und wartet darauf, daß ich nicke oder ihm ein Zeichen gebe, daß ich ihn gehört und verstanden habe. Er schreibt mir verschlüsselte Nachrichten, die er irgendwo hinlegt, wo ich sie bestimmt finde, unter meinem Kopfkissen, zusammengeknüllt in meiner Schreibtischschublade. Wenn ich diese Nachrichten entschlüssele, stelle ich fest, daß sie überhaupt nicht zu ihm passen, sie sind völlig phantasielos und so idiotisch, daß ich es kaum glauben kann: »Habe mit B. W. gesprochen.« »Hab SIE heute gesehen.« Er schreibt diese Mitteilungen mit farbigen Stiften, in verschiedenen Farben, mit Ausrufungszeichen. Eines Nachts schneit es unerwartet, und am nächsten Morgen, als ich aufwache und aus meinem Schlafzimmerfenster sehe, stehen da die bedeutungsvollen Initialen, in den weißen Grund gepinkelt, schon wieder schmelzend.

Ich merke, daß seine Freundin ihm einige Qualen bereitet und einige Aufregung, nur begreife ich nicht, warum. Ich weiß, wer sie ist. Ihr richtiger Name ist Bertha Watson. Sie hängt immer mit den anderen Mädchen oben auf dem Hügel unter den verkrüppelten Kiefern herum. Sie hat glatte braune Haare, einen Pony, und sie ist normal groß. Ich kann an ihr nichts Wunderbares finden, oder sonst Ungewöhnliches. Ich wüßte gern, wie sie es angestellt hat, mit welchen Tricks sie meinen Bruder dazu gebracht hat, sich plötzlich in einen dümmeren, nervöseren identischen Zwilling seiner selbst zu verwandeln.

Dieses Geheimnis zu kennen, die einzige zu sein, die auserwählt wurde, es zu erfahren, verleiht mir eine gewisse Bedeutung. Aber es ist eine negative Bedeutung, es hat die Bedeutung eines leeren Blattes Papier. Ich darf es wissen, weil ich nichts erzähle. Ich fühle mich herausgehoben, aber auch allein gelassen. Ich sehe mich auch als Beschützerin, denn zum ersten Mal in meinem Leben fühle ich mich verantwortlich für ihn. Er ist in Gefahr, und ich besitze Macht über ihn. Mir kommt der Gedanke, daß ich ihn verraten, ihn dem Gelächter preisgeben könnte; ich habe diese Möglichkeit. Er ist mir ausgeliefert, und das will ich nicht. Ich will ihn wieder so haben, wie er früher war, unverändert, unbesiegbar.

Die Freundin ist nicht von langer Dauer. Nach einer Weile ist nicht mehr die Rede von ihr. Mein Bruder fängt wieder an, mich zu verspotten oder zu ignorieren; er hat jetzt wieder das Kommando. Er bekommt einen Chemiebaukasten und macht unten im Keller Experimente. Wenn er von etwas besessen sein muß, ziehe ich den Chemiebaukasten der Freundin vor. Da werden Dinge zum Kochen gebracht und verbreiten einen schrecklichen Gestank, es kommt zu kleinen Schwefelexplosionen, zu erstaunlichen Illusionen. Da gibt es unsichtbare Schrift, die erst erscheint, wenn man das Blatt über eine Kerze hält. Man kann ein hartgekochtes Ei so gummiartig machen, daß es in eine Milchflasche paßt, auch wenn es weitaus schwieriger ist, das Ei wieder rauszukriegen. *Verwandle Wasser in Blut*, heißt es auf der Gebrauchsanweisung, *und verblüffe Deine Freunde*.

Er tauscht noch immer Comics, aber ohne sich große Mühe zu geben, ohne wirklich interessiert zu sein. Und weil sie ihm nicht mehr so wichtig sind, macht er jetzt bessere Tauschgeschäfte. Die

Comics unter seinem Bett stapeln sich, Stöße und Stöße von ihnen, aber er liest nur noch selten darin, wenn keine anderen Jungen da sind.

Mein Bruder hat den Chemiebaukasten erschöpft. Jetzt hat er eine Sternenkarte, die in seinem Zimmer an die Wand gesteckt ist, und nachts dreht er das Licht aus und sitzt neben dem dunklen offenen Fenster in der Kälte, seinen kastanienbraunen Pulli über den Schlafanzug gezogen, und starrt in den Himmel. Er hat eins der Ferngläser von meinem Vater, das er benutzen darf, wenn er es sich an dem Riemen um den Hals hängt, damit er es nicht fallen läßt. Was er als nächstes wirklich gerne hätte, ist ein Teleskop.

Wenn er mich dazukommen läßt, und wenn er Lust hat zu reden, erklärt er mir neue Namen, bezeichnet die Orientierungspunkte: Orion, der Große Bär, der Drachen, der Schwan. Das sind Sternbilder. Jedes setzt sich aus ungeheuer vielen einzelnen Sternen zusammen, die viele hundertmal größer und heißer sind als unsere Sonne. Diese Sterne befinden sich Lichtjahre von uns entfernt, sagt er. Eigentlich sehen wir sie gar nicht, wir sehen nur das Licht, das sie schon Jahre, Hunderte von Jahren, Tausende von Jahren vorher ausgesandt haben. Die Sterne sind wie Echos. Ich sitze dort in meinem Flanellschlafanzug, zittere, der Nacken tut mir weh, weil ich ständig nach oben starre in die kalte und unendlich weite Dunkelheit, in den schwarzen Kessel, in dem die glühenden Sterne kochen und kochen. Seine Sterne sind anders als die in der Bibel: sie sind ohne Worte, sie brennen in vernichtendem Schweigen. Ich habe das Gefühl, als würde sich mein Körper auflösen und als würde ich nach oben gezogen, immer höher und höher hinauf, wie dünner werdender Dunst, in einen riesigen leeren Raum.

»Arcturus«, sagt mein Bruder. Es ist ein fremdes Wort, eins, das ich nicht kenne, aber ich kenne den Ton seiner Stimme: Erkenntnis, Vervollständigung, ein Stück mehr für das Mosaik. Ich denke an seine Murmelgläser – wie er im Frühjahr die Murmeln hineinfallen ließ, eine nach der andern, zählend. Mein Bruder sammelt wieder; er sammelt Sterne.

20

Schwarze Katzen und Papierkürbisse sammeln sich an den Schulfenstern. An Halloween hat Grace ein ganz gewöhnliches Damenkleid an, Carol hat sich als Fee verkleidet, Cordelia als Clown. Ich bin in ein Laken gewickelt, weil ich nichts anderes hatte. Wir gehen von Tür zu Tür, unsere braunen Papiertüten füllen sich mit glacierten Äpfeln, Popcornkügelchen, Erdnußkrokant; wir stellen uns vor den Türen auf und singen: *Tür auf! Tür auf! Die Hexen sind los!* Hinter den Vorderfenstern und auf den Terrassen schweben große orangefarbene Kürbisköpfe, glühendrot, körperlos. Am Tag darauf bringen wir unsere Kürbisse zur Holzbrücke, werfen sie über das Geländer und sehen ihnen nach, wie sie unten platzend aufschlagen. Wir haben jetzt November.

Cordelia gräbt bei sich im Garten hinter dem Haus, wo kein Rasen ist, ein Loch. Sie hat schon mehrere Löcher angefangen, aber ohne Erfolg, weil sie immer gleich auf Felsen gestoßen ist. Dieses Loch sieht vielversprechender aus. Sie gräbt mit einer unten zugespitzten Schaufel; manchmal helfen wir ihr. Es ist kein kleines Loch, sondern ein ziemlich großes, quadratisches Loch; es wird immer tiefer und tiefer, und die Erdhaufen ringsherum werden immer höher. Sie sagt, wir können es als Clubhaus verwenden, wir können Stühle reinstellen und uns hineinsetzen. Wenn es tief genug ist, will sie es mit Brettern abdecken, als Dach. Die Bretter hat sie sich schon zusammengesucht, es sind Schalbretter von den beiden neuen Häusern, die bei ihr in der Nähe gebaut werden. Sie denkt nur noch an dieses Loch und ist kaum dazu zu bringen, irgendwas anderes zu spielen.

Auf den immer dunkler werdenden Straßen tauchen die Mohnblumen zum Remembrance Day auf. Sie sind aus weichem Stoff, rot wie Valentinherzen, mit einem schwarzen Fleck und einer Nadel in der Mitte. Wir stecken sie an unsere Mäntel. Wir lernen ein Gedicht über sie:

Mohnblumen blühn auf den Feldern von Flandern,
zwischen den Kreuzen, eins nach dem andern,
wo wir begraben sind.

Um elf Uhr stehen wir neben unseren Pulten in den flirrenden Staub-fäden der schwachen Novembersonne, um drei Minuten lang zu schweigen, Miss Lumley steht mit grimmiger Miene vorn, wir halten den Kopf gesenkt und lauschen mit geschlossenen Augen der Stille und dem Rascheln unserer Körper und dem *Wumm* der Kanonen aus der Ferne. *Wir sind die Toten.* Ich halte die Augen geschlossen, versu-che, ein frommes Gefühl zu haben und für die toten Soldaten Mitleid zu empfinden, die für uns gestorben sind und deren Gesichter ich mir nicht vorstellen kann. Ich kenne keine toten Menschen.

Cordelia und Grace und Carol bringen mich zu dem tiefen Loch in Cordelias Garten hinter dem Haus. Ich habe ein schwarzes Kleid und einen Umhang aus dem Schrank mit den Kostümen an. Ich soll Mary, die schottische Königin, sein, schon ohne Kopf. Sie heben mich an den Unterarmen und Beinen hoch und lassen mich in das Loch rut-schen. Dann schieben sie die Bretter obendrüber. Das Tageslicht ver-schwindet, und man hört, wie Erde auf die Bretter fällt, eine Schaufel nach der anderen. Unten im Loch ist es trüb und kalt und feucht, und es riecht wie in einem Krötenbau.

Von oben, draußen, höre ich ihre Stimmen, und dann höre ich sie nicht mehr. Ich liege da und überlege, wann es wohl an der Zeit ist, wieder rauszukommen. Nichts rührt sich. Als sie mich in das Loch gesteckt haben, wußte ich, daß es ein Spiel war; jetzt weiß ich, daß es keins ist. Ich verspüre Traurigkeit, das Gefühl von Verrat. Dann fühle ich, wie sich die Dunkelheit immer schwerer auf mich legt; dann Panik.

Wenn ich mich an die Zeit in dem Loch zurückerinnere, kann ich mir eigentlich nicht richtig vorstellen, was mit mir geschah, während ich drin war. Ich kann mich nicht daran erinnern, was ich wirklich gefühlt habe. Vielleicht geschah gar nichts, vielleicht sind die Ge-fühle, an die ich mich erinnere, gar nicht die Gefühle, die ich wirklich hatte. Ich weiß nur, daß die anderen nach einer Weile zurückkamen und mich wieder rausholten und daß wir dann dieses oder irgendein anderes Spiel weiterspielten. Ich habe keine Vorstellung von mir selbst in diesem Loch; nur von einem schwarzen Quadrat ohne etwas drin, einem Quadrat wie einer Tür. Vielleicht ist das Quadrat leer; vielleicht ist es nur eine Markierung, eine Zeitmarkierung, die die Zeit davor von der Zeit danach trennt. Der Punkt, an dem ich die Macht verloren habe. Habe ich geweint, als sie mich aus dem Loch holten? Wahrscheinlich. Andererseits bezweifle ich es. Aber ich kann mich nicht erinnern.

Kurz danach wurde ich neun. Ich kann mich an meine anderen Geburtstage erinnern, die davor und die danach, aber nicht an diesen. Es muß eine Party gegeben haben, meine erste richtige, denn wer hätte schon zu den früheren kommen sollen? Es muß einen Kuchen gegeben haben, mit Kerzen und Glückwünschen und einer Glücksmünze, in Wachspapier gewickelt und zwischen den Teigschichten versteckt, damit sich jemand seinen Zahn daran ausbiß, und auch Geschenke. Cordelia muß dortgewesen sein, und Grace und Carol. All das muß geschehen sein, aber die einzige Spur, die es hinterlassen hat, war eine undefinierbare Abneigung gegen Geburtstagspartys, nicht gegen die anderer, gegen meine. Ich denke an pastellfarbene Glasuren, rosa Kerzen, die in dem fahlen Licht des Novembernachmittags brennen, und da ist ein Gefühl von Scham und Versagen.

Ich schließe die Augen, warte auf Bilder. Ich muß das schwarze Quadrat der Zeit ausfüllen, zurückgehen, sehen, was es enthält. Es ist, als verschwinde ich in diesem Augenblick und tauche später wieder auf, aber verändert, ohne zu wissen, warum ich mich verändert habe. Wenn ich wenigstens die Unterseiten der Bretter über meinem Kopf erkennen könnte, würde das vielleicht helfen. Ich schließe die Augen, warte auf Bilder.

Zuerst sehe ich nichts, nur zurückweichende Dunkelheit, wie ein Tunnel. Aber dann beginnt etwas Gestalt anzunehmen: ein Dickicht aus dunkelgrünen Blättern mit purpurroten Blüten, ein dunkles Purpurrot, eine traurige satte Farbe, und Büschel roter Beeren, durchsichtig wie Wasser. Die Ranken sind ineinander verschlungen, so in die anderen Pflanzen eingewachsen, daß sie wie eine Hecke sind. Der Geruch von Lehm und noch ein anderer beißender Geruch steigen zwischen den Blättern auf, der Geruch von alten Dingen, dicht und schwer, längst vergessen. Es ist kein Wind, aber die Blätter sind in Bewegung, ein Kräuseln, wie von unsichtbaren Katzen oder als bewegten sich die Blätter von allein.

Nachtschatten, denke ich. Es ist ein dunkles Wort. Aber im November gibt es keinen Nachtschatten. Der Nachtschatten ist ein ganz gewöhnliches Unkraut. Man zieht es im Garten aus dem Boden und wirft es weg. Die Nachtschattenpflanze ist mit der Kartoffel verwandt, daraus erklärt sich die ähnliche Form ihrer Blüten. Auch Kartoffeln können giftig sein, wenn sie zu lange an der Sonne waren und grün geworden sind. Über solche Dinge weiß ich gewöhnlich Bescheid.

Mir ist klar, daß dies eine falsche Erinnerung ist. Aber die Blumen, der Geruch, die Bewegung der Blätter bleiben, voll, hypnotisierend, trostlos, von Leid erfüllt.

Wringmaschine

21

Ich verlasse die Galerie, gehe nach Osten. Ich muß einkaufen gehen, mir etwas Vernünftiges zu essen besorgen, mich organisieren. Wenn ich allein bin, lebe ich wie zu alten Zeiten, in denen ich zu essen vergaß, die ganze Nacht durcharbeitete, so lange weitermachte, bis ich ein komisches Gefühl verspürte, das ich nach einigem Überlegen als Hunger erkannte. Dann fuhr ich wie ein Staubsauger durch den Kühlschrank, putzte weg, was da war. Reste.

An diesem Morgen waren noch Eier da, aber jetzt sind keine Eier mehr da. Es ist kein Brot mehr da, es ist keine Milch mehr da. Wieso waren überhaupt Eier und Brot und Milch da? Es müssen Jons Vorräte gewesen sein, er muß manchmal dort essen. Oder konnte es sein, daß er sie extra für mich besorgt hatte? Kaum wahrscheinlich.

Ich werde Orangen kaufen, Joghurt ohne Fruchtgeschmack. Ich werde eine positive Einstellung haben, für mich sorgen, ich werde mich mit Enzymen füttern und mit freundlichen Bakterien. Diese guten Gedanken tragen mich, bis ich im Stadtzentrum ankomme.

Hier war früher Eaton's, hier an dieser Ecke, ein gelber Würfel. Jetzt befindet sich dort an seiner Stelle ein großes Gebäude, das Einkaufskomplex heißt, als wäre Einkaufen eine Geisteskrankheit. Es ist glasig und gekachelt, grün wie ein Eisberg.

Auf der anderen Straßenseite ist vertrautes Terrain: Simpsons Kaufhaus. Ich weiß, daß es irgendwo eine Lebensmittelabteilung hat. Hinter den Schaufensterscheiben sind ganze Stöße von Badetüchern, dick gepolsterte Sofas und Stühle, modern bedruckte Decken. Ich frage mich, was mit all diesen Stoffen geschehen soll. Die Leute tragen sie davon, stopfen sie in ihre Häuser; der sogenannte Nestbauinstinkt. Eine nicht mehr ganz so attraktive Vorstellung, wenn man ein solches Nest mal aus der Nähe gesehen hat. Es muß doch eine Grenze geben dafür, wieviel Stoff man in ein Haus stopfen kann, aber natürlich wirft man heute viel weg. Früher hat man beim Kaufen auf die Qualität geachtet, man hat haltbare Sachen gekauft. Man behielt seine Kleidung so lange, bis sie regelrecht Teil von einem selbst war, man hat die Nähte geprüft, die Art und Weise, wie die Knöpfe angenäht waren, man hat den Stoff zwischen Finger und Daumen gerieben.

In den nächsten Fenstern stehen unzufriedene Schaufensterpuppen mit vorgeschobenen Becken, die Schultern hierher und dorthin geworfen, manche gekrümmt, als wollten sie zum Beil greifen und jemanden erschlagen. Ich schätze, das ist der neue Look: mürrisch aggressiv. Auf dem Gehweg sind eine Menge androgyne Wesen, die Mädchen in schwarzen Lederjacken und klobigen Männerstiefeln, mit Bürstenschnitten, Entenschwänzen, die Jungen mit dem schwermütig schmollenden Blick der Frauen auf den Titelseiten von Modezeitschriften, die Haare mit Gel zu Stacheln aufgerichtet. Aus der Entfernung kann ich sie nicht auseinanderhalten, obgleich sie selbst es wahrscheinlich können. Sie geben mir das Gefühl, altmodisch zu sein.

Was wollen sie erreichen? Ist jeder eine Imitation des anderen? Oder kommt es mir nur so vor, weil sie alle so alarmierend jung sind? Trotz ihrer kühlen Posen tragen sie ihre Begierden offen herum, wie die Saugnäpfe an einem Tintenfisch. Sie wollen alles.

Aber ich nehme an, Cordelia und ich haben für die älteren Leute damals nicht viel anders ausgesehen, wenn wir, hier an dieser Stelle, mit unseren hochgeschlagenen Kragen und unseren Augenbrauen, die zu skeptischen Bogen gezogen waren, und in unseren runtergeklappten Gummistiefeln daherstolziert kamen, sehr um Gleichgültigkeit bemüht, auf dem Weg zur Union Station, wo die Züge hereinkamen, um unsere Geldstücke in den Fotoautomaten zu stecken, vier Schnappschüsse in Schwarzweiß, Paßbildgröße. Cordelia mit einer Zigarette im Mundwinkel und halbgeschlossenen Augenlidern, ein Versuch, erotisch zu wirken. Ultrascharf.

Ich drehe mich durch die Drehtüren zu Simpsons hinein und verliere sofort die Orientierung. Sie haben das ganze Ding verändert. Früher waren es gediegene, in Holzrahmen gefaßte Glasresen mit den üblichen Handschuhen, dazu passende Armbanduhren, Halstücher mit Blumenmustern. Ernsthaft guter Geschmack. Aber jetzt ist es ein Kosmetikjahrmarkt: Silberdekorationen, Goldpfeiler, indirektes Licht, Markennamen mit Buchstaben so groß wie ein menschlicher Kopf. Die Luft ist mit dem Gestank einander bekriegender Parfüms gesättigt. Da sind Videoschirme, auf denen Gesichter mit makellosem Teint sich hin- und herwenden, sich pflegen, durch leicht geöffnete Lippen seufzen, von Händen liebkost werden. Andere Bildschirme zeigen Großaufnahmen von Hautporen, vorher und nachher, detaillierte Anweisungen für die Behandlung von beinahe allem, den Händen, dem Nacken, den Hüften. Den Ellbogen, vor allem den Ellbogen: Das Altern beginnt an den Ellbogen und metastasiert von dort aus.

Dies ist Religion. Voodoo und Zaubersprüche. Ich möchte daran glauben, an die Salben, die Verjüngungswasser, die durchsichtigen Cremes in Glasfläschchen, die einen auf Hochglanz bringen wie Möbelpolitur. »Weißt du denn nicht, woraus dieser ganze Mist gemacht ist?« fragte Ben mich einmal. »Aus zermahlenen Hahnenkämmen.« Aber das kann mich nicht abschrecken, ich würde alles nehmen, wenn es mir hülfe – Schneckensaft, Krötenspucke, Wassermolchaugen, alles, was es gibt, um mich einzubalsamieren, um das fortwährende Tröpfeln der Zeit aufzuhalten, um mehr oder weniger so zu bleiben, wie ich bin.

Aber ich besitze bereits genug von diesem Gepantsche, um meine sämtlichen Klassenkameradinnen, die es inzwischen bestimmt genauso nötig haben wie ich, damit einzubalsamieren. Ich bleibe nur so lange stehen, daß mich ein Mädchen mit ein paar Gratisspritzern eines giftigen neuen Parfüms besprühen kann. Anscheinend ist die Femme fatale wieder da, Veronica Lake geht wieder um. Das Zeug riecht wie Brausepulver. Ich kann mir nicht vorstellen, daß sich irgendwer davon verführen ließe, außer einer Fruchtfliege.

»Gefällt Ihnen das?« frage ich das Mädchen. Sie muß sich ja einsam fühlen, den ganzen Tag in ihren hohen Hacken dazustehen und fremde Leute anzusprühen.

»Es ist sehr beliebt«, sagt sie ausweichend. Für einen kurzen Augenblick sehe ich mich durch ihre Augen: der Lack ab, am Rande des Matronentums, das Beste hoffend. Ich bin der Markt.

Ich frage nach der Lebensmittelabteilung, und sie zeigt mir den Weg. Sie ist unten. Ich steige in den Fahrstuhl, aber plötzlich geht es nach oben. Es ist nicht gut, derart die Richtungen zu vertauschen, oder habe ich Zeit übersprungen, war ich schon unten? Ich steige aus und finde mich zwischen zahllosen Ständern mit Kinderkleidung wieder. Sie haben die Spitzenkragen, die Puffärmel, die breiten Gürtel, an die ich mich erinnere; viele von ihnen sind kariert, in den authentischen düster-blutigen Farben, dunkle Grüntöne mit roten Streifen, Dunkelblau, Schwarz. Black Watch. Haben diese Leute die Geschichte vergessen, wissen sie nichts von den Schotten, fällt ihnen nichts Besseres ein, als kleine Mädchen in die Farben von Verzweiflung, Metzelei, Verrat und Mord zu kleiden? *Mein Lebensweg*, neue Zeile, *Geriet ins Dürre, ins verwelkte Laub*. Früher mußten wir viel auswendig lernen. Trotzdem, Karos waren auch zu meiner Zeit Mode. Die weißen Socken, die flachen Sandalen, das stets unzulängliche Geburtstagsgeschenk in Seidenpapier gewickelt, und die kleinen Mädchen mit ihren abschätzenden Augen, ihrem schlüpfrigen, trügerischen Lächeln, mit Schottenmustern herausgeputzt wie Lady Macbeth.

In der endlosen Zeit, in der Cordelia so viel Macht über mich besaß, schälte ich mir die Haut von den Füßen. Ich tat es nachts, wenn ich eigentlich hätte schlafen sollen. Meine Füße waren kühl und etwas feucht, glatt wie die Haut von Pilzen. Die großen Zehen kamen immer als erstes dran. Ich zog einen Fuß nach oben und biß dort, wo die Haut am dicksten war, unten, ein Stück weg. Dann zog ich mit den Fingernägeln, die ich niemals abgekaut habe – warum etwas beißen, das nicht weh tut? –, die Haut in schmalen Streifen herunter. Genau dasselbe tat ich mit der anderen großen Zehe, dann kamen die Ballen dran. Ich zog die Haut bis aufs Blut herunter. Niemand außer mir guckte meine Füße an, deshalb wußte auch niemand etwas davon. Morgens zog ich meine Socken über meine geschälten Füße. Beim Gehen tat es weh, aber es war auszuhalten. Der Schmerz war etwas Definitives, an das ich denken konnte, etwas Unmittelbares. Er war etwas, an dem ich mich festhalten konnte.

Ich kaute an meinen Haarspitzen, so daß eine Haarlocke immer spitz und naß war. Ich nagte die Haut um meine Fingernägel ab, so daß die Ränder freilagen, durchweichtes Fleisch, das zu Schorf wurde und dann abschuppte. In der Badewanne oder im Abwaschwasser sahen meine Finger angeknabbert aus, wie von Mäusen. Ich tat diese Dinge ständig, ohne darüber nachzudenken. Aber bei den Füßen war es Absicht.

Ich erinnere mich, daß ich, als die Mädchen geboren wurden, zuerst die eine, dann die andere, gedacht habe, daß ich eigentlich Söhne bekommen müßte und keine Töchter. Töchtern fühlte ich mich nicht gewachsen, ich hatte keine Ahnung, wie sie funktionieren. Ich glaube, ich hatte Angst, sie zu hassen. Bei Söhnen hätte ich gewußt, was ich tun müßte: Frösche fangen, Angeln gehen, Krieg spielen, im Schlamm herumwaten. Ich hätte ihnen beibringen können, wie man sich verteidigen muß, und wogegen. Aber die Welt der Söhne hat sich geändert; es sind heute eher die Jungen, die jenen verwirrten Blick mit sich herumtragen, wie ein Nachttier, das vom Sonnenlicht erblindet. »Sei ein Mann«, hätte ich ihnen gesagt. Ich hätte mich auf schwankendem Boden bewegt.

Aber die Mädchen, jedenfalls meine Mädchen, scheinen mit einer Art Schutzhaut geboren zu sein, einer Immunität, die mir fehlte. Sie sehen einem ins Auge, gerade und abwägend, sie sitzen am Küchentisch und erhellen die Luft um sie herum mit ihrer Klarheit. Sie sind gesund, jedenfalls möchte ich das glauben. Meine rettenden Engel.

Sie setzen mich in Erstaunen, das haben sie immer getan. Als sie klein waren, glaubte ich, sie vor gewissen Dingen an mir schützen zu müssen, vor der Angst, den chaotischen Teilen meiner Ehen, den Tagen des Nichts. Ich wollte nicht die Dinge an mir an sie weitergeben, ohne die sie besser dran waren. In diesen Momenten lag ich im Dunkeln auf dem Fußboden, mit zugezogenen Vorhängen und bei verschlossener Tür. *Mummy hat Kopfschmerzen. Mummy muß arbeiten,* sagte ich dann. Aber sie schienen diesen Schutz gar nicht nötig zu haben, sie schienen alles einfach in sich aufzunehmen, es offen zu betrachten, alles zu akzeptieren. »Mummy liegt da drin auf dem Fußboden. Morgen geht's ihr bestimmt wieder besser«, hörte ich Sarah zu Anne sagen, als die eine zehn und die andere vier war. Und so ging es mir dann auch wieder besser. Dieses Vertrauen, wie das Vertrauen in den Sonnenaufgang oder die Phasen des Mondes, hat mir Halt gegeben. Solche Dinge müssen es sein, die Gott die Kraft geben, immer weiterzumachen.

Wer weiß, was sie später einmal aus mir machen werden, wer weiß, was sie bereits aus mir gemacht haben? Ich wünsche mir, daß sie das glückliche Ende meiner Geschichte sind. Aber natürlich sind sie nicht das Ende ihrer eigenen.

Jemand nähert sich mir von hinten, plötzlich eine Stimme aus der dünnen Luft. Ich erschrecke. »Kann ich Ihnen behilflich sein?« Es ist eine Verkäuferin, diesmal eine etwas ältere Frau. Mittleren Alters. In meinem Alter, denke ich entmutigt. In meinem und Cordelias.

Ich stehe zwischen den karierten Kleidern, zupfe an einem Ärmel. Weiß der Himmel, wie lange ich schon so dastehe. Habe ich etwa laut mit mir selbst geredet? Meine Kehle ist zusammengeschnürt, und die Füße tun mir weh. Aber egal, was mich noch alles erwartet, ich habe nicht die Absicht, ausgerechnet zwischen den Mädchenkleidern von Simpsons aus den Schienen zu springen.

»Die Lebensmittelabteilung«, sage ich.

Sie lächelt sanft. Sie ist müde, und ich bin für sie eine Enttäuschung, ich will keinen karierten Stoff kaufen. »Da müssen Sie ganz nach unten«, sagt sie, »ins Untergeschoß«, und zeigt mir freundlich den Weg.

22

Die schwarze Tür geht auf. Ich sitze in dem von Mäusekot und Formaldehyd erfüllten Geruch des Gebäudes auf dem Fensterbrett, die Wärme der Heizung steigt an meinen Beinen herauf, und ich beobachte durch das Fenster die Feen und Gnome und Schneebälle, die zu der Melodie von »Jingle Bells«, die von einer Blaskapelle gespielt wird, unten durch den Nieselregen stapfen. Die Feen sehen verkürzt aus, beschädigt, gestreift vom Staub und Regen an der Fensterscheibe; mein Atem bildet einen nebligen Kreis. Mein Bruder ist nicht hier, er ist zu alt für so was. Jedenfalls sagt er das. Ich habe das gesamte Fensterbrett für mich.

Auf dem Fensterbrett neben meinem sitzen Cordelia und Grace und Carol dicht zusammen und flüstern und kichern. Ich muß allein auf meinem Fensterbrett sitzen, weil sie nicht mit mir reden. Ich habe irgendwas Falsches gesagt, aber ich weiß nicht was, weil sie es mir nicht sagen. Cordelia sagt, es wäre für mich besser, wenn ich noch mal über alles, was ich heute gesagt habe, nachdenke und das, was ich falsch gesagt habe, selber herausfinde. Auf diese Weise würde ich lernen, so was nicht noch mal zu sagen. Wenn ich es gefunden habe, werden sie wieder mit mir reden. All dies ist zu meinem eigenen Vorteil, weil sie meine besten Freundinnen sind und mir nur dabei helfen wollen, mich zu bessern. Darüber denke ich nun also nach, während die Dudelsackspieler unten in ihren durchweichten Filzhüten vorbeimarschieren und die Tambourmajorin mit ihren nackten nassen Beinen und ihrem roten Lächeln und ihren tropfenden Haaren vorbeikommt: Was habe ich falsch gemacht? Ich kann mich nicht daran erinnern, irgend etwas anderes gesagt zu haben als das, was ich sonst auch sage.

Mein Vater kommt herein, er hat seinen weißen Laborkittel an. Er arbeitet in einem anderen Teil des Gebäudes, aber er ist gekommen, um nach uns zu sehen. »Ist der Umzug schön, Mädchen?« fragt er.

»Oh ja, danke«, sagt Carol und kichert. »Danke, ja«, sagt Grace.

Ich sage nichts. Cordelia rutscht von ihrem Fensterbrett und steigt auf meins, setzt sich dicht neben mich.

»Es macht ganz toll Spaß, vielen Dank«, sagt sie mit der Stimme, die sie für Erwachsene parat hat. Meine Eltern finden, daß sie wunderbare Manieren hat. Sie legt einen Arm um mich, drückt mich ein wenig, komplizenhaft, belehrend. Alles ist in Ordnung, solange ich stillsitze, nichts sage, nichts aufdecke. Dann werde ich gerettet sein, dann werde ich wieder akzeptiert werden. Ich lächle, zittere vor Erleichterung, vor Dankbarkeit.

Aber sobald mein Vater das Zimmer wieder verlassen hat, sieht mich Cordelia an, ihr Gesichtsausdruck ist eher traurig als böse. Sie schüttelt den Kopf. »Wie konntest du nur?« sagt sie. »Wie konntest du nur so unhöflich sein? Du hast ihm nicht einmal geantwortet. Du weißt doch, was das bedeutet, nicht wahr? Du mußt leider bestraft werden. Was hast du dazu zu sagen?« Und ich habe nichts zu sagen.

Ich stehe vor der geschlossenen Tür zu Cordelias Zimmer. Cordelia, Grace und Carol sind hinter der Tür, in dem Zimmer. Es findet eine Beratung statt. Bei der Beratung geht es um mich. Ich habe mich nicht bewährt, obgleich sie mir jede erdenkliche Chance dazu geben. Ich muß mich bessern. Aber worin?

Perdie und Mirrie kommen die Treppe herauf und durch den Flur, in ihrer Rüstung des Älterseins. Ich sehne mich danach, so alt zu sein wie sie. Sie sind die einzigen Menschen, die über Cordelia wirklich Macht besitzen, soweit ich das beurteilen kann. Ich sehe sie als meine Verbündeten an; oder jedenfalls glaube ich, daß sie meine Verbündeten wären, wenn sie es nur wüßten. Was wüßten? Sogar mir selbst gegenüber finde ich keine Worte.

»Hallo, Elaine«, sagen sie. Jetzt sagen sie: »Was spielt ihr denn heute wieder? Versteck?«

»Darf ich nicht sagen«, sage ich. Sie lächeln mich an, herablassend und freundlich, und dann gehen sie in ihr Zimmer, um sich die Zehennägel zu schneiden und über ältere Sachen zu reden.

Ich lehne mich an die Wand. Hinter der Tür ist das undeutliche Gemurmel von Stimmen zu hören, von Lachen, exklusiv und luxuriös. Cordelias Mummie gleitet vorbei, sie summt vor sich hin. Sie trägt ihren Malkittel. Auf ihrer Wange sitzt ein apfelgrüner Fleck. Sie lächelt mich an, das Lächeln eines Engels, gütig, aber abwesend. »Hallo, meine Liebe«, sagt sie. »Sag doch bitte Cordelia, daß in der Büchse Plätzchen für euch sind.«

»Du kannst jetzt reinkommen«, ertönt Cordelias Stimme aus dem Zimmer. Ich sehe die geschlossene Tür an, den Türgriff, sehe, wie sich meine Hand nach oben bewegt, als gehörte sie nicht länger zu mir.

So geht das. Genauso gehen Mädchen in diesem Alter miteinander um, oder jedenfalls war es so, damals, aber ich hatte keine Übung darin. Als meine Töchter sich dann diesem Alter näherten, dem Alter von neun Jahren, beobachtete ich sie ängstlich. Ich untersuchte ihre Finger, ihre Füße, ihre Haarspitzen nach abgekauten Stellen. Ich stellte ihnen Suggestivfragen: »Ist alles in Ordnung mit euch, ist alles in Ordnung mit euren Freundinnen?« Und sie haben mich angesehen, als hätten sie keine Ahnung, wovon ich redete, warum ich so besorgt war. Ich dachte, daß sie sich vielleicht irgendwie verraten würden: Alpträume, Geistesabwesenheit. Aber ich konnte nichts entdecken, was aber vielleicht nur bedeutete, daß sie sich gut verstellen konnten, genausogut wie ich. Wenn ihre Freundinnen bei uns zum Spielen eintrafen, musterte ich ihre Gesichter auf Anzeichen von Heuchelei. Ich stand in der Küche und lauschte ihren Stimmen im anderen Zimmer. Ich dachte, daß ich es merken würde. Oder vielleicht war es noch viel schlimmer. Vielleicht taten meine Töchter so etwas anderen an. Das wäre eine Erklärung für ihre Gleichgültigkeit, das Fehlen abgebissener Fingernägel, den offenen blauäugigen Blick.

Die meisten Mütter machen sich Sorgen, wenn ihre Töchter in die Pubertät kommen, aber bei mir war es genau das Gegenteil. Ich entspannte mich, ich stieß Seufzer der Erleichterung aus. Kleine Mädchen sind nur für Erwachsene klein und niedlich. Füreinander sind sie nicht niedlich. Sie sind lebensgroß.

Es wird kälter und kälter. Ich liege mit hochgezogenen Knien da, so dicht an den Körper gedrückt, wie es nur geht. Ich ziehe Haut von den Füßen ab; ich kann es, ohne hinzusehen, ich brauche es nur zu fühlen. Ich denke darüber nach, was ich heute gesagt habe, über meinen Gesichtsausdruck, darüber, wie ich gehe, was ich anhabe, denn all diese Dinge muß ich besser machen. Ich bin nicht normal, ich bin nicht wie andere Mädchen. Sagt Cordelia, aber sie wird mir helfen. Grace und Carol werden mir auch helfen. Es wird harte Arbeit sein und viel Zeit brauchen.

Morgens stehe ich auf, ziehe meine Sachen an, das steife Baumwolleibchen mit den Strumpfbändern, die gerippten Strümpfe, die genoppten Wollpullover, den karierten Rock. Ich erinnere mich, daß diese Sachen kalt waren. Wahrscheinlich waren sie kalt.

Ich ziehe meine Schuhe an, über die Strümpfe und über meine geschälten Füße.

Ich gehe in die Küche, in der meine Mutter das Frühstück macht. Es gibt eine Schüssel mit Porridge, Red River-Cornflakes oder Haferschleim und ein Glas Kaffee. Ich stütze meine Arme auf die weiße Herdkante und sehe zu, wie der Haferschleim kocht und dichter wird, kraftlose Blasen steigen auf und stoßen Dampfwölkchen aus. Der Haferschleim sieht aus wie kochender Schlamm. Ich weiß, daß ich Schwierigkeiten haben werde, ihn zu essen, wenn es soweit ist: Mein Magen wird sich zusammenziehen, meine Hände werden kalt werden, ich werde nicht schlucken können. Hinter meinem Brustknochen hat sich ein harter Klumpen festgesetzt. Aber irgendwie werde ich den Haferschleim schon runterbringen, weil man es von mir verlangt.

Oder ich beobachte die Kaffeemaschine, was besser ist, weil ich alles sehen kann, die spitzen Blasen, die sich unter dem umgestürzten Glasschirm sammeln, dann zögern, dann die Wassersäule, die durch den Stiel nach oben schießt, über den Kaffee in seinen Metallkorb fällt, den Kaffee, der in das klare Wasser tröpfelt, es braun färbt.

Oder ich mache Toast, sitze an dem Tisch, auf dem der Toaster steht. In jedem unserer Löffel liegt eine dunkelgelbe Kapsel aus Lebertran, die wie ein kleiner Football oval geformt ist. Da stehen die Teller, strahlendweiß, und die Gläser mit Saft. Der Toaster steht auf einer silbernen Heizplatte. Er hat zwei Klappen, die unten einen Griff haben, und in der Mitte einen Grill, der vor Hitze rot glüht. Wenn das Toastbrot auf der einen Seite fertig ist, drehe ich die Griffe, und die Klappen gehen auf, und das Toastbrot gleitet hinunter und wendet sich, ganz von selbst. Ich stelle mir vor, wie ich meinen Finger dort hineinstecke, in den rotglühenden Grill.

All dies geschieht, um die Zeit hinauszuzögern, um sie zu verlangsamen, um mich daran zu hindern, durch die Küchentür hinauszugehen. Aber egal, was ich tue und gegen meinen Willen, ziehe ich schließlich meine Schneehose über, schiebe meinen Rock zwischen den Beinen zusammen, ziehe dicke Wollsocken über meine Schuhe, stopfe meine Füße in Stiefel. Mantel, Schal, Fausthandschuhe, Strickmütze, ich bin eingemummt, ich werde geküßt, die Tür geht auf, schließt sich wieder hinter mir, gefrorene Luft schießt durch meine Nase nach oben. Ich watschel durch den Obstgarten mit seinen blattlosen Apfelbäumen, die Beine meiner Schneehose reiben aneinander, ich gehe hinunter zur Bushaltestelle.

Grace wartet dort und Carol, und vor allem Cordelia. Wenn ich das Haus erst mal verlassen habe, gibt es vor ihnen kein Entrinnen mehr. Sie sind im Schulbus, Cordelia steht dicht neben mir. »Steh gerade! Die Leute gucken schon!« flüstert sie mir ins Ohr. Carol ist in meiner Klasse, und sie hat die Aufgabe, Cordelia zu berichten, was ich den ganzen Tag lang mache und sage. Sie sind in der Pause da und beim Mittagessen im Keller. Sie machen Bemerkungen über das Essen, das ich bei mir habe, wie ich mein Sandwich halte, wie ich kaue. Auf dem Nachhauseweg von der Schule muß ich vor oder hinter ihnen gehen. Vor ihnen ist schlimmer, weil sie dann darüber reden, wie ich gehe, wie ich von hinten aussehe. »Geh nicht so krumm«, sagt Cordelia. »Schlenker nicht so mit den Armen.«

Wenn andere dabei sind, sagen sie all diese Dinge nicht, die sie zu mir sagen, nicht einmal vor anderen Kindern: Was hier vor sich geht, ist ein Geheimnis, es geht nur uns vier etwas an. Es ist wichtig, daß es ein Geheimnis ist, das weiß ich: es preiszugeben wäre die größte, nie wiedergutzumachende Sünde. Wenn ich jemandem davon erzähle, werde ich für alle Zeiten ausgestoßen sein.

Aber Cordelia tut all diese Dinge oder hat diese Macht nicht etwa, weil sie meine Feindin ist. Weit gefehlt. Ich weiß, wie Feinde sind. Auf dem Schulhof gibt es Feinde, sie schreien sich an, und wenn es Jungen sind, prügeln sie sich. Im Krieg gab es Feinde. Unsere Jungen und die Jungen aus Unsere Liebe Frau der Immerwährenden Hilfe sind Feinde. Man wirft Schneebälle auf seine Feinde und freut sich, wenn man trifft. Gegen Feinde kann man Haß empfinden und Zorn. Aber Cordelia ist meine Freundin. Sie hat mich gern, sie möchte mir

23

Nichts davon dauert ewig.

An manchen Tagen beschließt Cordelia, daß es nun an der Zeit sei, Carol zu bessern. Ich werde aufgefordert, zusammen mit Grace und Cordelia von der Schule nach Hause zu gehen, mit Carol im Schlepptau, und mit ihnen darüber nachzudenken, was Carol falsch gemacht hat. »Carol ist eine Klugscheißerin«, sagt Cordelia. In solchen Augenblicken tut mir Carol kein bißchen leid. Es geschieht ihr ganz recht, denn sie hat mich die ganze Zeit nicht anders behandelt. Ich bin froh, daß jetzt sie an der Reihe ist und nicht ich.

Aber meistens dauert es nicht lange. Carol weint zu leicht und zu laut, sie löst sich völlig in Tränen auf. Sie zieht die Aufmerksamkeit auf sich, man kann sich nicht darauf verlassen, daß sie es nicht weitererzählt. Sie ist unberechenbar, man darf es mit ihr nicht zu weit treiben, sie hat kein besonders starkes Ehrgefühl, sie ist nur als Informantin verläßlich. Wenn ich das schon weiß, dann muß es Cordelia erst recht wissen.

An manchen Tagen scheint alles völlig normal. Cordelia denkt nicht daran, andere zu erziehen, und ich glaube schon fast, daß sie diese Idee vielleicht aufgegeben hat. Es wird von mir erwartet, daß ich so tue, als sei nie etwas passiert. Aber das ist gar nicht so leicht, weil ich mich immer beobachtet fühle. Jeden Augenblick kann ich eine Grenze übertreten, von der ich gar nicht weiß, daß es sie gibt.

Im letzten Jahr war ich nach der Schule oder an den Wochenenden fast nie allein zu Hause. Jetzt will ich allein sein. Ich denke mir alle möglichen Entschuldigungen aus, um nicht draußen spielen zu müssen. Ich sage noch immer spielen.

»Ich muß meiner Mutter helfen«, sage ich. Das klingt glaubhaft. Manchmal müssen die Mädchen ihren Müttern helfen; vor allem Grace muß ihrer Mutter helfen. Aber es stimmt weniger, als mir lieb ist. Meine Mutter hält sich nicht lange mit Hausarbeiten auf, sie ist lieber draußen, harkt Blätter im Herbst, schaufelt Schnee im Winter, rupft im Frühjahr Unkraut. Wenn ich ihr helfe, bin ich ihr nur im

Weg. Aber ich drücke mich in der Küche herum und frage: »Kann ich was helfen?«, bis sie mir ein Staubtuch gibt und mich die gedrechselten Beine des Eßzimmertischs abstauben läßt, oder die Ränder der Bücherregale; oder ich schneide Datteln auf, rasple Nüsse, fette die Muffin-Backformen mit der Ecke eines Stücks Wachspapier ein, das ich aus einer Crisco-Schachtel herausgerissen habe; oder ich spüle die Wäsche.

Ich spüle gern Wäsche. Die Waschküche ist klein und abgeschlossen, geheim, unterirdisch. Auf den Regalen stehen Packungen mit absonderlichen, krafterfüllten Stoffen. Wäschestärke in weißen verbogenen Formen, wie Vogeldreck, Bleichmittel, die die weiße Wäsche noch weißer machen, Sunlight-Kernseife in Riegeln, Javex-Entfärber mit einem Totenkopf und gekreuzten Knochen, der einen üblen Geruch nach Hygiene und Tod ausströmt.

Die Waschmaschine selbst ist eine weiße Emailleröhre, ein Koloß auf vier spindeldürren Beinen; sie tanzt langsam über den Boden, *schu-schum, schu-schum*, die Kleider und das Seifenwasser bewegen sich in ihr, als würden sie träge kochen, wie Kleiderbrei. Ich sehe ihnen zu, die Ellenbogen auf die Wanne gestützt, das Kinn in die Hände, mein Körper hängt herunter, ohne auch nur das geringste zu denken. Das Wasser wird grau, und ich komme mir tugendhaft vor, weil all der Schmutz herauskommt. Als würde ich das alles selbst tun, nur durch Zusehen.

Ich habe die Aufgabe, die gewaschene Wäsche durch die Wringmaschine in das Waschbecken mit sauberem Wasser zu befördern, und dann in das zweite Waschbecken für die zweite Spülung, und dann in den knarrenden Wäschekorb. Danach bringt meine Mutter die Sachen nach draußen und hängt sie mit Holzklammern auf die Wäscheleine. Manchmal tue ich das auch. In der Kälte werden die Sachen steif wie Sperrholz. Eines Tages sammelt ein kleiner Nachbarjunge Pferdeäpfel auf, von dem Pferd vor dem Milchwagen, und legt sie zwischen die unteren Falten der frisch gewaschenen, doppelt aufgehängten, weißen Bettücher. Alle Bettücher sind weiß, alle Milch kommt von Pferden.

Die Wringmaschine besteht aus zwei fleischfarbenen Gummirollen, die sich um sich selbst drehen, während sie die Wäsche zwischen sich zerquetschen und das Wasser und die Seifenlösung wie Saft herausgedrückt werden. Ich kremple mir die Ärmel hoch, stelle mich auf die Zehenspitzen, rühre in dem Bottich und ziehe die tropfenden Unterhosen und Slips und Schlafanzüge heraus, die sich anfühlen wie etwas, das man unter Wasser anfaßt, noch ehe man merkt, daß es ein Ertrunkener ist. Ich stopfe sie an den Ecken zwischen die Rollen der Wringmaschine, und sie werden gepackt und durchgezogen, die Ärmel füllen sich mit gefangener Luft, von den Manschetten tropft Seifenlösung. Man hat mir gesagt, daß ich gut aufpassen muß: Frauen können mit den Händen, und auch mit anderen Körperteilen, wie etwa den Haaren, in der Wringmaschine hängenbleiben. Ich stelle mir vor, was mit meiner Hand geschehen würde, wenn sie dort hineingeriete: Das Blut und das Fleisch würden wie ein beweglicher Höcker an meinem Arm hochgeschoben werden, und die Hand würde an der anderen Seite flach wie ein Handschuh rauskommen, weiß wie Papier. Ich weiß, daß es zuerst sehr weh tun würde. Aber diese Vorstellung ist irgendwie zwingend. Ein ganzer Mensch könnte durch die Wringmaschine gedreht werden und völlig flach, sauber und vollkommen wieder rauskommen, wie eine Blume, die in einem Buch gepreßt wurde.

»Kommst du nachher zum Spielen?« fragt Cordelia auf dem Nachhauseweg von der Schule.

»Ich muß meiner Mutter helfen«, sage ich.

»Schon wieder?« fragt Grace. »Wieso tut sie das jetzt so oft? Früher hat sie das nie getan.« Wenn Cordelia da ist, redet Grace jetzt immer in der dritten Person von mir, als wären sie zwei Erwachsene.

Ich überlege, ob ich sagen soll, meine Mutter sei krank, aber meine Mutter ist so offenkundig gesund, daß ich damit bestimmt nicht durchkommen würde.

»Sie meint, sie ist zu gut für uns«, sagt Cordelia. Und dann zu mir: »Meinst du, du bist zu gut für uns?«

»Nein«, sage ich. Sich für zu gut halten ist schlimm.

»Wir können ja kommen und deine Mutter fragen, ob du mit uns spielen kannst«, sagt Cordelia, jetzt wieder mit ihrer freundlicheren, besorgten Stimme. »Schließlich wird sie dich doch nicht die ganze Zeit arbeiten lassen. Das ist nicht gerecht.«

Und meine Mutter lächelt und sagt ja, als sei sie froh, daß ich so beliebt bin, und ich werde von den Backformen und der Wring-maschine weggerissen und nach draußen getrieben.

An den Sonntagen gehe ich in die Kirche mit der Zwiebel auf dem Dach, zwänge mich mit allen Smeaths in ihr Auto, mit Mr. Smeath, Mrs. Smeath, Tante Mildred, den kleinen Schwestern von Grace, deren Nasenlöcher den ganzen Winter lang mit gelblichgrünem Rotz zugeklebt sind. Mrs. Smeath scheint mit dieser Gewohnheit sehr zu-frieden zu sein, aber sie ist nur mit sich selbst zufrieden, weil sie etwas Besonderes tut, weil sie Wohltätigkeit übt. Mit mir ist sie nicht be-sonders zufrieden. Das sehe ich an der Falte zwischen ihren Augen-brauen, wenn sie mich ansieht, obgleich sie mit zusammengekniffe-nen Lippen lächelt, und aus der Art und Weise, wie sie mich immer fragt, ob ich das nächste Mal nicht meinen Bruder mitbringen will, oder meine Eltern? Ich konzentriere mich auf ihre Brust, auf ihre eine Brust, die bis zur Taille herunterreicht, mit ihrem dunkelroten, schwarz getupften Herz, das darin schlägt, japsend, ein und aus, ein und aus, atemlos wie ein Fisch auf dem Trockenen, und schüttle be-schämt den Kopf. Mein Unvermögen, die anderen Mitglieder meiner Familie beizubringen, spricht nicht für mich.

Ich habe die Namen aller Bücher der Bibel auswendig gelernt, in der richtigen Reihenfolge, und die Zehn Gebote und das Vaterunser, und die meisten Seligpreisungen. Für meine Antworten beim Bibel-quiz und fürs Auswendiglernen habe ich zehn von zehn möglichen Punkten gekriegt, aber ich lasse schon wieder nach. In der Sonntags-schule müssen wir aufstehen und vor den anderen aufsagen, und Grace beobachtet mich dabei. Sie merkt sich alles, was ich am Sonn-tag tue, und erstattet Cordelia mit sachlicher Stimme Bericht.

»Gestern hat sie in der Sonntagsschule nicht gerade gestanden.« Oder: »Sie war 'ne richtige Streberin.« Ich glaube jede einzelne ihrer Anschuldigungen: Meine Schultern fallen nach vorn, mein Rücken ist krumm, wenn ich gut bin, bin ich zu gut; ich sehe mich krumm dahintrotten, ich unternehme den Versuch, mit vor Angst erstarrtem Körper gerade zu stehen. Und es stimmt, daß ich wieder zehn von zehn Punkten erhalten habe und Grace nur neun. Ist es falsch, alles richtig zu haben? Wie richtig muß es sein, damit es vollkommen ist? In der Woche darauf gebe ich absichtlich fünf falsche Antworten.

»Sie hatte nur fünf von zehn richtig«, sagt Grace am Montag.

»Sie wird immer dümmer«, sagt Cordelia. »So dumm bist du doch gar nicht. Du mußt dir mehr Mühe geben!«

Heute ist Weißer Mildtätigkeits-Sonntag. Wir haben alle von zu Hause Dosen mit Essen für die Armen mitgebracht, in weißes Seidenpapier gewickelt. Ich bringe Habitant-Erbsensuppe und eine Schinkenkonserve mit. Ich schätze, das ist nicht gerade das Ideale, aber etwas anderes hatte meine Mutter nicht. Die Idee der weißen Gaben stört mich: Sie sind so hart, alle gleich, ihrer Identität und ihrer Farben beraubt. Sie sehen tot aus. In diesen feierlichen nackten Bündeln aus Geschenkpapier, die vorn in der Kirche aufgestapelt sind, könnte sich alles mögliche befinden.

Grace und ich sitzen auf den Holzbänken im Kirchenkeller, betrachten die bunten Dias an der Wand und singen die Wörter zu den Liedern, während das Klavier im Dunkeln vor sich hin stampft.

Jesus heißt uns scheinen
mit reinem klarem Licht
wie eine kleine Kerze,
die keine Nacht erlischt:
In dieser Welt ist Dunkelheit.
So lasset uns denn scheinen,
du in deinem kleinen Eck
und ich in meinem.

Ich möchte gern wie eine Kerze scheinen. Ich möchte gut sein, den Geboten folgen, tun, was Jesus mich heißt. Ich möchte glauben, daß man seinen Nachbarn lieben soll wie sich selbst und daß das Königreich Gottes in einem ist. Aber all diese Dinge kommen mir immer unmöglicher vor.

Im Dunkeln sehe ich seitlich einen Lichtfleck. Es ist keine Kerze: es ist Licht, das Graces Brille von dem Licht an der Wand reflektiert. Sie kennt die Worte auswendig, sie braucht nicht zur Tafel zu sehen. Sie beobachtet mich.

Nach der Kirche fahre ich mit den Smeaths durch die leeren sonntäglichen Straßen und sehe den Zügen zu, die auf den Gleisen der grauen Ebene neben dem flachen See eintönig hin und her rangieren.

Dann fahre ich mit ihnen wieder zu ihrem Haus, zum Sonntagsessen. Das ist jetzt jeden Sonntag so, es gehört zum Kirchgang; es wäre sehr schlimm, wenn ich irgend etwas davon nicht täte.

Ich habe gelernt, wie hier alles gemacht wird. Ich steige die Treppe rauf und gehe, ohne ihn anzufassen, am Gummibaum vorbei in das Badezimmer der Smeaths und zähle vier Stück Klopapier ab, und hinterher wasche ich mir mit der körnigen Seife der Smeaths die Hände. Ich brauche jetzt nicht mehr extra ermahnt zu werden, ich beuge automatisch den Kopf, wenn Grace sagt: »Lasset uns dem Herrn danken für alles, was er uns gegeben hat. Amen.«

»Jedes Böhnchen ein Tönchen, ob heiß oder kalt, die Hose knallt«, sagt Mr. Smeath und grinst in die Runde. Mrs. Smeath und Tante Mildred finden das gar nicht komisch. Die kleinen Mädchen sehen ihn mit feierlicher Miene an. Sie tragen beide eine Brille und haben weiße sommersprossige Haut und Sonntagsschleifen an den Enden ihrer braunen drahtigen Zöpfe, so wie Grace.

»Lloyd«, sagt Mrs. Smeath.

»Ach was, ist doch harmlos«, sagt Mr. Smeath. Er sieht mir in die Augen. »Elaine findet's komisch. Stimmt's, Elaine?«

Ich sitze in der Falle. Was soll ich sagen? Wenn ich nein sage, halten sie mich vielleicht für unhöflich. Und wenn ich ja sage, habe ich mich mit ihm gegen Mrs. Smeath und Tante Mildred und alle drei Smeath-Mädchen verbündet, einschließlich Grace. Ich merke, wie mir zuerst heiß, dann kalt wird. Mr. Smeath grinst mich an, das Grinsen eines Verschwörers.

»Ich weiß nicht«, sage ich. Die richtige Antwort ist nein, denn eigentlich weiß ich gar nicht, was dieser Witz zu bedeuten hat. Aber ich kann Mr. Smeath nicht völlig im Stich lassen. Er ist ein untersetzter, fast glatzköpfiger, dicklicher Mann, aber trotzdem ein Mann. Er richtet mich nicht.

Am nächsten Morgen im Schulbus berichtet Grace Cordelia mit flüsternder Stimme von diesem Vorfall. »Sie hat gesagt, sie weiß nicht.«

»Was ist denn das für eine Antwort?« fährt mich Cordelia an. »Entweder du findest es komisch, oder nicht. Warum hast du gesagt, du weißt nicht?«

»Weil ich nicht weiß, was es bedeutet«, erkläre ich wahrheitsgemäß.

»Was *was* bedeutet?«

»Ich weiß nicht, was mit Tönchen gemeint ist«, sage ich. »Und wieso die Hose knallt.« Es ist mir außerordentlich peinlich, daß ich es nicht weiß. Es nicht zu wissen, ist das Schlimmste, was ich hätte tun können.

Cordelia stößt ein verächtliches Lachen aus. »Was *das* bedeutet, weißt du nicht?« fragt sie. »So was Blödes hab ich ja noch nie gehört! Es bedeutet *furzen*. Von Bohnen muß man furzen. Das weiß doch jeder.«

Ich bin doppelt gedemütigt: weil ich es nicht wußte und weil Mr. Smeath am Sonntagstisch *furzen* gesagt hat und mich auf seine Seite gezogen hat, weil ich nicht nein gesagt habe. Es ist nicht das Wort selbst, weshalb ich mich schäme. Ich bin daran gewöhnt, mein Bruder und seine Freunde sagen es die ganze Zeit, wenn kein Erwachsener zuhört. Es ist das Wort am Mittagstisch der Smeaths, dieser Festung der Rechtschaffenheit.

Aber insgeheim nehme ich nichts zurück. Ich halte zu Mr. Smeath, so wie ich zu meinem Bruder halte: Beide stehen auf der Seite der Ochsenaugen, des Zehenschmalzes unterm Mikroskop, des Empörenden, des Subversiven. Empörend für wen, subversiv für was? Für Grace und Mrs. Smeath, für saubere Papierdamen, die in Hefte geklebt werden. Eigentlich müßte Cordelia auch auf dieser Seite sein. Manchmal ist sie es, manchmal nicht. Schwer zu sagen.

24

Morgens ist die Milch gefroren, die Sahne steigt in vereisten, körnigen Säulen aus den Flaschenhälsen. Miss Lumley beugt sich über meinen Tisch, ihre unsichtbaren marineblauen Unterhosen umgeben sie mit ihrer Aura der Trostlosigkeit. An beiden Seiten ihrer Nase hängt die Haut schlaff herunter, wie die Backen von Bulldoggen; in ihren Mundwinkeln ist eine Spur getrockneten Speichels. »Deine Schrift wird immer miserabler«, sagt sie. Ich starre betrübt auf meine Seite. Sie hat recht: die Buchstaben sind nicht mehr schön rund, sondern wie Spinnenbeine, hektisch, kraklig und von rostig-schwarzen Tintenklecksen entstellt, wo ich zu stark aufgedrückt habe. »Du mußt dir mehr Mühe geben.« Ich balle die Hände, um meine Finger zu verstecken. Ich habe das Gefühl, daß sie auf die ausgefranste Haut starrt. Alles, was sie sagt, alles, was ich tue, wird von Carol mitgehört und gesehen und hinterher berichtet.

Cordelia spielt in einem Theaterstück mit, und wir gehen alle hin, um ihr zuzusehen. Ich gehe zum ersten Mal in ein Theaterstück, und eigentlich müßte ich mich freuen. Statt dessen habe ich Angst, weil ich nicht weiß, wie man sich im Theater benimmt, und bestimmt irgendwas falsch mache. Das Stück wird im Saal von Eaton's aufgeführt; die Bühne hat einen blauen Vorhang mit schwarzen Querstreifen aus Samt. Der Vorhang geht auf und gibt den Blick auf *Der Wind in den Weiden* frei. Alle Schauspieler sind Kinder. Cordelia ist ein Wiesel, aber da sie ein Wieselkostüm mit einem Wieselkopf trägt, ist es unmöglich, sie von all den anderen Wieseln zu unterscheiden. Ich sitze in dem weichen Theatersessel, knabbere an den Fingern, verrenke mir den Hals, um sie zu finden. Zu wissen, daß sie da ist, aber nicht zu wissen, wo, ist das Schlimmste. Sie könnte überall sein.

Das Radio füllt sich mit süßlicher Musik: »I'm Dreaming of a White Christmas«, »Rudolph the Red-Nosed Reindeer« – das müssen wir in der Schule singen, wenn wir neben unseren Pulten stehen und Miss

Lumley auf ihrer Stimmpfeife bläst, um uns den Ton anzugeben, und den Takt mit ihrem Holzlineal schlägt, demselben, mit dem sie den Jungen auf die Hände schlägt, wenn sie nicht stillsitzen. Wegen Rudolph mache ich mir Sorgen, denn irgendwas stimmt nicht mit ihm; aber andererseits macht er mir Hoffnung, weil er am Ende geliebt wird. Mein Vater sagt, daß er eine üble kommerzielle Erfindung ist. »Ein Narr und sein Geld bleiben nicht lange zusammen«, sagt er.

Wir basteln rote Glocken aus Pappe, falten sie in der Mitte zusammen, bevor wir die Form ausschneiden. Auch die Schneemänner machen wir so. Das ist Miss Lumleys Rezept für Symmetrie: alles muß gefaltet werden, alles hat zwei Hälften, eine linke und eine rechte, völlig identisch.

Ich unterziehe mich diesen feierlichen Aufgaben wie eine Schlafwandlerin. Ich habe kein Interesse an Glocken oder Schneemännern, und auch nicht am Weihnachtsmann, an den ich sowieso nicht mehr glaube, seit Cordelia mir gesagt hat, daß der Weihnachtsmann eigentlich meine Eltern sind. Wir machen in der Klasse eine Weihnachtsfeier, die darin besteht, daß wir von zu Hause mitgebrachte Plätzchen schweigend an unseren Tischen verzehren. Außerdem Fruchtbonbons, die Miss Lumley austeilt, für jedes Kind fünf verschiedenfarbige. Miss Lumley kennt sich mit den alten Bräuchen aus und zollt ihnen ihren eigenen strengen Tribut.

Zu Weihnachten bekomme ich eine Barbara Ann Scott-Puppe. Ich habe gesagt, daß ich sie mir wünsche. Irgend etwas mußte ich mir wünschen, und ein bißchen wollte ich diese Puppe auch. Ich hatte noch keine Puppe, die wie ein Mädchen aussieht. Barbara Ann Scott ist eine berühmte Eiskunstläuferin, eine sehr berühmte. Sie hat Preise gewonnen. Ich habe ihre Bilder in der Zeitung gesehen.

Die Puppe, die nach ihr gemacht ist, hat kleine Lederschlittschuhe und ein pelzbesetztes Kostüm, rosa mit weißem Pelz, und sie hat Fransen rund um die Augen, die sie auf- und zuklappen kann, aber wie die richtige Barbara Ann Scott sieht sie überhaupt nicht aus. Auf den Bildern ist sie muskulös, mit breiten Hüften, während die Puppe sehr schlank ist. Barbara ist eine Frau, die Puppe ist ein Mädchen. Sie besitzt die beunruhigende Macht von Nachbildungen, ein lebloses Leben, das mich mit schleichendem Entsetzen erfüllt. Ich lege sie zurück in ihren Karton und ziehe das Seidenpapier wieder darüber, auch übers Gesicht. Ich sage, ich tue das, damit ihr nichts passiert, aber in Wirklichkeit will ich nicht, daß sie mich beobachtet.

Über unserem Sofa hängt ein Federballnetz in Girlanden an der Wand. In die Maschen dieses Netzes haben meine Eltern ihre Weihnachtskarten gesteckt. Ich kenne sonst niemanden, der ein Federballnetz an der Wand hat. Cordelias Weihnachtsbaum ist nicht wie andere Weihnachtsbäume: Er ist mit dünnem Engelshaar bedeckt, und alle Lichter und der ganze Schmuck sind blau. Aber sie kann sich solche Besonderheiten leisten, ich nicht. Ich weiß genau, daß ich, früher oder später, für das Federballnetz bezahlen muß.

Wir sitzen um den Tisch, essen unser Weihnachtsdinner. Mein Vater hat einen Studenten mitgebracht, einen jungen Mann aus Indien, der hier ist, um Insekten zu studieren, und der noch nie Schnee gesehen hat. Wir haben ihn zum Weihnachtsessen eingeladen, weil er ein Ausländer ist, weil er weit weg ist von zu Hause, er wird sich einsam fühlen, und in seinem Land gibt es nicht mal Weihnachten. Das hat uns unsere Mutter vorher erklärt. Er ist höflich und befangen und kichert andauernd, und beim Anblick der vielen Speisen, die vor ihm ausgebreitet sind, dem Kartoffelbrei, der Soße, dem fahlen grünen und roten Obstgelee, dem riesigen Truthahn, sieht er irgendwie entsetzt aus, finde ich. Meine Mutter sagt, daß sie dort völlig andere Dinge essen. Ich weiß, daß er trotz seines Lächelns und seiner Höflichkeit traurig ist. Ich kann es jetzt mühelos riechen, wenn jemand heimlichen Kummer hat.

Mein Vater sitzt am Kopfende des Tisches, er strahlt wie der Grüne Riese*. Seine verschmitzten Koboldaugen zwinkern, als er das Glas hebt. »Mr. Banerji, Sir«, sagt er. Er nennt seine Studenten immer Mister und Miss. »Mit einem Flügel kann man nicht fliegen.«

Mr. Banerji kichert und sagt: »Sehr wahr, Sir«, und seine Stimme klingt wie die BBC-Nachrichten. Er hebt sein Glas und nippt daran. In dem Glas ist Wein. Mein Bruder und ich haben in unseren Weingläsern Preiselbeersaft. Im letzten Jahr oder im Jahr davor hätten wir unterm Tisch vielleicht unsere Schuhbänder zusammengebunden,

---

* Eine der großen Nahrungsmittelfirmen in den USA wirbt mit dem »Jolly Green Giant«. A.d.Ü.

damit wir uns heimliche Zeichen geben können, aber darüber sind wir jetzt beide aus verschiedenen Gründen hinaus.

Mein Vater löffelt die Füllung heraus, schneidet das dunkle und das helle Fleisch in Scheiben; meine Mutter teilt den Kartoffelbrei und die Preiselbeersoße aus und fragt Mr. Banerji mit extra deutlicher Aussprache, ob es in seinem Land auch Truthähne gibt. Er sagt, er glaube nicht. Ich sitze ihm gegenüber, meine Füße baumeln, ich starre ihn fasziniert an. Aus seinen übergroßen Manschetten ragen seine spindeldürren Handgelenke hervor, seine Hände sind lang und dünn, die Haut um die Nägel ausgefranst wie meine. Ich finde ihn sehr schön, seine braune Haut und seine strahlendweißen Zähne und seine erschrockenen dunklen Augen. Auf dem Umschlag des Missionarsblattes in der Sonntagsschule ist ein Kind, das genau dieselbe Farbe hat, in einem Kreis von Kindern, gelben Kindern, braunen Kindern, alle in verschiedenen Kostümen, und sie tanzen um Jesus herum. Mr. Banerji hat kein Kostüm an, nur ein Jackett und einen Schlips wie andere Männer auch. Trotzdem kann ich kaum glauben, daß er ein Mann ist, er sieht gar nicht aus wie ein Mann. Er ist eher ein Geschöpf wie ich: fremdartig und wachsam. Er hat Angst vor uns. Er hat keine Ahnung, was wir als nächstes tun werden, was für unmögliche Dinge wir von ihm erwarten, was wir ihm noch alles zu essen geben werden. Kein Wunder, daß er Fingernägel kaut.

»Ein Stückchen vom Sternum, Sir?« fragt ihn mein Vater, und Mr. Banerjis Miene hellt sich bei diesem Wort auf.

»Ah, das Sternum«, sagt er, und ich weiß, daß sie jetzt ihre Welt der Biologie betreten haben, die Zuflucht bietet vor der wirklichen, widerwärtigen Welt des Benehmens und des Schweigens, in der wir uns in diesem Augenblick befinden. Während er mit dem Tranchiermesser Scheiben abschneidet, zeigt Vater uns – aber vor allem Mr. Banerji – die Stellen, an denen die Flugmuskeln ansetzen, er benutzt die Vorlegegabel als Zeigestock. Natürlich, sagt er, hat der einheimische Truthahn die Fähigkeit zu fliegen eingebüßt.

»Meleagris gallopavo«, sagt er, und Mr. Banerji beugt sich vor; das Latein bringt ihn in Stimmung. »Ein Tier mit einem Erbsengehirn oder einem Vogelhirn, könnte man sagen, gezüchtet wegen seiner Fähigkeit, Gewicht anzusetzen, vor allem an den Keulen« – er deutet darauf –, »aber ganz bestimmt nicht wegen seiner Intelligenz. Ursprünglich wurde es von den Mayas domestiziert.« Er erzählt eine Geschichte von einer Truthahnfarm, auf der die Truthähne alle starben, weil sie zu dumm waren, bei einem Gewitter in ihren Stall zu laufen. Statt dessen standen sie draußen herum, blickten mit weit geöffneten Schnäbeln zum Himmel, und der Regen lief ihnen die Kehle hinunter und ertränkte sie. Er sagt, das sei eine Geschichte, die sich die Farmer erzählen und die wahrscheinlich nicht wahr sei, auch wenn die Dummheit des Vogels geradezu legendär ist. Er sagt, daß der wilde Truthahn, den es früher mal in den Laubwäldern dieser Regionen in großer Zahl gegeben hat, viel intelligenter ist und selbst geübten Jägern entkommen kann. Auch kann er fliegen.

Ich sitze da und stochere in meinem Weihnachtsessen herum, genau wie Mr. Banerji in seinem. Wir haben beide unseren Kartoffelbrei auf dem ganzen Teller verbreitet, ohne viel davon gegessen zu haben. Wilde Dinge sind klüger als zahme, soviel ist klar. Wilde Dinge sind schwer zu fangen und schlau und passen auf sich auf. Ich teile die Menschen, die ich kenne, in zahme und wilde Menschen ein. Meine Mutter ist wild. Mein Vater und mein Bruder sind wild; Mr. Banerji ist ebenfalls wild, aber auf eine etwas merkwürdige Art. Carol, zahm. Grace, ebenfalls zahm, wenn auch mit heimtückischen Ansätzen von wild. Cordelia, wild, klar und deutlich.

»Die menschliche Habgier kennt keine Grenzen«, sagt mein Vater.

»Wirklich nicht, Sir?« fragt Mr. Banerji, während mein Vater erzählt, er habe gehört, daß irgendein Wildgewordener den Versuch macht, einen Truthahn mit vier Beinen zu züchten, statt der zwei Beine und zwei Flügel, weil an der Keule mehr Fleisch sitzt.

»Aber wie soll sich ein solches Wesen fortbewegen, Sir?« fragt Mr. Banerji, und mein Vater sagt zustimmend: »Gute Frage.« Er erzählt Mr. Banerji, daß igendwelche verdammten närrischen Wissenschaftler daran arbeiten, eine viereckige Tomate zu züchten, nur weil sie sich angeblich leichter in Kisten verpacken läßt als die runde Sorte.

»Natürlich geht das auf Kosten des Geschmacks«, sagt er. »Um den Geschmack schert sich keiner. Die haben ein nacktes Huhn gezüchtet und glaubten, daß es mehr Eier legen würde, weil die Energie, die zur Produktion der Federn gebraucht wird, dann mitverwendet werden könnte, aber das arme Ding zitterte so sehr, daß sie die Legebatterie doppelt so stark heizen mußten, so daß es am Ende teurer wurde.«

»Der Natur ins Handwerk gepfuscht, Sir«, sagt Mr. Banerji. Ich weiß schon, daß das genau die richtige Antwort ist. Die Natur zu erforschen, ist eine Sache, und auch, sich innerhalb bestimmter Grenzen vor ihr zu schützen, aber ihr ins Handwerk zu pfuschen, ist etwas völlig anderes.

Mr. Banerji sagt, es gebe jetzt auch schon eine nackte Katze, das hat er in einer Zeitschrift gelesen, obgleich er nicht einsehen kann, wozu das gut sein soll. Es ist das Längste, was er bis jetzt gesagt hat.

Mein Bruder fragt, ob es in Indien giftige Schlangen gibt, und Mr. Banerji, der jetzt entspannter wirkt, beginnt sie aufzuzählen. Meine Mutter lächelt, denn der Abend läuft besser, als sie geglaubt hat. Giftige Schlangen stören sie nicht weiter, auch nicht bei Tisch, solange sie den Leuten Spaß machen.

Mein Vater hat alles auf seinem Teller gegessen und gräbt in der Höhle des Truthahns, der jetzt wie ein verschnürtes, kopfloses Baby aussieht, nach Füllung. Der Truthahn hat seine Verkleidung als Mahlzeit abgelegt und sich mir als das offenbart, was er wirklich ist, ein großer toter Vogel. Ich esse einen Flügel. Es ist der Flügel eines zahmen Truthahns, des dümmsten Vogels auf der ganzen Welt, so dumm, daß er nicht einmal mehr fliegen kann. Ich esse verlorenen Flug.

25

Nach Weihnachten wird mir ein Job angeboten. Der Job besteht darin, Brian Finestein einmal in der Woche nach der Schule eine Stunde lang, oder, wenn es nicht zu kalt ist, auch ein bißchen länger, in seinem Kinderwagen um den Block zu fahren. Dafür bekomme ich fünfundzwanzig Cents, das ist eine Menge Geld.

Die Finesteins wohnen in dem Haus neben uns, in dem großen Haus, das plötzlich dort gebaut wurde, wo vorher der große Lehmhaufen gewesen war. Mrs. Finestein ist für eine Frau ziemlich klein, untersetzt, und sie hat dunkles lockiges Haar und schöne weiße Zähne. Die Zähne sind oft zu sehen, weil sie viel lacht; wenn sie lacht, zieht sie die Nase kraus wie ein kleiner Hund und schüttelt den Kopf, so daß ihre goldenen Ohrringe blitzen. Ich bin mir nicht ganz sicher, aber ich glaube, daß ihre Ohrringe tatsächlich durch kleine Löcher in ihren Ohren führen, anders als alle anderen Ohrringe, die ich bis jetzt gesehen habe.

Ich klingle an der Tür, und Mrs. Finestein macht auf. »Meine kleine Lebensretterin«, sagt sie. Ich warte im Flur, von meinen Winterstiefeln tropft das Wasser auf Zeitungen, die am Boden ausgebreitet sind. Mrs. Finestein, die einen geblümten rosafarbenen Hausmantel und Slipper mit hohen Absätzen und richtigem Fell anhat, läuft schnell nach oben, um Brian zu holen. Der Flur riecht nach Brians ammoniakdurchweichten Windeln, die in einem Eimer darauf warten, von der Windelfirma abgeholt zu werden. Ich finde es faszinierend, daß jemand kommt, um schmutzige Wäsche abzuholen. Bei Mrs. Finestein steht immer eine Schüssel Orangen – auf einem Tisch auf dem Treppenabsatz; niemand sonst hat Orangen herumliegen, außer zu Weihnachten. Hinter der Schüssel steht ein goldener Kerzenständer, der ein wenig wie ein Baum aussieht. Diese Dinge – der widerlich süßliche Geruch nach schmutzigen Babywindeln und die Schale mit den Orangen und dem goldenen Baum – verschmelzen in meinen Gedanken zu einem Bild von etwas ungewöhnlich Kultiviertem.

Mrs. Finestein stampft mit Brian, der in einen blauen Hasenanzug mit Ohren verpackt ist, die Treppe herunter. Sie gibt ihm einen dikken Kuß auf die Wange, schwenkt ihn durch die Luft, packt ihn in den Wagen, klappt das wasserdichte Wagendach hoch. »So, Bry-Bry«, sagt sie. »Jetzt kann deine Mummy endlich ihre eigenen Gedanken verstehen.« Sie lacht, zieht die Nase kraus, schüttelt ihre goldenen Ohrringe. Ihre Haut ist prall und riecht nach Milch. Sie ähnelt keiner der Mütter, die ich bis jetzt gesehen habe.

Ich schiebe Brian hinaus an die kalte Luft, und dann fahren wir los, um den Häuserblock herum, über den knirschenden Schnee, auf den Asche gestreut ist, hier und da liegen ein paar gefrorene Pferdeäpfel. Ich kann mir nicht vorstellen, wieso Brian Mrs. Finestein am Denken hindern soll, denn er schreit nie. Aber er lacht auch nie. Er gibt keinen einzigen Ton von sich, aber er schläft auch nicht. Er liegt einfach nur da, in seinem Wagen, starrt mich mit seinen runden blauen Augen feierlich an, während sein kleiner Knopf von einer Nase allmählich immer röter wird. Ich mache keinen Versuch, ihn zu unterhalten. Aber ich mag ihn: Er ist still, aber auch kritiklos.

Wenn ich glaube, daß die Zeit um ist, schiebe ich ihn zurück, und Mrs. Finestein sagt: »Sag bloß, es ist schon wieder fünf!« Ich bitte sie, mir Fünfcentstücke zu geben, statt einer Vierteldollarmünze, weil es nach mehr aussieht. Darüber muß sie schrecklich lachen, aber sie gibt sie mir. Ich bewahre mein gesamtes Geld in einer alten Teedose auf, auf der ein Bild von der Wüste ist, mit Palmen und Kamelen. Es macht mir Spaß, sie vorzuholen und das Geld auf meinem Bett auszubreiten. Aber ich zähle es nicht, sondern ich ordne es nach der Jahreszahl an, die in jedes Geldstück eingeprägt ist: 1935, 1942, 1945. Jede Münze trägt den Kopf des Königs, der fein säuberlich am Hals abgeschnitten ist, aber es sind verschiedene Könige. Die von vor meiner Geburt haben Bärte, die von jetzt nicht, weil es König George ist, der bei uns hinten im Klassenzimmer hängt. Es ist ein sonderbar wohltuendes Gefühl, dieses Geld in lauter Haufen aus abgetrennten Köpfen aufzuteilen.

Brian und ich fahren einmal um den Block, und dann noch einmal. Es ist gar nicht so leicht für mich, abzuschätzen, wann eine Stunde rum ist, weil ich keine Uhr habe. Cordelia und Grace kommen vor mir um die Ecke, Carol trottet hinterher. Sie sehen mich, kommen herüber.

»Was reimt sich auf Elaine?« fragt Cordelia. Sie wartet die Antwort gar nicht erst ab. »Elaine – nix verstehn.«

Carol späht in den Kinderwagen. »Seht euch mal die Hasenohren an«, sagt sie. »Wie heißt er denn?« Ihre Stimme klingt verlangend. Ich sehe Brian in einem neuen Licht. Nicht jeder darf ein Baby spazierenfahren.

»Brian«, sage ich. »Brian Finestein.«

»Finestein ist ein jüdischer Name«, sagt Grace.

Ich weiß nicht, was jüdisch bedeutet. Ich habe das Wort Jude zwar schon gelesen, in der Bibel wimmelt es davon, aber ich wußte nicht, daß es jetzt auch noch welche gibt, lebendige, richtige, noch dazu gleich nebenan.

»Ein Jude ist ein Itzig«, sagt Carol und sieht Cordelia um Zustimmung heischend an.

»Sei nicht so vulgär«, sagt Cordelia mit ihrer Erwachsenenstimme. »So was sagt man nicht.«

Ich frage meine Mutter, was *jüdisch* bedeutet. Sie sagt, es ist eine andere Religion. Mr. Banerji hat auch eine andere Religion, wenn auch keine jüdische. Es gibt viele verschiedene Religionen. Aber was die Juden angeht, von denen wurden während des Krieges sehr viele von Hitler umgebracht.

»Warum?« frage ich.

»Er war verrückt«, sagt mein Vater. »Ein Größenwahnsinniger.« Das ist keine große Hilfe.

»Ein schlechter Mensch«, sagt meine Mutter.

Ich fahre Brian über den aschegesprenkelten Schnee, schiebe ihn um die Schlaglöcher herum. Mit seiner roten Nase, seinem kleinen Mund, der nie lächelt, sieht er mit großen Augen zu mir hoch. Brian besitzt eine neue Dimension: er ist ein Jude. Er ist etwas Besonderes und sogar irgendwie heldenhaft; darüber können nicht einmal die blauen Ohren seines Hasenanzugs hinwegtäuschen. *Jüdisch*, das gehört zu den Windeln, den Orangen in der Schale, zu Mrs. Finesteins goldenen Ohrringen und ihren möglicherweise echten Ohrlöchern, aber auch zu uralten, bedeutenden Dingen. Einem Juden begegnet man nicht alle Tage.

Cordelia und Grace und Carol sind neben mir. »Wie geht's dem kleinen Baby denn heute?« fragt Cordelia.

»Gut«, sage ich und bin auf der Hut.

»Ich meinte nicht ihn, ich meinte dich«, sagt Cordelia.

»Läßt du mich mal?« fragt Carol.

»Das geht nicht«, sage ich zu ihr. Wenn sie es nicht richtig macht, wenn sie Brian Finestein in einen Schneehaufen kippt, ist es meine Schuld.

»Wer will schon ein altes Judenbaby schieben, ein Itzig«, sagt sie.

»Die Juden haben Christus getötet«, sagt Grace geziert. »Das steht in der Bibel.«

»Ich muß jetzt gehen«, sage ich. Ich schiebe Brian zurück zu Mrs. Finestein und weine in mich hinein, während mich Brian ausdruckslos beobachtet. »Adieu, Brian«, flüstere ich ihm zu.

Ich sage Mrs. Finestein, daß ich nicht mehr kommen kann, weil ich zu viele Hausaufgaben habe. Den wahren Grund kann ich ihr nicht sagen: daß Brian auf eine unklare, dunkle Weise bei mir nicht sicher ist. In meinem Kopf sind Bilder davon, wie Brian kopfüber in einen Schneehaufen stürzt; Brian, wie er in seinem Wagen den eisigen Hügel neben der Brücke runterrast, direkt in die Schlucht der Toten; Brian, wie er in die Luft geschleudert wird und wie seine Hasenohren entsetzt nach oben schwappen. Ich habe nur eine begrenzte Kraft, nein zu sagen.

»Das geht schon in Ordnung, Liebes«, sagt sie und sieht mir in meine roten wäßrigen Augen. Sie nimmt mich in den Arm und drückt mich an sich und gibt mir noch ein Extra-Fünfcentstück. Noch nie hat jemand *Liebes* zu mir gesagt.

Ich gehe nach Hause und weiß, daß ich versagt habe, vor ihr und auch vor mir selbst. *Itzig* ist ein Wort ohne Bedeutung, aber es riecht nach Bösartigkeit, es besitzt Macht.

Ich nehme sämtliche Königskopfmünzen von Mrs. Finestein und gebe sie auf dem Nachhauseweg von der Schule im Laden aus. Ich kaufe Lakritzstangen, Fruchtdrops, gefüllte Schokoladenkugeln,

Tüten mit Brausepulver, das man mit einem Strohhalm aufsaugt. Ich verteile diese Opfergaben, diese Sühnegeschenke, gleichmäßig in die wartenden Hände meiner Freundinnen. In diesem Augenblick, kurz bevor ich sie ihnen gebe, werde ich geliebt.

26

Es ist Samstag. Den ganzen Vormittag ist nichts passiert. An der Dachrinne über dem Südfenster bilden sich Eiszapfen, die mit dem gleichmäßigen Geräusch eines undichten Wasserhahns an der Sonne zu tropfen beginnen. Meine Mutter backt in der Küche Kuchen, mein Vater und mein Bruder sind irgendwo anders. Ich esse allein zu Mittag und beobachte die Eiszapfen.

Das Essen besteht aus Crackers und Orangenkäse und einem Glas Milch und einem Teller Buchstabensuppe. Meine Mutter glaubt, daß sie uns mit Buchstabensuppe eine Freude macht. In der Buchstabensuppe schwimmen weiße Buchstaben: große As und Os, S' und Rs, und gelegentlich ein X oder ein Z. Als ich noch kleiner war, fischte ich die Buchstaben immer heraus und bildete mit ihnen am Tellerrand Wörter und aß dann meinen Namen, Buchstaben um Buchstaben. Jetzt esse ich die Suppe einfach und bin nicht besonders interessiert. Die Suppe ist orangerot und hat einen Geschmack, aber die Buchstaben schmecken nach gar nichts.

Das Telefon klingelt. Es ist Grace. »Kommst du raus zum Spielen?« fragt sie mit ihrer neutralen Stimme, die tonlos und gleichzeitig rauh wie Schmirgelpapier ist. Ich weiß, daß Cordelia neben ihr steht. Wenn ich nein sage, werden sie mir wieder irgendwas anhängen. Wenn ich ja sage, muß ich es tun. Ich sage ja.

»Wir holen dich ab«, sagt Grace.

Ich habe ein flaues Gefühl im Magen, schwer, wie mit Steinen gefüllt. Ich ziehe meinen Schneeanzug und meine Stiefel an, nehme meine Wollmütze und meine Fausthandschuhe. Ich sage meiner Mutter, daß ich zum Spielen gehe. »Paß auf, daß dir nicht zu kalt wird«, sagt sie.

Die Sonne auf dem Schnee blendet. Die Schneewehen sind mit einer Eiskruste überzogen, weil die oberste Schneeschicht erst geschmolzen und dann wieder gefroren ist. Meine Stiefel hinterlassen scharfkantige Abdrücke in der Kruste. Es ist niemand zu sehen. Ich gehe durch das grelle Licht bis zu Graces Haus. Die Luft flimmert, von Licht erfüllt, überfüllt; ich kann den Druck des Lichts auf meine Augen hören. Ich habe das Gefühl, durchsichtig zu sein, wie eine Hand vor einer Taschenlampe oder wie die Bilder von Quallen, die ich in Zeitschriften gesehen habe, wäßrige Fleischballons, die im Meer dahintreiben.

Am Ende der Straße sehe ich die drei, sehr dunkel, sie kommen auf mich zu. Ihre Mäntel wirken fast schwarz. Sogar ihre Gesichter sehen, als sie näher kommen, zu dunkel aus, als lägen sie im Schatten.

»Wir haben doch gesagt, daß wir dich abholen kommen. Wir haben nicht gesagt, daß du herkommen sollst«, sagt Cordelia.

Ich schweige.

»Sie sollte antworten, wenn wir mit ihr reden«, sagt Grace.

»Was ist los mit dir, bist du taub?« fragt Cordelia.

Ihre Stimmen klingen wie aus weiter Ferne. Ich wende mich zur Seite und übergebe mich über einen Schneehaufen. Ich wollte es nicht tun, und ich wußte auch nicht, daß ich es tun würde. Mir ist jeden Morgen übel, daran bin ich gewöhnt, aber jetzt kommt es wirklich heraus. Buchstabensuppe, vermischt mit zerkauten Käsestückchen, die auf dem weißen Schnee erstaunlich rot und orange aussehen, und dazwischen ein paar kaputte Buchstaben.

Cordelia sagt nichts. »Es ist wohl besser, wenn du nach Hause gehst«, sagt Grace. Carol, die hinter ihnen steht, klingt, als würde sie gleich zu weinen anfangen. »Es ist was auf ihrem Gesicht«, sagt sie. Ich gehe wieder nach Hause, rieche das Erbrochene vorn auf meinem Schneeanzug, schmecke es in meiner Nase und meiner Kehle. Es fühlt sich an wie Karottenstückchen.

Ich liege im Bett, mit dem Aufwischeimer neben mir, treibe leicht auf Fieberwellen dahin. Ich muß mich mehrmals übergeben, bis nur noch eine grüne Soße rauskommt. »Wahrscheinlich werden wir es alle kriegen«, sagt meine Mutter, und sie hat recht. In der Nacht höre ich eilige Schritte und würgende Geräusche und die Klospülung. Ich fühle mich geborgen, klein, in meine Krankheit verpackt wie in Watte.

Ich bin jetzt öfter krank. Manchmal leuchtet mir meine Mutter mit einer Taschenlampe in den Mund und fühlt meine Stirn und mißt meine Temperatur und schickt mich in die Schule, aber manchmal darf ich zu Hause bleiben. An diesen Tagen fühle ich mich erleichtert, als wäre ich lange Zeit gelaufen und hätte nun einen Ort erreicht, an dem ich mich ausruhen kann, nicht für immer und ewig, aber für ein Weilchen. Fieber zu haben, ist angenehm, leer. Ich genieße die kühlenden Dinge, das schale Gingerale, das ich zu trinken bekomme, den köstlichen Geschmack hinterher.

Ich liege, von Kissen gestützt und mit einem Glas Wasser auf einem Stuhl neben mir, im Bett und lausche den fernen Geräuschen meiner Mutter; dem Eierquirl, dem Staubsauger, der Musik aus dem Radio, dem Wellengeräusch des Bohners. Zwischen den halb zugezogenen Vorhängen fällt das Licht der Wintersonne durch die Fenster herein. Ich habe jetzt Vorhänge. Ich sehe hinauf zur Deckenlampe, die aus durchsichtigem gelblichem Glas ist und in der die schattenhaften Umrisse von zwei oder drei toten Fliegen zu sehen sind wie durch eine trübe Gallertmasse. Oder ich beobachte den Türknopf.

Manchmal schneide ich etwas aus Zeitschriften aus und klebe es mit LePade-Klebstoff aus einer Flasche, die wie ein Schachläufer aussieht, in ein Heft. Aus *Good Housekeeping, The Ladies' Home Journal, Chatelaine* schneide ich Bilder von Frauen aus. Wenn mir ihre Gesichter nicht gefallen, schneide ich die Köpfe ab und klebe andere Köpfe an. Diese Frauen haben Kleider mit Puffärmeln und weiten Röcken an und weiße Schürzen, die sehr fest um ihre Taille gebunden sind. Sie sprühen Desinfektionsmittel auf die Bazillen in Toilettenschüsseln; sie putzen Fenster oder reinigen ihren fleckigen Teint mit einer bestimmten Seife, oder sie reiben sich Haarwaschmittel in ihr fettiges Haar; sie werden unerwünschte Gerüche los, massieren sich Creme in ihre rauhen, faltigen Hände, drücken riesige Klopapierrollen an die Wange.

Auf anderen Bildern werden Frauen gezeigt, die Dinge tun, die sie eigentlich nicht tun sollten. Manche von ihnen schwatzen zuviel, manche sind schlampig, andere herrisch. Manche Frauen stricken zuviel. »Ob sitzen, stehen, rennen, radeln, ständig klappern ihre Nadeln«, sagt eine. Das Bild zeigt eine Frau, die in der Straßenbahn strickt, wobei ihre Stricknadeln andere Leute in die Seite stechen und ihr Wollknäuel durch den Gang rollt. Manche Frauen haben einen Wachvogel neben sich, einen rot-schwarzen Vogel mit großen Augen und Stockfüßen, wie von einem Kind gemalt. »Dieser Wachvogel bewacht die zu Geschäftigen«, steht darunter. »Dieser Wachvogel bewacht DICH.«

Ich erkenne, daß die Unvollkommenheit kein Ende nimmt, immer gibt es Dinge, die falsch gemacht werden. Selbst wenn man erwachsen ist, wird es immer, egal wie kräftig man schrubbt, was immer man tut, einen Makel oder einen Fleck auf dem Gesicht oder irgend etwas Dummes geben, das man getan hat, so daß jemand die Stirn runzelt. Aber irgendwie habe ich Spaß daran, all diese unvollkommenen Frauen auszuschneiden, mit ihrer gerunzelten Stirn, die zeigen soll, wie besorgt sie sind, und sie in mein Heft zu kleben.

Mittags meldet sich die *Happy Gang* im Radio.

> *Klopf, klopf, klopf.*
> *Wer ist da?*
> *Die Happy Gang!*
> *Herein mit euch.*
> *Kommt HEREIN!*
>
> *Happy wie die Happy Gang,*
> *Freunde, nehmt es nicht so streng.*
> *Bleibt ihr glücklich und gesund,*
> *kommt ihr niemals auf den Hund.*
> *Uns gehört die Welt,*
> *wir pfeifen aufs Geld.*
> *Und sind happy mit der Happy Gang.*

Die *Happy Gang* macht mir angst. Was passiert mit einem, wenn man nicht glücklich und gesund ist? Das verraten sie nicht. Sie selbst sind ja immer glücklich, oder jedenfalls tun sie so; aber ich kann einfach nicht glauben, daß jemand immer glücklich sein kann. Also müssen sie manchmal lügen. Aber wann? Wieviel von ihrem falschen Lachen ist wirklich falsch?

Wenig später kommt das offizielle Zeitzeichen des Dominion-Observatoriums: zuerst einige kurze Piepser wie aus dem Weltraum, dann Stille, dann ein langes Piepsen. Das lange Piepsen bedeutet ein Uhr. Die Zeit vergeht; in der Stille vor dem langen Piepsen nimmt die Zukunft Gestalt an. Ich stecke den Kopf zwischen die Kissen. Ich will es nicht hören.

27

Der Winter schmilzt und läßt schmutzige Asche, nasses Papier, aufgeweichtes Laub zurück. In unserem Garten hinter dem Haus liegt plötzlich ein riesiger Humushaufen, dann ein Stapel aufgerollter viereckiger Grassoden. Meine Eltern machen sich in ihren erdverschmierten Stiefeln und Hosen daran, sie wie Badezimmerkacheln über unsere Erde zu legen. Sie ziehen Quecken und Löwenzahn heraus, pflanzen grüne Zwiebeln und eine Reihe Kopfsalat. Katzen tauchen wie aus dem Nichts auf, kratzen in der weichen, frisch bepflanzten Erde, hocken sich dann hin, und mein Vater wirft Klumpen von ausgegrabenem Löwenzahn nach ihnen.

Die Knospen werden gelb, die Springseile sind wieder da. Wir stehen in der Einfahrt zu Graces Haus, neben dem dunkelrosa Holzapfelbaum. Ich schwinge das eine Ende des Seils, Carol das andere, Grace und Cordelia hüpfen. Wir sehen aus wie Mädchen, die spielen.

Wir singen:

Vorgestern nacht, so gegen halb vier,
kamen vierundzwanzig Räuber an meine Tür.
Und die vierundzwanzig Räuber sagten ... zu ... mir:
Lady, dreh dich um, dreh dich um, dreh dich um.
Lady, hoch das rechte Bein, hoch das linke Bein,
und jetzt hoch und wieder runter und mit allen zwei'n.
Lady, zeig her den Schuh, zeig her den Schuh,
Lady, vierundzwanzigmal, und weg bist du!

Grace, die über das Seil springt, dreht sich um, hebt gelassen den rechten Fuß, dann den linken, lächelt ihr übliches kleines Lächeln. Sie wird fast nie vom Seil erwischt.

Das Lied kommt mir irgendwie bedrohlich vor. Es deutet irgendeine Gemeinheit an. Da ist einiges schwer zu verstehen: die Räuber und ihre komischen Befehle, und dann die Umdrehungen, die ganzen Kunststücke, die sie vorführen muß, wie ein dressierter Hund. Und was soll am Ende dieses »vierundzwanzigmal, und weg bist du« zu bedeuten haben? Wird sie aus ihrem eigenen Haus gejagt, während die Männer drinbleiben und sich alles nehmen können, alles zerbrechen können, tun und lassen können, was sie wollen? Oder ist es überhaupt aus mit ihr? Ich sehe sie direkt vor mir, wie sie mit dem Springseil um den Hals am Holzapfelbaum baumelt. Ich habe kein Mitleid mit ihr.

Die Sonne scheint, die Murmeln kehren zurück, von wo immer sie den Winter verbracht haben. Auf dem Schulhof rufen die Kinder: *Puri, Puri, Baby, Baby, zwei für eine.* Für mich klingen sie wie Gespenster oder wie Tiere, die in eine Falle gegangen sind: klägliches Wimmern erschöpften Schmerzes.

Auf dem Nachhauseweg von der Schule überqueren wir die Holzbrücke. Ich gehe hinter den anderen her. Durch die zerbrochenen Bretter kann ich bis ganz unten auf den Boden sehen. Ich weiß noch, wie mein Bruder vor langer Zeit irgendwo dort unten unter der Brücke sein Glas mit Puris und Wasserbabys und Katzenaugen vergraben hat. Das Glas ist auch jetzt noch dort unten in der Erde, es glitzert im Dunkeln, im Verborgenen. Ich überlege, ob ich allein dort hinunterklettern soll, trotz der zwielichtigen, nie gesehenen Männer, um den Schatz auszugraben, um das Geheimnis in den Händen zu halten. Vielleicht würde ich das Glas nie finden, weil ich keine Karte habe. Aber ich denke gern über Dinge nach, von denen die anderen nichts wissen.

Ich hole mein blaues Katzenauge von dort hervor, wo es den ganzen Winter gelegen hat, ganz hinten in der Ecke meiner Schreibtischschublade. Ich sehe es mir an, halte es hoch, damit das Sonnenlicht hineinfallen kann. Der Teil, in dem das Auge ist, im Inneren der Kristallkugel, ist so blau, so rein. Wie etwas im Eis Erstarrtes. Ich nehme die Murmel mit in die Schule, in meiner Tasche, aber ich hole sie nicht raus, um sie aufzulegen, damit nach ihr geworfen werden kann. Ich halte sie fest, rolle sie zwischen den Fingern hin und her.

»Was hast du da in der Tasche?« fragt Cordelia.

»Nichts«, sage ich. »Nur eine Murmel.«

Es ist Murmelsaison; jeder hat Murmeln in der Tasche. Cordelia läßt es durchgehen. Sie weiß nicht, welche Kraft dieses Katzenauge besitzt, das mich beschützt. Manchmal, wenn ich es bei mir habe, kann ich so sehen, wie es sieht. Ich sehe die Menschen, die sich wie muntere lebendige Puppen bewegen und den Mund auf- und zuklappen, aber ohne richtige Worte von sich zu geben. Ich sehe ihre Formen und Größen, ihre Farben, ohne sonst auch nur das geringste zu fühlen. Ich lebe nur in meinen Augen.

Wir bleiben länger in der Stadt, als wir je dort waren. Wir bleiben, bis die Schule für den Sommer schließt und es bis über unsere Schlafenszeit hinaus noch hell ist und feuchte Hitze sich wie ein dampfendes Tuch über die Straßen legt. Ich trinke Traubensaft mit Eis, der aber nicht nach Trauben schmeckt, sondern nach etwas, mit dem man vielleicht Insekten vertilgen könnte, und frage mich, wann wir in den Norden fahren. Ich rede mir ein, daß wir überhaupt nicht fahren, damit ich nicht enttäuscht sein kann. Aber trotz meines Katzenauges weiß ich, daß ich es hier nicht mehr lange aushalte. Ich werde nach innen platzen. Ich habe im *National Geographic* etwas über Tiefseetauchen gelesen und daß man einen dicken Metallanzug tragen muß, weil man sonst von dem unsichtbaren Druck des schweren Wassers wie Matsch von einer Faust zermalmt wird, bis man implodiert. Das ist das Wort dafür: *implodieren*. Es klingt düster und endgültig, wie eine Stahltür, die zufällt.

Ich sitze wie ein Paket auf dem Rücksitz verstaut im Auto. Grace und Cordelia und Carol stehen unter den Apfelbäumen und beobachten. Ich ducke mich, um sie nicht ansehen zu müssen. Ich will nicht so tun, als würde ich von ihnen Abschied nehmen. Sie winken, als das Auto sich fortbewegt.

Wir fahren nach Norden. Toronto liegt hinter uns, ein schmutziger bräunlicher Fleck am Horizont, wie Rauch von einem fernen Feuer. Erst jetzt drehe ich mich um und blicke zurück.

Die Blätter werden immer kleiner und gelber, schließen sich immer mehr, bis sie fast wieder Knospen sind, und die Luft wird kühler. Ich sehe am Straßenrand einen Raben, der an einem überfahrenen Stachelschwein pickt, seine Stacheln wie ein Schleifrad und die Eingeweide rosa und wie zu Rühreiern verquirlt. Ich sehe die nördlichen Granitfelsen steil aus dem Boden aufragen und die Straße, die durch sie hindurchgeschlagen wurde. Ich sehe einen See und tote Bäume an seinen ausgezackten Ufern im Moor. Einen Sägemehlbrenner, einen Leuchtturm.

Drei Indianer stehen an der Straße. Sie verkaufen nichts, keine Körbe, und für Blaubeeren ist es zu früh. Sie stehen einfach nur da, als hätten sie schon immer dort gestanden. Ihr Anblick ist mir vertraut, aber nur als Landschaft. Sehen sie mich, wie ich sie durch das Autofenster anstarre? Wahrscheinlich nicht. Ich bin für sie nur ein verschwommener Fleck, nur ein weiteres Gesicht in einem Auto, das nicht anhält. Ich habe keinen Anspruch auf sie, auf nichts von alldem hier.

Ich sitze auf dem Rücksitz des Autos, das nach Benzin und Käse riecht, und warte auf meine Eltern, die etwas zu essen kaufen. Das Auto steht neben einem hölzernen General Store, der zusammengesackt und verwittert ist und nur noch von den Schildern, die überall an der Außenwand angenagelt sind, zusammengehalten wird: BLACKCAT-ZIGARETTEN, PLAYERS, COCA-COLA. Das hier ist nicht mal ein Dorf, nur ein großer Platz am Highway, an einer Brücke über einen Fluß. Früher hätte mich der Name des Flusses interessiert. Stephen steht auf der Brücke und läßt Holzstücke reinfallen, die flußabwärts treiben, und mißt, wie lange sie brauchen, um an der anderen Seite wieder herauszukommen, er berechnet die Geschwindigkeit der Strömung. Es gibt schon Kriebelmücken. Ein paar sind im Auto, kriechen an den Fenstern hinauf, springen kurz, kriechen wieder hinauf. Ich sehe ihnen zu. Ich kann ihre gekrümmten Rücken sehen und ihre Bäuche, die wie kleine schwarzrote Knollen aussehen. Ich zerquetsche sie am Glas, hinterlasse rote Schmierflecken von meinem eigenen Blut.

Noch verspüre ich keine Freude, aber Erleichterung. Meine Kehle ist jetzt nicht mehr zusammengeschnürt, ich beiß nicht mehr die Zähne zusammen, die Haut an meinen Füßen heilt, meine Finger sind schon weniger zerbissen. Ich kann gehen, ohne zu sehen, wie ich von hinten aussehe, und sprechen, ohne zu hören, wie ich klinge. Ich komme lange Zeit aus, ohne etwas zu sagen. Ich benötige keine Worte, ich kann wieder in Wortlosigkeit versinken, ich kann mich dem Rhythmus von Vergänglichkeit überlassen wie einem Bett.

In diesem Sommer wohnen wir in einer gemieteten Hütte am Nordufer des Lake Superior. Es gibt noch ein paar andere Hütten in der

Nähe, aber die meisten von ihnen stehen leer; andere Kinder gibt es hier nicht. Der See ist sehr groß und kalt und blau und tückisch. Er kann Frachtschiffe versenken, Menschen ertränken. Bei starkem Wind brechen die Wellen mit dem Krachen einer Ozeanbrandung. In ihm zu schwimmen, macht mir überhaupt keine angst. Ich wate in das kalte Wasser, betrachte meine Füße, und dann tauchen meine Beine unter, lang und weiß und dünner als an Land.

Es gibt hier einen breiten Strand, an dessen einem Ende sich eine Felsgruppe befindet. Ich verbringe viel Zeit zwischen den Felsen. Sie sind rund wie Seehunde, nur hart; sie erwärmen sich an der Sonne und bleiben auch am Abend warm, wenn die Luft abkühlt. Ich mache mit meiner Brownie-Kamera Aufnahmen von ihnen. Ich gebe ihnen Namen von Kühen.

Auf den Dünen oberhalb des Ufers gibt es besondere Uferpflanzen, zerfledderte Königskerzen und Wicken mit purpurroten Blüten und kleinen bitteren Erbsenschoten und Gräser, die einem die Beine aufschneiden; und dahinter ist der Wald, Eichen und Ahorn und Birken und Pappeln, mit Springkraut und Fichten dazwischen. Hin und wieder gibt es auch giftigen Efeu. Es ist ein geheimnisvoller, wachsamer Wald, auch wenn man sich darin kaum verlaufen kann, so dicht am Ufer.

Im Wald finde ich einen toten Raben. Er ist größer, als sie lebendig aussehen. Ich stochere mit einem Stock an ihm herum, drehe ihn um und sehe die Maden. Es riecht nach Fäulnis, nach Rott, und was noch merkwürdiger ist, nach irgend etwas, das ich schon mal gegessen habe, an das ich mich aber nicht erinnern kann. Er ist schwarz, aber nicht wie eine Farbe, mehr wie ein Loch. Sein Schnabel hat eine trübe Farbe, wie Hornhaut, wie alte Zehennägel. Seine Augen sind verschrumpelt.

Ich habe schon vorher tote Tiere gesehen, tote Frösche, tote Kaninchen, aber dieser Rabe ist toter. Er sieht mich mit seinem verschrumpelten Auge an. Ich könnte es mit dem Stock durchbohren. Ich kann mit ihm tun, was ich will, er wird nicht das geringste spüren. Niemand kann ihm etwas anhaben.

Es ist schwierig, am Ufer dieses Sees zu angeln. Es gibt nichts, auf dem man stehen könnte, keinen Bootssteg. Wegen der Strömung dürften wir mit einem Boot nicht allein hinausfahren; außerdem haben wir gar kein Boot. Stephen beschäftigt sich mit anderen Dingen. Er macht eine Aufstellung von den Schornsteinen der Frachtschiffe auf dem See, überprüft sie mit seinem Fernglas. Er stellt sich selbst Aufgaben im Schachspielen und arbeitet an ihrer Lösung, oder er hackt Holz zum Feuermachen, oder er macht lange Spaziergänge, allein, nur mit einem Schmetterlingsbuch. Er ist nicht daran interessiert, die Schmetterlinge zu fangen und mit Nadeln auf ein Brett zuspießen; er will sie sich nur ansehen, sie identifizieren, sie zählen. Er schreibt sie hinten im Buch in eine Liste.

Ich sehe mir gern die Bilder der Schmetterlinge in seinem Buch an. Mein Lieblingsschmetterling ist der Mondspinner, der groß und hellgrün ist und Halbmonde auf den Flügeln hat. Mein Bruder findet einen und zeigt ihn mir. »Faß ihn nicht an«, sagt er. »Sonst geht der Staub von den Flügeln ab, und er kann nicht mehr fliegen.«

Aber ich spiele nicht mit ihm Schach. Ich lege mir keine Liste mit Schornsteinen von Schiffen oder Schmetterlingen an. Ich interessiere mich nicht mehr für Spiele, die ich nicht gewinnen kann.

Am Waldrand, wo noch das volle Sonnenlicht hinkommt, wachsen Kirschbäume. Die roten Sauerkirschen werden fast durchsichtig, wenn sie reif sind. Sie sind so sauer, daß es einem den Mund trocken zusammenzieht. Ich pflücke sie in einen Eimer, lese dann die dürren Zweige und Blätter heraus, und meine Mutter macht aus ihnen Gelee, sie kocht sie und drückt sie dann in einem Tuch aus, so daß der Saft herausläuft, in den sie Zucker schüttet. Dann gießt sie das Gelee in heiße Gläser und verschließt sie mit Kerzenwachs. Ich zähle die schönen roten Gläser. Ich habe mitgeholfen, sie zu machen. Sie sehen giftig aus.

Als habe man mir die Erlaubnis erteilt, beginne ich zu träumen. Meine Träume haben strahlende Farben und keine Geräusche.

Ich träume, daß der tote Rabe lebendig ist, nur daß er noch ganz genauso aussieht, er sieht noch immer tot aus. Er hüpft herum und flattert mit seinen verwesenden Flügeln, und ich wache auf, mein Herz schlägt schnell.

Ich träume, daß ich in Toronto bin und meine Wintersachen anziehe, aber mein Kleid paßt nicht. Ich ziehe es mir über den Kopf und verrenke die Arme, um sie durch die Ärmel zu kriegen. Ich gehe auf der Straße, und aus dem Kleid sehen Teile meines Körpers hervor, Teile meiner nackten Haut. Ich schäme mich.

Ich träume, daß mein blaues Katzenauge am Himmel leuchtet wie die Sonne oder wie die Bilder von den Planeten in unserem Buch über das Sonnensystem. Aber es ist nicht warm, sondern kalt. Es kommt näher, aber es wird nicht größer. Es fällt vom Himmel, direkt auf meinen Kopf zu, strahlend und durchsichtig. Es trifft mich, fährt in meinen Körper, aber es tut nicht weh, es ist nur kalt. Die Kälte weckt mich. Meine Decken liegen auf dem Fußboden.

Ich träume, daß die Holzbrücke über der Schlucht auseinanderbricht. Ich stehe darauf, die Bretter knarren, Risse entstehen, die Brücke schwankt. Ich gehe auf dem, was noch übrig ist, weiter, halte mich am Geländer fest, aber ich gelange nicht auf die Anhöhe, auf der die anderen Leute stehen, weil die Brücke an gar nichts hängt. Meine Mutter ist auf der Anhöhe, aber sie redet mit den anderen Leuten.

Ich träume, daß ich die Sauerkirschen vom Kirschbaum pflücke und in den Eimer werfe. Nur daß es keine Sauerkirschen sind. Es sind tödliche Nachtschattenbeeren, durchsichtig, knallrot. Sie sind mit Blut gefüllt, wie die Körper der Kriebelmücken. Als ich sie berühre, zerplatzen sie, und das Blut rinnt mir über die Hände.

Von Cordelia träume ich nie.

Abends spielt unser Vater mit uns am Strand Abschlagen, er läuft unbeholfen wie ein Bär herum und lacht dabei, *wuff wuff wuff*. Pennies und Zehncentstücke fallen aus seinen Hosentaschen in den Sand. In der Ferne gleiten langsam die Schiffe über den See, sie ziehen Rauchfahnen hinter sich her, auf der linken Seite geht die Sonne unter, rosarot und friedlich. Ich sehe in den Spiegel über dem Waschbecken. Mein Gesicht ist jetzt braun und runder. In der Küche mit dem Holzofen lächelt unsere Mutter mir zu, sie legt den Arm um mich und drückt mich fest. Sie denkt, ich sei glücklich. An manchen Abenden gibt es als was Besonderes Marshmallows.

Katzenauge

28

In Simpsons Untergeschoß gab es früher Sonderangebote, Kleidung und Ramsch. Jetzt ist alles Glanz und Flitter. Da sind ganze Pyramiden importierter Schokolade, ein Speiseeistresen, ein Gang nach dem anderen mit dem feinsten Gebäck und Delikatessen in Dosen, die wie kleine Uhren unermüdlich auf das Verfallsdatum, das auf die Verpackungen gestempelt ist, hinticken. Es gibt sogar eine Espresso-Bar. Alles ist Weltklasse hier unten, wo ich früher billige Nachthemden gekauft habe, die mein geringes Kleiderbudget in der High-School gerade noch zuließ, und die, eine Nummer zu groß, ein Sonderangebot waren. Ich bin von der vielen Schokolade überwältigt. Schon bei dem Anblick muß ich an Weihnachten denken und an das Völlegefühl vom zu vielen Essen, an die Übersättigung und den Überdruß.

Ich sitze an der Espresso-Bar und trinke einen Cappuccino, um die Trägheit zu überwinden, die mich beim Anblick von so viel süßlicher Genußsucht überkommt. Die Espresso-Bar ist entweder eine Imitation oder aber aus echtem dunkelgrünem Marmor; darüber ist ein niedlicher Baldachin gespannt, irgend jemandes Vorstellung von Italien, davor stehen kleine Drehstühle. Von hier aus genießt man die Aussicht auf die Schusterwerkstatt, die nicht gerade Weltklasse vermittelt, aber für mich etwas Beruhigendes ausstrahlt. Die Leute lassen trotz der vielen Schokolade immer noch ihre Schuhe reparieren, sie werfen sie nicht einfach weg, wenn sich erste Abnutzungserscheinungen andeuten.

Ich muß an die Schuhe aus meiner Kindheit denken, die braunen Halbschuhe, die vorne abgewetzt waren, mit halben Sohlen, neuen Absätzen, die auseinanderfallenden schmutzigen weißen Turnschuhe, die braunen Sandalen mit zwei Schnallen, die man nur mit Socken anzog. Die meisten Schuhe waren braun. Sie paßten zu dem geschmorten Rindfleisch, das, zusammen mit den schlaffen Karotten und den weichen Kartoffeln und den Zwiebeln mit ihren schlüpfrigen Schalen, im Druckkochtopf gekocht wurde. Der

Druckkochtopf hatte eine Art Pfeife auf dem Deckel. Wenn man nicht aufpaßte, würde der Deckel wie eine Bombe in die Luft fliegen, und die Karotten und Kartoffeln würden bis unter die Decke geschleudert werden, wo sie als Brei hängenbleiben würden. Das war meiner Mutter einmal passiert. Zum Glück war sie in dem Augenblick nicht in der Küche, so daß sie sich nicht verbrannte. Als sie dann sah, was passiert war, schimpfte sie nicht etwa. Sie lachte und sagte: »Na, wenn das nicht die Krone der Schöpfung ist!«

Meine Mutter kochte fast jeden Tag, aber es war nicht gerade ihre Lieblingsbeschäftigung. Sie mochte Hausarbeit nicht besonders. In dem Überseekoffer im Keller lagen neben einem Abendkleid aus Samt aus den zwanziger Jahren und einem Paar Reithosen verschiedene Dinge aus echtem Silber, reichverzierte Salz- und Pfefferdosen, Zuckerzangen in der Form von Hühnerfüßen, Rosenschalen, reichlich mit Silberblumen geschmückt. Sie lagen dort unten, in Seidenpapier verpackt, und färbten sich allmählich schwarz, weil sie nicht poliert wurden. Unsere Messer und Gabeln und Löffel mußten immer mit einer alten Zahnbürste poliert werden. Die gedrechselten Beine am Eßzimmertisch waren Staubfänger, genauso wie all die anderen Gegenstände – Nippes nannte meine Mutter sie –, die andere Leute auf ihren Kaminsimsen aufbewahrten. Kuchen backen mochte sie gern, aber vielleicht bilde ich mir das auch nur ein.

Was hätte ich getan, wenn ich meine Mutter gewesen wäre? Sie muß gemerkt haben, was mit mir geschah, oder daß etwas geschah. Schon am Anfang muß sie mein zeitweises Schweigen bemerkt haben, meine zerbissenen Finger, die dunklen Risse in meinen Lippen, wo ich mir die Haut stückchenweise heruntergezogen hatte. Würde so etwas heute passieren, mit einem meiner eigenen Kinder, dann wüßte ich, was ich zu tun hätte. Aber damals? Damals gab es nicht so viele Möglichkeiten, und man redete sehr viel weniger.

Ich habe einmal eine Serie über meine Mutter gemacht. Es waren sechs Bilder, sechs Holztafeln, wie ein doppeltes Triptychon oder ein Comic-Heft, in zwei Gruppen angeordnet, drei oben, drei unten. Auf dem ersten war meine Mutter in Buntstift, in ihrer Küche im Stadthaus und in ihren Kleidern von Ende der vierziger Jahre. Sogar sie besaß eine Latzschürze, blaue Blumen mit marineblauen Litzen, sogar sie band sie gelegentlich um. Das zweite Bild war die gleiche Figur als Collage, zusammengeschnitten aus Illustrationen aus alten Ausgaben von *Ladies' Home Journal* und *Chatelaine*, keine Fotos, sondern Elemente des Layouts, der Graphik, die in ranzigen Grüntönen und ausgeblichenen Blaus und schmuddeligen Rosas gehalten waren. Das dritte war wieder die gleiche Figur, Weiß auf Weiß, die Gestalt mit Pfeifenreinigern auf einem Untergrund von weißem Leinen konturiert. Wenn man die drei von links nach rechts ansah, schien es, als löste meine Mutter sich langsam auf, vom wirklichen Leben in den Schatten eines babylonischen Flachreliefs.

Die unteren Bilder waren entgegengesetzt angeordnet: zuerst die Pfeifenreiniger, dann das gleiche Bild als Collage, dann auf dem letzten meine Mutter farbig und in realistischem Detail. Aber auf diesem Bild trug meine Mutter ihre Hosen und Stiefel und ihre Männerjacke und kochte über offenem Feuer im Freien Sauerkirschengelee. Man konnte es als eine Materialisierung deuten: aus dem weißen Nebel der Pfeifenreiniger ans helle Tageslicht.

Ich nannte die Serie *Druckkochtopf*. Damals glaubten manche Leute nach Art dieser Ära, daß es sich um eine Apotheose der Hausfrau handele, eine köstliche Vorstellung, wenn ich daran denke, wie sehr meine Mutter die Hausarbeit verabscheute. Andere Leute glaubten, es gehe um weibliche Sklaverei, andere hielten es für eine Festlegung der Frau auf ihre negativen und trivialen Hausfrauenrollen. Aber es war nur meine Mutter beim Kochen, wie und wo sie Ende der vierziger Jahre kochte.

Ich machte diese Serie gleich nach ihrem Tod. Ich nehme an, ich wollte sie wieder ins Leben zurückrufen. Ich nehme an, ich wollte sie zeitlos, obwohl es so etwas auf Erden nicht gibt. Diese Bilder von ihr sind – wie alles andere – von Zeit durchtränkt.

Ich trinke meinen Cappuccino aus, zahle, lasse ein Trinkgeld für die italienische Kellnerimitation zurück, die ihn mir gebracht hat. Ich weiß, daß ich in der Lebensmittelabteilung nichts kaufen werde, sie schüchtert mich viel zu sehr ein. Normalerweise oder in irgendeiner anderen Stadt würde mir so etwas nicht passieren: Ich bin erwachsen und ans Einkaufen gewöhnt. Aber wie sollte ich hier unten irgend etwas finden, das ich in diesem Augenblick brauche? Ich werde auf dem Rückweg in irgendeinen Eckladen gehen, irgendwo, wo es bis Mitternacht Milch und leicht schales, in Scheiben geschnittenes Weißbrot gibt. Solche Läden werden heutzutage von Leuten betrieben, die die gleiche Hautfarbe wie Mr. Banerji haben, oder von Chinesen. Sie brauchen nicht unbedingt freundlicher zu sein als die teigigweißen Leute, von denen solche Läden früher geführt wurden, aber die allgemeine Richtung ihrer Mißbilligung läßt sich leichter erraten, wenn auch nicht die Details.

Ich fahre die Rolltreppe wieder hinauf, hinein in den parfümierten Mief des Erdgeschosses. Die Luft ist schlecht hier, zuviel Moschus, der übermächtige Duft des Geldes. Ich schaffe es ins Freie und wende mich nach Westen, vorbei an den mörderischen Puppen in den Schaufenstern, vorbei an der Doppelmuschel des Rathauses von Toronto.

Auf dem Bürgersteig vor mir liegt ein menschlicher Körper. Die Leute machen einen Bogen darum, blicken nach unten, blicken weg, gehen weiter. Ich sehe ihre Gesichter auf mich zukommen, mit den sorgfältig neugesammelten Zügen. *Das geht mich nichts an*, steht darin geschrieben.

Als ich zu der Stelle komme, sehe ich, daß es eine Frau ist. Sie liegt auf dem Rücken am Boden und starrt mir direkt in die Augen. »Lady«, sagt sie. »Lady. Lady.«

Das Wort hat schon viel mitgemacht. Edle Lady, dunkle Lady, sie ist eine wirkliche Lady, ladylike, die große alte Lady, hören Sie zu, Lady, he, Lady, passen Sie auf, wo Sie hintreten. Ladies' Room, mit Lippenstift durchgestrichen und durch »Frauen« ersetzt. Aber noch immer das entscheidende Wort des Appells. Wenn man Hilfe sehr nötig hat, sagt man nicht *Frau, Frau*, sondern man sagt *Lady, Lady*. So wie sie es jetzt sagt.

Was, wenn sie einen Herzanfall gehabt hat? denke ich. Ich sehe sie an: Auf ihrer Stirn ist Blut, nicht viel, aber eine Platzwunde. Sie muß sich beim Hinfallen verletzt haben. Und niemand bleibt stehen, und sie liegt dort auf dem Rücken, eine füllige, etwa fünfzigjährige Frau in einem armseligen grünen Mantel, Gabardine, mit jämmerlichen, rissigen Schuhen, die Arme ausgebreitet. Die sonnengebräunt aussehende Haut um ihre braunen Augen ist rot und aufgedunsen, die langen schwarzen und grauen Haare ergießen sich auf den Gehsteig.

»Lady«, sagt sie, oder etwas Ähnliches, sie murmelt, aber sie hat mich jetzt.

Ich sehe über die Schulter, um festzustellen, ob irgend jemand sonst es tun wird, aber ich sehe keinen Freiwilligen. Ich knie nieder und sage zu ihr: »Alles in Ordnung mit Ihnen?« Dumme Frage, offensichtlich ist nichts in Ordnung. Sie riecht nach Erbrochenem und Alkohol, muß irgendwo in ihren Kleidern sein. Ich habe die Vision, wie ich sie zum Kaffeetrinken mitnehme, aber dann, wohin mit ihr? Ich werde sie nicht wieder loswerden, sie wird mir bis ins Atelier folgen, sich in die Badewanne übergeben, auf dem Futon einschlafen. Die kriegen mich jedesmal, sie erkennen mich schon von fern, sie spüren mich in jeder Menschenmenge auf, und wenn ich ein noch so mißmutiges Gesicht mache.

Straßensänger, Moonies, gitarrespielende junge Männer, die mich um U-Bahn-Münzen bitten. Im Griff der Hilflosen bin ich hilflos.

»Sie ist nur betrunken«, sagt ein Mann im Vorbeigehen. Was soll das heißen, *nur*? Hölle genug.

»Hier«, sage ich, »kommen Sie, ich helf Ihnen hoch.« Waschlappen, schimpfe ich im stillen. Sie wird Geld wollen, und du wirst es ihr geben, und sie wird billigen süßen Wein dafür kaufen. Aber ich habe sie jetzt hochgezogen, und ihr Körper lehnt schwer an meinem. Wenn es mir gelingt, sie bis zur nächsten Mauer zu hieven und dagegenzulehnen, kann ich sie ein bißchen abputzen und mir überlegen, wie ich hier wieder wegkomme.

»So«, sage ich. Aber sie will nicht an der Mauer lehnen, statt dessen lehnt sie weiter an mir. Ihr Atem riecht wie ein schlimmer Unfall. Sie weint jetzt, das scham- und hemmungslose Weinen eines Kindes, ihre Finger klammern sich an meinen Ärmel.

»Nicht weggehn«, wimmert sie. »O Gott. Lassen Sie mich nicht allein.«

Ihre Augen sind geschlossen, ihre Stimme ist reine Bedürftigkeit, reines Weh. Sie trifft die schwächsten, mitleidigsten Stellen in mir; aber ich bin nur ein Ersatz für wer weiß welchen Mangel, welchen Verlust. Es gibt nichts, was ich für sie tun kann.

»Hier«, sage ich. Ich krame in meinem Portemonnaie, finde einen Zehner, drücke ihr den Schein zerknittert in die Hand, mein Lösegeld. Ich laß mich von jedem ausnehmen, die große Wehleidige. Mein Herz hat eine Wunde, aus der Geld blutet.

»Gott schütze Sie«, sagt sie. Ihr Kopf rollt von einer Seite zur anderen, fällt gegen die Mauer. »Gott schütze Sie, Lady, Unsere Liebe Frau möge Sie schützen.« Es ist ein etwas gelallter Segen, aber wer sagt, daß ich ihn nicht nötig hätte? Sie muß katholisch sein. Ich könnte eine Kirche suchen und sie wie ein Paket durch die Tür schieben. Sie ist eine der ihren, sollen sie sich um sie kümmern.

»Ich muß jetzt gehen«, sage ich. »Gleich geht's besser.« Eine unverhüllte Lüge. Sie reißt die Augen auf, versucht sich auf etwas zu konzentrieren. Ihr Gesicht wird ruhig.

»Ich kenne dich«, sagt sie. »Du bist Unsere Liebe Frau, und du hast keine Liebe für mich.«

Sie hat sich um den Verstand gesoffen, und ich bin absolut die Falsche für so was. Meine Hand zuckt zurück, als hätte sie einen Schlag bekommen. »Nein«, sage ich. Sie hat recht, ich habe keine Liebe für sie. Ihre Augen sind nicht braun, sondern grün. Cordelias Augen.

Ich entferne mich von ihr, Schuld an den Händen, spreche mich frei: Ich bin ein guter Mensch. Sie hätte im Sterben liegen können. Niemand sonst ist stehengeblieben.

Ich bin eine Närrin, wenn ich das mit Güte verwechsle. Ich bin nicht gut.

Ich weiß zuviel, um gut sein zu können. Ich kenne mich.

Ich weiß, daß ich rachsüchtig, habgierig, hinterhältig und durchtrieben bin.

29

Im September kommen wir zurück. Im Norden sind die Nächte kalt, und die Blätter färben sich schon, aber in der Stadt ist es noch heiß, noch feucht. Es ist erstaunlich laut, und es stinkt nach Benzin und dem Teer der schmelzenden Straßen. Die Luft in unserem Haus ist abgestanden und schal, Luft, die den ganzen Sommer in der Hitze eingeschlossen war. Das Wasser ist zuerst rostig, als wir die Hähne aufdrehen. Ich bade in dem rötlichen lauwarmen Wasser. Schon jetzt beginnt sich mein Körper wieder zu versteifen, alle Gefühle abzulegen. Die Zukunft schließt sich langsam wie eine Tür.

Cordelia wartet schon auf mich. Das weiß ich, als ich sie an der Haltestelle des Schulbusses stehen sehe. Vor dem Sommer haben sich Freundlichkeit und Bösartigkeit, manchmal unterbrochen von Gleichgültigkeit, bei ihr abgewechselt; aber jetzt ist sie härter, unbarmherziger. Als müßte sie sich beweisen, wie weit sie gehen kann. Sie drängt mich in eine Ecke, an einen Rand, wie an den Rand einer Klippe: ein Schritt zurück, und noch ein Schritt zurück, und ich werde hinunterstürzen.

Carol und ich sind jetzt in der fünften Klasse. Wir haben eine neue Lehrerin, Miss Stuart. Sie ist Schottin und hat einen Akzent. »Rrruhe, Kindirr«, sagt sie. Sie hat einen kleinen Strauß aus getrocknetem Heidekraut in einem Marmeladenglas auf ihrem Tisch stehen und eine Miniatur von Bonnie Prince Charlie, der von den Engländern ruiniert wurde und der mit Nachnamen genauso heißt wie sie selbst, und in ihrer Tischschublade ist ein Töpfchen mit Handcreme. Sie rührt sich diese Handcreme selbst an.

Am Nachmittag kocht sie sich eine Tasse Tee, die nicht ganz nach Tee riecht, sondern nach etwas, das sie aus einer kleinen Silberflasche hineinschüttet. Sie hat bläulichweiße, wunderbar gewellte Haare und trägt raschelnde malvenfarbene Kleider, fast wie Seide, mit einem Spitzentaschentuch, das sie in den Ärmel steckt. Oft zieht sie sich wie eine Krankenschwester eine weiße Gazemaske über Mund und Nase, weil sie keinen Kreidestaub verträgt. Was sie aber keineswegs davon abhält, mit Tafelschwämmen nach den Jungen zu werfen, die nicht aufpassen. Obgleich sie von unten wirft und gar nicht mal besonders hart, verfehlt sie sie nie. Der Junge, der getroffen wurde, muß ihr den Schwamm zurückbringen. Den Jungen scheint diese Angewohnheit nichts auszumachen; sie fassen es als Auszeichnung auf, wenn sie getroffen werden.

Alle lieben Miss Stuart. Carol sagt, wir haben Glück, in ihrer Klasse zu sein. Ich würde sie auch lieben, wenn ich die Kraft dazu hätte. Aber ich bin zu taub, zu gefangen.

Ich behalte mein Katzenauge in der Tasche, weil ich es dann festhalten kann. Es liegt in meiner Hand, wertvoll wie ein Juwel, und durchdringt mit seinem unparteiischen Blick Knochen und Kleider. Mit Hilfe seiner Kraft ziehe ich mich in meine eigenen Augen zurück. Vor mir gehen Cordelia, Grace und Carol. Ich betrachte ihre Umrisse, die Art und Weise, wie sich der Schatten von einem Bein zum anderen bewegt, die Farbflächen, das rote Viereck der Wolljacke, das blaue Dreieck des Rockes. Ich sehe sie wie Marionetten vor mir, klein und deutlich. Ich kann sie sehen oder nicht, ganz wie ich will.

Ich komme an den Weg zur Brücke, gehe hinunter, an den Kletterranken des Nachtschattens mit den roten Beeren vorbei, an den wogenden Blättern vorbei, den lauernden Katzen. Die drei sind bereits auf der Brücke, aber sie sind stehengeblieben, sie warten auf mich. Ich sehe ihre ovalen Gesichter, die von den Haaren eingerahmt sind. Ihre Gesichter sehen wie faulige Eier aus. Meine Füße bewegen sich bergab.

Ich überlege mir, ob ich unsichtbar werden soll. Ich überlege mir, ob ich die tödlichen Nachtschattenbeeren von den Büschen neben dem Weg essen soll. Ich überlege mir, ob ich die Javex-Flasche mit dem Totenkopf, die in der Waschküche steht, austrinken soll, ob ich von der Brücke springen und dann wie ein Kürbis hinunterklatschen soll, ein halbes Auge, ein halbes Grinsen. Ich würde so zerplatzen, ich wäre tot wie die anderen Toten da unten.

Ich will all diese Dinge nicht tun. Ich habe Angst vor ihnen. Aber ich stelle mir vor, wie Cordelia mir befiehlt, sie zu tun, nicht mit ihrer zornigen, sondern mit ihrer freundlichen Stimme. Ich höre die

Stimme in meinem Kopf. *Tu's. Mach schon.* Ich würde diese Dinge tun, um ihr zu gefallen.

Ich überlege, ob ich meinem Bruder davon erzählen soll, ob ich ihn um Hilfe bitten soll. Aber was genau soll ich ihm eigentlich erzählen? Ich habe kein blaues Auge, keine blutige Nase: Meinem Körper tut Cordelia ja nichts. Wenn es Jungen wären, die einen verfolgen oder ärgern, würde er wissen, was zu tun ist, aber Jungen tun mir nichts. Gegen Mädchen und ihre indirekten Methoden, gegen ihr Geflüster, wäre er hilflos.

Außerdem schäme ich mich. Ich habe Angst, daß er mich auslacht, daß er mich verachtet, weil ich feige bin und mich vor einem Haufen Mädchen fürchte, weil ich mich wegen nichts aufrege.

Ich bin in der Küche und fette für meine Mutter Plätzchenformen ein. Ich sehe die Muster, die das Fett auf dem Metall hinterläßt, ich sehe meine halbmondförmigen Fingernägel, das aufgerissene Fleisch. Meine Finger gleiten herum und herum.

Meine Mutter macht den Teig für die Plätzchen, wiegt das Salz, siebt das Mehl. Das Sieb macht ein trockenes Geräusch, wie Sandpapier. »Du mußt ja nicht unbedingt mit ihnen spielen«, sagt meine Mutter. »Es gibt doch bestimmt noch andere kleine Mädchen, mit denen du spielen kannst.«

Ich sehe sie an. Kummer geht über mich hinweg wie ein warmer Wind. Was hat sie bemerkt, was ahnt sie, was wird sie tun? Sie könnte mit den anderen Müttern sprechen. Das wäre das Schlimmste, was sie tun könnte. Aber das kann ich mir nicht vorstellen. Meine Mutter ist nicht wie andere Mütter, sie paßt nicht zu ihnen. Sie breitet sich nicht im Haus aus, wie andere Mütter es tun; sie ist ungebunden und schwer greifbar. Andere Mütter gehen nicht zum Schlittschuhlaufen oder allein in der Schlucht spazieren. Sie kommen mir auf eine Weise erwachsen vor, wie es meine Mutter nicht ist. Ich muß an Carols Mutter denken, in ihrem Twinset und mit ihrem skeptischen Lächeln, an Cordelias mit ihrer Brille an der Kette und ihrer Vagheit, an die Mutter von Grace mit ihren Haarnadeln und ihrer schlaff gebundenen Schürze. Meine Mutter wird an ihrer Haustür auftauchen, in ihrer schwarzen Hose, mit einem Strauß Wiesenblumen, die sie gerade gepflückt hat, völlig unmöglich. Sie werden ihr nicht glauben.

»Als ich klein war und die anderen Kinder uns was nachriefen, haben wir immer gesagt: ›Stöcke und Steine brechen die Beine, aber böse Worte tun nicht weh!‹« sagt sie. Ihr Arm fährt schnell im Kreis herum, rührt tüchtig, kraftvoll.

»Sie rufen mir nichts nach«, sage ich. »Sie sind meine Freundinnen.« Ich glaube das wirklich.

»Du mußt lernen, für dich selbst einzustehen«, sagt meine Mutter. »Laß dir nichts gefallen. Sei kein Feigling. Du mußt mehr Rückgrat beweisen.« Sie klumpt den Teig in die Formen.

Ich denke an Sardinen und deren Rückgrat. Man kann ihr Rückgrat essen. Die Gräten zerbröckeln einem zwischen den Zähnen; eine Berührung, und sie fallen auseinander. Genauso muß mein Rückgrat sein: fast nicht da. Was mit mir geschieht, ist meine Schuld, weil ich nicht mehr Rückgrat habe.

Meine Mutter stellt die Schüssel hin und nimmt mich in die Arme. »Ich wollte, ich wüßte, was ich tun soll«, sagt sie. Das ist ein Geständnis. Jetzt weiß ich, was ich schon lange geahnt habe: in dieser Sache ist sie machtlos.

Ich weiß, daß Plätzchen sofort gebacken werden müssen, gleich nachdem sie in die Form gegossen sind, sonst werden sie platt und mißlingen. Ich kann mir die Ablenkung ihrer Wärme nicht leisten. Wenn ich ihr nachgebe, wird das bißchen Rückgrat, das ich noch habe, zerbröckeln.

Ich entziehe mich ihr. »Die müssen jetzt in den Ofen«, sage ich.

30

Cordelia bringt einen Spiegel mit in die Schule. Es ist ein Taschenspiegel, die einfache rechteckige Art ohne Rand. Sie zieht ihn aus der Tasche und hält ihn mir vors Gesicht und sagt: »Sieh dich an! Sieh dich bloß mal an!« Ihr Ton ist angewidert, von Ekel erfüllt, als hätte allein schon mein Gesicht irgend etwas getan, als wäre es zu weit gegangen. Ich sehe in den Spiegel, aber ich kann nichts entdecken, was ungewöhnlich wäre. Es ist einfach nur mein Gesicht, mit den dunklen Flecken auf den Lippen, wo ich sie mir aufgebissen habe.

Meine Eltern geben Bridgepartys. Sie schieben im Wohnzimmer die Möbel an die Wand und klappen zwei Bridgetische und acht Bridgestühle aus Stahl auseinander und stellen sie auf. In der Mitte jedes Tisches stehen zwei Porzellanschalen, eine mit gesalzenen Nüssen, die andere mit verschiedenen Süßigkeiten. Diese Süßigkeiten werden »Bridgemischung« genannt. Außerdem stehen auf jedem Tisch auch zwei Aschenbecher.

Dann beginnt es an der Tür zu klingeln, und die Besucher kommen herein. Das Haus füllt sich mit dem fremden Geruch von Zigaretten, der zusammen mit den paar übriggebliebenen Süßigkeiten und gesalzenen Nüssen auch am nächsten Morgen noch nicht verschwunden sein wird. Immer mal wieder ein Lachen, das lauter wird, als die Zeit vergeht. Ich liege in meinem Bett und lausche dem Gelächter. Ich fühle mich abgesondert, ausgeschlossen. Außerdem verstehe ich nicht, wieso all dies, die Geräusche und Gerüche, »Bridge« genannt wird. Das hat doch nichts mit einer Brücke zu tun.

Manchmal kommt Mr. Banerji zu diesen Bridgepartys. Ich verstecke mich in einer Ecke im Flur, in meinem Flanellschlafanzug, um wenigstens einen Blick auf ihn werfen zu können. Ich bin nicht in ihn verknallt oder so was. Ich will ihn sehen, weil ich mich um ihn sorge, weil ich glaube, daß wir etwas gemeinsam haben. Ich will sehen, wie er es schafft, wie er mit einem Leben fertig wird, in dem er Truthähne essen muß, und mit all den anderen Dingen. Nicht besonders gut, wenn man nach seinen dunklen, gehetzt aussehenden Augen und seinem leicht hysterischen Lachen geht. Aber wenn er mit was immer ihn verfolgt, und irgendwas verfolgt ihn, fertig wird, dann kann ich das auch. Oder jedenfalls glaube ich das.

Prinzessin Elizabeth kommt nach Toronto. Sie besucht Kanada mit ihrem Mann, der ein Herzog ist. Es ist ein Königlicher Besuch. Im Radio hört man jubelnde Menschenmengen und feierliche Stimmen, die genau beschreiben, welche Farbe ihr Kleid hat, jeden Tag eine andere. Ich hocke im Wohnzimmer auf dem Fußboden, im Hintergrund fiedeln die *Maritimes*, unter meinen Ellbogen ist der *Toronto Star* ausgebreitet, und sehe mir auf der Titelseite die Bilder von ihr an. Sie ist älter, als sie sein sollte, und normaler: Sie trägt jetzt keine Pfadfinderuniform mehr, wie in den Tagen des *Blitzkrieges*, aber auch kein Abendkleid und keine Krone, wie die Königin hinten in unserem Klassenzimmer. Sie hat ein einfaches Kostüm und Handschuhe an, und sie trägt auch eine Handtasche wie andere Leute, und auf dem Kopf hat sie einen Damenhut. Trotzdem ist sie eine Prinzessin. In der Zeitung ist ihr eine ganze Seite gewidmet, man sieht Frauen, die vor ihr knicksen, kleine Mädchen, die ihr Blumensträuße überreichen. Sie lächelt, immer mit dem gleichen gütigen Lächeln, zu ihnen herab, und wird als strahlend beschrieben.

Tag für Tag verfolge ich, auf dem Fußboden hockend, die Zeitung durchblätternd, ihren Weg über die Landkarte, mit dem Flugzeug, mit der Eisenbahn, mit dem Auto, von einer Stadt zur nächsten. Ich lerne ihre Route durch Toronto auswendig. Ich habe gute Chancen, sie zu sehen, weil sie direkt an unserem Haus vorbeikommen soll, auf der unfertigen Straße mit den vielen Schlaglöchern, die zwischen dem Friedhof mit seinen dürren neu gepflanzten Bäumen und der von Bulldozern aufgewühlten Erde und der Reihe von fünf neuen großen Erdhügeln hindurchführt.

Diese Erdhügel befinden sich auf unserer Straßenseite. Sie sind erst kürzlich aufgetaucht, ersetzen das Brachland mit dem Unkraut, das vorher dort war. Jeder Haufen liegt neben seinem Loch, das die Form eines Kellers hat und in dem unten eine matschige Pfütze steht. Mein Bruder hat Anspruch auf ein Loch erhoben; er hat vor, es auszubauen, er will von oben einen Tunnel nach unten graben und dann seitlich ins Loch hinein, damit er einen Seiteneingang hat. Was er darin machen will, weiß niemand.

Ich habe keine Ahnung, warum die Prinzessin an diesen Erdhügeln vorbeifahren soll. Ich kann mir nicht vorstellen, daß sie etwas sind, das sie unbedingt sehen möchte, aber so sicher bin ich mir auch wieder nicht, weil sie sich eine Menge anderer Dinge ansieht, die mir auch nicht viel interessanter vorkommen. Es gibt ein Bild von ihr, auf dem sie vor einem Rathaus steht, und ein anderes von ihr vor einer Fischkonservenfabrik. Aber ob sie die Erdhügel nun sehen will oder nicht, man kann gut auf ihnen stehen, um sie beim Vorbeifahren zu betrachten.

Ich freue mich auf diesen Besuch. Ich erwarte mir etwas davon, obwohl ich nicht genau sagen könnte, was. Diese Prinzessin ist dieselbe, die in London den Bomben getrotzt hat, die Prinzessin, die tapfer und heldenhaft ist. Ich glaube, daß sich an diesem Tag etwas ereignet, das für mich Bedeutung hat. Irgend etwas wird sich ändern.

Schließlich erreicht der Königliche Besuch Toronto. Der Tag ist bedeckt, mit gelegentlichem leichten Regen; Nieselregen nennen sie es. Ich gehe schon früh nach draußen und stelle mich auf die Spitze des mittleren Erdhügels. Neben der Straße steht eine weit auseinandergezogene Reihe Menschen, Erwachsene und Kinder, im schmutzigen Unkraut. Manche Kinder haben kleine Union Jacks. Ich auch: sie wurden an der Schule verteilt. Es ist keine große Menschenmenge, weil in dieser Gegend nicht so furchtbar viele Leute wohnen, und manche sind wahrscheinlich weiter in die Stadt gegangen, wo es Bürgersteige gibt. Ich sehe Grace und Carol und Cordelia dicht bei Graces Haus neben der Straße stehen. Ich hoffe, sie sehen mich nicht.

Ich stehe auf dem Erdhügel, mein Union Jack hängt schlaff an seinem Stab. Es wird immer später, und nichts passiert. Ich überlege, ob ich ins Haus gehen und Radio hören soll, um zu erfahren, wo die Prinzessin jetzt ist, aber plötzlich taucht links ein Polizeiwagen auf, der am Friedhof vorbeifährt. Es beginnt zu nieseln. In der Ferne ist Beifall zu hören.

Es kommen ein paar Motorräder, dann ein paar Autos. Ich sehe, wie die Menschen neben der Straße ihre Arme in die Luft strecken, höre vereinzelte Hurras. Die Wagen fahren zu schnell, trotz der

Schlaglöcher. Ich kann nicht erkennen, welches der richtige Wagen ist.

Dann sehe ich es. Es ist der Wagen mit dem blassen Handschuh, der aus dem Fenster herauskommt und winkt, hin und her. Schon ist er auf meiner Höhe, schon fährt er vorbei. Ich winke nicht mit meinem Union Jack, und ich juble auch nicht, weil ich sehe, daß es zu spät ist, ich habe keine Zeit, das zu tun, worauf ich gewartet habe, was mir aber erst jetzt klargeworden ist. Was ich tun muß, ist, mit ausgebreiteten Armen, um nicht das Gleichgewicht zu verlieren, den Berg hinunterlaufen und mich vor das Auto der Prinzessin werfen. Vorne vor oder obendrauf oder in es hinein. Dann wird die Prinzessin ihnen sagen, daß sie das Auto anhalten sollen. Das muß sie, damit ich nicht überfahren werde. Ich sehe mich nicht etwa mit dem königlichen Wagen davonfahren, so unrealistisch bin ich nun auch wieder nicht. Außerdem will ich meine Eltern nicht verlassen. Aber es würde sich alles ändern, alles würde anders sein, es würde etwas geschehen.

Der Wagen mit dem Handschuh fährt davon, er ist um die Ecke gebogen, er ist verschwunden, und ich habe mich nicht von der Stelle gerührt.

31

Miss Stuart liebt die Kunst. Wir müssen von zu Hause alte Hemden von unseren Vätern mitbringen, damit wir in Kunst soviel herumklecksen können, wie wir wollen, ohne unsere Kleider schmutzig zu machen. Während wir ausschneiden und malen und kleben, geht sie mit ihrer Krankenschwesternmaske zwischen den Pulten auf und ab und sieht uns über die Schulter. Aber wenn jemand, ein Junge, absichtlich ein albernes Bild malt, hält sie das Blatt mit spöttischem Zorn in die Höhe. »Dieser Bursche hier hält sich für besonders schlau. Aber ihr habt mehr zwischen den Ohren als so was!« Und dann schnippt sie mit Daumen und Fingernagel gegen sein Ohrläppchen.

Wir machen für sie die üblichen Dinge aus Papier, die Kürbisse, die Weihnachtsglocken, aber sie läßt uns auch noch anderes machen. Wir machen komplizierte Blumenmuster mit einem Zirkel, wir kleben alle möglichen Dinge auf Pappdeckel: Federn, Ziermünzen, grell gefärbte Makkaronistücke, Trinkstrohhalme. Wir machen Wandmalerei in der Gruppe, auf den Tafeln oder auf einer großen braunen Papierrolle. Wir malen Bilder von fremden Ländern: Mexiko mit Kakteen und Männern mit riesigen Hüten, China mit Menschen mit Kegeln auf den Köpfen und Booten mit einem aufgemalten Auge, Indien mit etwas, das anmutig sein soll, in Seide gehüllte Frauen, die Kupferurnen auf den Köpfen und auf der Stirn Juwelen tragen.

Ich mag diese ausländischen Bilder, weil ich an sie glauben kann. Ich muß unbedingt daran glauben können, daß es diese anderen, fremden Menschen tatsächlich irgendwo gibt. Auch wenn man mir in der Sonntagsschule erzählt hat, daß diese Menschen entweder verhungern oder Heiden sind, oder beides. Auch wenn meine wöchentliche Spende in der Kollekte dazu verwendet wird, sie zu konvertieren, zu ernähren oder klüger zu machen. Miss Lumley fand sie gerissen, Leute, die sich von seltsamen, widerlichen Dingen ernähren und Verrat an den Briten üben, aber ich ziehe Miss Stuarts Version vor, bei der die Sonne über den Köpfen in einem fröhlichen Gelb erstrahlt, die Baumkronen in einem saftigen Grün, und die Kleider, die diese Menschen tragen, mit Blumen bedruckt und die Volkslieder fröhlich sind. Die Frauen schwatzen in einer schnellen, unverständlichen Sprache miteinander, und wenn sie lachen, zeigen sie makellose, blendendweiße Zähne. Wenn es diese Menschen wirklich gibt, dann kann ich irgendwann einmal zu ihnen gehen. Dann brauche ich nicht hierzubleiben.

»Heute«, sagt Miss Stuart, »wollen wir malen, was wir nach der Schule tun.«

Die anderen beugen sich über ihre Tische. Ich weiß, was sie malen werden: Seilspringen, lustige Schneemänner, Radio hören, mit einem Hund spielen. Ich starre auf mein Blatt Papier, das noch leer ist. Schließlich male ich mein Bett, mit mir selbst drin. Mein Bett hat ein dunkles Kopfende aus Holz mit Schnörkeln. Ich male das Fenster, die Kommode. Ich male die Nacht. Meine Hand, die die schwarze Kreide hält, drückt fest auf das Papier, immer fester und fester, bis das Bild fast völlig schwarz ist, bis mein Bett und mein Kopf auf dem Kopfkissen nur noch fahle Schatten sind.

Erschrocken starre ich auf das Bild. Es ist nicht das, was ich hatte malen wollen, es ist anders als die Bilder der anderen, es ist falsch. Miss Stuart ist bestimmt enttäuscht von mir, sie wird sagen, daß ich mehr zwischen den Ohren habe als das. Ich fühle, wie sie jetzt hinter mir steht, mir über die Schulter sieht; ich kann den Geruch ihrer Handcreme riechen und den anderen Geruch, der nicht von Tee stammt. Sie geht um mich herum, so daß ich sie sehen kann, ihre hellblauen umfälteten Augen sehen mich über ihre Krankenschwesternmaske hinweg an.

Einen Moment lang sagt sie nichts. Dann fragt sie, nicht streng: »Warum ist dein Bild so düster, mein Kind?«

»Weil es Nacht ist«, sage ich. Wie idiotisch diese Antwort ist, merke ich, sobald sie mir herausgerutscht ist. Meine Stimme ist fast nicht zu hören, nicht einmal für mich selbst.

»Ich verstehe«, sagt sie. Sie sagt nicht, daß das, was ich gemalt habe, falsch ist, oder daß ich nach der Schule doch bestimmt etwas anderes zu tun habe, als ins Bett zu gehen. Sie legt ihre Hand auf meine Schulter, ganz kurz nur, bevor sie weitergeht. Die Berührung glüht kurz auf wie ein ausgeblasenes Streichholz.

In den Fenstern unseres Klassenzimmers blühen die Papierherzen. Aus einem Pappkarton und rosa Kreppapier und roten Herzen mit Borten aus Papierdeckchen machen wir einen großen Briefkasten für den Valentinstag. Oben ist ein Schlitz, in den wir unsere Valentinsgrüße stecken. Wir haben sie aus Heften mit Glückwünschen ausgeschnitten haben, die man bei Woolworth kaufen kann. Diejenigen, die wir besonders gern mögen, kriegen ganz allein eine besondere Karte.

Am Valentinstag haben wir den ganzen Nachmittag eine Party. Miss Stuart liebt Partys. Sie hat Dutzende herzförmige Butterplätzchen mitgebracht, die sie selbst gebacken hat, mit rosa Zuckerguß und Silberperlen obendrauf, und dann gibt es noch kleine zimt- und pastellfarbene Herzen mit Botschaften, Botschaften aus irgendeiner früheren Zeit, nicht aus unserer. »Hubba Hubba«, steht da. »Sie ist mein Schatz.« »Oh, du Kindskopf!«

Miss Stuart sitzt an ihrem Tisch und überwacht alles, während ein paar von den Mädchen den Briefkasten öffnen und die Valentinsgrüße verteilen. Auf meinem Pult stapeln sich die Karten. Die meisten sind von Jungen. Das sehe ich an dem Gekrakel und weil auf vielen kein Name steht. Auf manchen stehen nur die Anfangsbuchstaben oder: Wer wohl? Auf manchen stehen Os und Xe. Die Karten von den Mädchen sind fein säuberlich unterschrieben, in voller Länge, damit es keinen Irrtum geben kann, wer was geschenkt hat.

Auf dem Nachhauseweg von der Schule kichert Carol und zeigt uns die Karten, die sie von Jungen hat. Ich habe mehr gekriegt als Carol, und auch mehr als Cordelia und Grace in der sechsten Klasse bekommen haben. Aber das wissen die andern nicht. Ich habe die Karten in meinem Schultisch versteckt, damit ich sie auf dem Nachhauseweg nicht vorzuzeigen brauche. Als sie mich fragen, ob ich auch Karten bekommen habe, sage ich, nicht viele. Ich genieße mein Wissen, das für mich neu ist, aber nicht überraschend: Jungen sind meine heimlichen Verbündeten.

Carol ist erst zehn und dreiviertel Jahre alt, aber sie bekommt schon Brüste. Sie sind nicht sehr groß, aber die Warzen sind jetzt nicht mehr flach, sondern spitz, und dahinter ist eine Schwellung. Das sieht man ganz deutlich, weil sie ihre Brust vorstreckt, ihre Pullover zieht sie straff nach unten, damit die Brüste rausstehen. In der Pause klagt sie über ihre Brüste: Sie tun weh, sagt sie. Sie sagt, daß sie bald einen BH braucht. Cordelia sagt: »Ach, hör auf mit deinen blöden Titten.« Sie ist älter, aber sie hat noch keine.

Carol kneift sich in die Lippen und Wangen, damit sie rot werden. Im Papierkorb findet sie einen fast leeren Lippenstift von ihrer Mutter und versteckt ihn. Sie bringt ihn mit in die Schule. Nach der Schule reibt sie sich den Lippenstift mit der Spitze ihres kleinen Fingers auf die Lippen. Bevor wir zu ihrem Haus kommen, wischt sie ihn mit einem Kleenex-Taschentuch wieder ab, aber etwas bleibt noch dran.

Wir spielen oben in ihrem Zimmer. Als wir hinuntergehen, um in der Küche ein Glas Milch zu trinken, sagt ihre Mutter: »Was hast du denn da im Gesicht, mein Fräulein?« Und schrubbt Carols Gesicht direkt vor unseren Augen mit dem schmutzigen Geschirrtuch ab. »Paß auf, daß ich dich nicht noch mal dabei erwische! Das ist ordinär. In deinem Alter, der Gedanke!« Carol zappelt und schreit und weint und reißt sich los. Wir sehen zu, entsetzt und fasziniert. »Wart nur, bis dein Vater nach Hause kommt!« sagt ihre Mutter mit kalter, wütender Stimme. »Sich so zur Schau zu stellen!«, als wäre schon etwas Schlimmes daran, überhaupt angesehen zu werden. Dann merkt sie, daß wir noch da sind. »Und jetzt ab mit euch!«

Zwei Tage später erzählt Carol, daß ihr Vater es ihr ordentlich gegeben hat, mit seinem Gürtel, mit dem Schnallenende, auf den nackten Po. Sie sagt, sie kann kaum sitzen. Sie klingt stolz. Sie zeigt es uns nach der Schule, oben in ihrem Zimmer: sie hebt ihren Rock hoch, zieht ihre Unterhosen runter, und da sind tatsächlich die Abdrücke, fast wie Kratzer, nicht sehr rot, aber da.

Es ist schwierig, diese Beweise mit Carols Vater in Einklang zu bringen, dem netten Mr. Campbell, der einen weichen Schnurrbart hat und der Grace immer Pfauenauge und Cordelia Miss Lobelia nennt. Es ist seltsam, sich vorzustellen, daß er jemanden mit einem Gürtel schlägt. Aber Väter und ihre Bräuche sind sowieso unerklärlich. Zum Beispiel weiß ich, ohne daß es mir jemand gesagt hätte, daß Mr. Smeath ein heimliches Leben von Zügen und Fluchten in seinem

Kopf lebt. Cordelias Vater ist bei den seltenen Gelegenheiten, wenn wir ihn zu sehen bekommen, immer nett zu uns, er macht Witze, lächelt breit und ausdauernd, aber warum hat sie Angst vor ihm? Denn sie hat Angst. Alle Väter außer meinem sind tagsüber unsichtbar; der Tag wird von den Müttern regiert. Aber die Väter treten bei Nacht auf. Die Dunkelheit bringt sie heim, mit ihrer wahren, unsagbaren Macht. Sie sind mehr, als das Auge sieht. Und folglich glauben wir auch an den Gürtel.

Carol erzählt, daß sie morgens, bevor die Betten gemacht waren, in dem Doppelbett ihrer Mutter auf dem Laken einen nassen Fleck gesehen hat. Wir schleichen auf Zehenspitzen in das Zimmer ihrer Eltern. Das Doppelbett mit der flauschigen Chenille-Decke ist so ordentlich gemacht, daß wir Angst haben es aufzudecken, um nachzusehen. Carol zieht die Nachttischschublade ihrer Mutter auf, und wir sehen hinein. Dort liegt ein Gummiding, wie der obere Teil von einem Pilz, und eine Zahnpastatube, aber es ist keine Zahnpasta. Carol sagt, daß diese Dinge dazu da sind, keine Babys zu kriegen. Niemand kichert, niemand spottet. Wir lesen die Aufschrift. Irgendwie hat Carol durch die roten Streifen auf ihrem Popo eine Glaubwürdigkeit gewonnen, die sie vorher nicht hatte.

Carol liegt auf ihrem Bett, das eine weiße kräuslige Überdecke hat, die zu den Vorhängen paßt. Sie tut so, als wäre sie krank, irgendeine nicht genau definierbare Krankheit. Wir haben einen Waschlappen naß gemacht und auf ihre Stirn gelegt, ihr ein Glas Wasser gebracht. Krankheit ist ein neues Spiel, das wir spielen.

»Ach, ich bin so krank, ach, ich bin so krank«, seufzt Carol und verrenkt ihren Körper auf dem Bett. »Schwester, helfen Sie mir!« »Wir müssen ihr Herz abhören«, sagt Cordelia. Sie zieht Carols Pullover hoch, dann ihr Unterhemd. Wir waren alle schon beim Doktor, wir kennen die barschen Erniedrigungen, die damit verbunden sind. »Es wird nicht weh tun.« Da sind die Brüste, angeschwollen, und die Warzen bläulich, wie die Adern auf der Stirn. »Fühl mal ihr Herz«, sagt Cordelia zu mir.

Ich will es nicht tun. Ich mag dieses aufgedunsene, unnatürliche Fleisch nicht anfassen. »Na, mach schon«, sagt Cordelia. »Tu, was man dir sagt.«

»Sie ist ungehorsam«, sagt Grace.

Ich strecke die Hand aus, lege sie auf die linke Brust. Es fühlt sich an wie ein Ballon, der zur Hälfte mit Wasser gefüllt ist, oder wie lauwarmer Haferschleim. Carol kichert. »Iih, deine Hand ist ganz kalt!« Mir wird übel.

»Ihr Herz, du Dummkopf«, sagt Cordelia. »Ich habe nicht gesagt, ihre Titten. Das ist ein Unterschied, falls du das nicht weißt.«

Ein Krankenwagen kommt, und meine Mutter wird auf einer Bahre hinausgetragen. Ich sehe es nicht selbst, aber Stephen erzählt es mir. Es war mitten in der Nacht, als ich schlief, aber Stephen steht jetzt nachts immer heimlich auf, um durch sein Schlafzimmerfenster die Sterne anzusehen. Er sagt, man kann die Sterne besser sehen, wenn in der Stadt die meisten Lichter aus sind. Er sagt, man kann nachts ohne einen Wecker aufwachen, wenn man vor dem Schlafengehen zwei Gläser Wasser trinkt. Man muß sich nur auf die Uhrzeit konzentrieren, zu der man aufwachen will. So haben es die Indianer immer gemacht.

Deshalb war er wach und lauschte und schlich sich hinüber, um an der anderen Hausseite aus dem Fenster zu sehen und zu erfahren, was auf der Straße vor sich ging. Er sagt, der Wagen hatte seine Warnlichter an, aber nicht die Sirene, so daß es kein Wunder ist, daß ich nichts gehört habe.

Am Morgen steht mein Vater in der Küche und brät Schinken in der Pfanne. Er weiß, wie es gemacht wird, auch wenn er es in der Stadt sonst nie tut, nur über Lagerfeuern. Im Schlafzimmer meiner Eltern liegt ein ganzer Haufen zusammengeknüllter Laken auf dem Fußboden, und die Decken hängen zusammengefaltet über einem Stuhl; auf der Matratze ist ein riesiger ovaler Blutfleck. Aber als ich von der Schule nach Hause komme, sind die Laken verschwunden, und das Bett ist gemacht, und es ist nichts mehr zu sehen.

Mein Vater sagt, daß es einen Unfall gegeben hat. Aber wie kann man einen Unfall haben, während man im Bett liegt und schläft? Stephen sagt, es war ein Baby, aber ein Baby, das zu früh rausgekommen ist. Das glaube ich ihm nicht: Frauen, die Babys kriegen, haben große dicke Bäuche, und meine Mutter hatte keinen.

Meine Mutter kommt aus dem Krankenhaus zurück und ist sehr

schwach. Sie muß sich ausruhen. Niemand ist daran gewöhnt, sie ist selbst nicht daran gewöhnt. Sie weigert sich, steht wie gewöhnlich auf, hält sich beim Gehen mit der Hand an der Wand und an den Möbelkanten fest, steht in der Küche gebückt über dem Abwasch, hat eine Strickjacke um die Schultern gelegt. Wenn sie gerade mitten in einer Arbeit ist, muß sie sich hinlegen. Ihre Haut ist blaß und trocken. Sie sieht aus, als lauschte sie einem Geräusch, außerhalb des Hauses vielleicht, aber es ist nichts zu hören. Manchmal muß ich etwas zweimal sagen, bevor sie mich hört. Es kommt mir vor, als wäre sie ganz woanders und hätte mich zurückgelassen oder vergessen, daß ich da bin.

Das ist alles noch viel beängstigender als der Blutfleck. Unser Vater sagt uns, daß wir noch mehr mit zupacken müssen, das bedeutet, daß er auch Angst hat.

Als es ihr wieder besser geht, finde ich im Nähkorb meiner Mutter ein kleines gestricktes Söckchen, pastellgrün. Ich wundere mich, weil es nur eins ist. Aber sie strickt nicht gern. Vielleicht hat sie deshalb nur eins gemacht und hatte dann keine Lust mehr.

Ich träume, daß Mrs. Finestein von nebenan und Mr. Banerji meine richtigen Eltern sind.

Ich träume, daß meine Mutter ein Baby bekommen hat, einen Zwilling. Das Baby ist grau. Wo der andere Zwilling ist, weiß ich nicht.

Ich träume, daß unser Haus abgebrannt ist. Es ist nichts übriggeblieben. An der Stelle, wo es vorher gestanden hat, sind schwarze Stümpfe, wie nach einem Waldbrand. Daneben liegt ein gewaltiger Erdhügel.

Meine Eltern sind tot, aber auch lebendig. Sie liegen in ihren Sommerkleidern nebeneinander da und sinken immer tiefer in die Erde, die hart, aber durchsichtig ist, wie Eis. Sie blicken mich traurig an, während sie versinken.

32

Es ist Sonnabend nachmittag. Wir gehen zu dem Gebäude, zu etwas, das Konversat genannt wird. Ich weiß nicht, was ein Konversat ist, aber ich bin erleichtert, daß wir zu dem Gebäude gehen, wo es Mäuse und Schlangen und Experimente und keine Mädchen gibt. Mein Vater fragte mich, ob ich eine Freundin mitnehmen wollte. Ich sagte nein. Mein Bruder bringt Danny mit, dem andauernd die Nase läuft, der immer Strickwesten mit Rautenmuster anhat und eine Briefmarkensammlung besitzt. Sie sitzen auf dem Rücksitz – meinem Bruder wird jetzt nicht mehr übel im Auto – und reden in einer Sprache, die sie B-Sprache nennen.

»Deibeinebe Nabasebe läubäuft.«

»Naba ubund? Wibillst Dubu wabas zubum Ebesseben?«

»Mmh, lebeckeber.«

Ich weiß, daß zumindest Danny so was sagt, um mich zu schockieren. Er glaubt, ich wäre wie die anderen Mädchen, die sich schütteln und kreischen. Früher hätte ich es ihm vielleicht mit irgend etwas genauso Widerlichem gegeben, aber an solchen Dingen wie Rotzessen habe ich kein Interesse mehr. Ich sehe aus dem Autofenster und tue so, als hörte ich nichts.

Das Konversat ist eine Art Museum. Die Zoologische Abteilung öffnet sich an bestimmten Tagen dem Publikum, um den Leuten eine Chance zu geben, die Wissenschaft aus der Nähe zu sehen und sich weiterzubilden. Das hat mein Vater gesagt und dabei gegrinst, wie immer, wenn er es nicht ganz ernst meint. Er sagt, daß die Leute es ab und zu ganz gut gebrauchen könnten, ein wenig weitergebildet zu werden. Meine Mutter sagte, sie glaube nicht, daß ihr Kopf zu weiterer Bildung befähigt sei, und daß sie deshalb lieber einkaufen gehe.

Im Konversat sind eine Menge Menschen. Allzuviel Ablenkung gibt es an den Wochenenden in Toronto nicht. Das Gebäude macht einen festlichen Eindruck. Sein üblicher Geruch nach Seifenlauge und Möbelpolitur und Mäusedreck und Schlangen vermischt sich mit anderen Gerüchen, mit denen von Wintermänteln, Zigarettenrauch und dem Parfüm der Frauen. An den Wänden sind bunte Papierstreifen befestigt und überall in den Fluren und Gängen und die Treppen rauf und runter bis in die verschiedenen Räume gestrichelte Pfeile aus Pappe, damit die Leute den Weg finden. Jeder Raum hat seine eigene Ausstellung, die so zusammengestellt ist, daß man irgendwas lernt.

In dem ersten Raum sind Hühnerembryos in ihren verschiedenen Entwicklungsstadien zu sehen, vom kleinen roten Fleck bis zum glupschäugigen, flaumigen Küken mit großem Kopf, das gar nicht so federweich und niedlich aussieht wie auf den Osterkarten, sondern glitschig, mit unter den Bauch gezogenen Füßen, die Augenlider nur einen schmalen Spalt geöffnet, so daß sich ein Halbmond des achatblauen Auges zeigt. Die Embryos sind eingelegt; es riecht stark nach Formaldehyd. In einer anderen Ausstellung steht ein Glas mit Zwillingen, wirklichen menschlichen Zwillingen mit ihrer Plazenta, grauhäutig schwimmen sie in einer Flüssigkeit, die wie Abwaschwasser aussieht. In ihre Venen und Arterien ist Farbe gespritzt, blau für die Venen, purpurrot für die Arterien, damit wir sehen können, daß ihre Blutsysteme miteinander verbunden sind. In einer Flasche ist ein menschliches Gehirn, wie eine große wabblige graue Walnuß. Ich kann nicht glauben, daß ich auch so was in meinem Kopf habe.

In einem anderen Raum steht ein Tisch, an dem man sich seine Fingerabdrücke machen lassen kann, damit man sieht, daß sie anders sind als die von allen anderen. Auf einer großen Tafel sind vergrößerte Fotos von Fingerabdrücken zu sehen. Mein Bruder und Danny und ich lassen uns Fingerabdrücke machen. Bei den Hühnern und den Zwillingen haben Danny und mein Bruder so getan, als wäre das nichts Besonderes – »Hübühnchen zubum Ababebendebesseben?« »Wiebie wäbär's mibit Zwibillibings-Eibeintobopf?« – aber sie hatten es ziemlich eilig, aus dem Raum rauszukommen. Ihre Begeisterung für die Fingerabdrücke dagegen kennt keine Grenzen. Sie drücken sich gegenseitig ihre tintigen Finger auf die Stirn und rufen mit lauter bedrohlicher Stimme: »Das Zeichen der schwarzen Hand!«, bis unser Vater vorbeikommt und ihnen sagt, daß sie leise sein sollen. Der schöne Mr. Banerji aus Indien ist bei ihm. Er lächelt mich nervös an und sagt: »Wie geht es dir, Miss?« Er sagt immer Miss zu mir. Zwischen den vielen winterweißen Gesichtern sieht er noch dunkler aus als sonst; seine Zähne strahlen und strahlen.

In dem Raum mit den Fingerabdrücken werden auch Papierstückchen ausgeteilt; man soll sie kosten und sagen, ob sie bitter schmekken wie Pfirsichkerne oder sauer wie Zitronen. Es soll ein Beweis sein, daß manche Dinge vererbt werden. Es gibt auch einen Spiegel, vor dem man Zungenübungen machen kann, um zu sehen, ob man seine Zunge an den Seiten aufrollen kann, oder ob man sie zu einem Kleeblatt rollen kann. Manche Leute können beides nicht. Danny und mein Bruder nehmen den Spiegel sofort in Beschlag und verziehen schrecklich die Gesichter, indem sie sich die Daumen in die Mundwinkel stecken und ihre Augenlider runterziehen, so daß man das Rote in den Augen sehen kann.

Manches in dem Konversat ist weniger interessant, zuviel Geschriebenes, und manches sind nur Tabellen an der Wand oder was man im Mikroskop sehen kann, aber das können wir ja auch sonst immer, wenn wir wollen.

Es ist ziemlich voll in den Gängen, als wir in unseren Überschuhen den babyblauen und gelben Kartonpfeilen folgen. Wir haben unsere Mäntel anbehalten. Es ist sehr warm. Die scheppernden Heizungen sind voll aufgedreht, und die Luft ist von dem Atem der vielen Leute stickig.

Wir kommen zu einem Raum mit einer aufgeschnittenen Schildkröte. Sie liegt in einer weißen Emailleschüssel, wie die beim Fleischer. Die Schildkröte lebt; oder sie ist tot, und ihr Herz lebt. Diese Schildkröte ist ein Experiment, um zu zeigen, wie das Herz eines Reptils weiterschlagen kann, auch wenn alles andere von ihm tot ist.

In den unteren Schild der Schildkröte ist ein Loch gesägt. Die Schildkröte liegt auf dem Rücken, damit man durch das Loch hineinsehen kann, direkt auf das Herz, das langsam vor sich hin schlägt; es glänzt dunkelrot, dort unten in seiner Höhle, zuckt wie das Ende eines Wurms, wenn man ihn berührt, streckt sich wieder, zuckt. Genauso wie eine Hand, die sich zur Faust zusammenballt und dann wieder aufgeht. Es ist wie ein Auge.

An dem Herzen ist ein Kabel befestigt, das zu einem Lautsprecher führt, so daß man es im ganzen Raum schlagen hört, quälend langsam, wie ein alter Mann, der die Treppe raufsteigt. Man weiß nie, ob das Herz es bis zum nächsten Schlag schafft oder nicht. Ein Schlag, eine Pause, dann ein Rauschen wie im Radio, von dem mein Bruder sagt, daß es aus dem Weltraum kommt, dann wieder ein Pulsschlag, das Geräusch eingesogener Luft. Das Leben rinnt aus der Schildkröte heraus, ich kann es über den Lautsprecher hören. Schon bald wird in ihr kein Leben mehr sein.

Ich will nicht hierbleiben, aber vor und hinter mir ist eine Schlange. Lauter Erwachsene; Danny und meinen Bruder habe ich aus den Augen verloren. Ich bin zwischen zwei Tweedmänteln eingeklemmt, meine Augen sind in der Höhe der zweiten Knöpfe von oben. Ich höre noch ein anderes Geräusch, das wie ein näherkommender Wind über dem Schlagen des Herzens zu hören ist: ein Rascheln wie von Pappelblättern, nur leiser, trockener. Schwarz legt sich um den Rand meines Blickfeldes. Ich sehe nur noch so was Ähnliches wie die Öffnung eines Tunnels, die sich schnell von mir entfernt; oder ich entferne mich von ihr, von dem Stück Tageslicht. Dann sehe ich, in Augenhöhe, eine Menge Überschuhe und die Fußbodendielen, die sich bis weit in die Ferne strecken. Mein Kopf tut weh.

»Sie ist ohnmächtig geworden«, sagt jemand, und dann weiß ich, was ich getan habe.

»Das ist die Hitze hier.«

Man trägt mich hinaus in die kalte graue Luft; Mr. Banerji trägt mich, während er besorgte Laute ausstößt. Mein Vater läuft eilig voraus und sagt mir, daß ich mich hinsetzen und den Kopf zwischen die Knie stecken soll. Ich tu's und sehe jetzt meine eigenen Überschuhe. Er fragt, ob ich mich übergeben muß, und ich sage nein. Mein Bruder und Danny kommen raus und starren mich an, ohne etwas zu sagen. Schließlich sagt mein Bruder: »Siebie ibist ohbohnmäbächtibig gebewobordeben«, und dann gehen sie wieder rein.

Ich warte draußen, bis mein Vater das Auto bringt und wir nach Hause fahren. Ich habe das Gefühl, etwas Wissenswertes entdeckt zu haben. Es gibt eine Möglichkeit, Orte, an denen man nicht sein möchte, zu verlassen. Wenn man ohnmächtig wird, ist das genauso, als würde man beiseite treten, aus dem eigenen Körper heraus, aus der Zeit heraus oder in eine andere Zeit hinein. Wenn man aufwacht, ist es später. Die Zeit ist ohne einen weitergegangen.

»Stell dir zehn Stapel mit Tellern vor«, sagt Cordelia. »Das sind deine zehn Chancen.« Jedesmal, wenn ich etwas falsch mache, fällt krachend ein Stapel Teller um. Ich kann diese Teller direkt sehen. Cordelia kann sie auch sehen, denn sie ist diejenige, die *Krach!* sagt. Grace kann sie ein bißchen sehen, aber ihr *Krach!* kommt nur zögernd, sie sieht Cordelia an, um bei ihr Bestätigung zu finden. Carol versucht nur ein- oder zweimal ein *Krach!*, erntet aber Spott: »Sag bloß, das sollte ein *Krach!* sein!«

»Nur noch vier«, sagt Cordelia. »Du solltest lieber aufpassen. Also?«

Ich sage nichts.

»Schmink dir das blöde Grinsen ab«, sagt Cordelia.

Ich sage nichts.

»*Krach!*« sagt Cordelia. »Nur noch drei.«

Niemand hat mir gesagt, was passiert, wenn alle Tellerstapel runtergefallen sind.

Ich lehne neben der MÄDCHEN-Tür an der Wand, die Kälte kriecht mir an den Beinen hoch und unter meine Ärmel. Ich darf mich nicht bewegen. Ich habe schon vergessen, warum. Ich habe entdeckt, daß ich meinen Kopf mit Musik füllen kann, *Mit einem Flügel und einem Gebet*, mit der *Happy Gang*. Dann vergesse ich fast alles andere.

Es ist Pause. Miss Lumley patrouilliert mit ihrer Pausenglocke das Spielfeld, ihr Gesicht gegen die Kälte zusammengezogen, mit sich selbst beschäftigt. Ich habe vor ihr noch genausoviel Angst, auch wenn sie jetzt nicht mehr meine Lehrerin ist. Mädchenketten rasen vorbei, sie singen: *Wir halten für niemanden an.* Andere Mädchen spazieren, untergehakt, zu zweit vorbei. Sie sehen mich neugierig an, dann sehen sie weg. Es ist genauso wie mit den Leuten in den Autos, auf der Autobahn, die langsamer fahren und aus dem Fenster sehen, wenn ein Unfall passiert ist. Sie fahren langsamer, aber sie halten nicht an. Sie wissen, wann es Ärger geben könnte, sie wissen, wann sie sich raushalten müssen.

Ich stehe ein Stückchen vor der Wand. Ich lege meinen Kopf zurück und starre nach oben in den grauen Himmel und halte die Luft an. Ich mache mich schwindlig. Ich sehe einen Stapel Teller, wie er schwankt, beginne umzukippen, inmitten einer lautlosen Explosion von Porzellanscherben. Der Himmel zieht sich zu einem Nadelöhr zusammen, und über meinen Kopf fegt eine Welle trockener Blätter hinweg. Dann sehe ich meinen eigenen Körper, der am Boden liegt, einfach nur daliegt. Ich sehe, wie die Mädchen mit dem Finger auf mich zeigen und sich um mich versammeln, ich sehe, wie Miss Lumley zu mir rüberstakt, sich schwerfällig bückt, um mich zu betrachten. Aber ich sehe alles von oben, wie aus der Luft, in Höhe des MÄDCHEN-Schildes über der Tür, ich blicke von oben hinunter wie ein Vogel.

Ich komme zu mir, als Miss Lumleys Gesicht nur wenige Zentimeter über mir schwebt, mit einem noch größeren Stirnrunzeln als sonst, als hätte ich was Furchtbares angerichtet. Um uns steht ein Ring von Mädchen, die sich gegenseitig schubsen, um besser sehen zu können.

Ich blute, ich habe mir die Stirn angeschlagen. Ich werde ins Schulkrankenzimmer gebracht. Die Krankenschwester wischt das Blut ab und legt Mull auf die Wunde, klebt ein Pflaster darüber. Der Anblick meines Blutes auf dem nassen weißen Waschlappen erfüllt mich mit großer Befriedigung.

Cordelia ist gebändigt: Blut ist eindrucksvoll, noch eindrucksvoller als Erbrochenes. Sie und Grace sind auf dem Heimweg sehr besorgt, wir gehen untergehakt, sie fragen, wie ich mich fühle. Soviel Aufmerksamkeit von ihnen macht mich zitterig. Ich habe Angst, daß ich zu weinen anfange, dicke triefende Tränen der Versöhnung. Aber für so etwas bin ich inzwischen schon zu mißtrauisch.

Als Cordelia mir das nächste Mal befiehlt, mich an die Wand zu stellen, falle ich wieder in Ohnmacht. Ich kann es jetzt fast immer, wenn ich will. Ich halte die Luft an und höre das raschelnde Geräusch und sehe die Schwärze, und dann gleite ich seitlich aus meinem Körper heraus und bin irgendwo anders. Aber es gelingt mir nicht immer, von oben zuzusehen, wie beim ersten Mal. Manchmal ist alles nur schwarz.

Ich bin jetzt als das Mädchen bekannt, das in Ohnmacht fällt.

»Sie tut es absichtlich«, sagt Cordelia. »Na, mach schon, zeig uns doch mal, wie du ohnmächtig wirst. Na, los. Du sollst ohnmächtig werden.« Aber wenn sie es mir sagt, kann ich es nicht.

Unsere Liebe Frau
der Immerwährenden Hilfe

33

Von Simpsons aus gehe ich weiter nach Westen, immer noch auf der Suche nach etwas Eßbarem. Schließlich kaufe ich mir ein Stück Pizza zum Mitnehmen und verschlinge es gleich unterwegs, aus der Hand, ich klappe es zusammen und beiße ab. Wenn ich mit Ben zusammen bin, esse ich regelmäßig zu bestimmten Zeiten, weil er es auch tut, ich esse dann ganz normale Mahlzeiten, aber wenn ich allein bin, schwelge ich in Fertiggerichten und Schnellimbissen so wie früher, in den alten ledigen Zeiten. Es ist schlecht für mich, aber ich brauche das, ich muß mich manchmal daran erinnern, was »schlecht für mich« heißt. Sonst nehme ich Ben am Ende noch als etwas Selbstverständliches, mit seinen Krawatten und seinem gepflegten Haarschnitt und seiner Grapefruit zum Frühstück. Auf diese Weise weiß ich ihn erst recht zu schätzen.

Als ich wieder im Atelier bin, rufe ich ihn an, nachdem ich die Stunden zur Küste zurückgezählt habe. Aber ich höre nur meine eigene Stimme auf dem Band, gefolgt von dem Piepston, dem offiziellen Zeitzeichen des Dominion-Observatoriums, das die Zukunft einläutet. *Ich liebe dich,* sage ich, damit er es später hören kann. Dann fällt mir ein: Er ist ja inzwischen in Mexiko und wird erst zurückkommen, wenn ich schon wieder da bin.

Draußen ist es dunkel geworden. Ich könnte ausgehen, um noch etwas zu Abend zu essen, oder mir einen Film ansehen. Statt dessen krieche ich mit einer Tasse Kaffee und dem Telefonbuch von Toronto auf den Futon, unter das Duvet, und suche nach Namen. Es gibt keine Smeaths mehr, sie müssen weggezogen oder gestorben sein oder geheiratet haben. Campbells gibt es wie Sand am Meer. Ich schlage Jon nach, dessen Namen ich einmal trug. Kein Josef Hrbik, aber Hrbeks, Hrens, Hrastniks, Hriczus.

Es gibt keine Risleys mehr.

Es gibt keine Cordelia.

Es ist ein komisches Gefühl, wieder in Jons Bett zu liegen. Ich habe es nicht als Jons Bett angesehen, weil ich ihn nie habe darinliegen sehen, aber natürlich ist es sein Bett. Es ist sehr viel ordentlicher, als seine Betten früher waren, und auch weitaus sauberer. Sein erstes Bett war eine Matratze am Fußboden, mit einem alten Schlafsack darauf. Das machte mir nichts aus, im Gegenteil, es gefiel mir; es kam mir wie ein Lager im Freien vor. Gewöhnlich war es von einer ganzen Gezeitenlinie leerer Tassen und Gläser und Teller mit Speiseresten umgeben, die ich nicht besonders schätzte. Es gab damals eine Etikette, was diese Unordnung betraf: man überschritt eine Grenze, wenn man das Ignorieren aufgab und aufzuräumen begann. Weil sich der Mann dadurch vielleicht bedrängt fühlte, glaubte, daß man ihn vereinnahmen wollte.

Einmal, gleich am Anfang, bevor ich damit anfing, Teller wegzuräumen, lagen wir zusammen in diesem Bett, als die Schlafzimmertür aufging und eine Frau hereinkam, die ich noch nie gesehen hatte. Sie trug schmutzige Jeans und ein blaßrosa T-Shirt, ihr Gesicht war schmal und bleich, die Pupillen geweitet. Es sah aus, als stehe sie unter irgendwelchen Drogen, was damals gerade begann, eine Möglichkeit zu sein. Sie stand da, ohne ein Wort zu sagen, eine Hand auf dem Rücken, das Gesicht angespannt und leer, während ich den Schlafsack hochzog.

»Hallo«, sagte Jon.

Sie zog die Hand hinter dem Rücken hervor und warf etwas in unsere Richtung. Es war eine Papiertüte mit warmen Spaghetti, einschließlich der Soße. Sie platzte, als sie uns traf, blieb wie Schmuck an uns hängen. Sie verließ das Zimmer, noch immer ohne ein Wort zu sagen, und schlug die Tür hinter sich zu.

Ich war erschrocken, aber Jon brach in Lachen aus.

»Was war das?« sagte ich. »Wie ist sie überhaupt reingekommen?«

»Durch die Tür«, sagte Jon, der noch immer lachte. Er zog eine Spaghettinudel aus meinen Haaren und beugte sich über mich, um mir einen Kuß zu geben. Diese Frau mußte seine Freundin gewesen sein, und ich war wütend auf sie. Mir kam gar nicht der Gedanke, daß sie vielleicht gute Gründe hatte. Damals hatte ich noch keine Bekanntschaft mit den fremden Haarnadeln gemacht, die im Badezimmer hinterlegt wurden, um territoriale Ansprüche geltend zu machen, wie Hundepinkel an verschneiten Hydranten, oder mit den Lippenstiftflecken, die mit strategischem Feinsinn auf Kopfkissen angebracht wurden. Jon wußte genau, wie er seine Spuren verwischen mußte, und wenn er es nicht tat, hatte er seine Gründe. Ich kam auch gar nicht auf die Idee, daß sie einen Schlüssel gehabt haben mußte.

»Die ist ja verrückt«, sagte ich. »Die gehört hinter Gitter.«

Sie tat mir nicht im geringsten leid. In gewisser Hinsicht bewunderte ich sie. Ich bewunderte ihre Skrupellosigkeit, ihren Mut zu so schlechtem Benehmen, die Energie einfacher Wut. Mit einer Tüte voller Spaghetti um sich zu werfen, hatte etwas Einfaches an sich, etwas Draufgängerisches, eine unbekümmerte Größe. Damit ließen sich die Dinge ein für allemal aus der Welt schaffen. Ich war damals noch weit davon entfernt, selbst etwas Derartiges zustande zu bringen.

34

Grace spricht das Tischgebet. Mr. Smeath sagt: »Lobet den Herrn, und jetzt her mit der Munition«, und streckt den Arm nach den gebackenen Bohnen aus. »Lloyd«, sagt Mrs. Smeath. »Ist doch harmlos«, sagt Mr. Smeath und grinst mich von der Seite an. Tante Mildred kneift die bartumrandeten Lippen zusammen. Ich kaue auf den Smeathschen Gummispeisen herum. Unter dem Schutz des Tischtuchs reiße ich an meinen Fingern. Der Sonntag geht weiter.

Nach dem Ananaskompott will Grace, daß ich mit ihr in den Keller komme, um dort Schule zu spielen. Das tue ich, gehe dann aber noch mal die Treppe rauf, weil ich aufs Klo muß. Grace hat es mir erlaubt, genauso wie die Lehrerinnen in der Schule einem die Erlaubnis geben. Als ich die Kellertreppe raufkomme, höre ich Tante Mildred und Mrs. Smeath, die in der Küche das Geschirr abwaschen.

»Sie ist genau wie eine Heidin«, sagt Tante Mildred. Weil sie früher Missionarin in China war, ist sie eine Autorität. »Nichts, was du getan hast, hat auch nur das geringste geändert.«

»Grace sagt mir, daß sie die Bibel lernt«, erklärt Mrs. Smeath, und da weiß ich, daß sie von mir reden. Ich bleibe auf der obersten Stufe stehen, von dort aus kann ich in die Küche sehen, den Küchentisch, auf dem das schmutzige Geschirr aufgestapelt ist, Mrs. Smeath und Tante Mildred von hinten.

»Die lernen das alles«, sagt Tante Mildred. »Bis du schwarz wirst. Aber das ist nur auswendig gelernt, es geht nicht tiefer. Sobald du den Rücken kehrst, sind sie wieder ganz genauso wie zuvor.«

Die Ungerechtigkeit trifft mich wie ein Schlag. Wie können sie das sagen, nachdem ich eine lobende Erwähnung für meinen Aufsatz über Enthaltsamkeit erhalten habe, der von betrunkenen Männern handelt, die Autounfälle haben und in Schneestürmen erfrieren, weil der Alkohol ihre Kapillargefäße erweitert? Ich weiß sogar, was Kapillargefäße sind, ich habe es richtig buchstabiert. Ich kann ganze Psalme, ganze Verse auswendig aufsagen, ich kann alle Sonntagsschullieder zu den bunten Dias vom Weißen Ritter singen, ohne hinzusehen.

»Was kann man erwarten bei der Familie, aus der sie kommt?« sagt Mrs. Smeath. Sie sagt nicht, was an meiner Familie falsch sein soll. »Das spüren die anderen Kinder. Sie wissen Bescheid.«

»Findest du nicht, daß sie ein bißchen hart mit ihr umspringen?« fragt Tante Mildred. Ihre Stimme klingt genießerisch. Sie möchte wissen, wie hart.

»Das ist Gottes Strafe«, sagt Mrs. Smeath. »Das geschieht ihr ganz recht.«

Eine heiße Welle läuft durch meinen Körper. Eine Welle von Scham, die ich schon von früher kenne, aber auch Haß, den ich bis jetzt nicht kannte, nicht in dieser reinen Form. Es ist Haß in einer besonderen Gestalt, in der Gestalt von Mrs. Smeath mit ihrer einen Brust und keiner Taille. Er ist wie fleischiges Unkraut in meiner Brust, weißstielig und dick; wie der Stiel einer Klette mit ihren üppigen Blättern und kleinen grünen stachligen Früchten, die in der Katzenpisseerde am Rande des Pfades zur Brücke wachsen. Ein schwerer, dicker Haß.

Ich stehe auf der obersten Treppenstufe, von Haß erstarrt. Ich hasse nicht Grace, nicht einmal Cordelia. So weit kann ich nicht gehen. Ich hasse Mrs. Smeath, weil das, was ich für ein Geheimnis hielt, für etwas, das sich zwischen Mädchen abspielt, zwischen Kindern, gar keins ist. Sie sprechen darüber, und sie dulden es. Mrs. Smeath hat es gewußt und gebilligt. Sie hat nichts unternommen, um es zu stoppen. Sie findet, daß mir ganz recht geschieht.

Sie geht von der Spüle zum Küchentisch, um einen weiteren Stapel schmutziger Teller zu holen, und kommt in mein Blickfeld. Ich habe eine kurze intensive Vision, wie Mrs. Smeath durch unsere fleischfarbene Wringmaschine gedreht wird, die Beine voran, krachend plattgewalzte Knochen, Haut und Fleisch auf den Kopf zu gequetscht, der jeden Augenblick wie ein großer, blutgefüllter Ballon platzen wird. Wenn meine Augen tödliche Strahlen aussenden könnten wie die Augen in den Comic-Heften, dann würde ich sie auf der Stelle zu Asche verbrennen. Sie hat recht, ich bin eine Heidin. Ich kann nicht vergeben.

Als könnte sie meinen starrenden Blick auf ihrer Haut fühlen, dreht sie sich um und sieht mich. Wir sehen uns in die Augen: sie weiß, daß ich es gehört habe. Aber sie zuckt nicht zusammen, sie ist nicht verlegen oder schuldbewußt. Sie lächelt mich auf ihre selbstgerechte Weise an, mit über den Zähnen geschlossenen Lippen. Was sie sagt, sagt sie nicht mir, sondern Tante Mildred. »Lauscher an der Wand hört seine eigne Schand«, sagt sie.

Ihr böses Herz schwimmt wie ein Auge in ihrem Körper, ein böses Auge, es sieht mich.

Wir sitzen auf der Holzbank im Keller der Kirche, im Dunkeln, und starren auf die Wand. Die Brille von Grace funkelt, als sie mich von der Seite beobachtet.

> *Gott sieht den kleinen Sperling fallen*
> *Und läßt ihn nicht im Stich;*
> *Wenn Gott den kleinen Vogel liebt,*
> *Liebt er bestimmt auch mich.*

Das Dia zeigt einen toten Vogel in einer riesengroßen Hand, auf die von oben ein Lichtstrahl fällt.

Ich bewege die Lippen, aber ich singe nicht. Ich verliere das Vertrauen zu Gott. Mrs. Smeath kennt Gott ganz genau, sie weiß, welcher Art seine Strafen sind. Er ist auf ihrer Seite, und das ist eine Seite, von der ich ausgeschlossen bin.

Ich ziehe Jesus in Betracht, der mich eigentlich lieben müßte. Aber es gibt dafür keine Anzeichen, und ich glaube auch gar nicht, daß er mir helfen kann. Gegen Mrs. Smeath und Gott kann er nichts ausrichten, denn Gott ist größer. Gott ist gar nicht Unser Vater. Das Bild, das ich mir jetzt von ihm mache, ist von etwas Riesigem, Starkem, Unerbittlichem, das sich gesichtslos wie auf Schienen voranbewegt. Gott ist eine Art Lokomotive.

Ich beschließe, nicht mehr zu Gott zu beten. Als das Vaterunser an der Reihe ist, stehe ich schweigend da und bewege nur die Lippen.

Vergib uns unsere Schuld, wie wir vergeben unseren Schuldigern.

Ich weigere mich, es auszusprechen. Wenn es bedeutet, daß ich Mrs. Smeath vergeben muß, weil ich sonst in die Hölle komme, wenn ich tot bin, dann will ich in die Hölle gehen. Jesus muß gewußt haben, wie schwer es ist zu vergeben, deshalb hat er es hineingebracht. Er hat immer Dinge hineingebracht, die man in Wirklichkeit unmöglich schaffen kann, zum Beispiel sein ganzes Geld verschenken.

»Du hast nicht gebetet«, flüstert Grace mir ins Ohr.

Mir stockt das Herz. Was ist schlimmer, ihr zu widersprechen oder es zuzugeben? Strafen wird es auf jeden Fall geben.

»Hab ich wohl«, sage ich.

»Hast du nicht. Ich hab's genau gehört.«

Ich sage nichts.

»Du hast gelogen«, sagt Grace erfreut und vergißt zu flüstern.

Ich sage immer noch nichts.

»Du solltest Gott um Vergebung bitten«, sagt Grace. »Das tu ich jeden Abend.«

Ich sitze da, im Dunkeln, und mache mich über meine Finger her. Ich denke an Grace und wie sie Gott bittet, ihr zu vergeben. Aber was vergeben? Gott vergibt nur, wenn einem etwas leid tut, aber Grace hat noch nie etwas leid getan. Sie findet nie, daß sie etwas falsch gemacht hat.

Grace und Cordelia und Carol gehen einen Häuserblock vor mir, ich folge ihnen. Ich darf heute nicht mit ihnen gehen, weil ich unverschämt war, aber zu weit zurückbleiben soll ich auch nicht. Ich gehe im Takt zum Rhythmus von *Happy mit der Happy Gang,* mein Kopf ist außer diesen paar Wörtern leer. Ich gehe mit gesenktem Kopf, beobachte den Bürgersteig, die Gullys, suche nach silbernem Zigarettenpapier, obwohl ich es gar nicht mehr sammle, schon lange nicht mehr. Ich weiß, daß ich nichts damit anfangen kann, was sich lohnen würde.

Ich sehe ein Stück Papier mit einem bunten Bild darauf. Ich hebe es auf. Ich weiß, was das Bild darstellt: Es ist die Jungfrau Maria. Es ist von Unserer Lieben Frau der Immerwährenden Hilfe, Unsere Liebe Frau der Immerwährenden Hölle. Die Jungfrau Maria trägt ein langes blaues Gewand, unter dem Saum sind überhaupt keine Füße zu sehen, sie hat ein weißes Tuch um den Kopf und obendrauf eine Krone, und einen gelben Heiligenschein mit Lichtstrahlen, die wie Nägel rausstehen. Sie lächelt traurig, enttäuscht; sie hat die Hände ausgestreckt, als wollte sie jemanden willkommen heißen, ihr Herz ist außen auf ihrer Brust, und es stecken sieben Schwerter darin. Jedenfalls sehen sie aus wie Schwerter. Das Herz ist groß, rot und rein, wie ein Nadelkissen aus Satin oder ein Valentinherz. Unter dem Bild steht *Die sieben Schmerzen.*

Die Jungfrau Maria ist manchmal auch in unserer Sonntagsschulzeitung abgebildet, aber nie mit einer Krone, nie mit einem Nadelkissenherzen, nie ganz allein. Sie steht immer mehr oder weniger im Hintergrund. Außer zu Weihnachten macht man nicht viel Aufhebens von ihr, und selbst da ist das Baby Jesus viel wichtiger. Wenn Mrs. Smeath und Tante Mildred von Katholiken reden, was sie bei den Sonntagsessen ab und zu tun, dann immer mit Verachtung. Katholiken beten Statuen an und trinken bei der Kommunion richtigen Wein statt Traubensaft. »Sie beten den Papst an«, sagen die Smeaths. Oder: »Sie beten die Jungfrau Maria an«, als wäre das ein Skandal.

Ich sehe mir das Bild näher an. Aber ich weiß, daß es gefährlich wäre, es zu behalten, also werfe ich es weg. Das war richtig, denn die drei sind jetzt stehengeblieben, sie warten, daß ich sie einhole. Alles, was ich tue, wenn ich stehenbleibe, und auch, wenn ich weitergehe, wird von ihnen aufmerksam beobachtet.

»Was hast du da aufgehoben?« fragt Cordelia.

»Ein Stück Papier.«

»Was für ein Papier?«

»Nur ein Stück Papier. Von der Sonntagsschule.«

»Warum hast du es aufgehoben?«

Früher hätte ich über diese Frage vielleicht nachgedacht, mich bemüht, sie ehrlich zu beantworten. Jetzt sage ich: »Weiß ich nicht.« Das ist die einzige Antwort, die nicht lächerlich gemacht oder bezweifelt wird.

»Was hast du damit gemacht?«

»Ich hab's weggeworfen.«

»Du sollst nichts aufheben, was auf der Straße liegt«, sagt Cordelia. »Da sind Bakterien dran.« Diesmal beläßt sie es dabei.

Ich fasse den Entschluß, etwas Gefährliches, Rebellisches, vielleicht sogar Blasphemisches zu tun. Ich kann nicht länger zu Gott beten, deshalb werde ich ab jetzt zur Jungfrau Maria beten. Diese Entscheidung macht mich nervös, als hätte ich vor, etwas zu stehlen. Ich habe Herzklopfen, und meine Hände sind kalt. Ich habe das Gefühl, gleich dabei ertappt zu werden.

Mir scheint es richtig, mich dabei hinzuknien. In der Zwiebelkirche knien wir nicht, aber die Katholiken tun's, wie man weiß. Ich knie mich neben meinem Bett auf den Boden und lege die Hände aneinander wie die Kinder auf den Weihnachtskarten, nur habe ich einen blaugestreiften Flanellschlafanzug an, und die tragen immer weiße Nachthemden. Ich schließe die Augen und versuche an die Jungfrau Maria zu denken. Ich will, daß sie mir hilft oder mir wenigstens zeigt, daß sie mich hören kann, aber ich weiß nicht, was ich sagen soll. Ich habe keine Worte für sie gelernt.

Ich versuche mir vorzustellen, wie sie aussähe, wenn ich ihr zum Beispiel auf der Straße begegnete: Würde sie wie meine Mutter gekleidet sein, oder hätte sie dieses blaue Kleid an und eine Krone auf dem Kopf? Und wenn sie das blaue Kleid anhätte, würde sich dann eine Menschenmenge ansammeln? Vielleicht würden alle glauben, daß sie nur zu einer Weihnachtsaufführung gehört; aber nicht, wenn sie ihr Herz außen trüge, und noch dazu mit Schwertern gespickt, bestimmt nicht. Ich versuche mir zu überlegen, was ich zu ihr sagen würde. Aber sie weiß es schon: sie weiß, wie unglücklich ich bin.

Ich bete immer fester und fester. Meine Gebete sind wortlos, trotzig, verzweifelt, ohne Tränen und ohne Hoffnung. Nichts geschieht. Ich drücke mir die Fäuste auf die Augen, bis sie weh tun. Einen Augenblick lang bilde ich mir ein, ein Gesicht zu sehen, dann einen blauen Farbklecks, aber jetzt sehe ich nur noch das Herz. Da ist es, leuchtendrot, rund, von dunklem Licht umgeben, wie der Glanz von schwarzem Samt. Gold strahlt aus seiner Mitte, verblaßt dann. Es ist wirklich das Herz. Es sieht aus wie mein rotes Plastiktäschchen.

35

Es ist Mitte März. In den Fenstern des Klassenzimmers beginnen die Osterglocken zu blühen. Auf der Erde liegt noch Schnee, ein schmutziges Filigran, aber der Winter verliert seine Härte und sein Glitzern. Der Himmel wird schwerer, sinkt tiefer.

Wir gehen unter dem tiefen schweren Himmel, der grau ist und von Feuchtigkeit aufgeschwemmt, nach Hause. Nasse weiche Flokken fallen aus dem Himmel, sammeln sich auf Dächern und Zweigen, ab und zu rutscht eine kleine Lawine und fällt mit einem nassen wolligen Laut zu Boden. Es ist völlig windstill, und der Schnee dämpft alle Geräusche.

Es ist nicht kalt. Ich ziehe die Schleife meiner blauen Strickmütze auf, so daß sie lose auf meinem Kopf sitzt. Cordelia zieht ihre Fausthandschuhe aus und macht Schneebälle, die sie gegen Bäume oder Telefonmasten wirft, wie es ihr gerade einfällt. Heute ist einer ihrer freundlichen Tage; sie hakt sich mit dem einen Arm bei mir ein und mit dem anderen bei Grace, und wir gehen zusammen die Straße hinunter und singen: *Wir halten für niemanden.* Auch ich singe es. Wir hüpfen und schliddern im Schnee.

Ein wenig von dem Jubel, den ich früher empfunden habe, wenn es schneite, kommt zu mir zurück; ich möchte den Mund aufreißen, um den Schnee aufzufangen. Ich erlaube mir ein Lachen, wie die anderen, probiere es aus. Es ist wie eine Darbietung, ein Griff nach dem Normalen.

Cordelia wirft sich rücklings auf den weißen Rasen vor einem Haus, breitet die Arme im Schnee aus, streckt sie über den Kopf, zieht sie nach unten, bis an ihren Körper, macht einen Schnee-Engel. Die Flocken fallen auf ihr Gesicht, in ihren lachenden Mund, schmelzen, bleiben an ihren Augenbrauen hängen. Sie blinzelt, schließt die Augen gegen den Schnee. Einen Augenblick sieht sie aus wie jemand, den ich nicht kenne, wie eine Fremde, die ungeahnte, schöne Möglichkeiten ausstrahlt. Oder aber wie das Opfer eines Verkehrsunfalls, das in den Schnee geschleudert wurde.

Sie macht die Augen auf und streckt die Hände aus, die gerötet und feucht sind, und wir ziehen sie hoch und auf die Beine, damit das Bild, das sie gemacht hat, nicht kaputtgeht. Der Schnee-Engel hat fedrige Flügel und einen winzigen Stecknadelkopf. Wo ihre Hände lagen, dicht neben ihrem Körper, sind die Abdrücke ihrer Finger zu sehen, wie kleine Klauen.

Wir haben die Zeit ganz vergessen, es wird dunkel. Wir laufen den Pfad hinunter, der zur Holzbrücke führt. Sogar Grace läuft schwerfällig mit: »Wartet!« ruft sie. Zur Abwechslung ist sie einmal diejenige, die zurückbleibt.

Cordelia ist zuerst am Hügel und läuft hinunter. Sie versucht zu schliddern, aber der Schnee ist zu weich, nicht vereist genug, und er ist mit Asche und Kies vermischt. Sie fällt hin und rollt noch etwas weiter. Wir glauben zuerst, daß sie es absichtlich getan hat, so wie sie den Schnee-Engel gemacht hat. Wir laufen zu ihr, erregt, atemlos, lachend, als sie sich gerade wieder aufzurichten versucht.

Wir hören zu lachen auf, weil wir sehen, daß sie wirklich hingefallen ist, daß es ein Unfall war, und keine Absicht. Sie möchte gern alles, was sie tut, mit Absicht tun.

»Hast du dir weh getan?« sagt Carol. Ihre Stimme zittert, sie hat Angst, sie weiß schon jetzt, daß die Situation sehr ernst ist. Cordelia antwortet nicht. Ihr Gesicht ist wieder hart, ihr Blick drohend.

Grace geht zu ihr, stellt sich an ihre Seite, ein wenig hinter sie. Von dort aus lächelt sie mich an, mit ihrem engen Lächeln.

»Hast du gelacht?« fragt mich Cordelia. Ich denke, sie meint, ob ich über sie gelacht habe, weil sie hingefallen ist.

»Nein«, sage ich.

»Doch, hat sie doch«, sagt Grace mit unbeteiligter Stimme. Carol rückt zur Seite, weg von mir.

»Ich gebe dir noch eine Chance«, sagt Cordelia. »Hast du gelacht?«

»Ja«, sage ich, »aber…«

»Nur ja oder nein«, sagt Cordelia.

Ich sage nichts. Cordelia wirft Grace einen Blick zu, als suche sie Zustimmung. Sie stößt einen Seufzer aus, einen übertriebenen Seufzer, wie eine Erwachsene. »Wieder eine Lüge«, sagt sie. »Was sollen wir nur mit dir machen?«

Wir scheinen dort schon ziemlich lange zu stehen. Es ist kälter geworden. Cordelia streckt den Arm aus und zieht mir meine Wollmütze vom Kopf. Sie geht das letzte Stück den Hügel hinunter und zur Brücke und bleibt dort zögernd einen Moment stehen. Dann tritt sie an das Geländer und wirft meine Mütze in die Schlucht. Dann wendet sich das weiße Oval, das ihr Gesicht ist, wieder zu mir. »Komm her«, sagt sie.

Nichts hat sich also geändert. Die Zeit wird so weitergehen, ins Endlose. Mein Lachen war also doch unwirklich, nur ein Luftschnappen.

Ich gehe zu Cordelia, die am Geländer lehnt, der Schnee unter meinen Füßen knirscht nicht, sondern weicht unter meinen Schritten wie eine Baumwollfüllung zurück. Es klingt, als würde ein Loch gefüllt, in einem Zahn, in meinem Kopf. Gewöhnlich habe ich Angst, so dicht an den Rand der Brücke zu gehen, aber jetzt habe ich keine Angst. Ich bin gar nicht fähig, etwas Eindeutiges wie Angst zu spüren.

»Da hast du deine blöde Mütze«, sagt Cordelia; und da liegt sie, weit unten, noch immer blau gegen den weißen Schnee, selbst im grauer werdenden Licht. »Warum gehst du nicht runter und holst sie dir?«

Ich sehe sie an. Sie will, daß ich hinuntergehe in die Schlucht, wo die schlechten Männer sind, wo wir niemals hingehen sollen. Mir fährt der Gedanke durch den Kopf, daß ich es vielleicht einfach nicht mache. Was wird sie dann tun?

Ich sehe, daß Cordelia denselben Gedanken hat. Vielleicht ist sie zu weit gegangen, ist schließlich doch auf irgendeinen Kern von Widerstand in mir gestoßen. Wenn ich mich diesmal weigere, zu tun, was sie gesagt hat, wer weiß, wie weit ich dann noch gehe? Die beiden anderen sind den Hügel heruntergekommen und beobachten uns von der sicheren Brückenmitte aus.

»Na los, mach schon«, sagt sie, jetzt sanfter, als wolle sie mich ermutigen, anstatt Befehle zu erteilen. »Dann wird dir vergeben.«

Ich will nicht da runtergehen. Es ist verboten und gefährlich; außerdem ist es dunkel, und der Hang ist bestimmt glatt, es wird schwer sein, wieder raufzuklettern. Aber dort unten ist meine Mütze. Wenn ich ohne sie nach Hause komme, werde ich es erklären müssen, ich werde alles erzählen müssen. Und außerdem, wenn ich mich weigere, sie zu holen, was wird Cordelia dann als nächstes tun? Vielleicht wird sie wütend, vielleicht spricht sie nie wieder ein Wort mit mir. Sie könnte mich von der Brücke stoßen. So etwas hat sie noch nie getan, geschlagen oder gekniffen hat sie noch nie, aber wer weiß, was ihr noch alles einfällt, jetzt, nachdem sie meine Mütze hinuntergeworfen hat.

Ich gehe bis ans Ende der Brücke. »Wenn du sie hast, zählst du bis hundert«, sagt Cordelia. »Bevor du wieder raufkommst.« Jetzt hört sie sich gar nicht mehr wütend an. Sie hört sich an wie jemand, der Spielregeln aufstellt.

Ich mache mich auf den Weg, den steilen Hang hinunter, halte mich an Zweigen und Baumstämmen fest. Der Pfad ist gar kein richtiger Pfad, nur eine Spur, die jemand, der da manchmal rauf- und runtergeht, hinterlassen hat: Jungen, Männer. Keine Mädchen.

Als ich unten zwischen den kahlen Bäumen stehe, blicke ich nach oben. Das Brückengeländer hebt sich als Silhouette gegen den Himmel ab. Ich sehe die dunklen Umrisse von drei Köpfen, die mich beobachten.

Meine blaue Mütze liegt auf dem Eis des Baches. Ich stehe im Schnee und sehe sie an. Cordelia hat recht, es ist eine blöde Mütze. Ich sehe sie an und verspüre Widerwillen, weil diese blöde Mütze mir gehört und weil mir ganz recht geschieht, wenn sich die andern über mich lustig machen. Ich werde sie nie wieder aufsetzen.

Irgendwo unter dem Eis höre ich Wasser rinnen. Ich trete hinaus auf den Bach, strecke die Hand nach der Mütze aus, hebe sie auf, breche ein. Ich stehe bis zur Hüfte im Wasser, um mich gebrochen aufragende Eisstücke.

Kälte schießt durch meinen Körper. Meine Überschuhe füllen sich und die Schuhe in ihnen; Wasser durchweicht meine Schneehosen. Wahrscheinlich habe ich einen Schrei ausgestoßen oder irgendeinen anderen Ton von mir gegeben, aber erinnern kann ich mich nicht daran, gehört habe ich nichts. Ich umklammre die Mütze und sehe zur Brücke hinauf. Es ist niemand da. Sie müssen weggegangen sein, weggelaufen sein. Darum sollte ich bis hundert zählen: damit sie weglaufen konnten.

Ich versuche die Füße zu bewegen. Sie sind wegen des vielen

Wassers in meinen Stiefeln sehr schwer. Wenn ich wollte, könnte ich einfach hier stehenbleiben. Es ist jetzt wirklich Dämmerung, und der Schnee auf dem Boden ist bläulichweiß. Die alten Reifen und der verrostete Schrott, die in der Schlucht liegen, sind zugedeckt; überall um mich herum sind blaue Bögen, blaue Höhlen, still und rein. Das Wasser des Baches ist kalt und friedlich, es kommt direkt aus dem Friedhof, von den Gräbern und ihren Knochen. Es ist Wasser, das aus Toten gemacht ist, aufgelöst und rein, und ich stehe in ihm. Wenn ich mich nicht bald bewege, werde ich im Bach festgefroren sein. Ich werde ein toter Mensch sein, friedlich und rein wie sie.

Ich taumele durch das Wasser, bei jedem Schritt brechen die Eisränder ab. Es ist schwer, sich mit wassergefüllten Überschuhen voranzubewegen; ich muß aufpassen, daß ich nicht ausrutsche und ganz hineinfalle. Ich klammere mich an einen Ast und ziehe mich ans Ufer und setze mich in den blauen Schnee und ziehe meine Überschuhe aus und schütte das Wasser heraus. Meine Jackenärmel sind bis zum Ellbogen durchnäßt, meine Fausthandschuhe sind durchweicht. Messerstiche fahren mir jetzt durch Beine und Hände, und vor Schmerzen laufen mir die Tränen übers Gesicht.

Am Rand der Schlucht kann ich Lichter sehen, von den Häusern dort, unmöglich hoch oben. Ich weiß nicht, wie ich den Berg raufkommen soll, wenn die Schmerzen in meinen Händen und Füßen nicht nachlassen; ich weiß nicht, wie ich nach Hause kommen soll.

In meinem Kopf breitet sich schwarzes Sägemehl aus; kleine Flekken Dunkelheit dringen durch meine Augen. Es ist, als wären die Schneeflocken schwarz, so wie das Weiße auf einem Negativ schwarz ist. Der Schnee fällt jetzt in winzigen Körnern, mehr wie Hagel. Er macht ein raschelndes Geräusch, als er durch die Zweige fällt, wie die Bewegungen und das Getuschel von Menschen in einem überfüllten Raum, die wissen, daß sie still sein sollen. Das sind die Toten, die unsichtbar aus dem Wasser steigen und sich um mich sammeln. *Schsch*, sagen sie.

Ich liege auf dem Rücken neben dem Bach und sehe in den Himmel. Nichts tut mehr weh. Der Himmel ist rötlich getönt. Die Brücke sieht anders aus; sie scheint höher über mir zu sein, fester, als wäre das Geländer verschwunden oder zugemauert. Und sie leuchtet; da sind Lichthöfe an ihr entlang, grünlichgelbes Licht, anders als irgendein Licht, das ich je gesehen habe. Ich setze mich auf, um besser sehen zu können. Mein Körper fühlt sich schwerelos an, wie im Wasser. Da ist jemand auf der Brücke, ich kann den dunklen Umriß sehen. Zuerst denke ich, es ist Cordelia, die zurückgekommen ist, um mich zu holen. Dann sehe ich, daß es kein Kind ist, es ist zu groß für ein Kind. Das Gesicht kann ich nicht erkennen, es ist nur eine Form. Und dahinter ist eins der gelblichgrünen Lichter, das in Strahlen um den Kopf steht.

Ich weiß, daß ich aufstehen und nach Hause gehen sollte, aber es kommt mir leichter vor hierzubleiben, im Schnee, mit den kleinen fallenden Eiskörnern, die sanft mein Gesicht streicheln. Außerdem bin ich sehr müde. Ich schließe die Augen.

Ich höre, daß jemand mit mir spricht. Es klingt wie eine Stimme, die mich ruft, aber sehr leise, wie gedämpft. Ich bin mir nicht sicher, ob ich sie wirklich gehört habe. Mühsam öffne ich die Augen. Die Gestalt, die auf der Brücke steht, bewegt sich durch das Geländer hindurch, oder schmilzt in das Geländer hinein. Es ist eine Frau, ich sehe jetzt den langen Rock, oder ist es ein langer Umhang? Sie fällt nicht herunter, sie kommt auf mich zu, als würde sie gehen, aber da ist nichts, auf dem sie gehen könnte. Ich bin zu schwach, um Angst zu haben. Ich liege im Schnee und beobachte sie teilnahmslos und mit träger Neugier. Ich würde auch gern so auf Luft gehen können.

Jetzt ist sie schon ganz nah. Ich sehe den weißen Schimmer ihres Gesichts, den dunklen Schal oder die Kapuze über ihrem Kopf, oder sind es Haare? Sie streckt mir die Arme entgegen, und ich spüre eine Welle des Glücks. Unter ihrem halbgeöffneten Umhang erkenne ich etwas Rotes. Das ist ihr Herz, denke ich. Es muß ihr Herz sein, außen an ihrem Körper, glühend wie Neon, wie ein Stück Kohle.

Dann sehe ich sie nicht mehr. Aber ich fühle sie um mich, nicht wie Arme, sondern wie ein leichter Wind aus wärmerer Luft. Sie sagt mir etwas.

Du kannst jetzt heimgehen, sagt sie. *Es wird alles gut. Geh heim.*
Ich höre die Worte nicht laut, aber das ist es, was sie sagt.

36

Die Lichter oben an der Brücke sind verschwunden. Ich klettere im Dunkeln den Hang hinauf, um mich raschelt der Hagel, ich ziehe mich an Zweigen und Baumstämmen weiter nach oben, meine Schuhe rutschen auf dem zusammengepackten eisigen Schnee. Nichts tut weh, nicht einmal meine Füße, nicht einmal meine Hände. Es ist wie fliegen. Der leichte Wind bleibt bei mir, streicht warm über mein Gesicht.

Ich weiß, wer es war, ich weiß, wen ich gesehen habe. Es ist die Jungfrau Maria, daran kann es keinen Zweifel geben. Selbst wenn ich gebetet habe, war ich mir nie ganz sicher, ob es sie wirklich gibt, aber jetzt weiß ich es. Wer sonst sollte auf Luft gehen können, wer sonst sollte ein glühendes Herz haben? Sicher, sie hatte kein blaues Kleid an, keine Krone auf; ihr Kleid wirkte schwarz. Aber es war dunkel. Vielleicht war die Krone da, und ich habe sie nur nicht gesehen. Außerdem könnte sie doch auch noch andere Kleider, andere Sachen zum Anziehen haben. Das ist alles nicht wichtig, denn sie ist gekommen, um mich zu holen. Sie wollte nicht, daß ich im Schnee erfriere. Und sie ist noch immer bei mir, unsichtbar, sie hüllt mich in Wärme und Schmerzlosigkeit, sie hat mich also doch gehört.

Ich bin jetzt oben auf dem Hauptpfad; die Lichter der Häuser sind nicht mehr so weit weg, über mir, an beiden Seiten. Ich kann kaum noch die Augen offenhalten. Ich gehe nicht mal geradeaus. Aber meine Füße bewegen sich immer weiter, einer vor den anderen.

Vor mir liegt die Straße. Als ich sie erreicht habe, sehe ich meine Mutter, die sehr schnell geht. Ihr Mantel ist nicht zugeknöpft, sie hat keinen Schal um den Kopf, ihre Überschuhe flappen, sind nur halb zugemacht. Als sie mich sieht, beginnt sie zu laufen. Ich stehe still und betrachte die laufende Gestalt mit dem Mantel, der an beiden Seiten neben ihr herflattert, und den schwerfälligen Überschuhen, als wäre sie irgend jemand, dem ich zusehe, jemand in einem Wettlauf. Ich stehe unter einer Straßenlampe, und als sie bei mir ist, sehe ich ihre Augen, groß und vor Feuchtigkeit glänzend, und ihr mit Graupel übersätes Haar. Sie hat keine Handschuhe an. Sie wirft die Arme um mich, und als sie das tut, ist die Jungfrau Maria plötzlich verschwunden. Schmerz und Kälte schießen wieder in mich hinein. Ich beginne am ganzen Leib zu zittern.

»Ich bin reingefallen«, sage ich. »Ich hab meine Mütze geholt.« Meine Stimme klingt belegt, die Worte nur ein Murmeln. Mit meiner Zunge ist was nicht in Ordnung.

Meine Mutter sagt nicht: *Wo warst du?* oder: *Warum kommst du so spät?* Sie sagt: »Wo sind deine Überschuhe?« Sie sind in der Schlucht, schneien langsam ein. Ich habe sie vergessen und meine Mütze auch.

»Sie ist von der Brücke gefallen«, sage ich. Ich muß diese Lüge so schnell wie möglich loswerden. Die Wahrheit über Cordelia zu sagen, ist für mich noch immer unvorstellbar.

Meine Mutter zieht ihren Mantel aus und wickelt mich darin ein. Sie hat den Mund zusammengekniffen, und ihr Gesicht ist erschrocken und wütend zugleich. Genauso hat sie immer ausgesehen, wenn wir uns geschnitten haben, vor langer Zeit, oben im Norden. Sie schiebt die Hand unter meine Achsel und geht eilig mit mir weiter. Bei jedem Schritt tun mir die Füße weh. Ich überlege, ob ich bestraft werde, weil ich in die Schlucht gegangen bin.

Als wir zu Hause sind, zieht mir meine Mutter meine durchnäßten, halbgefrorenen Sachen aus und steckt mich in ein lauwarmes Bad. Sorgfältig sieht sie sich meine Finger und Zehen an, meine Nase, meine Ohrläppchen. »Wo waren denn Grace und Cordelia?« fragt sie. »Haben sie gesehen, wie du eingebrochen bist?«

»Nein«, sage ich. »Sie waren nicht da.«

Ich kann sehen, daß sie überlegt, ob sie ihre Mütter anrufen soll, egal, was ich sage, aber ich bin zu müde, um mir deswegen Gedanken zu machen. »Eine Frau hat mir geholfen«, sage ich.

»Was für eine Frau?« fragt meine Mutter, aber ich weiß, daß ich ihr das nicht erzählen kann. Wenn ich sage, wer sie wirklich war, wird mir niemand glauben. »Einfach eine Frau«, sage ich.

Meine Mutter sagt, ich kann von Glück reden, daß ich keine ernsthaften Erfrierungen habe. Ich kenne Erfrierungen: Finger und Zehen fallen einem ab, als Strafe dafür, daß man Alkohol getrunken hat. Sie flößt mir eine Tasse Tee mit Milch ein und steckt mich mit einer Wärmflasche und Flanelldecken ins Bett und breitet zusätzlich noch zwei weitere Decken obendrüber. Ich zittere noch immer. Mein Vater ist nach Hause gekommen, und ich höre sie mit leisen, besorgten Stimmen im Hausflur reden. Dann kommt mein Vater herein und legt seine Hand auf meine Stirn und verblaßt zu einem Schatten.

Ich träume, daß ich vor der Schule die Straße entlanglaufe. Ich habe etwas falsch gemacht. Es ist Herbst, die Blätter brennen. Eine Menge Leute sind hinter mir her. Sie schreien.

Eine unsichtbare Hand ergreift meine, zieht mich nach oben. Da sind Treppenstufen in der Luft, und ich steige hinauf. Niemand sonst kann sehen, wo die Treppe ist. Jetzt stehe ich in der Luft, außer Reichweite über den erhobenen Gesichtern. Sie schreien noch immer, aber ich kann sie nicht mehr hören. Ihre Münder öffnen und schließen sich lautlos, wie Fischmäuler.

Ich darf zwei Tage nicht in die Schule gehen. Am ersten Tag liege ich im Bett, schwimme in der gläsernen, empfindlichen Klarheit des Fiebers. Am zweiten Tag denke ich darüber nach, was passiert ist. Ich kann mich daran erinnern, daß Cordelia meine blaue Strickmütze über die Brücke geworfen hat, ich erinnere mich daran, wie ich im Eis eingebrochen bin und wie dann meine Mutter mit von Hagelkörnern bedeckten Haaren auf mich zugelaufen kam. All diese Dinge weiß ich genau, aber dazwischen ist es verschwommen. Die Toten und die Frau mit dem Umhang sind da, aber so wie Träume. Ich bin mir jetzt nicht mehr sicher, ob es wirklich die Jungfrau Maria war. Ich glaube es, aber ich weiß es nicht mehr.

Ich bekomme eine Gute-Besserung-Karte mit Veilchen darauf von Carol, durch den Briefschlitz geschoben. Am Wochenende ruft mich Cordelia an. »Wir wußten nicht, daß du eingebrochen bist«, sagt sie. »Es tut uns leid, daß wir nicht gewartet haben. Wir dachten, du kämst gleich hinter uns her.« Ihre Stimme ist vorsichtig, genau, eingeübt, reuelos.

Ich weiß, daß sie irgendeine Geschichte erzählt hat, die versteckt, was wirklich passiert ist, genau wie ich. Ich weiß, daß sie zu dieser Entschuldigung gezwungen wurde und daß ich später dafür bezahlen muß. Aber sie hat sich vorher noch nie bei mir entschuldigt. Diese Entschuldigung, auch wenn sie geheuchelt ist, macht mich nicht stärker, sondern schwächer. Ich weiß nicht, was ich sagen soll. »Ist schon gut«, mehr bringe ich nicht über die Lippen. Ich glaube, ich meine das sogar.

Als ich wieder in die Schule gehe, sind Cordelia und Grace höflich, aber distanziert. Carol ist offener ängstlich – oder interessiert. »Meine Mutter sagt, du wärst fast erfroren«, flüstert sie, als wir uns zu zweit aufstellen und auf die Schulglocke warten. »Sie hat mich verprügelt, mit der Haarbürste. Ich hab's wirklich *gekriegt.*«

Der Schnee schmilzt von den Rasenflächen; auf den Fußböden taucht wieder Matsch auf, in der Schule, zu Hause in der Küche. Cordelia umkreist mich vorsichtig. Ich fange ihren mich nachdenklich musternden Blick auf, als wir von der Schule nach Hause gehen. Das Gespräch ist gekünstelt normal. Wir machen am Kaufladen halt, weil Carol Lakritzstangen kaufen will. Während wir weiterschlendern und die Lakritze lutschen, sagt Cordelia: »Ich finde, Elaine muß bestraft werden, weil sie uns verraten hat, findet ihr nicht?«

»Ich hab nichts gesagt«, sage ich. Ich habe jetzt nicht mehr dieses flaue Gefühl im Magen, und ich muß auch keine Tränen zurückhalten, wie früher bei solchen falschen Anschuldigungen. Meine Stimme ist unaufgeregt, ruhig, vernünftig.

»Widersprich nicht«, sagt Cordelia. »Wie kommt es dann, daß deine Mutter unsere Mütter angerufen hat?«

»Ja, wie kommt das?« fragt Carol.

»Ich weiß nicht, und es ist mir egal«, sage ich. Ich staune über mich selbst.

»Du bist unverschämt«, sagt Cordelia. »Und schmink dir das Grinsen ab.«

Ich bin immer noch ein Feigling, immer noch furchtsam; daran hat sich nichts geändert. Aber ich drehe mich um und lasse sie stehen. Es ist genauso, als springe man von einer Klippe und glaube, daß einen die Luft tragen wird. Und sie tut es. Ich merke, daß ich nicht zu tun brauche, was sie mir sagt, und, schlimmer und besser noch, daß ich nie nötig gehabt hätte, zu tun, was sie sagt. Ich kann tun, was mir gefällt.

»Wag ja nicht, wegzugehen«, sagt Cordelia hinter meinem Rükken. »Komm sofort zurück!« Ich höre genau, was es ist. Es ist eine

Nachahmung, es ist Schauspielerei. Es ist die Darstellung von jemand viel älterem. Es ist ein Spiel. Es hat an mir nie etwas gegeben, das hätte verbessert werden müssen. Es war immer ein Spiel, und ich habe mich zum Narren halten lassen. Ich bin dumm gewesen. Mein Zorn richtet sich genauso gegen mich selbst wie gegen sie.

»Zehn Stapel Teller«, sagt Grace. Das hätte mich früher zur Ordnung gerufen. Jetzt finde ich es albern.

Ich gehe weiter. Ich komme mir waghalsig vor, leichtsinnig. Sie sind weder meine besten Freundinnen oder auch nur meine Freundinnen. Nichts bindet mich an sie. Ich bin frei.

Sie folgen mir, machen Bemerkungen über die Art und Weise, wie ich gehe, wie ich von hinten aussehe. Wenn ich mich umdrehte, würde ich sehen, wie sie mich nachäffen. »Eingebildet! Eingebildet!« schreien sie. Ich kann den Haß hören, aber auch das Bedürfnis. Sie brauchen mich für dieses Spiel, und ich brauche sie nun nicht mehr. Sie sind mir gleichgültig. Ich verspüre in mir etwas Hartes, Kristallenes, einen Kern aus Glas. Ich gehe über die Straße und immer weiter, esse meine Lakritze.

Ich gehe nicht mehr in die Sonntagsschule. Ich weigere mich, mit Grace oder Cordelia oder selbst Carol nach der Schule zu spielen. Ich gehe nicht mehr über die Brücke nach Hause, sondern mache lieber den langen Umweg, am Friedhof vorbei. Wenn sie zusammen zur Hintertür kommen, um mich abzuholen, sage ich ihnen, daß ich zu tun habe. Sie versuchen es mit Freundlichkeit, um mich zurückzulocken, aber darauf falle ich nicht mehr rein. Ich kann die Gier in ihren Augen sehen. Es ist, als könnte ich direkt in sie hineinblicken. Warum konnte ich das früher nicht?

Ich verbringe viel Zeit damit, bei meinem Bruder im Zimmer Comics zu lesen, wenn er nicht da ist. Ich würde auch gern auf Wolkenkratzer klettern, mit einem Cape fliegen, mit meinen Fingerspitzen Löcher in Metall brennen, eine Maske tragen, durch Wände gehen. Ich würde gern Leute verprügeln, Verbrecher, mit den Fäusten rote und gelbe Sterne machen, wenn ich zuschlage. *Karomm. Krak. Kablam.* Ich weiß, daß ich den Willen habe, all diese Dinge zu tun. Ich habe vor, sie irgendwie zu tun.

In der Schule freunde ich mich mit einem anderen Mädchen an, sie heißt Jill. Sie interessiert sich für andere Spiele, Spiele mit Papier und mit Holz. Wir gehen zu ihr nach Hause und spielen Schwarzer Peter, Schnippschnapp, Mikado. Grace und Cordelia und Carol bewegen sich am Rand meines Lebens, verführerisch, stichelnd, und werden von Tag zu Tag blasser und blasser, immer unwirklicher. Ich höre sie kaum noch, weil ich kaum noch hinhöre.

Halbes Gesicht

37

Eine lange Zeit hindurch ging ich oft in Kirchen. Ich redete mir ein, daß ich die Kunstwerke sehen wollte; ich wußte nicht, daß ich nach etwas suchte. Ich spürte diese Kirchen nicht auf, selbst wenn sie in einem Reiseführer standen und historische Bedeutung hatten, und ich ging nie während der Gottesdienste hinein, schon allein der Gedanke widerstrebte mir: was in ihnen war, nicht was in ihnen vorging, interessierte mich. Meistens stieß ich ganz zufällig auf sie und ging spontan hinein.

In ihrem Inneren kümmerte ich mich weniger um die Architektur, obgleich mir die Begriffe vertraut waren: über Lichtgaden und Mittelschiffe hatte ich schon Aufsätze geschrieben. Ich sah mir die Glasmalereien an, wenn welche vorhanden waren. Ich zog die katholischen Kirchen den protestantischen vor, je mehr Ornamente, um so besser, weil es dann mehr zu sehen gab. Ich mochte die schamlose Extravaganz: Blattgold und barocke Exzesse konnten mich nicht abschrecken.

Ich las die Inschriften an den Wänden und an den Fußböden, eine besondere Vorliebe der reichen Anglikaner, die glaubten, sie würden bei Gott mehr Pluspunkte einheimsen, wenn sie ihre Namen eingravieren ließen. Die Anglikaner schwärmten auch für zerfetzte militärische Fahnen und Kriegsdenkmäler anderer Art.

Aber vor allem suchte ich die Statuen. Statuen von Heiligen, und von Kreuzrittern auf ihren Grabdeckeln, oder auch von solchen, die vorgaben, Kreuzritter zu sein; Bildnisse jeder Art. Madonnenstatuen hob ich mir immer bis zuletzt auf. Ich näherte mich ihnen voller Hoffnung, aber ich war immer enttäuscht. Die Statuen zeigten niemanden, die ich erkannte. Es waren Puppen, in wäßriges Blau und Weiß gekleidet, fromm und leblos. Ich konnte mir dann nie erklären, wieso ich erwartet hatte, etwas anderes zu sehen.

Nach Mexiko fuhr ich zum ersten Mal mit Ben. Es war zugleich unsere erste gemeinsame Reise, unsere erste längere Zeit zusammen; ich glaube damals, es handelte sich nur um ein kurzes Zwischenspiel. Ich war mir nicht einmal sicher, daß ich wieder einen Mann in meinem Leben haben wollte; zu der Zeit hatte ich die Vorstellung erschöpft, daß die Antwort auf einen Mann ein anderer Mann sei, und ich war außer Atem. Aber es war eine Erleichterung, mit jemandem zusammenzusein, der so unkompliziert war und so leicht glücklich zu machen.

Wir waren allein, machten einen zweiwöchigen Ausflug, der, wie sich dann herausstellte, etwas mit Bens Geschäften zu tun hatte. Sarah blieb bei ihrer besten Freundin. Wir begannen in Vera Cruz, probierten die Shrimps, überprüften die Hotels und die Kakerlaken und fuhren mit einem Auto in die Berge und sahen uns nach dem um, was alle suchen: pittoresk und unentdeckt.

Da war eine kleine Stadt an einem See. Dieser Ort war ruhig für Mexiko, das mir vorkam wie ein Körper, dessen Inneres mit seinen Eingeweiden nach außen gekehrt war, so daß sich das Blut an der Außenseite befand. Vielleicht lag es an der Kühle, an dem See, daß es hier anders war.

Während Ben den Markt inspizierte, nach Dingen suchte, die er fotografieren konnte, ging ich in die Kirche. Sie war nicht groß und sah ärmlich aus. Es war niemand darin; es roch nach altem Gemäuer, langer Vernachlässigung, Moder. Ich schlenderte durch die Seitenschiffe, sah mir die in schmierigem Öl gemalten Stationen des Leidensweges an. Schlechte Bilder, aber aufrichtig: jemand hatte gemeint, was er malte.

Dann sah ich die Jungfrau Maria. Zuerst erkannte ich sie gar nicht, weil sie nicht das übliche Blau oder Weiß oder Gold trug, sondern Schwarz. Sie trug keine Krone. Sie hielt den Kopf gesenkt, ihr Gesicht war im Schatten, ihre Hände lagen geöffnet an ihrer Seite. Zu ihren Füßen waren Kerzenstummel, und überall an ihrem schwarzen Kleid steckte etwas, das ich zuerst für Sterne hielt, aber es waren keine Sterne, es waren kleine Arme und Beine und Hände – aus Messing oder Blech, es waren Schafe, Esel, Hühner und Herzen.

Ich sah, was das zu bedeuten hatte: sie war eine Jungfrau der verlorenen Dinge, sie gab zurück, was verlorengegangen war. Sie war die einzige von all den Holz- oder Marmor- oder Gipsmadonnen, die mir auch nur annähernd wirklich vorkam. Vielleicht war etwas daran, zu ihr zu beten, niederzuknien, eine Kerze anzuzünden. Aber ich habe es nicht getan, weil ich nicht wußte, worum ich beten sollte. Was verloren war, was ich an ihr Kleid heften konnte.

Nach einer Weile kam Ben und fand mich dort. »Was ist?« fragte er. »Was tust du da unten am Boden? Alles in Ordnung mit dir?«

»Ja«, sagte ich. »Es ist nichts. Ich ruh mich nur aus.«

Mir war kalt von den Steinen, meine Muskeln waren steif und verkrampft. Ich hatte vergessen, wie ich auf den Fußboden gekommen war.

Meine Töchter haben beide eine Phase durchgemacht, während der sie immer *Ach ja?* sagten. Was dasselbe war wie: *Na und?* Das war, als die Ältere zwölf oder dreizehn wurde. Sie verschränkten die Arme und starrten mich oder ihre Freundinnen oder einander an. *Ach ja?*

»Hört auf damit«, sagte ich immer wieder. »Das macht mich noch verrückt.«

»Ach ja?«

Cordelia machte dasselbe, in demselben Alter. Dieselben verschränkten Arme, dasselbe unbewegte Gesicht, der leere Blick. Cordelia! Zieh deine Handschuhe an, es ist kalt draußen. *Ach ja?* Ich kann nicht rüberkommen, muß Hausaufgaben machen. *Ach ja?*

Cordelia, denke ich. Du hast mir eingeredet, daß ich ein Nichts bin.

Ach ja?

Worauf es keine Antwort gibt.

38

Der Sommer kommt und geht, und dann ist es Herbst, und dann Winter, und der König stirbt. Ich höre es mittags in den Nachrichten. Ich gehe über die schneebedeckte Straße zur Schule zurück und denke: *Der König ist tot.* Jetzt ist alles, was geschehen ist, als er noch lebte, aus und vorbei: der Krieg, die Flugzeuge mit nur einem Flügel, die Erdhügel vor unserem Haus, eine Menge Dinge. Ich denke an all die Köpfe, die es von ihm gab, Tausende, auf dem Geld, die jetzt Köpfe eines Toten sind und nicht die eines Lebenden. Man wird das Geld ändern müssen und auch die Briefmarken; jetzt wird die Königin darauf sein. Die Königin war früher die Prinzessin Elizabeth. Ich erinnere mich an die Fotos von ihr, als sie noch viel jünger war. Ich habe noch eine andere Erinnerung an sie, aber die ist verschwommen und bereitet mir irgendwie Unbehagen.

Cordelia und Grace haben beide eine Klasse übersprungen. Sie sind jetzt in der achten Klasse, obgleich sie erst elf sind, und die anderen in der achten schon dreizehn. Carol Campbell und ich sind bloß in der sechsten. Wir sind jetzt alle in einer anderen Schule, die endlich auf unserer Seite der Schlucht gebaut wurde, so daß wir morgens nicht zum Schulbus gehen und unser Mittag nicht im Keller essen und nicht über die verfallene Fußbrücke von der Schule heimgehen müssen. Unsere neue Schule ist ein moderner einstöckiger gelber Ziegelbau, der wie ein Postamt aussieht. Die Wandtafeln sind matt, augenschonend und grün, nicht schwarz und quietschend wie die alten, und die Fußböden sind nicht aus alten knarrenden Holzdielen wie in der Queen Mary, sondern aus pastellfarbenen Fliesen. Türen für JUNGEN und MÄDCHEN gibt es hier nicht, und es gibt auch keine getrennten Schulhöfe. Selbst die Lehrer sind anders: jünger, ungezwungener. Einige von ihnen sind junge Männer.

Manche Dinge habe ich vergessen, ich habe vergessen, daß ich sie vergessen habe. Ich erinnere mich an meine alte Schule, aber nur sehr undeutlich, als wäre ich vor fünf Jahren das letzte Mal dortgewesen und nicht vor fünf Monaten. Ich erinnere mich daran, in die Sonntagsschule gegangen zu sein, aber nicht an die Einzelheiten. Ich weiß, daß ich nicht gern an Mrs. Smeath denke, aber ich habe vergessen, warum. Ich habe die Ohnmachten vergessen und die Tellerstapel, und ich habe vergessen, daß ich in den Bach gefallen bin und auch, daß ich die Jungfrau Maria gesehen habe. Ich habe all die schlimmen Dinge vergessen, die geschehen sind. Obgleich ich Cordelia und Grace und Carol jeden Tag sehe, erinnere ich mich an nichts; nur, daß sie früher, als ich noch kleiner war, meine Freundinnen waren, bevor ich andere Freundinnen hatte. Es gibt etwas, das mit ihnen zu tun hat, etwas, das wie ein Satz in kleinen Druckbuchstaben auf einem alten zerdrückten Stück Papier steht wie die Daten von Schlachten aus dem Altertum. Ihre Namen sind wie Namen in einer Fußnote, oder Namen, die mit spinnenfeiner brauner Tinte vorn in Bibeln geschrieben sind. Diese Namen haben nichts mit Gefühlen zu tun. Sie sind wie die Namen von entfernten Verwandten, von Menschen, die weit weg wohnen, von Leuten, die ich kaum kenne. Ein Stück Zeit fehlt.

Niemand spricht von dieser fehlenden Zeit, nur meine Mutter. Ab und zu sagt sie: »Die schlimme Zeit, die du hattest«, und ich wundere mich. Wovon redet sie? Mir kommen diese Hinweise auf schlimme Zeiten irgendwie bedrohlich vor, irgendwie beleidigend: ich bin kein Mädchen, das schlimme Zeiten erlebt, ich kenne nur gute Zeiten. Da bin ich doch, auf dem Klassenbild der sechsten, und strahle über das ganze Gesicht. *Glücklich wie eine Muschel,* sagt meine Mutter immer. Ich bin glücklich wie eine Muschel: eine harte Schale, fest verschlossen.

Meine Eltern arbeiten weiter an unserem Haus herum. Im Keller entstehen Räume, nach und nach und mit viel Hämmern und Sägen, in der Freizeit meines Vaters: eine Dunkelkammer, ein Vorratsraum für Einmachgläser, Marmelade und Gelee. Der Rasen ist jetzt ein Rasen. Im Garten haben sie einen Pfirsichbaum und einen Birnbaum gepflanzt, ein Spargelbeet angelegt und viele Reihen Gemüse gepflanzt. Die Beete quellen über von Blumen: Tulpen und Narzissen, Iris, Pfingstrosen, Nelken, Astern, für jede Jahreszeit etwas. Manchmal muß ich helfen, aber meistens sehe ich distanziert zu, wie sie sich in ihren lehmbefleckten Hosen über die Erde beugen, umgraben und Unkraut zupfen. Sie sind wie Kinder, die im Sandkasten spielen. Ich mag die Blumen gern, aber ich weiß auch, daß ich mir nicht soviel Mühe machen würde, mich nicht so schmutzig machen würde, um sie hervorzubringen.

Die Holzbrücke über der Schlucht wird abgerissen. Alle sagen, daß es an der Zeit war, weil sie nicht mehr sicher war. Sie soll durch eine Betonbrücke ersetzt werden. Eines Tages gehe ich hin und stelle mich oben auf den Hügel, auf unserer Seite der Schlucht, und sehe zu, wie die Brücke einstürzt. Unten in der Schlucht liegt jetzt ein Haufen verfaulter Bretter. Die senkrechten Pfeiler stehen noch, wie tote Baumstümpfe, und es sind noch ein paar Querlatten daran, aber das Geländer ist weg. Ich fühle mich beklommen, als würde dort unten etwas begraben, etwas Namenloses, Entscheidendes, oder als wäre noch jemand auf der Brücke, aus Versehen zurückgeblieben, oben in der Luft, der jetzt nicht mehr auf festen Boden kommt. Aber es ist offensichtlich, daß dort niemand mehr ist.

Cordelia und Grace machen ihren Schulabschluß und gehen auf irgendwelche anderen Schulen; Cordelia nach St. Sebastian, in eine Privatschule für Mädchen, wie es heißt, Grace auf eine High-School weiter im Norden, deren Schwerpunkt Mathematik ist. Sie ist darin begabt, alles in ordentlichen kleinen Reihen aufzuschreiben und zu addieren. Bei ihrem Schulabschluß hat sie noch immer ihre langen Zöpfe. Carol hängt in der Pause bei den Jungen herum, und oft wird sie von zweien oder dreien gejagt. Sie werfen sie in Schneehaufen und reiben ihr Gesicht mit Schnee ein, und wenn kein Schnee da ist, fesseln sie sie mit Springseilen. Wenn sie vor ihnen wegrennt, fuchtelt sie wie wild mit den Armen. Beim Weglaufen wackelt sie ganz komisch, ist langsam genug, um eingeholt zu werden; dann kreischt sie laut. Sie trägt einen BH. Bei den anderen Mädchen ist sie nicht besonders beliebt.

In Sozialkunde beschäftige ich mich mit einer Arbeit über Tibet, wo es Gebetsräder und Wiedergeburten gibt und wo die Frauen zwei Männer haben, und in Naturkunde mit verschiedenen Samenarten. Ich habe einen Freund, das ist zur Zeit Mode. Manchmal schickt er mir eine Notiz über den Gang, geschrieben mit einem tiefschwarzen Stift. Manchmal finden Partys statt, mit unbeholfenen Tanzversuchen und verlegenem Gewieher und groben Späßen unter den Jungen und mit feuchten, ungeübten Küssen, bei denen die Zähne zusammenstoßen. Mein Freund schnitzt meine Anfangsbuchstaben in sein neues Pult, oben in die Tischplatte, und bekommt dafür Prügel. Er bekommt auch für andere Dinge Prügel. Das wird bewundert. Ich sehe zum ersten Mal einen Fernseher, der mir wie ein kleines schwarzweißes Marionettentheater vorkommt, nicht besonders interessant.

Carol Campbell zieht weg, und ich bemerke es kaum. Ich überspringe die siebte Klasse und komme gleich in die achte, versäume dadurch die Könige von England in chronologischer Reihenfolge, versäume den Blutkreislauf, lasse meinen Freund zurück. Ich lasse mir die Haare schneiden. Ich will es so. Ich habe es satt, lange gewellte Haare zu haben, die mit Haarspangen oder Haarbändern zusammengehalten werden müssen, ich habe es satt, ein Kind zu sein. Zufrieden sehe ich zu, wie meine Haare wie Nebel von mir fallen und mein Kopf zum Vorschein kommt, mit schärferen Gesichtszügen, klarer. Ich bin bereit für die High-School, ich will sofort dahin.

Ich bereite mich darauf vor, indem ich mein Zimmer umräume. Ich räume alte Spielsachen aus dem Schrank, ich leere alle Schubladen in meinem Schreibtisch. Ich finde eine Katzenaugenmurmel, die ganz hinten in der Schublade herumrollt, und ein paar alte, vertrocknete Kastanien. Außerdem ein rotes Plastiktäschchen, das ich, wie mir einfällt, einmal zu Weihnachten bekommen habe. Es ist eine Art Babytäschchen. Es klimpert, als ich es in die Hand nehme; ein Fünfcentstück ist darin. Ich nehme die Münze heraus, um sie auszugeben, und lege die Murmel in das Täschchen. Die Kastanien werfe ich weg.

Ich finde mein Fotoalbum mit den schwarzen Seiten. Ich habe schon lange keine Bilder mehr mit meiner Brownie-Kamera gemacht, so daß mir das Fotoalbum ganz aus dem Blick geraten ist. In den schwarzen Dreiecken stecken Bilder, an die ich mich nicht mehr erinnern kann. Zum Beispiel sind dort mehrere Bilder von etwas, das wie große Felsblöcke aussieht, an einem See. Darunter steht mit weißem Stift in Druckschrift: DAISY, ELSIE. Es ist meine

Schrift, aber ich kann mich nicht erinnern, das geschrieben zu haben.

Ich bringe alles hinunter in den Keller und lege es in die Truhe, in die die alten Sachen kommen, die nicht weggeworfen werden. Das Hochzeitskleid meiner Mutter ist in dieser Truhe, Serviceteile aus verziertem Silber, ein paar Sepiaporträts von Leuten, die ich nicht kenne, ein Päckchen Bridgekarten mit Seidenbommeln, die noch von vor dem Krieg stammen. Ein paar Zeichnungen von uns sind auch in der Truhe, von meinem Bruder die Raumschiffe mit roten und goldenen Explosionen, und von mir zarte altmodische kleine Mädchen. Voller Verachtung sehe ich auf ihre Latzschürzen und ihre Haarspangen und ihre kümmerlichen Gesichter und Hände. Ich sehe nicht gern Dinge, die in so engem Zusammenhang mit meinem Leben als Kind stehen. Ich finde diese Bilder schwach: ich kann jetzt viel besser malen.

Einen Tag vor Beginn der High-School klingelt das Telefon. Es ist Cordelias Mummie; sie will mit meiner Mutter sprechen. Ich nehme an, daß es sich um langweilige Angelegenheiten von Erwachsenen handelt, und gehe wieder zu der Zeitung zurück, die ich auf dem Wohnzimmerfußboden lese. Aber nachdem meine Mutter den Hörer aufgelegt hat, kommt sie zu mir.

»Elaine«, sagt sie. Das ist ungewöhnlich, weil sie mich nicht besonders oft mit Namen anredet. Ihre Stimme klingt ernst.

Ich sehe von *Mandra dem Magier* auf. Sie sieht zu mir herunter. »Das war Cordelias Mutter«, sagt sie. »Cordelia wird auf dieselbe High-School gehen wie du. Cordelias Mutter fragt, ob ihr beiden nicht Lust hättet, zusammen zur Schule zu laufen.«

»Cordelia?« sage ich. Ich habe Cordelia schon ein ganzes Jahr weder gesehen noch gesprochen. Sie ist völlig verschwunden. Ich habe mir diese Schule ausgesucht, weil ich dort zu Fuß hingehen kann und nicht mit dem Bus zu fahren brauche; warum soll ich also nicht mit Cordelia gehen? »Von mir aus«, sage ich.

»Willst du das auch wirklich?« sagt meine Mutter ein wenig besorgt. Sie sagt nicht, warum Cordelia jetzt auf meine Schule geht, und ich frage auch nicht.

»Warum nicht?« sage ich. Ich habe mir schon den unbekümmerten

Ton zugelegt, der dazugehört, wenn man zur High-School geht, aber ich verstehe auch wirklich nicht, was sie eigentlich meint. Man hat mich gefragt, ob ich Cordelia, oder Cordelias Mutter, einen kleinen Gefallen tun will. Meine Mutter ist sonst immer dafür, daß man anderen Leuten einen Gefallen tut, wenn sie einen darum bitten, warum also zögert sie jetzt?

Sie antwortet nicht. Statt dessen bleibt sie unschlüssig neben mir stehen. Ich wende mich wieder den Comics zu. »Soll ich ihre Mutter dann also zurückrufen, oder willst du selber mit Cordelia sprechen?« sagt sie.

»Du kannst sie anrufen«, sage ich. Und füge schnell noch »bitte« hinzu. Ich habe im Moment keine besondere Lust, mit Cordelia zu reden.

Am nächsten Morgen gehe ich zu Cordelias Haus, das auf dem Weg zur Schule liegt, um sie abzuholen. Die Tür geht auf, und Cordelia ist da, aber sie ist nicht mehr dieselbe. Sie ist nicht mehr eckig, lang und mager; sie hat jetzt richtige Brüste und ist schwerer um die Hüften und im Gesicht. Ihre Haare sind länger, kein Pagenkopf mehr. Sie trägt einen Pferdeschwanz, der mit einem mit kleinen weißen Stoffmaiglöckchen besetzten Gummiband zusammengebunden ist. In ihrem Pony ist eine wasserstoffblonde Strähne. Sie hat orangefarbene Lippen und dazu passende orangefarbene Fingernägel. Mein Lippenstift ist hellrosa. Beim Anblick von Cordelia wird mir klar, daß ich nicht wie ein Teenager aussehe, ich sehe aus wie ein Kind, das sich wie ein Teenager gekleidet hat. Ich bin immer noch dünn, immer noch flach. Ich verspüre eine wilde Sehnsucht, älter zu sein.

Wir gehen zusammen zur Schule, ohne anfangs viel zu sagen, an einer Tankstelle vorbei, an einem Bestattungsunternehmen, dann einen Kilometer an Läden entlang, an einem Woolworth und an einer I.D.A.-Drogerie, an einem Obst- und Gemüseladen, einer Eisenwarenhandlung vorbei, alle nebeneinander in zweistöckigen gelben Ziegelhäusern mit Flachdächern. Wir drücken unsere Schulbücher an die Brust, und unsere weiten Baumwollröcke streifen unsere nackten Beine. Es ist Spätsommer, und die Rasenflächen sind ein stumpfes Grün oder Gelb und verbraucht.

Ich habe angenommen, Cordelia sei eine Klasse über mir. Aber das ist sie nicht, sie ist jetzt in derselben Klasse. Sie ist in St. Sebastian rausgeflogen, weil sie einer Fledermaus einen Penis angemalt hat. Jedenfalls sagt sie das. Sie sagt, an der Tafel sei ein großes Bild von einer Fledermaus aufgezeichnet gewesen, mit ausgebreiteten Flügeln, und zwischen den Beinen hätte sie nur einen winzigen Höcker gehabt. Als der Lehrer gerade nicht im Klassenzimmer war, ist Cordelia zur Tafel gegangen und hat den kleinen Höcker weggewischt und statt dessen einen größeren, längeren hingemalt – »Nicht mal so furchtbar viel größer« –, und in dem Moment kam der Lehrer herein und erwischte sie dabei.

»Ist das alles?« sage ich.

Nicht ganz. Unter den Höcker schrieb sie, fein säuberlich in Druckbuchstaben: *Mr. Malder.* Mr. Malder war der Name des Lehrers.

Wahrscheinlich war das nicht das einzige, was sie getan hat, aber mehr erzählt sie mir nicht. Sie sagt nur noch, ganz nebenbei, daß sie sitzengeblieben ist. »Ich war noch zu jung«, sagt sie. Es hört sich an wie etwas, das andere ihr gesagt haben, wahrscheinlich ihre Mutter. »Ich war erst zwölf. Sie hätten mich nicht überspringen lassen sollen.«

Jetzt ist sie dreizehn. Ich bin zwölf. Ich habe auch eine Klasse übersprungen. Und ich frage mich, ob ich vielleicht genauso enden werde wie sie, Fledermäusen einen Penis anmale und sitzenbleibe.

39

Die Schule, in die wir gehen, heißt Burnham High-School. Sie ist erst vor kurzem gebaut worden, hat eine rechteckige Form, ein flaches Dach, ist schmucklos, nichtssagend, eine Art Fabrik. Sie ist der neueste Schrei in der modernen Architektur. Innen hat sie lange Gänge mit gesprenkelten Fußböden von etwas, das wie Granit aussieht, aber kein Granit ist. An gelblichen Wänden stehen dunkelgrüne Schließfächer, und es gibt eine Aula und eine Lautsprecheranlage.

Jeden Morgen werden über den Lautsprecher Ansagen gemacht. Zuerst gibt es eine Bibellesung und Gebete. Während der Gebete neige ich den Kopf, aber ich weigere mich zu beten, auch wenn ich nicht weiß, warum ich das tue. Nach den Gebeten informiert uns der Direktor über kommende Ereignisse und erinnert uns daran, Kaugummipapier nicht einfach wegzuwerfen und nicht in den Fluren herumzuschmusen wie alte Ehepaare. Sein Name ist Mr. MacLeod, aber hinter seinem Rücken heißt er nur Chromdom, weil er eine Glatze hat. Er ist ein fanatischer Schotte. Die Burnham High hat ein eigenes Schottenmuster, ein Emblem mit einer Distel und zwei von jenen schottischen Messern, die sie sich in ihre Socken stecken, und einen gälischen Leitspruch. Das Karomuster, das Emblem, der Leitspruch und die Schulfarben stammen alle von Mr. MacLeods Familien-Clan.

In der Eingangshalle hängt neben der Königin ein Porträt von Dame Flora MacLeod mit ihren beiden dudelsackspielenden Enkeln, die vor Dunvegan Castle in Pose stehen. Man hält uns dazu an, dieses Schloß als eine Art Urheimat zu betrachten und Dame Flora als unsere geistige Führerin. Im Chor singen wir »The Skye Boat Song«, in dem geschildert wird, wie Bonnie Prince Charlie den völkermordenden Engländern entkommt. Wir lernen »Scots Wha' Hae« und ein Gedicht von einer Maus, bei dem immer gekichert wird, weil darin das Wort »Busen« vorkommt. Da ich vorher noch nie auf einer High-School war, halte ich dieses ganze schottische Drum und Dran für etwas, das zu jeder High-School gehört, und selbst die Armenier,

Griechen und Chinesen, von denen wir an unserer Schule einige haben, verlieren etwas von der Schärfe ihrer Andersartigkeit, eingetaucht, wie wir alle, in einen Nebel von Schottenkaros.

Ich kenne an dieser Schule nicht sehr viele Leute, und Cordelia auch nicht. In meiner Abschlußklasse in der Public School waren nur acht Schüler und in Cordelias waren es nur vier. Deshalb ist dies eine Schule voller Fremder. Noch dazu sind wir in verschiedenen Klassenzimmern, so daß wir uns nicht einmal dort unterstützen können.

Alle in meiner Klasse sind größer als ich. Das habe ich erwartet, weil ja auch alle älter sind. Die Mädchen haben Brüste und strömen einen einschläfernden Geruch nach Puder und heißen Tagen aus. Ihre Gesichtshaut sieht glitschig aus, glatt wie von einer öligen Flüssigkeit. Ich nehme mich vor ihnen in acht, und ich hasse den Umkleideraum, in dem wir die blauen Turnanzüge mit den engen schlüpferartigen Hosen anziehen müssen, auf deren Taschen unsere Namen gestickt sind. In dem Raum komme ich mir noch magerer vor als sonst; wenn ich mich zufällig im Spiegel erblicke, sehe ich die Rippen unter dem Schlüsselbein. Beim Volleyball latschen und poltern die anderen Mädchen herum, ihre Stimmen sind laut und heiser, ihr Extrafleisch wabbelt. Ich gehe ihnen vorsichtig aus dem Weg, einfach weil sie größer sind und mich umstoßen könnten. Aber richtige Angst habe ich nicht vor ihnen. Irgendwie verachte ich sie, weil sie genauso sind wie Carol Campbell, kreischend und schwerfällig.

Bei den Jungen gibt es ein paar kleine Knirpse, deren Stimmen sich noch nicht verändert haben, aber viele von den Jungen sind riesig. Manche sind schon fünfzehn, fast sechzehn. Ihre Haare sind an der Seite lang und mit Fett zu Entenschwänzen zurückgekämmt, und sie rasieren sich. Manche sehen aus, als rasierten sie sich oft. Sie sitzen im Klassenzimmer hinten und strecken ihre langen Beine in den Gang. Sie sind schon mal sitzengeblieben, mindestens einmal; sie haben es aufgegeben, und man hat sie aufgegeben, und jetzt sitzen sie nur noch ihre Zeit ab, bis man sie gehen läßt. Den anderen Mädchen in den Gängen rufen sie Bemerkungen hinterher und werfen ihnen Kußhände zu, oder sie drücken sich bei ihren Schließfächern herum, aber mich würdigen sie keines Blickes. Für sie bin ich nur ein Kind.

Aber ich komme mir nicht jünger vor als sie. In gewisser Hinsicht fühle ich mich sogar älter. In unserem Gesundheitsbuch ist ein Kapitel über die Gefühle von Teenagern. Nach diesem Buch müßte ich in einem Wirbelsturm von Teenagergefühlen gefangen sein, den einen Augenblick lachen, den nächsten weinen, wie in einer Achterbahn hoch- und runtersausen, so heißt es dort. Aber diese Beschreibung trifft auf mich ganz und gar nicht zu. Ich bin ruhig; ich beobachte das groteske Benehmen meiner Mitschüler, die sich ganz genauso aufführen, wie es in dem Buch beschrieben ist, mit einer Mischung aus wissenschaftlicher Neugier und beinahe mütterlicher Nachsicht. Wenn Cordelia sagt: »Ist er nicht ein Traum«, fällt es mir schwer zu verstehen, was sie meint. Manchmal weine ich wirklich ohne ersichtlichen Grund, genau wie es in dem Buch steht. Aber ich bringe es nicht fertig, an meine Traurigkeit zu glauben, ich kann sie nicht ernst nehmen. Ich beobachte mich beim Weinen im Spiegel, fasziniert vom Anblick der Tränen.

Mittags sitze ich mit Cordelia in der Cafeteria, die in hellen Farben gehalten ist und lange weiße Tische hat. Wir essen unser Mittagbrot, das den ganzen Morgen in unseren Schulschließfächern ausgetrocknet ist und ein bißchen nach Turnschuhen schmeckt, und trinken Schokoladenmilch durch Strohhalme und machen über die anderen Kinder in der Schule und auch über die Lehrer sarkastische Bemerkungen, jedenfalls halten wir sie für sarkastisch. Cordelia hat schon ein Jahr High-School hinter sich und weiß, wie das geht. Sie stellt ihren Blusenkragen hoch und legt sich ein verächtliches Lachen zu. »Was für ein Schimpanse«, sagt sie; oder: »So ein schmieriger Typ.« Das sind Wörter für Jungen. Mädchen können hart, eingebildet oder billig sein, mausgrau oder verrückt nach Männern; sie können was auf dem Kasten haben oder eine Niete sein, oder Streberinnen, wie die Jungen, wenn sie immer nur lernen. Aber sie können keine Schimpansen und keine Typen sein.

Cordelia sammelt Hochglanzfotos von Kinostars und Schlagersängern. Sie findet die Adressen der Fanclubs, bei denen man sie bestellen kann, in den Filmmagazinen, auf deren Rückseite für Seidenunterwäsche von Frederick's aus Hollywood geworben wird und für Tabletten mit Schokoladengeschmack, die man lutscht, um abzunehmen. Sie steckt die Fotos an das schwarze Brett über ihrem Schreibtisch und klebt sie mit Tesafilm an ihre Zimmerwände. Immer, wenn ich bei ihr bin, habe ich das Gefühl, von einer Menschenmenge beobachtet zu werden, deren glänzende schwarzweiße Augen mich durch das Zimmer verfolgen. Ein paar von diesen Bildern tragen Unterschriften, und wir untersuchen sie im Licht, um festzustellen, ob die Feder das Papier eingedrückt hat. Wenn nicht, sind sie nur aufgedruckt. Cordelia mag June Allyson, aber sie mag auch Frank Sinatra und Betty Hutton. Burt Lancaster findet sie ungeheuer sexy, mehr als alle anderen.

Auf dem Nachhauseweg von der Schule gehen wir in den Schallplattenladen und hören uns in der winzigen, mit Korkplatten ausgekleideten Kabine 78er-Schallplatten an. Manchmal kauft sich Cordelia von ihrem Taschengeld – sie kriegt mehr als ich – eine Platte, aber meistens hört sie sie sich nur an. Sie erwartet von mir, daß ich verzückt die Augen verdrehe, so wie sie; sie erwartet, daß ich stöhne. Sie kennt die Rituale, sie weiß, wie wir uns zu benehmen haben, jetzt, da wir in der High-School sind. Aber für mich sind diese Dinge unergründlich und betrügerisch zugleich, und ich habe immer das Gefühl, als schauspielere ich.

Wir nehmen die Schallplatten mit zu Cordelia nach Hause und legen sie auf den Plattenspieler im Wohnzimmer und drehen die Lautstärke auf. Frank Sinatra erscheint, eine körperlose Stimme, die auf der Melodie herumschlittert wie jemand auf einem glitschigen Gehweg. Er rutscht auf einen Ton zu, trifft ihn, stolpert, fängt sich wieder, schmiert in Richtung auf die nächste Note weiter.

»Ist das nicht einfach toll, wie er das macht?« sagt Cordelia. Sie wirft sich auf das Sofa, mit den Beinen über eine Armlehne und nach unten hängendem Kopf. Sie ißt einen Krapfen, der mit Puderzucker bestreut ist; der Zucker bleibt ihr an der Nase hängen. »Es kommt mir so vor, als wär er hier und würde mir mit der Hand den Rücken rauf- und runterstreicheln.«

»Genau«, sage ich.

Perdie und Mirrie kommen ins Zimmer, und Perdie sagt: »Ihr findet *den* doch nicht etwa gut«, und Mirrie sagt: »Cordelia, Süße, macht es dir was aus, ein bißchen leiser zu stellen?« Sie sprechen Cordelia jetzt immer mit zuckersüßen Stimmen an und sagen *Süße* zu ihr.

Perdie geht jetzt auf die Universität. Sie geht zu den Partys von Studentenverbindungen. Mirrie besucht die letzte High-School-

Klasse, aber nicht auf unserer High-School. Sie sind beide bezaubernder und schöner und überlegener denn je. Sie tragen Kaschmirpullis und Perlenohrringe und rauchen Zigaretten. Sie nennen sie Zigigitts. Eier nennen sie Eigitts, und das Frühstück heißt Frücker. Eine Schwangerschaft ist für sie eine Schwafter. Aber zu ihrer Mutter sagen sie noch immer Mummie. Sie sitzen da und rauchen ihre Zigaretten und unterhalten sich ganz beiläufig und mit amüsierter, halbverächtlicher Ironie über Leute, die Namen wie Mickie und Bobby und Poochie und Robin haben. Aus den Namen läßt sich schwer erraten, ob es sich dabei um Jungen oder Mädchen handelt.

»Bist du jetzt saturiert?« fragt Perdie Cordelia. Das ist etwas Neues, das sie erst seit kurzem sagen, es bedeutet, daß jemand satt ist. »Eigentlich waren die fürs Abendessen bestimmt.« Sie spricht von den Krapfen.

»Ist noch 'ne Menge da«, sagt Cordelia, deren Kopf noch immer nach unten hängt, und wischt sich die Nase ab.

»Cordelia«, sagt Perdie. »Schlag deinen Kragen nicht hoch. Das ist billig.«

»Das ist nicht billig«, sagt Cordelia. »Das ist scharf.«

»Scharf«, sagt Perdie, verdreht die Augen und stößt Rauch durch die Nase aus. Ihr Mund ist klein und prall und kräuselt sich in den Winkeln. »Hört sich an wie eine Haarölreklame.«

Cordelia setzt sich richtig herum hin und drückt die Zunge in die Backe und sieht Perdie an. »Ach ja?« sagt sie schließlich. »Woher willst du das denn wissen? Du bist doch schon über den Berg.«

Perdie, die schon alt genug ist, um vor dem Essen mit den Erwachsenen einen Cocktail zu trinken, auch wenn sie es in Bars noch nicht darf, kräuselt die Mundwinkel. »Ich glaub, die High-School bekommt ihr nicht«, sagt sie zu Mirrie. »Sie entwickelt sich zu einem Rocker.« Sie spricht es mit einem spöttischen langgezogenen Unterton aus, um anzudeuten, daß sie selbst solche Wörter schon längst hinter sich gelassen hat. »Nimm dich zusammen, Cordelia, sonst fliegst du dieses Jahr wieder durch. Du weißt doch, was Daddy das letzte Mal gesagt hat.«

Cordelia wird rot und weiß nicht, was sie darauf sagen soll.

Cordelia fängt an, in Läden Dinge mitgehen zu lassen. Sie nennt es nicht klauen, sie nennt es mitgehen lassen. Bei Woolworth läßt sie Lippenstifte mitgehen, in der Drogerie Päckchen mit Lakritzenstangen. Sie geht hinein und kauft irgendeine Kleinigkeit, zum Beispiel Haarklemmen, und wenn die Verkäuferin ihr den Rücken zudreht, um das Wechselgeld aus der Kasse zu nehmen, zieht sie irgendwas vom Ladentisch und versteckt es unter ihrem Mantel oder in ihrer Manteltasche. Inzwischen ist es Herbst, und wir haben lange Mäntel an, die hinten gegen unsere Beine schlagen, Mäntel mit bauchigen Taschen, die außen aufgenäht sind und die sich gut zum Mitgehenlassen von Sachen eignen. Draußen vor dem Laden zeigt sie mir, was sie erbeutet hat. Sie scheint zu denken, daß an dem, was sie tut, nichts Verkehrtes ist; sie lacht vor Freude, ihre Augen funkeln, ihre Wangen sind gerötet. Als hätte sie einen Preis gewonnen.

Bei Woolworth haben sie einen alten Holzfußboden, der in all den Jahren von dem Schneematsch an den vielen Stiefeln Flecken bekommen hat, und von der Decke hängen trübe Lampen an Metallstangen. Es gibt hier nichts, was wir unbedingt haben wollen, außer vielleicht die Lippenstifte. Da sind Fotorahmen mit komisch gefärbten Bildern von Filmstars, um zu zeigen, wie der Rahmen mit einem Foto darin aussehen würde; diese Stars haben Namen wie Raymon Novarro und Linda Darnell, Stars aus irgendeiner fernen Zeit, die schon Jahre zurückliegt. Es gibt schreckliche Hüte, Hüte für alte Damen mit einem Schleier außen herum, und Kämme, die mit imitiertem Schmuck besetzt sind. Fast alles, was es hier gibt, ist Imitation von irgend etwas anderem. Wir gehen die Gänge auf und ab, besprühen uns mit Kölnisch Wasser aus den Probefläschchen, streichen Musterlippenstifte auf unsere Handrücken, fassen jede Ware an und machen laute abfällige Bemerkungen darüber, während uns die mittelalterlichen Verkäuferinnen böse anstarren.

Cordelia läßt einen rosafarbenen Nylonschal mitgehen und glaubt, daß sie von einer der starrenden Verkäuferinnen gesehen wurde, also gehen wir eine Weile nicht mehr hin. Wir gehen in die Drogerie und kaufen Sahnebonbons, und während ich bezahle, läßt Cordelia zwei Horrorcomics mitgehen. Auf dem Nachhauseweg lesen wir uns abwechselnd laut daraus vor, wir dramatisieren die Rollen wie Hörspiele, kreischen vor Lachen. Wir setzen uns auf die niedrige Steinmauer vor dem Bestattungsunternehmen, damit wir die Bilder zusammen ansehen können, lesen und lachen.

Die Comics sind sehr genau gezeichnet und haben grelle Farben, vor allem Grün und Purpurrot und Schwefelgelb. Cordelia liest eine Geschichte von zwei Schwestern vor, von denen die eine hübsch ist, während das Gesicht der anderen zur Hälfte verbrannt ist. Das große Brandmal ist kastanienbraun und runzlig wie ein alter Apfel. Die Hübsche hat einen Freund und geht zum Tanzen, die Verbrannte haßt sie und liebt den Freund. Sie erhängt sich aus Eifersucht vor einem Spiegel. Aber ihr Geist fährt in den Spiegel, und als sich die Hübsche das nächste Mal vor dem Spiegel die Haare bürstet und hineinsieht, da starrt ihr aus dem Spiegel die Verbrannte entgegen. Das ist ein Schock, und sie fällt in Ohnmacht, und die Verbrannte kommt aus dem Spiegel und fährt in den Körper der Hübschen. Sie bemächtigt sich des Körpers und täuscht den Freund, sie bringt ihn sogar dazu, sie zu küssen, aber obgleich ihr Gesicht jetzt vollkommen ist, zeigt ihr Spiegelbild in diesem einen Spiegel noch immer ihr wahres, zerstörtes Gesicht. Der Freund sieht es. Zum Glück weiß er, was er tun muß. Er zerschlägt den Spiegel.

»Schluchz, schluchz«, sagt Cordelia. »Oh Bob... es war... schrecklich. Aber jetzt ist alles vorbei, mein Liebling. Sie ist weg... dahin zurückgekehrt... wo sie hergekommen ist... auf ewig. Nun können wir wahrhaft zusammensein und brauchen keine Angst mehr zu haben. Schmelz. Ende. Oh kotz!«

Ich lese eine von einem Mann und einer Frau, die im Meer ertrinken, aber feststellen, daß sie nicht wirklich tot sind. Statt dessen sind sie riesig aufgedunsen und fett und leben auf einer einsamen Insel. Sie lieben sich nicht mehr, weil sie so fett sind. Dann kommt ein Schiff, und sie winken. »Sie sehen uns nicht! Sie fahren direkt durch uns durch! Oh nein... Das bedeutet... daß wir verdammt sind, *auf immer und ewig* so zu sein! Gibt es denn keinen Ausweg?«

Im nächsten Bild haben sie sich erhängt. Die fetten Körper baumeln von einer Palme, und ihre früheren dünnen Körper, die schmächtig aussehen und in alte, zerfallende Badeanzüge gekleidet sind, halten sich an den Händen und gehen ins Meer. »Aus. Ende.«

»Oh, Doppelkotz«, sagt Cordelia.

Cordelia liest eine von einem toten Mann, der aus dem Moor zurückkehrt. Sein Fleisch hängt ihm in Fetzen vom Leib, er will seinen Bruder erdrosseln, der ihn ins Moor gestoßen hat, und ich lese eine von einem Mann, der eine wunderschöne Anhalterin mitnimmt, die, wie sich dann herausstellt, bereits seit zehn Jahren tot ist. Cordelia liest eine von einem Mann, der von einem Voodoo-Zauberdoktor verflucht wird und an dessen Hand eine große rote Hummerschere wächst, die sich gegen ihn selbst wendet und ihn angreift.

Als wir zu Cordelias Haus kommen, will Cordelia die Horrorcomics nicht mit hineinnehmen. Sie sagt, jemand könnte sie finden und sich fragen, woher sie sie hat. Und selbst wenn sie glauben, daß sie sie gekauft hat, wird sie Ärger kriegen. Also nehme ich sie schließlich mit zu mir nach Hause. Keine von uns kommt auf die Idee, sie einfach wegzuwerfen.

Als ich sie bei mir zu Hause habe, merke ich, daß ich sie in der Nacht nicht bei mir im Zimmer haben will. Es ist etwas anderes, am hellen Tag darüber zu lachen, aber ich kann den Gedanken nicht ertragen, daß sie bei mir im Schlafzimmer liegen, während ich schlafe. Ich stelle mir vor, daß sie im Dunkeln plötzlich zu glühen beginnen, in einem gespenstischen schwefelgelben Licht; ich stelle mir vor, wie Nebelschwaden aus ihnen aufsteigen und sich auf meinem Schreibtisch materialisieren. Ich habe Angst, feststellen zu müssen, daß in meinem Körper irgend jemand anderes gefangen ist; ich werde in den Badezimmerspiegel blicken und das Gesicht eines anderen Mädchens sehen, das wie ich aussieht, dessen eine Gesichtshälfte aber ganz dunkel ist, da wo die Haut weggebrannt ist.

Ich weiß, daß diese Dinge nicht wirklich geschehen werden, trotzdem mag ich den Gedanken nicht. Aber wegwerfen will ich die Comics auch nicht. Dann wären sie nämlich frei und könnten womöglich außer Kontrolle geraten. Daher bringe ich sie in Stephens Zimmer und stecke sie zwischen seine alten Comic-Hefte, die noch immer in mehreren Stapeln unter seinem Bett liegen. Er liest sie sowieso nicht mehr, also wird er diese hier nicht finden. Und wenn in der Nacht irgendwas aus ihnen heraussickert, egal was, wird er dagegen immun sein. In meinen Augen ist das, was er macht, nicht viel anders.

40

Es ist Sonntag abend. Im Kamin brennt ein Feuer; die Gardinen sind zugezogen, um die schwere Novemberdunkelheit auszusperren. Mein Vater sitzt im Sessel und beschriftet Zeichnungen von Fichtenwicklern, die aufgeschnitten sind, damit man ihr Verdauungssystem sehen kann, meine Mutter hat gegrillte Käsesbrote mit Schinken gemacht. Wir hören die »Jack Benny Show« im Radio, die von gesungenen Werbespots für Lucky Strike-Zigaretten unterbrochen ist. In dieser Show redet ein Mann mit einer krächzenden Stimme, und ein anderer sagt immer: »Saure Gurken in die Mitte und Mostrich obendrauf.« Ich habe keine Ahnung, daß das eine ein Schwarzer und das andere ein Jude sein soll; ich finde nur ihre Stimmen komisch.

Unser altes Radio mit dem grünen Auge ist verschwunden, und dafür haben wir jetzt ein neues helles in einem glatten, schmucklosen Schrank, in dem auch ein Plattenspieler für Langspielplatten eingebaut ist. Wir haben kleine Beistelltische für unsere Teller mit den Käsebroten; diese Tische sind ebenfalls aus hellem Holz, und sie haben Beine, die oben breit sind und nach unten zu ohne alle Schnörkel und ohne Rillen schmaler werden, keine Staubfänger. Sie sehen aus wie die Beine von den dicken Frauen in den Comics: ohne Knie, ohne Knöchel. Dieses helle Holz kommt aus Skandinavien. Unser altes Besteck ist ebenfalls in dem Überseekoffer gelandet. An seiner Stelle gibt es jetzt ein neues Besteck, das nicht aus Silber ist, sondern aus rostfreiem Stahl.

Diese Dinge sind nicht von meiner Mutter ausgesucht, sondern von meinem Vater. Er sucht auch die Ausgehkleider für meine Mutter aus; meine Mutter sagt lachend, daß sie all ihren Geschmack im Mund hat. Was sie betrifft, ist ein Sessel dazu da, um sich draufzusetzen, und ihr ist es völlig egal, ob er mit rosa Petunien oder mit purpurroten Punkten überzogen ist, solange er nicht zusammenbricht. Es ist, als könnte sie wie eine Katze die Dinge nicht sehen, solange sie sich nicht bewegen. Sie wird der Mode gegenüber immer gleichgültiger und läuft in improvisierten Aufmachungen herum, in einer

Skijacke, einem alten Schal, Fausthandschuhen, die nicht zusammenpassen. Sie sagt, wie es aussieht, ist ihr egal, solange es den Wind abhält.

Schlimmer noch, sie hat jetzt mit Eistanzen angefangen; sie geht ins Eisstadion, um dort an Tanzkursen teilzunehmen, sie lernen Tango und Walzer zu dünner blechiger Musik und halten andere Frauen an den Händen. Das ist peinlich, aber wenigstens macht sie es nicht im Freien, so daß sie niemand sieht. Ich kann nur hoffen, daß sie nicht auch noch auf die Idee kommt, im Winter draußen auf der Eisbahn ihre Tänze zu üben, wo sie vielleicht von jemandem, den ich kenne, gesehen werden könnte. Aber sie ist sich gar nicht bewußt, welchen Ärger sie einem damit machen kann. Sie sagt niemals: *Was sollen die Leute denken?* – wie andere Mütter es tun, oder jedenfalls tun sollten. Sie sagt, das ist ihr völlig schnuppe.

Das finde ich ziemlich verantwortungslos von ihr. Aber andererseits gefällt mir dieses *Schnuppe*. Es macht meine Mutter zu einer Unmutter, zu einer Art Mutanteneule. Ich bin, was meine eigenen Kleider angeht, wählerisch geworden und betrachte mich jetzt mit Hilfe eines Taschenspiegels auch von hinten: denn selbst wenn von vorne alles in Ordnung zu sein scheint, könnte sich hinten irgend etwas Verräterisches einschleichen: ein loser Faden, ein abgerissener Saum. Es völlig *schnuppe* zu finden, wäre ein Luxus. Es bezeichnet eine großartige, respektlose Sorglosigkeit, die ich selbst gern kultivieren würde, in diesen und in anderen Dingen.

Mein Bruder sitzt auf einem der hellen Stühle mit den sich verjüngenden Beinen, die zu den Tischchen passen. Er ist ganz plötzlich, als ich gerade nicht hinsah, größer und älter geworden. Er hat jetzt einen Rasierapparat. Weil es Wochenende ist und er sich nicht rasiert hat, stehen rund um seinen Mund feine Stoppeln aus der Haut. Er trägt seine Mokassins, alte, die er im Haus benutzt, mit Löchern unter den großen Zehen, und seinen kastanienbraunen Pulli mit dem V-Ausschnitt, der an den Ellbogen ausfranst. Er weigert sich, meine Mutter den Pulli flicken oder durch einen neuen ersetzen zu lassen. Meine Mutter sagt oft, daß ihr die Kleidung schnuppe sei, aber diese Gleichgültigkeit erstreckt sich nicht auf Löcher, ausgefranste Nähte oder Schmutz.

Der lumpige Pulli und die durchlöcherten Mokassins meines Bruders sind die Sachen, die er beim Lernen trägt. Während der Woche muß er ein Jackett und einen Schlips und graue Flanellhosen anziehen, das wird an seiner Schule verlangt. Er darf keinen Entenschwanz haben wie die Jungen in meiner Schule, nicht einmal einen Bürstenschnitt: Er hat die Haare im Nacken ausrasiert und einen seitlichen Scheitel, wie der Schnitt englischer Chorknaben. Das wird ebenfalls von der Schule verlangt. Mit diesem Haarschnitt sieht er aus wie eine Illustration aus einem Abenteuerbuch der zwanziger Jahre oder noch früher, von denen es in unserem Keller eine ganze Menge gibt, oder wie ein Luftwaffenoffizier der Alliierten aus einem Comic-Heft. Er hat dieselbe Nase, dasselbe Kinn, wenn auch schmaler: gut geschnitten, gutaussehend, altmodisch. Auch seine Augen sind so, ein durchdringendes, leicht fanatisches Blau. Seine Verachtung für Jungen, denen es *nicht schnuppe* ist, wie sie aussehen, ist verheerend. Er nennt sie Lackaffen, Kleiderständer.

Seine Schule ist eine Privatschule für Intelligenzbestien, aber keine sehr teure: man kommt rein, wenn man ein paar harte Prüfungen besteht. Meine Eltern haben mich – ein bißchen besorgt – gefragt, ob ich auch auf eine Privatschule für Mädchen gehen wolle; sie dachten, ich würde mich benachteiligt fühlen, wenn sie bei mir nicht genauso große Anstrengungen machten. Ich weiß, wie es in diesen Schulen zugeht, man muß dort Kilts tragen und Hockey spielen. Ich habe gesagt, daß diese Schulen nur für Snobs sind und ein niedriges Niveau haben, was ja auch stimmt. Aber in Wahrheit würde ich mich in einer Mädchenschule entsetzlich fühlen. Schon allein der Gedanke erfüllt mich mit klaustrophobischer Panik: eine Schule nur mit Mädchen wäre wie eine Falle.

Mein Bruder hört auch Jack Benny zu. Während er zuhört, stopft er sich die Käsebrote mit der linken Hand in den Mund, aber die rechte Hand hält einen Bleistift, der keine Sekunde stillsteht. Er sieht so gut wie nie auf den Notizblock, den er vollkritzelt, nur ab und zu reißt er ein Blatt herunter und zerknüllt es. Diese zerknüllten Notizen landen auf dem Fußboden. Als ich sie nach der Sendung aufhebe, um sie in den Papierkorb zu werfen, stelle ich fest, daß sie mit Zahlen bedeckt sind, langen Zahlenreihen und Symbolen, die gar nicht aufhören, wie Geschriebenes, wie ein verschlüsselter Brief.

Manchmal hat mein Bruder Freunde zu Besuch. Sie sitzen, den Schachtisch zwischen sich, in seinem Zimmer, ohne sich zu bewegen; nur ihre Hände heben sich manchmal, schweben über dem Brett, stoßen dann herunter. Ab und zu stöhnen sie auf oder sagen »Aha« oder »Quitt« oder »Rache ist Blutwurst«; oder sie tauschen neuartige, sonderbar gutmütige Beleidigungen aus: »Du Prim!« »Du Quadratwurzel!« »Du Rückschlag!« Die erbeuteten Schachfiguren, Springer und Bauern und Läufer, werden neben dem Brett aufgereiht. Ab und zu bringe ich ihnen, um zu sehen, wie das Spiel läuft, Gläser mit Milch und Vanilleplätzchen mit Schokolade, die ich nach dem *Betty Crocker Picture Cookbook* gemacht habe. Das ist meine Art, mich in Szene zu setzen, aber besonders groß ist die Reaktion darauf nicht gerade. Sie brummen, trinken die Milch, stopfen sich die Plätzchen in den Mund, ohne den Blick vom Brett zu lösen. Die Läufer stürzen, die Dame fällt, der König ist eingekreist. »Matt in zwei«, sagen sie. Ein Finger stößt herunter, wirft den König um. »Drei von fünf.« Und dann fangen sie wieder von vorne an.

An den Abenden lernt mein Bruder. Manchmal auf komische Weise. Er stellt sich auf den Kopf, um die Blutzirkulation in seinem Gehirn zu verbessern, oder er wirft eingespeichelte Papierkügelchen an die Decke. Rund um die Lampe ist die Decke mit kleinen Pfropfen aus einst naßgekautem Papier gesprenkelt. Ein anderes Mal stürzt er sich in manische Anfälle körperlicher Aktivität: Er hackt riesige Haufen Brennholz, mehr als gebraucht wird, oder er läuft runter in die Schlucht, dazu zieht er schrecklich ausgebeulte Hosen und einen dunkelgrünen Pulli an, der noch viel mehr aufgeribbelt ist als sein kastanienbrauner, und abgenutzte graue Turnschuhe, die aussehen, als hätte er sie aus dem Müll gezogen. Er sagt, er trainiert für den Marathonlauf.

Sehr oft scheint mich mein Bruder überhaupt nicht wahrzunehmen. Er denkt an andere Dinge, ernste Dinge, die wichtig sind. Er sitzt am Eßtisch, und seine rechte Hand bewegt sich, formt Brotstückchen zu kleinen Kügelchen, starrt auf die Wand hinter dem Kopf meiner Mutter, an der ein Bild mit einer Vase und drei Wolfsmilchblumen hängt, während unser Vater erklärt, warum die menschliche Rasse dem Untergang geweiht ist. Diesmal, weil wir Insulin entdeckt haben. Die Diabetiker sterben heute nicht mehr wie früher, sie leben lange genug, um die Diabetis auf ihre Kinder zu übertragen. Nicht mehr lange, und wir werden nach dem Gesetz der geometrischen Progression alle Diabetiker sein, und da Insulin aus Kuhmägen hergestellt wird, wird bald die ganze Welt mit insulinpro-duzierenden Kühen bedeckt sein, in den Teilen jedenfalls, die nicht mit Menschen bedeckt sind, die sich ohnehin viel schneller vermeh-ren, als ihnen guttut. Die Kühe rülpsen Methangas aus. Es gelangt bereits jetzt viel zuviel Methangas in die Atmosphäre, es wird den Sauerstoff ersticken und möglicherweise dazu führen, daß die ge-samte Erde eines Tages zu einem riesigen Treibhaus wird. Die Polar-kappen werden abschmelzen, und New York wird fast zwei Meter tief unter Wasser stehen, ganz zu schweigen von vielen anderen Kü-stenstädten. Außerdem müssen wir uns wegen der Wüsten die größ-ten Sorgen machen und wegen der Erosion. Wenn wir nicht von den Kühen zu Tode gerülpst werden, werden wir enden wie die Sahara, sagt mein Vater fröhlich, während er den falschen Hasen aufißt.

Mein Vater hat nichts gegen Diabetiker und auch nichts gegen Kühe. Er folgt nur gern Gedankengängen bis zu ihrem logischen Schluß. Meine Mutter verkündet, daß es zum Nachtisch *Mousse au chocolat* gibt.

Früher wäre mein Bruder an dem Schicksal der menschlichen Rasse interessierter gewesen. Jetzt sagt er, daß es, wenn die Sonne zu einer Supernova würde, acht Minuten dauern würde, bevor wir es sehen könnten. Er betrachtet die Dinge sehr langfristig. Früher oder später werden wir sowieso zu Asche, erklärt er, warum sollen wir uns also wegen ein paar Kühen mehr oder weniger noch Sorgen machen? Obgleich er noch immer Schmetterlinge beobachtet, entfernt er sich immer mehr von der Biologie. Im größeren Rahmen sind wir nichts weiter als eine dünne grüne Rinde an der Oberfläche, sagt mein Bruder.

Mein Vater ißt sein *Mousse au chocolat* und runzelt ein wenig die Stirn. Meine Mutter gießt ihm taktvoll eine Tasse Tee ein. Ich merke, daß die Zukunft der menschlichen Rasse ein Schlachtfeld ist, auf dem mein Bruder einen Punkt gewonnen und mein Vater einen verloren hat. Wer sich die größten Sorgen macht, verliert.

Ich weiß jetzt mehr über meinen Vater, als ich vorher wußte: Ich weiß, daß er im Krieg Pilot werden wollte, es aber nicht konnte, weil man seine Arbeit für kriegswichtig hielt. Wieso Schmetterlingsraupen an Nadelgehölzen so wichtig waren, habe ich bis jetzt noch nicht herausbekommen, aber offenbar waren sie es. Vielleicht ist das der Grund, warum er immer so schnell Auto fährt, vielleicht ist er drauf und dran, abzuheben.

Ich weiß, daß er auf einer Farm in den Wäldern von Neuschottland aufgewachsen ist, wo es kein fließendes Wasser und keinen elektrischen Strom gab. Das ist der Grund, warum er Dinge bauen und Holz hacken kann: jeder dort weiß, wie man eine Axt und eine Säge gebraucht. Die High-School machte er in Fernkursen; er saß am Küchentisch und lernte im Licht einer Kerosinlampe; durch die Universität brachte er sich, indem er in den Waldarbeitercamps arbeitete und Kaninchenställe säuberte, und er war so arm, daß er den ganzen Sommer über in einem Zelt wohnte, um Geld zu sparen. Bei Volkstänzen spielte er die Fiedel, und er war schon zweiundzwanzig, als er zum ersten Mal ein Orchester hörte. All diese Dinge sind bekannt, aber unvorstellbar. Außerdem wünschte ich, daß ich sie nicht wüßte. Ich will, daß mein Vater einfach nur mein Vater ist, so wie er immer war, und nicht irgendeine andere Person mit einem früheren sagenhaften Eigenleben. Wenn du zuviel über andere Leute weißt, dann besitzen sie Macht über dich, dann erheben sie Anspruch auf dich, du bist gezwungen, den Grund für ihre Handlungsweisen zu verstehen, und das schwächt dich.

Ich härte mein Herz gegen das Schicksal der menschlichen Rasse und rechne im Kopf nach, wieviel Geld ich sparen muß, um mir einen neuen Lambswool-Pulli zu kaufen. Im Hauswirtschaftsunterricht, was in Wirklichkeit Kochen und Nähen bedeutet, habe ich gelernt, einen Reißverschluß anzubringen und einen flachen Saum zu nähen, und jetzt nähe ich mir meine Kleider meist selbst, weil es billiger ist, obgleich sie nicht immer ganz genau so ausfallen wie das Bild auf dem Schnittmuster. In modischen Dingen ist mir meine Mutter keine große Hilfe, denn sie findet immer alles, was ich trage, hübsch, solange es keine sichtbaren Löcher aufweist.

Wenn ich Rat brauche, wende ich mich an Mrs. Finestein, unsere Nachbarin, für die ich an den Wochenenden auf das Baby aufpasse. »Blau ist deine Farbe, Liebes«, sagt sie. »Ganz prächtig. Und Kirschbrot. In Kirschrot würdest du hinreißend aussehen.« Dann geht sie mit Mr. Finestein am Abend aus, mit hochgesteckten Haaren, knallrotem Mund, in winzigen hochhackigen Schuhen balancierend, wobei ihre Ketten und ihre goldenen Ohrringe schaukeln und klirren, und ich lese Brian Finestein *Die kleine Lokomotive* vor und stecke ihn ins Bett.

Manchmal müssen Stephen und ich zusammen den Abwasch machen, und dann fällt ihm wieder ein, daß er mein Bruder ist. Ich wasche ab, er trocknet ab, und er stellt mir wohlwollende, onkelhafte, wahnsinnig machende Fragen, zum Beispiel, wie mir die neunte Klasse gefällt. Er ist in der elften, weit, weit über mir; er braucht es mir nicht unter die Nase zu reiben.

Aber manchmal kehrt er an diesen Abwaschabenden auch zu dem zurück, was ich als sein wahres Ich betrachte. Er erzählt mir die Spitznamen von den Lehrern an seiner Schule, die alle ziemlich frech sind, wie etwa Die feuchte Achsel oder Der menschliche Stuhl. Oder wir denken uns gemeinsam neue Wörter aus, die etwas undefinierbar Schmutziges an sich haben. »Flump«, sagt er. Ich kontere mit »schlochen«, ein Verb, wie ich ihm sage. Wir lehnen uns an die Küchentheke, schütten uns aus vor Lachen, bis unsere Mutter in die Küche kommt und sagt: »Was treibt ihr beiden denn hier?«

Manchmal beschließt er, daß er dazu verpflichtet ist, mich zu bilden. Wie es scheint, hat er von den meisten Mädchen eine niedrige Meinung und will nicht zulassen, daß ich so werde wie alle. Er will nicht, daß ich ein Hohlkopf werde. Er glaubt, daß ich Gefahr laufe, eitel zu werden. Morgens steht er vor der Badezimmertür und fragt, ob ich es wohl über mich bringen kann, mich vom Spiegel loszureißen.

Er glaubt, ich müßte meine geistigen Fähigkeiten weiterentwickeln. Um mir dabei zu helfen, macht er aus einem langen Streifen Papier ein Möbiussches Band, dreht es einmal herum und klebt es an den Enden zusammen. Dieses Möbiussche Band hat nur eine Seite, das läßt sich beweisen, indem man mit dem Finger an der Oberfläche entlangfährt. Nach Stephens Meinung bietet es die Möglichkeit, sich die Unendlichkeit vor Augen zu halten. Er zeichnet für mich eine Kleinsche Flasche, die kein Äußeres und kein Inneres hat, oder vielmehr sind das Äußere und das Innere ein und dasselbe. Mit der Kleinschen Flasche habe ich größere Schwierigkeiten als mit dem Möbiusschen Band, wahrscheinlich weil es eine Flasche ist, und ich kann mir keine Flasche vorstellen, die nicht dazu da ist, daß man was reintut. Ich verstehe nicht, was das Ganze für einen Sinn haben soll.

Stephen sagt, er interessiere sich für die Probleme eines zweidimensionalen Universums. Er will, daß ich mir vorstelle, wie ein dreidimensionales Universum für jemanden aussähe, der absolut flach wäre. Wenn man in einem zweidimensionalen Universum stünde, würde man nur am Überschneidungspunkt zu sehen sein, man würde als zwei längliche Scheiben wahrgenommen, als zwei zweidimensionale Umrisse der eigenen Füße. Dann gibt es noch fünfdimensionale Universen und siebendimensionale. Ich gebe mir große Mühe, sie mir vorzustellen, aber ich komme über mehr als drei nicht hinaus.

»Warum drei?« fragt Stephen. Das ist seine Lieblingsmethode, mir Fragen zu stellen, auf die er die Antworten kennt, oder andere Antworten.

»Weil es drei gibt«, sage ich.

»Du meinst, daß wir nicht mehr *wahrnehmen*«, sagt er. »Wir sind durch unsere Sinnesorgane eingeschränkt. Was glaubst du wohl, wie eine Fliege die Welt sieht?« Ich weiß, wie eine Fliege die Welt wahrnimmt, ich habe schon viele Fliegenaugen im Mikroskop gesehen. »In Facetten«, sage ich. »Aber jede Facette hat doch immer nur drei Dimensionen.«

»Ein Punkt für dich«, sagt er, und ich habe das Gefühl, erwachsen zu sein, seiner Unterhaltung wert zu sein. »Aber in Wirklichkeit nehmen wir vier wahr.«

»Vier?« frage ich.

»Die Zeit ist eine Dimension«, sagt er. »Man kann sie nicht vom Raum trennen. Wir leben in Raum-Zeit.« Er sagt, daß es keine Objekte gibt, die für sich sind und unverändert bleiben, getrennt vom Fluß der Zeit. Er sagt, die Raum-Zeit ist gekrümmt, und daß in der gekrümmten Raum-Zeit die kürzeste Entfernung zwischen zwei Punkten keine gerade Linie, sondern eine Linie ist, die der Krümmung folgt. Er sagt, daß sich die Zeit dehnen oder zusammenschrumpfen lasse, und daß sie an einigen Orten schneller laufe als an anderen. Er sagt, daß wenn man einen Zwilling eine Woche lang in eine Hochgeschwindigkeitsrakete steckte, dieser bei seiner Rückkehr feststellen würde, daß sein Bruder inzwischen zehn Jahre älter geworden ist als er selbst. Ich sage, daß ich das traurig fände.

Mein Bruder lächelt. Er sagt, das Universum ist wie ein von Punkten bedeckter Ballon, der aufgeblasen wird. Die Punkte sind die Sterne; sie bewegen sich andauernd immer weiter und weiter voneinander fort. Er sagt, eine der wirklich interessanten Fragen besteht darin, ob das Universum unendlich und unbegrenzt ist, oder unendlich, aber begrenzt wie der Ballon. Im Zusammenhang mit einem Ballon muß ich immer nur an den Knall denken, wenn er platzt.

Er sagt, der Raum ist hauptsächlich leer und die Materie nicht wirklich fest. Es handelt sich nur um einen Haufen weit verstreuter Atome, die sich mit größerer oder geringerer Geschwindigkeit fortbewegen. Auf jeden Fall sind Materie und Energie Aspekte derselben Sache. Es ist, als wäre alles aus festem Licht gemacht. Er sagt, wenn wir genug wüßten, könnten wir durch Wände gehen, als wären sie Luft, wenn wir genug wüßten, könnten wir uns schneller fortbewegen als Licht, und an diesem Punkt würde der Raum zu Zeit werden und die Zeit zu Raum, und wir würden fähig sein, durch die Zeit zu reisen, zurück in die Vergangenheit.

Das ist die erste seiner Ideen, die mich wirklich interessiert hat. Ich würde gern Dinosaurier sehen und noch vieles andere, zum Beispiel die alten Ägypter. Andererseits kommt mir diese Vorstellung auch irgendwie bedrohlich vor. Ich bin mir nicht so sicher, ob ich in die Vergangenheit reisen möchte. Und ich bin mir auch gar nicht so sicher, ob ich mich durch all diese Dinge, die er mir erzählt, derart beeindrucken lassen möchte. Dadurch hat er mir gegenüber einen zu großen Vorteil. Auf jeden Fall ist das alles ziemlich unvernünftiges Zeug. Das meiste hört sich an wie aus den Comic-Heften, die mit den Strahlenpistolen.

Daher frage ich: »Wozu soll das gut sein?«

Er lächelt. »Wenn du's tun könntest, dann wüßtest du, daß du's tun könntest«, sagt er.

Ich erzähle Cordelia, daß Stephen sagt, wir könnten durch Wände gehen, wenn wir genug wüßten. Das ist die einzige seiner neuen Ideen, die ich mich im Augenblick zu erklären getraue. Die anderen sind zu kompliziert oder zu bizarr.

Cordelia lacht. Sie sagt, Stephen ist ein Hirnie, und wenn er nicht so süß wär, wäre er ein Schimpanse.

Stephen hat in diesem Sommer einen Job, er bringt den Jungen in einem Sommerlager das Kanufahren bei, aber ich habe keinen, weil ich erst dreizehn bin. Ich fahre mit meinen Eltern rauf in den Norden, in die Nähe von Sault Ste. Marie, wo mein Vater eine Versuchskolonie Ringelspinner in Maschendrahtkäfigen überwacht.

Stephen schreibt mir Briefe mit dem Bleistift, auf Seiten, die aus liniierten Heften gerissen sind. In den Briefen macht er alles, was ihm unterkommt, lächerlich, einschließlich seiner Kollegen im Lager und den Mädchen, um die sie an ihren freien Tagen sabbernd herumstreichen. Er beschreibt diese Jungen mit Pickeln im Gesicht, mit Giftzähnen, die ihnen aus den Mündern sprießen, mit Zungen, die wie bei Hunden heraushängen, die Augen in mädcheninspiriertem Schwachsinn schielend. Das gibt mir das Gefühl einer gewissen Macht. Oder jedenfalls das Gefühl, daß ich einmal Macht besitzen werde: weil ich auch ein Mädchen bin. Ich gehe allein angeln, vor allem auch, damit ich in meinen Briefen was zu schreiben habe. Sonst gibt es nicht gerade viel zu berichten.

Cordelias Briefe sind mit richtiger Tinte geschrieben, mit schwarzer. Sie sind voller Superlative und Ausrufungszeichen. Sie macht den Punkt über dem i wie kleine runde Kreise, wie die Augen der armen Orphan Annie, oder wie Blasen. Sie unterschreibt mit Aussprüchen wie: »Ewig Dein bis Niagara fällt« oder »Bis alle Plätzchen bröseln, Deine«, oder: »Bis die See Gummihosen trägt, damit sie keinen nassen Hintern kriegt, Deine«.

»Ich *langweile* mich *so schrecklich!!!*« schreibt sie und unterstreicht das Ganze dreimal. Sogar über Langeweile schreibt sie begeistert. Trotzdem hört sich ihr quirliger Stil nicht echt an. Ich habe sie manchmal beobachtet, wenn sie dachte, ich guckte nicht: ihr Gesicht wird dann ganz starr, fern, ausdruckslos. Es ist, als wäre sie gar nicht darin. Aber dann dreht sie sich um und lacht. »Findest du es nicht auch *toll*, wenn sie sich die Ärmel hochrollen und die Zigarettenpakkung reinschieben?« fragt sie. »Dazu braucht man Muskeln!« Und dann ist sie wieder ganz normal.

Ich habe das Gefühl, als wartete ich auf etwas. Ich schwimme im

See und esse Trauben und Cracker, die dick mit Erdnußbutter und Honig bestrichen sind, und lese Detektivgeschichten und bin trübsinnig, weil in der ganzen Gegend niemand in meinem Alter ist. Die unablässige gute Laune meiner Eltern ist kein Trost. Fast wäre es mir lieber, wenn sie genauso trübsinnig wären wie ich, oder noch trübsinniger; dann käme ich mir normaler vor.

Lepra

41

Am späten Vormittag weckt mich das Telefon. Es ist Charna. »Hallo«, sagt sie. »Wir haben es auf die erste Seite der Unterhaltung geschafft, und drei, sage und schreibe, drei Bilder! Eine absolute Hymne!«

Mich schaudert bei dem Gedanken an ihre Vorstellung von einer Hymne. Und was meint sie eigentlich mit *wir*? Aber sie ist zufrieden: ich habe mich vom Modernen Leben zur Unterhaltung hochgearbeitet, das ist ein gutes Zeichen. Ich weiß noch, wie ich die Vorstellung von ewiger Größe hatte, wie ich Leonardo da Vinci sein wollte. Jetzt habe ich es auf die Ebene von Rockgruppen und dem neuesten Kinofilm gebracht. Kunst ist das, womit man davonkommt, hat mal jemand gesagt, was irgendwie nach Ladendiebstahl klingt, oder nach einem anderen kleineren Verbrechen. Und vielleicht ist es ja auch nie etwas anderes gewesen, oder ist es heute noch: eine Art Diebstahl. Eine Entführung des Visuellen.

Ich weiß, daß es keine guten Nachrichten sein werden. Trotzdem kann ich nicht widerstehen. Ich ziehe mich an, gehe hinunter und suche den nächsten Zeitungskasten. Immerhin besitze ich soviel Anstand zu warten, bis ich wieder oben bin, bevor ich die Zeitung aufschlage.

Die Schlagzeile lautet: EIGENWILLIGE KÜNSTLERIN HAT NOCH IMMER DIE KRAFT, ZU VERSTÖREN. Ich stelle fest: *Künstlerin* anstatt *Malerin*, das unheilverkündende *noch* – es deutet mit knöchernem Finger auf die Senilität. Andrea, die Unschuld mit dem Ahorn-Haar, hat zurückgeschlagen. Ich bin überrascht, daß sie ein Wort wie *eigenwillig* benutzt. Aber wahrscheinlich hat sie den Titel gar nicht selbst verfaßt.

Es sind tatsächlich drei Fotos da. Das eine von meinem Kopf, von unten aufgenommen, so daß es aussieht, als hätte ich ein Doppelkinn. Die beiden anderen zeigen zwei Arbeiten von mir. Auf dem einen ist Mrs. Smeath zu sehen, splitternackt, wie sie schwer durch die Luft fliegt. Dahinter ist der Kirchturm mit der Zwiebel obendrauf. Mr. Smeath steckt wie ein Zirpkäfer auf ihrem Rücken und grinst wie ein Irrer; beide haben glänzende braune Insektenflügel, im Maßstab und äußerst genau ausgeführt. Das Bild heißt *Käfer, Die Verkündigung*. Auf dem anderen ist Mrs. Smeath allein mit einem mondsichelförmig gebogenen Schälmesser und einer geschälten Kartoffel, nackt von der Taille aufwärts und den Oberschenkeln abwärts. Dieses Bild ist aus der Serie *Unterhosen des Empire*. Die Zeitungsfotos werden den Bildern nicht gerecht, weil sie in Schwarzweiß sind. Sie sehen zu sehr nach Schnappschüssen aus. Ich weiß, daß die Unterhosen von Mrs. Smeath in Wirklichkeit ein intensives Indigoblau haben, für das ich Wochen gebraucht habe, ein Blau, das ein dunkles und ersticken des Licht auszustrahlen scheint.

Ich überfliege den ersten Absatz: »Die bedeutende Künstlerin Elaine Risley kehrt in dieser Woche zu einer längst fälligen Retrospektive in ihre Heimatstadt zurück.« *Bedeutend* – das Mausoleumswort. Eigentlich müßte ich jetzt augenblicklich die Marmorplatte erklimmen und mir das Laken über den Kopf ziehen. Dann kommen die üblichen falschen Zitate, und auch mein blauer Jogginganzug geht nicht ohne Kommentar durch. »Elaine Risley, die in ihrem taubenblauen Jogginganzug, der schon bessere Tage gesehen hat, alles andere als furchterregend wirkt, hat nichtsdestotrotz jederzeit ein paar bissige und gewollt provokative Bemerkungen über die heutige Frau zu bieten.«

Ich schlürfe meinen Kaffee, gehe zum letzten Absatz über: das unvermeidliche *eklektisch*, die obligatorische *Postfeministin*, ein *indessen* und ein *trotzdem*. Wie es im guten alten Toronto gang und gäbe ist: sich absichern und einschränken. Eine heftige Attacke wäre vorzuziehen, fliegende Fetzen und ein bißchen Feuer und Schwefel. Dann wüßte ich wenigstens, daß ich noch am Leben bin.

Ich denke mit Ingrimm an die Eröffnung. Vielleicht sollte ich sie gewollt provozieren, vielleicht sollte ich ihre tiefsten Verdachtsmomente bestätigen. Ich könnte mir ein paar von Jons Special Effects von dem Axtmörder anschnallen, das verbrannte Gesicht mit dem freigelegten blutunterlaufenen Auge, den Plastikarm, aus dem das Blut schießt. Oder ich könnte meine Füße in die leeren Gipshüllen

stecken und hereingeschlurft kommen wie etwas aus einem Horrorfilm.

Ich werde all diese Dinge nicht tun, aber es beruhigt mich, sie mir
wenigstens vorzustellen. Es hilft mir, von der ganzen Sache etwas
Abstand zu gewinnen, reduziert sie auf eine Farce oder einen
schlechten Scherz, mit dem ich nichts zu tun habe, außer daß ich
mich darüber lustig mache.

Cordelia wird diesen Zeitungsartikel lesen, und vielleicht lacht sie
darüber. Auch wenn sie nicht im Telefonbuch steht, muß sie noch
irgendwo hier in dieser Gegend sein. Es sähe ihr ähnlich, ihren Namen zu ändern. Oder vielleicht ist sie verheiratet; vielleicht war sie
schon öfter als einmal verheiratet. Frauen auf der Spur zu bleiben, ist
schwierig. Sie schlüpfen in andere Namen und verschwinden, ohne
eine Spur zu hinterlassen.

Auf jeden Fall wird sie dies sehen. Sie wird wissen, daß es Mrs.
Smeath ist, und das wird ihr Vergnügen machen. Sie wird wissen, daß
ich es bin, und sie wird kommen. Sie wird durch die Tür hereinkommen, und sie wird sich selbst sehen; mit Titel, Rahmen und Datum,
an der Wand. Sie wird nicht zu verwechseln sein: die lange Kinnlinie,
die etwas schiefe Oberlippe. Sie scheint sich in einem Zimmer zu
befinden, allein, einem Zimmer mit pastellgrünen Wänden.

Es ist das einzige Bild, das ich je von Cordelia gemacht habe, von
Cordelia allein. *Halbes Gesicht* habe ich es genannt: ein merkwürdiger Titel, weil Cordelias Gesicht zur Gänze zu sehen ist. Aber hinter
ihr, an der Wand hängend wie Embleme aus der Renaissance oder wie
die Tierköpfe, Elche oder Bären, die früher in den Bars im Norden zu
finden waren, ist noch ein anderes Gesicht, das mit einem weißen
Tuch bedeckt ist. Die Wirkung ist die einer Theatermaske.
Vielleicht.

Ich hatte Mühe mit diesem Bild. Es fiel mir nicht leicht, Cordelia
auf eine bestimmte Zeit, ein bestimmtes Alter festzulegen. Ich wollte
sie mit ungefähr dreizehn zeigen, mit diesem trotzigen, fast kriegeri-
schen Starren, das sie an sich hatte. *Ach ja?*

Aber die Augen haben es vereitelt. Es sind keine starken Augen; sie
verleihen dem Gesicht einen unentschiedenen, zögernden, vorwurfsvollen Ausdruck. Einen erschrockenen.

Auf diesem Bild hat Cordelia Angst vor mir.

Ich habe Angst vor Cordelia.

Ich habe keine Angst, Cordelia zu sehen. Ich habe Angst, Cordelia zu sein. Denn in gewisser Hinsicht haben wir die Plätze getauscht, und ich habe vergessen, wann.

42

Nach dem Sommer komme ich in die zehnte Klasse. Ich bin zwar noch immer kleiner, noch immer jünger, aber ich bin gewachsen. Insbesondere habe ich Brüste bekommen. Ich habe jetzt meine Periode, wie normale Mädchen; ich gehöre jetzt auch zu den Wissenden, ich kann jetzt auch beim Volleyball zusehen und ins Krankenzimmer gehen, um mir Aspirin zu holen, und mit einer Binde, die wie ein flachgedrückter Kaninchenschwanz zwischen meinen Beinen steckt und mit leberfarbenem Blut durchweicht ist, durch die Gänge watscheln. Das verschafft eine gewisse Befriedigung. Ich rasiere mir die Beine, nicht weil es da viel zu rasieren gäbe, sondern weil ich ein gutes Gefühl dabei habe. Ich sitze in der Badewanne, schabe meine Waden ab, die ich mir dicker wünschte, runder, wie die Waden der *Cheerleaders*, während mein Bruder vor der Tür herummurrt.

»Spieglein, Spieglein an der Wand, wer ist die Schönste im ganzen Land?« sagt er.

»Verschwinde«, sage ich ruhig. Dieses Privileg steht mir jetzt zu.

In der Schule bin ich schweigsam und auf der Hut. Ich mache meine Hausaufgaben. Cordelia zupft sich die Augenbrauen zu zwei dünnen Strichen, dünner als meine, und malt ihre Fingernägel mit *Feuer und Eis* an. Sie verliert Sachen wie Kämme oder auch ihre Französisch-Aufgabe. In den Gängen lacht sie rauh. Sie stößt neue, komplizierte Flüche aus: *Exkremente*, sagt sie und meint damit *Scheiße*, und *großer flammender blauäugiger glatzköpfiger Gott*. Sie gewöhnt sich das Rauchen an und wird dabei auf der Mädchentoilette erwischt. Es muß für die Lehrer, die uns sehen, nicht leicht sein, sich zu erklären, warum wir Freundinnen sind, was wir zusammen machen.

Heute schneit es auf dem Nachhauseweg. Große weiche schmeichelnde Flocken fallen wie kalte Nachtfalter auf unsere Haut; die Luft füllt sich mit Federn. Cordelia und ich sind begeistert, wir toben in der Dämmerung über die Gehwege, während die Autos, durch den Schnee gedämpft und verlangsamt, an uns vorbeitreiben. Wir singen:

Lydia Pinkham hilft den Frauen,
ihre Nöte abzubauen.
Darauf könnt ihr stets vertrauen!

Das ist ein Werbespot aus dem Radio. Wir wissen nicht, womit Lydia Pinkham den Frauen hilft, aber alles, was extra »für Frauen« ist, hat mit dem monatlichen Blut oder irgendeiner ähnlichen unaussprechlichen weiblichen Sache zu tun, für die es keine Worte gibt, und deshalb finden wir es komisch. Wir singen auch:

Lepra, was hast du gemacht?
Du quälst mich Tag und Nacht.
Ich bade im Schweiß
bei Whisky auf Eis …

Oder auch:

Ein Stückchen von deinem Herzen,
das steck ich mir jetzt in den Mund,
Abschied nehmen macht Schmerzen …

Wir singen noch alle möglichen anderen Parodien auf populäre Schlager, die wir für sehr witzig halten. Wir laufen und schlittern in unseren Gummistiefeln, die oben umgeklappt sind, und machen Schneebälle, die wir auf Straßenlampen, Feuerhydranten und tapfer auf vorbeifahrende Autos werfen, und, so nah wir uns herantrauen, auch auf Leute, die auf dem Bürgersteig gehen, meistens Frauen mit Einkaufstüten oder Hunden. Wir müssen unsere Schulbücher hinlegen, um die Schneebälle zu machen. Wir können nicht besonders gut zielen und treffen kaum mal, allerdings eine Frau im Pelzmantel aus Versehen von hinten. Sie dreht sich um und sieht uns böse an, und wir laufen weg, um eine Ecke und eine Seitenstraße hinauf, lachen vor Schrecken und Verlegenheit so sehr, daß wir uns kaum auf den Beinen halten können. Cordelia wirft sich rücklings auf einen schneebedeckten Rasen. »Der böse Blick!« kreischt sie. Aus irgendeinem Grund mag ich es nicht, wie sie dort im Schnee liegt, mit weit ausgebreiteten Armen.

»Steh auf«, sage ich. »Du holst dir 'ne Lungenentzündung.«

»Ach ja?« sagt Cordelia. Aber sie steht auf.

Die Straßenlaternen gehen an, obgleich es noch nicht dunkel ist. Wir kommen zu der Stelle, an der auf der anderen Straßenseite der Friedhof anfängt.

»Erinnerst du dich noch an Grace Smeath?« fragt Cordelia. Ich sage ja. Ich erinnere mich an sie, aber nicht deutlich, nicht an alles. Ich erinnere mich an das erste Mal, als ich sie kennenlernte, und dann, wie sie einmal mit einem Blumenkranz auf dem Kopf in dem Obstgarten mit den Apfelbäumen saß; und viel später, als sie in der achten Klasse war und kurz vor der High-School stand. Ich kann nicht einmal sagen, auf welche High-School sie gegangen ist. Ich erinnere mich an ihre Sommersprossen, ihr schmales Lächeln, ihre dicken Pferdehaarzöpfe.

»Sie hatten ihr Klopapier rationiert«, sagt Cordelia. »Jedesmal nur vier Stück, auch für Nummer zwei. Wußtest du das?«

»Nein«, sage ich. Aber irgendwie kommt es mir so vor, als hätte ich es mal gewußt.

»Erinnerst du dich noch an die schwarze Seife, die sie hatten?« sagt Cordelia. »Kannst du dich nicht daran erinnern? Sie roch nach Teer.«

Ich weiß, was wir jetzt tun werden: wir werden uns über die Familie Smeath lustig machen. Cordelia erinnert sich an alles: an die graue Unterwäsche, die an der Wäscheleine im Keller hing und tropfte, an das Schälmesser in der Küche, das nur noch eine schmale Sichel war, an die Wintermäntel aus dem Eaton-Katalog. Nach Cordelias Meinung ist Simpsons das richtige Geschäft, um etwas einzukaufen. Da gehen wir jetzt öfters samstagvormittags hin, ohne Mützen, zuckeln mit der Straßenbahn eine Haltestelle nach der andern bis in die Stadt. Und aus dem Eaton-Katalog Sachen bestellen und kaufen, ist noch viel schlimmer, als bei Eaton's im Geschäft einkaufen.

»Die Kloß-Familie!« schreit Cordelia in die schneerfüllte Luft. Das ist grausam und genau; wir schnauben vor Lachen. »Was gibt es denn bei der Kloß-Familie zu essen? Kartoffelklöße!«

Jetzt ist es schon zu einem richtigen Spiel geworden. Welche Farbe hat ihre Unterwäsche? Grunzfarbe. Warum hat Mrs. Kloß ein Pflaster im Gesicht? Weil sie sich beim Rasieren geschnitten hat. Alles läßt sich über sie sagen, über sie erfinden. Sie sind schutzlos, sie sind uns völlig ausgeliefert. Wir stellen uns die beiden erwachsenen Klöße vor, wie sie miteinander schlafen, aber das ist zuviel für uns, es geht nicht, es ist ein Brechmittel. Brechmittel ist ein neues Wort von Perdie.

»Was macht Grace Kloß zur Unterhaltung? Pickel ausdrücken!« Cordelia muß so sehr lachen, daß sie sich weit nach vorn beugt und dabei fast hinfällt. »Halt, halt, sonst mache ich mir noch in die Hosen«, sagt sie. Sie sagt, daß Grace in der achten Klasse angefangen hat, ihre Pickel zu züchten, inzwischen müssen sie sich unheimlich vermehrt haben. Das ist wahr, sie hat wirklich Pickel gehabt. Wir genießen den Gedanken.

So wie wir sie wiedergeben, haben die Smeaths keinen Charme, sie sind kleinlich, teigig, langweilig wie weiße Margarine, die sie, wie wir behaupten, als Nachspeise essen. Wir machen uns über ihre Frömmigkeit lustig, über ihre Sparsamkeit, ihre großen Füße, ihren Gummibaum, der alles über sie sagt. Wir sprechen von ihnen in der Gegenwart, als kennten wir sie noch.

Dieses Spiel ist für mich tief befriedigend. Ich kann mir meine Roheit nicht erklären; ich frage nicht, warum ich so viel Spaß daran habe oder warum Cordelia es spielt, geradezu darauf besteht, es zu spielen, es immer wieder hochpeitscht, wenn es abzuschlaffen droht. Sie sieht mich von der Seite an, abschätzend, als wolle sie sehen, wie weit, wieviel weiter ich noch gehen werde mit diesem Spiel, von dem wir beide ganz genau wissen, daß es ein niedriger Verrat ist. Ich habe noch einmal ein flüchtiges Bild vor Augen, wie Grace durch die Tür in ihrem Haus verschwindet, in ihrem Trägerrock und ihrem scheußlichen Pulli. Wir haben alle für sie geschwärmt. Aber jetzt nicht mehr. Und so, wie Cordelia sie jetzt darstellt, haben wir es auch nie getan.

Wir laufen durch den fallenden Schnee über die Straße, machen das kleine Eisentor des Friedhofszauns auf, gehen hinein. Das haben wir noch nie getan.

Hier ist der neue, noch unfertige Teil des Friedhofs. Die Bäume sind frisch gesetzt worden; ohne ihre Blätter sehen sie noch vergänglicher aus. Ein großer Teil des Bodens ist unberührt, aber hier und da sind Narben, wie riesige Abdrücke von Klauen, Grabungen,

Erdarbeiten. Es gibt nur ganz wenige Grabsteine, und die sind noch nicht alt: rechteckige Granitblöcke, die zu presbyterianischem Glanz aufpoliert sind, die Buchstaben schnörkellos und ohne den Versuch, hübsch auszusehen. Sie erinnern mich an Herrenmäntel.

Wir gehen zwischen diesen Grabsteinen herum, deuten auf jene – besonders graue, besonders einfältige –, die sich die Kloß-Familie aussuchen würde, um einander darunter zu begraben. Von hier aus können wir durch den Gitterzaun die Häuser auf der anderen Straßenseite sehen. Eins davon gehört Grace Smeath. Es ist seltsam und auf eine komische Art befriedigend, sich vorzustellen, daß sie in diesem Augenblick vielleicht wirklich da drin ist, in diesem gewöhnlich aussehenden Ziegelsteinkasten mit den weißen Verandasäulen. Ohne auch nur zu ahnen, was wir gerade über sie reden. Mrs. Smeath könnte auch da drin sein, auf dem Samtsofa, unter der Wolldecke; an soviel erinnere ich mich. Der Gummibaum wird auf dem Treppenabsatz stehen, ohne sehr viel größer geworden zu sein. Gummibäume wachsen langsam. Aber wir sind größer, und das Haus sieht klein aus.

Vor unseren Augen erstreckt sich der Friedhof, Kilometer um Kilometer. Die Schlucht ist jetzt links von uns, die neue Betonbrücke ist gerade noch zu erkennen. Ich muß an die alte Brücke denken, an den Bach darunter: Unter unseren Füßen müssen die Toten dabei sein, sich aufzulösen, sich in Wasser zu verwandeln, kalt und klar, um den Berg hinunterzufließen. Aber das vergesse ich lieber schnell. Nichts an dem Friedhof ist furchterweckend, sage ich mir. Er ist zu praktisch, zu häßlich, zu ordentlich. Er ist wie ein Küchenregal, auf das man Sachen stellt.

Wir gehen eine Weile, ohne etwas zu sagen, ohne zu wissen, wohin wir gehen oder warum. Die Bäume sind größer, die Grabsteine älter. Keltische Kreuze sind hier und gelegentlich auch Engel.

»Wie kommen wir hier wieder raus?« fragt Cordelia und lacht ein wenig.

»Wenn wir weitergehen, kommen wir auf eine Straße«, sage ich. »Ist das nicht Verkehr da vorne?«

»Ich brauch eine Zigigitt«, sagt Cordelia. Wir finden eine Bank und setzen uns hin, damit Cordelia die Hände für die Zigarette frei hat, sie wölbt sie um die Flamme, um sie anzuzünden. Sie hat keine Handschuhe an und auch keinen Schal um den Kopf. Sie hat ein kleines schwarzgoldenes Feuerzeug.

»Sieh dir die vielen kleinen Häuser von den Toten an«, sagt sie.

»Mausoleen«, sage ich scharfsinnig.

»Das Familienmausoleum der Klöße«, sagt sie und gibt dem Witz einen letzten Ruck.

»Die haben keins«, sage ich. »Zu feudal.«

»Eaton«, liest Cordelia. »Das muß der Laden sein. Dieselbe Schrift. Da drin sind die Eaton-Kataloge begraben.«

»Mr. und Mrs. Katalog«, sage ich.

»Ich frag mich, ob sie Korsette tragen«, sagt Cordelia und inhaliert den Rauch. Wir versuchen, wieder ausgelassen zu sein, aber es klappt nicht. Ich stelle mir die Eatons vor, beide oder vielleicht mehr, die wie in einem Speicher weggelegt sind, als wären sie Pelzmäntel oder Golduhren, in ihrer Privatgruft, die noch fremdartiger wirkt, weil sie wie ein griechischer Tempel geformt ist. Wo genau liegen sie da drin? Auf Totenbahren? In Särgen mit Steindeckeln, die mit Spinnennetzen überzogen sind, wie in den Horrorcomics? Ich stelle mir ihre Juwelen vor, wie sie in der Dunkelheit glitzern – natürlich werden sie Juwelen haben –, und ihre langen trockenen Haare. Die Haare wachsen weiter, wenn man schon tot ist, genauso wie die Fingernägel. Ich habe keine Ahnung, woher ich das weiß.

»Mrs. Eaton ist in Wirklichkeit ein Vampir, weißt du«, sage ich langsam. »Sie kommt nachts raus. Sie hat ein langes weißes Ballkleid an. Diese Tür geht quietschend auf, und sie kommt raus.«

»Um zu spät das Blut der Klöße auszutrinken«, sagt Cordelia hoffnungsvoll und drückt ihre Zigarette aus.

Ich lache nicht. »Nein, im Ernst«, sage ich. »Tut sie wirklich. Zufällig weiß ich das.«

Cordelia sieht mich nervös an. Es schneit immer noch, es ist schon fast dunkel, und außer uns ist hier niemand. »Und?« sagt sie und wartet auf die Pointe.

»Ja«, sage ich. »Manchmal ziehen wir zusammen los. Weil ich nämlich auch ein Vampir bin.«

»Bist du nicht«, sagt Cordelia und steht auf und klopft sich den Schnee vom Mantel. Sie lächelt unsicher.

»Woher willst du das wissen?« sage ich. »Woher willst du das eigentlich *wissen*?«

»Du läufst tagsüber rum«, sagt Cordelia.

»Das bin ich nicht«, sage ich. »Das ist mein Zwilling. Das weißt du nur nicht. Ich bin einer von zwei Zwillingen. Wir sind eineiig, so daß man uns nicht auseinanderhalten kann. Außerdem brauche ich mich nur vor der Sonne in acht zu nehmen. An Tagen wie heute ist es völlig sicher. Ich habe einen Sarg voller Erde, in dem ich schlafe; er ist unten, unten –« ich suche nach einem glaubhaften Ort – »unten im Keller.«

»Du bist albern«, sagt Cordelia.

Ich stehe auch auf. »Albern?« sage ich. Ich senke meine Stimme. »Ich sage dir nur die Wahrheit. Du bist meine Freundin, ich dachte, es wär Zeit, daß du's erfährst. Ich bin in Wirklichkeit tot. Ich bin schon seit vielen Jahren tot.«

»Hör auf damit«, sagt Cordelia scharf. Ich bin überrascht, wieviel Vergnügen es mir macht zu wissen, daß sie so unsicher ist, zu wissen, daß ich soviel Macht über sie habe.

»Womit?« frage ich. »Das ist kein Spiel. Aber *du* brauchst dir keine Sorgen zu machen. Dir sauge ich das Blut nicht aus. Du bist doch meine Freundin.«

»Sei nicht kindisch«, sagt Cordelia.

»Jeden Augenblick«, sage ich, »können wir hier eingeschlossen werden.« Jetzt fällt uns beiden ein, daß es tatsächlich passieren könnte. Wir laufen die Straße entlang, wir lachen und keuchen, und dann kommen wir zu einem großen Tor, das zum Glück noch offen ist. Dahinter ist die Yonge Street, voll vom Berufsverkehr.

Cordelia will mir Autos zeigen, die der Kloß-Familie gehören könnten, aber ich habe keine Lust mehr. Ich habe einen viel dichteren, boshafteren kleinen Triumph in den Händen: Energie ist zwischen uns hin- und hergegangen, und ich bin die Stärkere.

43

Jetzt bin ich in der elften Klasse und genauso groß wie viele andere
Mädchen, was nicht besonders groß ist. Ich habe einen aschgrauen
Bleistiftrock, in dem sich trotz der Gehfalte schlecht gehen läßt, und
einen Pulli mit Fledermausärmeln, einen roten mit abgestuften
grauen Querstreifen. Ich habe einen breiten schwarzen elastischen
Gürtel mit einer imitierten Goldschnalle und flache Ballerinaschuhe
aus Cordsamt, die schlappen, wenn ich gehe, und die an den Seiten
Beulen haben. Zu dem Bleistiftrock habe ich einen kurzen Mantel. Er
sieht so aus: oben breit wie eine Kiste, aufgebauscht, und nach unten
schmal wie ein Stengel, aus dem die langen dünnen Oberschenkel
und Beine herausragen. Ich habe ein böses Mundwerk.

Ich habe ein so böses Mundwerk, daß ich dafür inzwischen bekannt bin. Ich benutze es nur, wenn ich provoziert werde, aber dann
mache ich meinen bösen Mund auf, und kurze niederschmetternde
Kommentare kommen heraus. Ich muß sie mir kaum ausdenken, sie
sind plötzlich da, wie Gedankenballons mit kleinen Lämpchen drin.
»Geh mir nicht auf die Nerven«, »Du mußt es ja wissen«, sind unter
Mädchen übliche Redewendungen, aber ich gehe viel weiter. Ich
sage: »Nerv nicht, du Arschtüte«, was am Rande des guten Geschmacks ist, und ich liebe vernichtende Eigenerfindungen, wie etwa
»Der wandelnde Pickel« oder »Der Vorher-Teil einer Vorher-Nach-
her-Mundgeruchreklame«. Wenn mich ein Mädchen »Hirnie«
nennt, sage ich: »Besser ein Hirnie als ein Stecknadelkopf wie du.«
»Gebrauchst du viel Haaröl?« frage ich, oder auch: »Lutschst du
viel?« Ich weiß genau, wo die schwachen Punkte sind. »Lutschen« ist
ein ganz besonders befriedigendes Wort, besonders niederschmetternd. Die Jungen sagen es oft zueinander; es ist ein Hinweis auf
Daumen und Babys. Bis jetzt habe ich noch nicht darüber nachgedacht, was sonst noch alles gelutscht werden kann, oder bei welchen
Gelegenheiten.

Die Mädchen in der Schule lernen es, sich vor meinem bösen
Mundwerk in acht zu nehmen. Ich wandere, umgeben von einer Aura

potentieller verbaler Drohung, durch die Gänge und werde mit Vorsicht behandelt, was mir nur recht ist. Komischerweise führt meine Bosheit nicht zu weniger Freundinnen, sondern, zumindest an der Oberfläche, zu mehr. Die Mädchen haben Angst vor mir, aber sie wissen, wo es für sie am sichersten ist: an meiner Seite, einen halben Schritt hinter mir. »Elaine ist zu komisch«, sagen sie, ohne sehr überzeugt zu klingen. Manche von ihnen sammeln bereits Porzellan und Dinge für den Haushalt und haben Aussteuertruhen. Über so was kann ich nur lachen. Trotzdem stört es mich, wenn ich erfahre, daß ich jemanden unabsichtlich gekränkt habe. Ich will, daß alle meine Kränkungen absichtlich sind.

Ich habe keine Gelegenheit, mein böses Mundwerk auch bei Jungen zu üben, weil die mich nicht provozieren. Außer Stephen natürlich. In dieser Zeit betrachten wir verbale Bosheiten als eine Art Spiel, so wie Federball. *Eins zu null für mich. Eins beide.* Gewöhnlich bringe ich ihn zum Schweigen, indem ich so was Ähnliches sage wie: »Hast du dir die Haare mit dem Rasenmäher schneiden lassen?« Was seinen Haarschnitt betrifft, ist er empfindlich. Oder wenn er sich in Schale geschmissen hat, in seine grauen Privatschulhosen mit dem Jackett: »He, du siehst aus wie ein Simpsons-Popper.« Simpsons-Popper sind schwachsinnige Jungen auf den Reklamefotos in unseren Jahrbüchern, sie tragen Blazer mit Wappen auf der Brusttasche, sind wie aus dem Ei gepellt.

Mein Vater sagt: »Deine spitze Zunge wird dich noch mal in Schwierigkeiten bringen, junge Dame.« *Junge Dame* ist das Zeichen dafür, daß ich gefährlich nah an die eine oder andere Grenze geraten bin, aber auch wenn es mich im Augenblick zum Schweigen bringt, kann es mir mein Hochgefühl nicht völlig nehmen. Ich genieße inzwischen das Risiko, dieses Schwindelgefühl, von dem ich erfaßt werde, wenn mir klar wird, daß ich über die gesellschaftlich akzeptablen Grenzen hinausgeschossen bin, daß ich auf dünnem Eis gehe, durch leere Luft.

Die Person, die mein böses Mundwerk am meisten zu spüren bekommt, ist Cordelia. Sie braucht mich nicht einmal zu provozieren, ich benutze sie zu Zielübungen. Wir sitzen auf dem Hügel, von dem aus man das Footballfeld überblickt, haben unsere Jeans an, die in der Schule nur an den Tagen, an denen Footballspiele stattfinden, erlaubt sind. Wir haben überbreite Hosenaufschläge, die wir mit Sicherheitsnadeln hochgesteckt haben, der letzte Schrei. Die Cheerleader springen in ihren bis zum halben Oberschenkel reichenden Röcken herum, die Pom-poms auf ihren Mützen hüpfen; sie sehen nicht langbeinig und strahlend aus, wie die Cheerleader auf der Rückseite von *Life*, sondern bunt zusammengewürfelt, plump und dunkel. Trotzdem beneide ich sie um ihre Waden. Das Footballteam läuft auf. »Dieser Gregory! Was für ein Brocken«, sagt Cordelia, und ich sage: »Aus Käse.« Cordelia wirft mir einen verletzten Blick zu. »Ich find ihn süß.« »Wenn sie dir in Maisöl getaucht schmecken«, sage ich. Als sie mir sagt, daß es nicht gut sei, sich in der High-School auf die Klobrille zu setzen, ohne sie vorher abgewischt zu haben, weil man sich sonst eine Krankheit holen kann, sage ich: »Wer sagt das denn? Deine Mummie?«

Ich mache mich über ihre Lieblingssänger lustig. »Love, Love, Love«, spotte ich. »Gut gestöhnt.« Für kitschige, triefende Gefühle habe ich eine ätzende Verachtung entwickelt. Frank Sinatra ist für mich der singende Schmalztopf; Betty Hutton die menschliche Kreissäge. Sie sind sowieso von gestern, sentimentale Zuckerwatte. Das Wahre ist *Rock 'n' Roll*: »Heart of Stone« hört sich schon besser an.

Manchmal fällt Cordelia eine Antwort ein, aber manchmal fällt ihr auch nichts ein. Sie sagt: »Das ist gemein.« Oder sie drückt die Zunge in die Wange und wechselt das Thema. Oder sie steckt sich eine Zigarette an.

Ich sitze im Geschichtsunterricht, und ich kritzle auf dem Rand der Buchseite. Wir nehmen den Zweiten Weltkrieg durch. Der Lehrer ist ein Enthusiast, er hüpft vorn im Klassenzimmer herum, schwenkt die Arme und seinen Zeigestock. Er ist ziemlich klein und hat wirre Haarsträhnen und ein steifes Bein, er war vielleicht sogar selbst im Krieg, jedenfalls geht das Gerücht um. Er hat eine große Karte von Europa auf die Tafel gezeichnet, in Weiß, und die Grenzen zwischen Ländern mit gelben gestrichelten Linien. Hitlers Armeen dringen mit rosa Kreidepfeilen in andere Länder ein. Jetzt findet der »Anschluß« statt, und jetzt fällt Polen und jetzt Frankreich. Ich male Tulpen und Bäume, ziehe eine Linie für den Boden und füge jedesmal auch das

Wurzelsystem hinzu. Im englischen Kanal tauchen U-Boote auf, in Grün. Ich zeichne das Gesicht des Mädchens, das neben mir auf der anderen Seite des Gangs sitzt. Der Blitzkrieg läuft, Bomben treiben durch die Luft herunter wie unheilvolle Silberengel, London fällt in sich zusammen, ein Häuserblock nach dem anderen, ein Haus nach dem anderen, Kaminsimse, Schornsteine, Doppelbetten, handgeschnitzt und durch Generationen weitergereicht, in brennende Splitter zersprengt, Geschichte auf Scherben reduziert. »Es war das Ende einer Ära«, sagt der Lehrer. Für uns ist das vielleicht schwer zu verstehen, sagt er, aber nichts wird je wieder so sein wie vorher. Man sieht, daß er tief bewegt ist, es ist peinlich. So sein wie was? denke ich.

Es ist für mich unvorstellbar, daß ich schon gelebt habe, als all diese Kreidesachen passierten, als diese ganzen statistischen Tode stattfanden. Ich habe gelebt, als die Frauen mit diesen lächerlichen Kleidern mit den dicken Schulterpolstern und den eingeschnürten Taillen herumliefen, und mit Rockschößen über ihren Pos, wie nach hinten gedrehte Schürzen. Ich male eine Frau mit breiten Schultern und einem Bilderhut. Ich male meine eigene Hand. Hände sind am schwersten. Es ist schwierig, sie so hinzukriegen, daß sie nicht wie ein Klumpen Würstchen aussehen.

Ich gehe mit Jungen aus. Das ist nicht Teil eines bewußten Plans, es passiert einfach. Meine Beziehungen zu Jungen sind mühelos, was bedeutet, daß ich mir nur wenig Mühe gebe. Es sind die Mädchen, die mir Unbehagen bereiten, es sind die Mädchen, bei denen ich das Gefühl habe, mich verteidigen zu müssen, nicht die Jungen. Ich sitze in meinem Schlafzimmer und zupfe die runden Wollbällchen von meinem Lambswool-Pulli, und das Telefon klingelt. Wahrscheinlich ein Junge. Ich nehme den Pulli mit auf den Flur, wo das Telefon steht, und setze mich im Flur, den Hörer zwischen Ohr und Schulter geklemmt, auf den Stuhl und zupfe weiter die Wollbällchen ab, während eine lange Unterhaltung stattfindet, die vorwiegend aus Schweigen besteht.

Jungen brauchen dieses Schweigen, das liegt in ihrer Natur; man darf sie nicht durch zu vieles Reden erschrecken, nicht hastig werden. Was sie am Ende selbst von sich geben, ist nicht besonders wichtig. Das Wichtigste ist das Schweigen zwischen den Worten. Ich weiß, daß wir dasselbe wollen: entkommen. Sie wollen den Erwachsenen und den anderen Jungen entkommen, und ich will den Erwachsenen und den anderen Mädchen entkommen. Wir suchen nach einsamen Inseln, flüchtig, unwirklich, aber vorhanden.

Mein Vater geht im Wohnzimmer auf und ab, klappert mit seinen Schlüsseln und dem Wechselgeld in den Taschen. Er ist ungeduldig, er ist gezwungen, sich diese Einsilbigkeit anzuhören, dieses Gemurmel, dieses Schweigen. Er geht in den Flur und schnippt mit den Fingern; das bedeutet, daß ich auflegen soll. »Ich muß jetzt Schluß machen«, sage ich. Der Junge stößt einen Laut aus, der sich anhört, als entwiche Luft aus einem Fahrradschlauch. Ich verstehe das.

Ich weiß über Jungen Bescheid. Ich weiß, was in ihren Köpfen vor sich geht, die Dinge, die mit Mädchen und Frauen zu tun haben, die sie gegenüber anderen Jungen nicht zugeben können, niemandem gegenüber. Sie haben Angst vor ihrem eigenen Körper, sind schüchtern in dem, was sie sagen, haben Angst, ausgelacht zu werden. Ich weiß, wie sie untereinander reden, wenn sie sich im Umkleideraum auf den Rücken schlagen und vor Lachen brüllen oder mit Zigaretten hinter der Turnhalle verschwinden. *Torte, Zahn, Biene, Zicke, Tüte* sind – neben schlimmeren – Begriffe für Mädchen. Ich werfe ihnen diese Namen nicht vor. Ich weiß, daß sie nur eine andere Version von eingemachten Ochsenaugen und dem Rotzfressen sind, sie sind Mutproben, die Jungen austauschen müssen, um zu zeigen, daß sie stark sind und sich nicht einwickeln lassen. Diese Wörter bedeuten nicht unbedingt, daß sie wirkliche Mädchen nicht mögen, oder jedenfalls ein wirkliches Mädchen. Manchmal sind wirkliche Mädchen eine Alternative für diese Wörter, und manchmal sind sie eine Inkarnation dieser Wörter, und manchmal sind diese Wörter einfach nur ein Hintergrundgeräusch.

Ich glaube nicht, daß irgendeines dieser Wörter auf mich zutrifft. Sie treffen auf andere Mädchen zu, auf Mädchen, die, ohne diese Wörter zu kennen, in der High-School durch die Gänge wandern, das Haar werfen, ihre dünnen Hüften schwenken und so tun, als wären sie verführerisch, die zu laut und lässig miteinander reden, was niemanden täuscht; oder auf die, die so tun, als wären sie blauäugig, unbeschrieben, gänseblümchenfrisch. Und die ganze Zeit sind sie von diesen Wolken schweigender Wörter umgeben, *Torte, Zahn,*

Biene, Zicke, Tüte, die wie mit dem Finger auf sie zeigen, sie auf eine Größe reduzieren, mit der sich umgehen läßt. Es gibt einen Trick, um diese schweigenden Wörter zu umgehen: man muß sich in den Räumen zwischen ihnen bewegen, im Kopf beiseite treten, ausweichen. Wie durch Wände gehen.

Soviel weiß ich über die Jungen im allgemeinen. Aber das hat alles nichts mit Jungen im einzelnen zu tun, mit den Jungen, mit denen ich gehe. Diese Jungen sind gewöhnlich älter als ich, aber sie gehören nicht zu denen mit den fettigen Entenschwänzen und dem vielen Leder, sie sind netter. Wenn ich mit ihnen ausgehe, muß ich pünktlich wieder zu Hause sein. Wenn ich nicht pünktlich komme, führt mein Vater lange Gespräche mit mir, in denen er mir zu erklären versucht, daß pünktlich nach Hause zu kommen genau dasselbe ist, wie pünktlich zu einem Zug zu gehen. Wenn ich zu spät zu einem Zug ginge, würde ich ihn verpassen, nicht wahr? »Aber unser Haus ist kein Zug«, sage ich. »Es fährt nirgendwohin.« Mein Vater ist wütend; er klimpert mit den Schlüsseln in seiner Tasche. »Darum geht es nicht«, sagt er.

Meine Mutter sagt nur: »Wir machen uns Sorgen.« »Um was?« frage ich. Es gibt nichts, um das man sich Sorgen machen müßte, soweit ich sehe.

Meine Eltern sind in diesen oder auch in anderen Dingen ziemlich peinlich. Sie wollen keinen Fernseher kaufen wie alle anderen Leute, weil mein Vater sagt, daß das Fernsehen einen verdummt und außerdem schädliche Strahlen und auch versteckte Botschaften abgibt. Wenn mich die Jungen abholen kommen, taucht mein Vater mit seinem alten grauen Filzhut und einem Hammer oder einer Säge aus dem Keller auf und schüttelt ihnen wie ein Bär die Hand. Er mustert sie mit seinen klugen, blinzelnden, ironischen kleinen Augen und redet sie mit »Sir« an, als wären sie seine Doktoranden. Meine Mutter spielt die nette Dame und sagt so gut wie gar nichts. Oder aber sie sagt mir, ich sehe süß aus – vor dem Jungen.

Im Frühjahr kommen sie in ihren ausgebeulten erdverschmierten Gartenhosen um die Hausecke, um mich zu verabschieden. Sie schleppen die Jungen raus in den Garten, wo mein Vater schon wieder für irgendwelche Zukunftspläne einen großen Haufen Zementblöcke liegen hat. Sie wollen den Jungen ihr Schwertlilienbeet zeigen, als hätten sie es bei den Jungen mit alten Tanten zu tun; und dann müssen die Jungen irgendwas über die Schwertlilien sagen, obgleich Schwertlilien nun wirklich das letzte sind, was sie im Kopf haben. Oder mein Vater bemüht sich, sie in belehrende Gespräche über aktuelle Themen zu verwickeln, oder er fragt sie, ob sie dieses oder jenes Buch gelesen haben, und dann zieht er die Bücher aus dem Regal, während die Jungen dastehen und von einem Bein aufs andere treten. »Dein Vater ist ein komischer Vogel«, sagen die Jungen später verlegen.

Meine Eltern sind wie jüngere, koboldartige Brüder und Schwestern, die ihr Gesicht nicht gewaschen haben, und die erniedrigende Dinge ausplappern, die man weder voraussahnen noch kontrollieren kann. Ich seufze und versuche mich damit abzufinden. Ich fühle mich älter als sie, viel älter. Ich fühle mich uralt.

Um das, was ich mit den Jungen mache, brauchen sie sich keine Sorgen zu machen. Das ist normal. Wir gehen ins Kino, wo wir im Raucherteil sitzen und knutschen, oder wir fahren ins Drive-In und essen Popcorn und knutschen da ebenfalls. Für das Knutschen gibt es Regeln, an die wir uns halten: annähern, wegschubsen, annähern, wegschubsen. Hüfthalter gehen zu weit, genauso Büstenhalter. Keine Reißverschlüsse. Die Münder der Jungen schmecken nach Zigaretten und Salz, ihre Haut riecht nach Old Spice Aftershave. Wir gehen tanzen und wirbeln uns während der Rock-Nummern herum, oder aber wir schlurfen in blauem Licht durch die Gegend, inmitten anderer Paare, die auch schlurfen. Nach den konventionellen Tanzveranstaltungen gehen wir hinterher zu jemandem nach Hause oder ins St. Charles Restaurant, und danach knutschen wir, wenn auch nicht sehr lange, weil die Zeit dann meistens abgelaufen ist. Für große Tanzveranstaltungen habe ich Kleider, die ich mir selbst nähe, weil ich es mir nicht leisten kann, welche zu kaufen. Sie bestehen aus mehreren Lagen Tüll und sind untendrunter mit Steifleinen verstärkt, und ich mache mir die ganze Zeit Sorgen, daß die Haken aufgehen könnten. Dazu habe ich passende Schuhe aus Satin oder mit Silberriemchen, ich habe Ohrringe, die entsetzlich zwicken. Zu diesen Tanzveranstaltungen schicken einem die Jungen kleine Blumengebinde, die ich hinterher presse und in meiner Schreibtischschublade aufbewahre: zerquetschte Nelken und Rosenknospen mit braunen Rändern, Bündel toter Vegetation, wie eine Sammlung blumiger Schrumpfköpfe.

Mein Bruder Stephen behandelt diese Jungen mit Verachtung. Seiner Meinung nach sind sie Schwachköpfe und nicht wert, ernsthaft von mir in Betracht gezogen zu werden. Hinter ihrem Rücken lacht er über sie und macht sich über ihre Namen lustig. Für ihn heißen sie nicht George, sondern Georgie-Porgie, nicht Roger, sondern Rover. Er schließt Wetten ab, wie lange es mit ihnen dauern wird. »Ich geb ihm drei Monate«, sagt er, nachdem er den Jungen zum ersten Mal gesehen hat, oder: »Wann gedenkst du, mit ihm Schluß zu machen?«

Das nehme ich meinem Bruder nicht übel. Ich erwarte es sogar von ihm, weil er zum Teil recht hat. Ich hege für diese Jungen nicht die gleichen Gefühle wie die Mädchen in den Liebescomics. Ich sitze nicht herum und frage mich, wann sie wohl anrufen werden. Ich mag sie, aber ich bin nicht in sie verliebt. Keine der Beschreibungen von der Trübsal der Mädchen in den Teenagermagazinen, mit einer Träne auf jeder Wange, die wie Perlenohrringe aussehen, trifft auf mich zu. So daß die Jungen eigentlich keine so ernste Sache sind, zum Teil jedenfalls. Denn andererseits sind sie es doch.

Der ernste Teil ist ihr Körper. Ich sitze mit dem Telefon auf dem Schoß im Flur, und was ich höre, ist ihr Körper. Ich lausche nicht den Worten, sondern dem Schweigen, und in dem Schweigen entstehen diese Körper neu, werden von mir geschaffen, nehmen Gestalt an. Wenn ich mich nach Jungen sehne, dann sind es ihre Körper, die ich vermisse. Ich beobachte ihre Hände, die in den dunklen Kinos die Zigarette halten, die Schulterlinie, den Hüftwinkel. Ich betrachte sie von der Seite und prüfe ihr Aussehen bei verschiedenem Licht. Meine Liebe zu ihnen ist visuell: das ist der Teil von ihnen, den ich gern besitzen möchte. *Beweg dich nicht*, denke ich. *Bleib so. Laß mich das haben.* Was sie an Macht über mich gewinnen, erringen sie nur über die Augen, und wenn ich sie satt habe, dann ist das zum Teil ein körperlicher Überdruß, zum Teil aber auch ein visueller.

Mit Sex hat das nur zum Teil zu tun, aber zum Teil schon. Manche Jungen haben Autos, andere nicht, und mit denen fahre ich in Bussen, in Straßenbahnen, in der neueröffneten U-Bahn von Toronto,

die sauber und ereignislos ist und wie ein langes pastellfarben geka-
cheltes Badezimmer aussieht. Diese Jungen gehen mit mir bis zu unserem Haus, und wir nehmen den langen Weg, außen herum. Die
Luft riecht nach Flieder oder nach gemähtem Gras oder nach bren-
nendem Laub, je nach Jahreszeit. Wir gehen über die neue Fußgän-
gerbrücke aus Beton, über uns die herabhängenden Zweige der Weiden, unter uns das Rauschen des Wassers. Wir bleiben in dem trüben
Licht der Laternen auf der Brücke stehen und lehnen uns gegen das
Geländer, seine Arme sind um mich geschlungen und meine um ihn.
Wir fahren uns gegenseitig mit den Händen unter die Kleidung, streichen uns gegenseitig über die Wirbelsäule, und ich spüre, wie angespannt die Wirbelsäule ist, zum Bersten. Ich fühle die Länge des Körpers, voller Verwunderung berühre ich das Gesicht. Die Gesichter
der Jungen verändern sich so sehr, sie werden weich, öffnen sich,
brennen schmerzlich. Der Körper ist pure Energie, verdichtetes
Licht.

44

Ein Mädchen wird ermordet aufgefunden, unten in der Schlucht. Nicht in der Schlucht bei unserem Haus, sondern in einer größeren Abzweigung unseres Tales, weiter südlich, noch hinter der Ziegelei, wo der von Weiden gesäumte, Müll dahinschwemmende und schmutzige Don River sich dem See entgegenwindet. So etwas darf in Toronto, wo man nachts die Hintertüren unverschlossen und die Fenster offen läßt, eigentlich nicht passieren; aber offensichtlich passiert es doch. Es steht auf den Titelblättern aller Zeitungen.

Dieses Mädchen ist in unserem Alter. Ihr Fahrrad wurde in der Nähe gefunden. Sie ist erwürgt worden, und auch mißbraucht. Wir wissen, was *mißbraucht* bedeutet. Es sind Fotos in den Zeitungen, auf denen sie lebend zu sehen ist, und die schon so gespenstisch aussehen wie die Fotos, die dafür normalerweise Jahre benötigen: das Aussehen vergangener Zeit, unwiederbringlich, unerlöst. Es gibt ausführliche Beschreibungen ihrer Kleider. Sie trug einen Angorapullover und einen kleinen Pelzkragen mit Bommeln, wie sie gerade in Mode sind. Ich besitze keinen solchen Kragen, hätte aber gern einen. Ihrer war weiß, aber es gibt sie auch in Nerz. Sie trug eine Brosche in dem Pulli, in Form von zwei Vögeln mit roten Glassteinen als Augen. Genauso, wie man sie in der Schule tragen würde. All diese Einzelheiten über ihre Kleidung kommen mir unfair vor, obgleich ich sie verschlinge. Es kommt mir nicht richtig vor, daß man eines Tages einfach losgeht, in ganz gewöhnlichen Kleidern, und ohne Warnung ermordet wird, und daß einen dann all die Menschen ansehen, einen untersuchen. Mord sollte zeremonieller sein.

Ich habe die Vorstellung von bösen Männern in der Schlucht längst abgelegt. Ich habe sie als eine Vogelscheuchengeschichte angesehen, die sich die Mütter ausgedacht haben. Aber, wie es scheint, gibt es sie doch.

Dieses ermordete Mädchen macht mir zu schaffen. Nach dem ersten Schock spricht in der Schule kaum jemand über sie. Selbst Cordelia mag nicht über sie reden. Es ist, als hätte dieses Mädchen selbst irgend etwas Anstößiges getan, als sie ermordet wurde. Also kommt sie an den Platz, wo alles hinkommt, über das man nicht spricht, mitsamt ihrem blonden Haar, ihrem Angorapulli, ihrer Normalität. Sie rührt etwas auf, wie tote Blätter. Ich muß an eine Puppe denken, die ich früher einmal hatte, deren Rocksaum mit weißem Fell besetzt war. Ich weiß noch, daß ich mich vor dieser Puppe gefürchtet habe. Ich habe seit Jahren nicht mehr daran gedacht.

Ich sitze mit Cordelia am Eßtisch, und wir machen unsere Hausaufgaben. Ich helfe Cordelia, ich versuche ihr das Atom zu erklären, aber sie weigert sich, es ernst zu nehmen. In der graphischen Darstellung hat das Atom einen Kern und Elektronen, die um ihn kreisen. Der Kern sieht wie eine Himbeere aus, die Elektronen und ihre Ringe sehen wie der Planet Saturn aus. Cordelia drückt die Zunge in die Wange und betrachtet stirnrunzelnd den Kern. »Das sieht aus wie 'ne Himbeere«, sagt sie.

»Cordelia«, sage ich. »Wir schreiben morgen die Arbeit.« Moleküle interessieren sie nicht, sie scheint nicht fähig, die Periodentafel zu begreifen. Sie weigert sich zu verstehen, was Masse ist, sie weigert sich zu verstehen, warum Atombomben explodieren. Im Physikbuch ist ein Bild von einer Atombombenexplosion, mit Wolkenpilz und allem. Für sie ist es einfach nur eine Bombe. »Masse und Energie sind etwas Verschiedenes«, sage ich zu ihr. »*Deshalb* ist $E = mc^2$.«

»Es wäre alles viel einfacher, wenn Percy der Prüde nicht so ein Fiesling wäre«, sagt sie. Percy der Prüde ist der Physiklehrer. Er hat rote Haare, die oben hochstehen, wie die von Woody Woodpecker, und er lispelt.

Stephen geht durchs Zimmer, sieht uns über die Schulter. »Man bringt euch also noch immer diese Kinder-Physik bei«, sagt er nachsichtig. »Und das Atom sieht noch immer wie 'ne Himbeere aus.«

»Siehst du?« sagt Cordelia.

Ich finde das subversiv von Stephen. »Das ist das Atom, das in der Arbeit vorkommen wird, deshalb ist es besser, wenn du's lernst«, sage ich zu Cordelia. Und zu Stephen sage ich: »Und wie sieht's in Wirklichkeit aus?«

»Viel leerer Raum«, sagt Stephen. »Es ist so gut wie gar nicht da. Es ist nur ein paar Flecken, die von Kräften an ihrem Platz gehalten werden. Auf der subatomaren Ebene kann man nicht mal sagen, daß Materie existiert. Man kann höchstens sagen, daß sie die Tendenz hat, zu existieren.«

»Du bringst Cordelia durcheinander«, sage ich. Cordelia hat sich eine Zigarette angesteckt und sieht aus dem Fenster nach draußen, wo sich ein paar Eichhörnchen über den Rasen jagen. Sie hört überhaupt nicht zu.

Stephen betrachtet Cordelia. »Cordelia hat die Tendenz, zu existieren«, sagt er.

Cordelia geht mit Jungen nicht auf die gleiche Weise wie ich, obgleich sie schon mit welchen geht. Gelegentlich arrangiere ich über den Jungen, mit dem ich gerade gehe, Doppelverabredungen. Cordelias Begleiter ist immer ein Junge, der nicht so hoch gehandelt wird, und sie weiß das und weigert sich, ihn gut zu finden.

Cordelia scheint sich nicht entscheiden zu können, welche Art Jungen sie nun eigentlich gut finden soll. Solche mit einem Haarschnitt wie mein Bruder sind Waschlappen und Schimpansen, aber die mit Entenschwänzen sind schmierig, wenn auch sexy. Sie findet, daß die Jungen, mit denen ich gehe, die höchstens einen Bürstenschnitt haben, für sie zu jung sind. Sie hat ihren knallroten Lippenstift und den Nagellack und ihren hochgeschlagenen Kragen aufgegeben und benutzt jetzt matte Rosatöne und hält Diät und achtet auf stilvolle Kleidung. Stilvoll heißt das in den Zeitschriften. Ihre Haare sind kürzer, ihre Garderobe zurückhaltender.

Aber sie hat irgend etwas an sich, das den Jungen Unbehagen bereitet. Es ist, als sei sie den Jungen zu gefällig, zu höflich, zu einstudiert und übertrieben. Sie lacht, wenn sie glaubt, daß sie einen Witz gemacht haben, und sagt: »Das ist wirklich witzig, Stan.« Sie sagt das auch, wenn sie gar nicht die Absicht hatten, komisch zu sein, und dann wissen sie nicht, ob sie sich nur über sie lustig macht. Manchmal tut sie es, manchmal tut sie es nicht. Unpassende Worte rutschen ihr heraus. Wenn wir unsere Hamburger und Pommes frites verzehrt haben, dreht sie sich zu den Jungen um und sagt mit strahlender Miene: »Seid ihr ausreichend saturiert?« Und die starren sie dann mit offenem Mund an. Sie gehören nicht zu den Jungen mit Serviettenringen zu Hause.

Sie stellt ihnen Suggestivfragen, versucht sie in ein Gespräch zu verwickeln, wie ein Erwachsener es täte, ohne anscheinend zu wissen, daß es für sie das beste ist, sie ihrem Schweigen zu überlassen, sie nur aus den Augenwinkeln anzusehen. Cordelia versucht, sie ernsthaft, geradeheraus anzusehen; von diesem Angestarrtwerden sind sie geblendet und erstarren wie Kaninchen im Scheinwerferlicht. Wenn sie mit ihnen auf dem Rücksitz ist, erkenne ich am Atmen und Aufstöhnen, daß sie auch in dieser Hinsicht zu weit geht. »Sie ist irgendwie komisch, deine Freundin«, sagen die Jungen zu mir, aber sie können nicht sagen, warum. Ich beschließe, daß es daher kommt, daß sie keinen Bruder hat, nur Schwestern. Sie glaubt, daß bei Jungen zählt, was man sagt; sie hat die Feinheiten, die Nuancen des männlichen Schweigens nie gelernt.

Aber ich weiß, daß sich Cordelia gar nicht dafür interessiert, was die Jungen zu sagen haben, denn das hat sie mir selbst gesagt. Meistens findet sie, daß sie schwer von Begriff sind. Ihre Bemühungen, mit ihnen ein Gespräch zu führen, sind ein Rollenspiel, eine Imitation. Wenn sie mit ihnen zusammen ist, klingt ihr Lachen kultiviert und leise, wie das Lachen von Frauen im Radio, außer sie vergißt sich. Dann ist es zu laut. Sie äfft irgend etwas nach, etwas in ihrem Kopf, irgendeine Rolle oder irgendein Bild, das nur sie sehen kann.

So wie immer, kommen die Earle Grey Players auch in diesem Jahr in unsere Schule. Sie ziehen von einer High-School zur nächsten, und sie sind ziemlich bekannt. Sie führen jedes Jahr ein Stück von Shakespeare auf; es ist immer das Stück, das landesweit in den Prüfungen der dreizehnten Klasse vorkommt, das Stück, über das man in Englisch geprüft wird, um auf die Universität gehen zu können. Es gibt in Toronto nicht viele Theater, eigentlich nur zwei, so daß sich viele Leute diese Stücke ansehen. Die Schüler sehen sie sich an, weil sie in ihren Prüfungen vorkommen, und die Eltern sehen sie sich an, weil sie nicht oft Gelegenheit haben, Schauspiele zu sehen.

Die Earle Grey Players, das ist Mr. Earle Grey, der immer die männliche Hauptrolle spielt, Mrs. Earle Grey, die immer die weibliche Hauptrolle spielt, und zwei oder drei weitere Schauspieler, die angeblich Cousins von Earle Grey sind und die zwei oder mehr Rollen übernehmen. Die übrigen Rollen werden von Schülern der jewei-

ligen High-School gespielt, in der sie in der betreffenden Woche auf-
treten. Im vergangenen Jahr war es *Julius Cäsar*, und Cordelia spielte
in der Menschenmenge mit. Sie mußte sich das Gesicht mit ange-
brannten Korken einreiben, damit es wie Schmutz aussah, und von
zu Hause ein Bettlaken mitbringen und sich darin einwickeln und in
der Szene mit der Menschenmenge, in der Mark Anton seine Rede
hält, immer *Rhabarber, Rhabarber* sagen.

In diesem Jahr ist *Macbeth* dran. Cordelia ist eine Dienstmagd und
in der letzten Schlachtszene auch ein Soldat. Diesmal muß sie eine
karierte Decke von zu Hause mitbringen. Sie hat Glück, weil sie auch
einen Kilt hat, einen alten von Perdie, aus der Zeit, als die noch auf
die Privatschule für Mädchen ging. Außer ihren beiden Rollen ist
Cordelia auch noch Assistentin der Requisite. Sie muß dafür sorgen,
daß die Requisiten nach jeder Vorstellung gereinigt werden, muß sie
wieder richtig hinlegen, immer in der gleichen Reihenfolge, damit die
Schauspieler sie hinter der Bühne ergreifen und, ohne einen Gedanken daran zu verschwenden, wieder hinauslaufen können.

Während der drei Probentage ist Cordelia sehr aufgeregt. Ich
merke es, weil sie auf dem ganzen Nachhauseweg eine Zigarette nach
der anderen raucht, gelangweilt und lässig tut und die richtigen, pro-
fessionellen Schauspieler beim Vornamen nennt. Die Jüngeren geben
sich solche Mühe, witzig zu sein, sagt sie. Sie nennen die Hexen die
drei Drahtschwestern; sie nennen Cordelia ein Dotterköpfchen, und
sie drohen ihr damit, ein Molchauge und eine Froschzehe in den Kaffee zu tun. Sie sagen, daß Lady Macbeth, wenn sie während der
Wahnsinnsszene »Fort, verdammter Fleck! fort, sag ich!« sagt, ihren
Hund Fleck meint, der auf den Teppich gepinkelt hat. Sie sagt, daß
richtige Schauspieler den Namen *Macbeth* niemals laut aussprechen,
weil er Unglück bringt. Statt dessen nennen sie das Stück »Die Karos«.

»Aber du hast es gerade gesagt«, sage ich.

»Was?«

»Macbeth«, sage ich.

Mit einem Ruck bleibt Cordelia mitten auf dem Gehweg stehen.
»Oh Gott«, sagt sie. »Tatsächlich, oder?« Sie tut so, als schiebe sie es
mit einem Lachen beiseite, aber es stört sie.

Am Ende des Stücks wird Macbeths Kopf abgeschlagen, und Macduff muß ihn auf die Bühne bringen. Der Kopf ist ein Kohlkopf, der in ein weißes Geschirrtuch gewickelt ist; Macduff wirft ihn auf die Bühne, wo er mit einem eindrucksvollen Fleisch-und-Knochen-Bums aufprallt. Oder jedenfalls hört es sich bei der Probe so an. Aber an dem Abend vor der ersten Aufführung – es werden drei sein – bemerkt Cordelia, daß der Kohlkopf schlecht wird, er wird weich und matschig und riecht nach Sauerkraut. Sie ersetzt ihn durch einen taufrischen Kohlkopf.

Das Stück wird in der Schulaula aufgeführt, in der auch die Schulversammlungen stattfinden und die Chorproben. Am Eröffnungsabend ist sie gerammelt voll. Alles läuft ohne große Pannen, abgesehen von dem Gekicher an den falschen Stellen, und der anonymen Stimme, die »Mach schon, tu's!« ruft, als Macbeth vor Duncans Gemach zögert, und den anzüglichen Lauten und Pfiffen hinten aus der Aula, als Lady Macbeth in ihrem Nachthemd erscheint. Ich beobachte Cordelia in der Schlachtszene, und da ist sie, läuft in ihrem Kilt mit einem Holzschwert durch den Bühnenhintergrund, mit der Decke über den Schultern. Aber als am Ende Macduff kommt und den Kohlkopf in dem Geschirrtuch hinwirft, schlägt er nicht dumpf hin und bleibt liegen. Er hüpft, hopplahopp, wie ein Gummiball über die ganze Bühne und fällt vorne runter. Das dämpft den tragischen Effekt, und der Vorhang fällt unter Gelächter.

Es ist Cordelias Schuld, weil sie den Kohlkopf ausgetauscht hat. Sie macht sich schwere Vorwürfe. »Er *sollte* halbfaul sein«, jammert sie hinter der Bühne, wo ich hingegangen bin, um ihr zu gratulieren. »Und das sagen sie mir jetzt!« Die Schauspieler nehmen es nicht so schwer; sie sagen, es war ein völlig neuer Effekt. Aber obgleich Cordelia lacht und rot wird und es auf die leichte Schulter zu nehmen versucht, sehe ich, daß sie den Tränen nahe ist.

Ich sollte Mitgefühl verspüren, aber das tue ich nicht. Statt dessen sage ich am nächsten Tag auf dem Nachhauseweg von der Schule: »Hopplahopp, bumm, bumm, plopp«, und Cordelia sagt: »Bitte nicht.« Ihre Stimme ist tonlos, bleiern. Das ist nicht komisch. Einen Augenblick lang überlege ich, wieso ich zu meiner besten Freundin so gemein sein kann. Denn das ist sie ja schließlich.

Die Zeit vergeht, und wir sind älter, wir sind die ältesten, wir sind in der dreizehnten Klasse. Wir können auf die neuen Schüler, die noch die reinsten Kinder sind, so wie wir früher, herabsehen. Wir können über sie lächeln. Wir sind alt genug, um Biologie zu haben, das im Chemielabor unterrichtet wird. Zu diesem Zweck verlassen wir unsere Klasse und treffen uns mit Schülern aus anderen Klassen. Das ist auch der Grund, warum Cordelia meine Partnerin im Biologielabor ist, am Chemie-Labortisch, der schwarz ist und eine Spüle hat. Cordelia mag Biologie auch nicht viel lieber als Physik, durch die sie gerade so durchgerutscht ist, aber irgend etwas Naturwissenschaftliches muß sie nehmen, und ihrer Meinung nach ist Biologie leichter als eine Reihe anderer Dinge, die sie sonst nehmen müßte.

Wir erhalten Präparierkästen mit skalpellartigen Messern, die schärfer sein könnten, und Tabletts, die unten mit Wachs ausgekleidet sind, und eine Packung Nadeln, wie im Nähkurs. Zuerst müssen wir einen Wurm sezieren, jeder von uns bekommt einen. Wir sehen uns die Zeichnung vom Inneren des Wurms im Zoologiebuch an: das also sollen wir sehen, wenn wir den Wurm geöffnet haben. Die Würmer winden und ringeln sich auf den Tabletts mit dem Wachsboden, in dem Versuch, wegzukommen, kriechen sie an den Seiten entlang. Sie riechen wie Erdlöcher.

Ich befestige meinen Wurm an beiden Enden mit Nadeln und mache einen glatten vertikalen Schnitt; der Wurm zuckt, wie am Angelhaken. Ich stecke die Haut des Wurms seitlich weg. Ich kann sein Wurmherz sehen, das nicht die Form eines Herzens hat, seine Zentralarterie, die Wurmblut pumpt, sein Verdauungssystem, das voller Erde ist. »Oh«, sagt Cordelia. »Wie kannst du nur.« Ich finde, Cordelia wird immer gefühlsduseliger. Sie wird ein richtiger Waschlappen. Ich präpariere ihren Wurm für sie, als der Lehrer nicht hinsieht. Dann mache ich eine Zeichnung von dem aufgeschnittenen Wurm, mit schönen Beschriftungen.

Danach kommt der Frosch dran. Der Frosch strampelt und ist schwieriger als der Wurm, er sieht ein bißchen zu sehr aus wie ein schwimmender Mensch. Ich setze ihn mit Chloroform außer Gefecht, wie es die Anweisung verlangt, und zerlege ihn schwungvoll, befestige ihn mit den Nadeln. Ich mache eine Zeichnung vom Inneren des Froschs, mit all den Verschlingungen der Eingeweide und den Bläschen, mit seinen winzigen Lungen, seinem kaltblütigen amphibischen Herzen.

Cordelia schafft den Frosch auch nicht. Sie sagt, daß ihr schon bei dem Gedanken, das Präpariermesser durch seine Haut zu stechen, ganz übel wird. Sie sieht mich an, blaß, mit großen Augen. Der Froschgeruch macht ihr zu schaffen. Ich präpariere ihren Frosch für sie. Ich kann das gut.

Ich lerne die Gleichgewichtsorgane des Flußkrebses auswendig, seine Kiemen und Öffnungen zur Nahrungsaufnahme. Ich präge mir den Blutkreislauf der Katze ein. Der Lehrer, der sonst Footballtrainer der Jungen ist, vor kurzem aber einen Sommerkurs in Zoologie mitgemacht hat, damit er uns unterrichten kann, bestellt eine tote Katze, deren Venen und Arterien mit blauem und rosa Latex vollgepumpt sind. Er ist enttäuscht, als die Katze eintrifft, denn sie riecht eindeutig ranzig, selbst durch das Formaldehyd hindurch. Deshalb brauchen wir sie nicht zu zerlegen, wir können die Zeichnung im Buch verwenden.

Aber Würmer, Frösche und Katzen sind nicht genug für mich. Ich will mehr. Am Sonnabend gehe ich nachmittags zum Zoologiegebäude, um in den leeren Labors die Mikroskope zu benutzen. Ich sehe mir an, was auf den Objektträgern ist, Plattwürmer im Querschnitt, mit ihren dreieckigen Köpfen und den Schielaugen, bunt gefärbte Bakterien, kräftiges Pink, tiefes Purpurrot, strahlendes Blau. Sie werden von unten beleuchtet, sie sind atemberaubend, wie Glasmalerei. Ich zeichne sie, umreiße die Strukturen mit verschiedenen Buntstiften, aber dieses strahlende Leuchten kriege ich natürlich nie hin.

Mr. Banerji, der jetzt Dr. Banerji ist, entdeckt, was ich mache. Er bringt mir Präparate, von denen er glaubt, daß sie mich interessieren, bietet sie mir schüchtern und eifrig an, mit verschwörerischem Kichern, als hätten wir beide ein köstliches, esoterisches Geheimnis, als teilten wir etwas Religiöses. »Parasiten des Ringelspinners«, sagt er und legt die entsprechende Scheibe auf ein sauberes Stück Papier auf meinen Tisch. »Ei des Fichtenwicklers.«

»Danke«, sage ich, und er sieht sich meine Zeichnungen an, hebt sie mit seinen tüchtigen, abgekauten Fingern an den Ecken hoch.

»Sehr gut, sehr gut, Miss«, sagt er. »Nicht lange, und Sie werden meinen Job übernehmen.«

Er hat jetzt eine Frau, die aus Indien gekommen ist, und einen kleinen Jungen. Ich sehe sie manchmal, wie sie von der Tür aus ins Labor spähen, das Kind sanft und zweifelnd, die Frau ängstlich. Sie hat goldene Ohrringe und einen Schal mit Glitzersternchen. Unter ihrem braunen kanadischen Wintermantel ist ihr roter Sari zu sehen, aus dem unten ihre Überschuhe herausragen.

Cordelia kommt zu mir nach Hause, und ich helfe ihr bei ihrer Biologieaufgabe, und sie bleibt zum Essen bei uns. Mein Vater, der das Rindfleisch austeilt, sagt, daß jeden Tag eine Spezies ausstirbt. Er sagt, daß wir die Flüsse vergiften und die Genpools des Planeten zerstören. Er sagt, daß immer, wenn eine Spezies ausstirbt, irgendeine andere nachrückt, um die ökologische Nische zu füllen, weil die Natur kein Vakuum zuläßt. Er sagt, daß die Dinge, die nachrücken, die üblichen Unkräuter sind, und Kakerlaken und Ratten: schon bald werden alle Blumen Hundeblumen sein. Er schwenkt die Gabel durch die Luft und sagt, daß es eine neue Seuche geben wird, wenn wir uns als Spezies weiterhin derart vermehren, damit das Gleichgewicht wiederhergestellt wird. Und das wird alles nur deshalb geschehen, weil die Menschen die Grundregeln der Wissenschaft mißachtet haben, weil sie statt dessen mit Politik und Religion und Kriegen beschäftigt waren, und weil sie sich mit aller Leidenschaft Entschuldigungen ausgedacht haben, um sich gegenseitig umzubringen. Die Wissenschaft aber kennt keine Leidenschaft und keine Voreingenommenheit, sie ist die einzige universelle Sprache. Diese Sprache besteht aus Zahlen. Wenn wir am Ende bis zu den Ohren im Tod und im Müll stecken, dann wird die Wissenschaft aufgerufen sein, das, was wir angerichtet haben, wieder ins Lot zu bringen.

Cordelia hört sich alles an und lächelt ein bißchen spöttisch. Sie hält meinen Vater für ein wenig wunderlich. Ich höre ihn so, wie sie ihn wahrscheinlich hört: über so was redet man nicht bei Tisch.

Ich gehe zum Essen zu Cordelia. Bei Cordelia gibt es zweierlei Arten zu essen: einmal, wenn ihr Vater da ist, und das andere Mal, wenn er nicht da ist. Wenn er nicht da ist, geht alles holterdiepolter. Ihre Mummie kommt mit abwesender Miene in ihrem Malkittel an den Tisch, Perdie und Mirrie und auch Cordelia erscheinen in Bluejeans und irgendeinem Männerhemd, die Haare auf Lockenwickler gedreht. Sie springen vom Tisch auf, schlendern in die Küche, um mehr Butter zu holen, oder das Salz, das vergessen wurde. Sie reden alle durcheinander in trägem, amüsiertem Ton, und stöhnen, wenn sie an der Reihe sind, den Tisch abzuräumen, während Mummie ohne große Überzeugung »Kommt schon, Mädchen« sagt. Sie verliert die Energie, enttäuscht zu sein.

Aber alles ist anders, wenn Cordelias Vater da ist. Auf dem Tisch stehen Blumen und Kerzen. Mummie hat ihre Perlenkette angelegt, die Servietten stecken ordentlich gefaltet in Serviettenringen, anstatt zusammengeknüllt unter den Tellerrändern zu liegen. Nichts wird vergessen. Und es gibt keine Lockenwickler, keine Ellbogen auf dem Tisch, sogar die Rücken sind viel gerader.

Heute ist einer der Kerzentage. Cordelias Vater sitzt mit seinen buschigen Augenbrauen, seinem Wolfsblick, am Kopfende des Tischs und richtet die ganze Wucht seines schwerfälligen, ironischen, furchterweckenden Charmes auf mich. Er vermittelt einem das Gefühl, daß das, was er von einem denkt, zählt, weil es genau trifft, daß aber das, was man von ihm denkt, keinerlei Bedeutung hat.

»Ich stecke unterm Pantoffel«, sagt er und tut so, als litte er schwer. »Der einzige Mann in einem Haus voller Frauen. Morgens lassen sie mich nicht mal zum Rasieren ins Badezimmer.« Zum Spaß sucht er meine Sympathie und meine Unterstützung. Aber mir fällt dazu nichts ein.

»Er sollte sich glücklich schätzen, daß wir ihn überhaupt ertragen«, sagt Perdie. Sie kann sich ein bißchen Frechheit erlauben, ein paar fohlenhafte Freiheiten. Sie hat den Haarschnitt dafür. Mirrie macht unter Druck ein vorwurfsvolles Gesicht. Cordelia kann beides nicht besonders. Aber sie schmeicheln ihm auf gewisse Weise alle.

»Was studierst du denn so dieser Tage?« fragt er mich. Diese Frage stellt er mir fast immer. Was ich auch antworte, amüsiert ihn.

»Das Atom«, sage ich.

»Aha, das Atom«, sagt er. »Ich erinnere mich an das Atom. Und was meint das Atom dieser Tage?«

»Welches?« frage ich, und er lacht.

»In der Tat, welches«, sagt er. »Das ist sehr gut.« Vielleicht ist es das, was er will: irgendeinen Abtausch, egal was. Aber Cordelia kann das nicht, sie hat zuviel Angst vor ihm. Sie hat Angst, ihm nicht zu gefallen, und gibt sich große Mühe. Und doch ist er nie zufrieden mit ihr. Ich habe ihre zittrigen, unbeholfenen Bemühungen, ihn zu besänftigen, oft genug beobachtet. Aber nichts, was sie tut oder sagt, wird ihm je genügen, weil sie irgendwie nicht die richtige Person ist.

Ich beobachte das, und es macht mich wütend. Am liebsten würde ich ihr einen Tritt geben. Wie kann sie nur so unterwürfig sein? Wann wird sie es endlich lernen?

Cordelia fällt bei der Halbjahresprüfung in Biologie durch. Es scheint ihr nichts auszumachen. Sie hat während der Arbeit die meiste Zeit damit verbracht, heimlich von verschiedenen Lehrern der Schule Karikaturen zu zeichnen, die sie mir mit ihrem übertriebenen Lachen auf dem Heimweg zeigt.

Manchmal träume ich von Jungen. Das sind wortlose Träume, Träume von Körpern. Sie bleiben noch ein paar Minuten bei mir, nachdem ich aufgewacht bin, und ich genieße sie, aber dann vergesse ich sie bald wieder.

Ich habe auch andere Träume.

Ich träume, daß ich mich nicht bewegen kann. Ich kann nicht sprechen, ich kann nicht einmal atmen. Ich bin in einer Eisernen Lunge. Das Eisen umklammert meinen Körper wie eine harte zylindrische Haut. Es ist diese Eisenhaut, die für mich atmet, ein und aus. Ich bin kompakt und schwer, ich fühle nichts anderes als diese Schwere. Aus dem Ende der Eisernen Lunge ragt mein Kopf heraus. Ich sehe hinauf zur Decke, an der eine Lampe brennt wie gelbliches trübes Eis.

Ich träume, daß ich vor dem Spiegel auf meiner Kommode einen Pelzkragen anprobiere. Jemand steht hinter mir. Wenn ich mich bewege, damit ich in den Spiegel blicken kann, werde ich über meine Schulter sehen können, ohne mich umzudrehen. Ich werde sehen können, wer es ist.

Ich träume, daß ich ein rotes Plastiktäschchen gefunden habe, das in einer Schublade oder einer Truhe verborgen war. Ich weiß, daß sich ein Schatz darin befindet, aber ich kriege es nicht auf. Ich versuche es immer wieder, bis es schließlich platzt wie ein Ballon. Es ist voller toter Frösche.

45

Cordelia erzählt mir, daß sie, als sie noch jünger war, ein Thermometer zerbrochen und ein bißchen von dem Quecksilber runtergeschluckt hat, damit ihr schlecht wurde und sie nicht in die Schule mußte. Oder sie hat den Finger in den Hals gesteckt und sich übergeben, oder sie hat das Thermometer an eine Lampe gehalten, damit es so aussah, als hätte sie Fieber. Ihre Mutter kam ihr aber auf die Schliche, weil sie es einmal zu lange an die Lampe hielt, so daß das Quecksilber auf zweiundvierzig Grad stieg. Danach war es dann nicht mehr so leicht, mit den anderen Täuschungsmanövern durchzukommen.

»Wie alt warst du da?« frage ich sie.

»Oh, ich weiß nicht. Das war vor der High-School«, sagt sie. »Du weißt schon, in dem Alter, in dem man so was tut.«

Es ist Dienstag, Mitte Mai. Wir sitzen in einer Nische im Sunnyside. Das Sunnyside hat eine Sodabar, die blutrot gesprenkelt und mit Chrom verziert ist, und davor stehen Drehstühle, die am Boden festgeschraubt sind. Die schwarzen Sitze der hohen Stühle, wahrscheinlich nicht aus Leder, geben einen sanften Furzton von sich, wenn man sich draufsetzt, so daß Cordelia und ich und alle anderen Mädchen die Nischen vorziehen. Sie sind aus dunklem Holz, und die Tischplatte zwischen den beiden einander gegenüberstehenden Bänken ist genauso rot wie der Tresen. Hier treffen sich die Burnham-Schüler nach dem Unterricht, um zu rauchen und Coca-Cola mit einer Maraschino-Kirsche drin zu trinken. Wenn man eine Cola trinkt und zwei Aspirintabletten reingibt, wird man angeblich betrunken. Cordelia sagt, sie habe es ausprobiert; sie sagt, es sei überhaupt nicht so, wie richtig betrunken zu sein.

Anstelle von Coca-Cola trinken wir Vanillemilkshakes, jeder mit zwei Strohhalmen. Wir ziehen die Papierhülle von den Strohhalmen, so daß sie sich zu kurzen Papierraupen fälteln. Dann lassen wir Wasser aus unseren Wassergläsern drauftropfen, und die Papierraupen dehnen sich, und es sieht aus, als würden sie kriechen. Die Tische bei Sunnyside liegen voller durchweichter Papierstreifen.

»Was haben die Hühner gesagt, als die Henne eine Orange legte?«
sagt Cordelia, weil gerade eine Welle abgedroschener Hühnerwitze
über die Schule schwappt. Hühnerwitze und Idiotenwitze. *Warum
hat der Idiot die Uhr aus dem Fenster geworfen? Um zu sehen, wie
die Zeit fliegt.*

»Sieh dir die Orangenmarmelade an«, sage ich mit gelangweilter
Stimme. »Was hat der Idiot gesagt, als er drei andere Idioten sah?«

»Was?« fragt Cordelia, die ziemliche Mühe hat, sich Witze zu merken, auch wenn sie sie schon mal gehört hat.

»Ga, ga, ga«, sage ich.

»Haha«, sagt Cordelia. Teil dieses Rituals ist milder Spott über die
Witze anderer.

Cordelia malt mit verschüttetem Wasser auf dem Tisch herum.
»Erinnerst du dich noch an diese Löcher, die ich mal gegraben habe?«
sagt sie.

»Was für Löcher?« sage ich. Ich erinnere mich an keine Löcher.

»Diese Löcher in unserm Garten. Junge, ich wollte unbedingt ein
Loch da draußen. Ich fing eins an, aber der Boden war zu hart, alles
nur Steine. Deshalb habe ich ein anderes angefangen. Immer nach der
Schule hab ich dran gearbeitet, Tag für Tag. Ich hatte von der Schaufel
schon Blasen an den Händen.« Sie lächelt ein nachdenkliches, erin-
nerndes Lächeln.

»Wozu wolltest du's?« frage ich.

»Ich wollte einen Stuhl reinstellen und mich draufsetzen. Ganz
allein.«

Ich lache. »Wozu?«

»Ich weiß nicht. Ich schätze, ich wollte einen Platz, der ganz allein
mir gehörte, wo mich niemand stören konnte. Als ich noch klein war,
habe ich mich immer auf einen Stuhl in der Diele gesetzt. Ich dachte,
wenn ich mich ganz still verhielt und niemandem im Weg war und
nichts sagte, wär ich in Sicherheit.«

»Sicher wovor?« sage ich.

»Nur sicher«, sagt sie. »Als ich noch ganz klein war, hatte ich,
glaub ich, ziemlich viel Ärger mit Daddy. Wenn er die Wut kriegte.
Man wußte nie, wann es passieren würde. ›Schmink dir das blöde
Grinsen ab‹, hat er immer gesagt. Ich hab mir nie was von ihm gefallen lassen.« Sie drückt ihre Zigarette aus, die im Aschenbecher vor

sich hin geglüht hat. »Weißt du, ich fand es furchtbar, daß wir in dieses Haus gezogen sind. Ich hab die Kinder in Queen Mary gehaßt und diese ganzen langweiligen Spiele wie Seilspringen und so. Ich hatte da eigentlich nie richtig gute Freundinnen, außer dir.«

Cordelias Gesicht löst sich auf, formt sich neu: ich sehe ihr neunjähriges Gesicht vor mir, das unter dem jetzigen Gestalt annimmt. Das geschieht mit einem Wimpernschlag. Es ist, als stünde ich draußen im Dunkeln, und ein Rouleau schnellt vor einem erleuchteten Fenster hoch und gibt den Blick auf das Leben im Inneren des Zimmers frei, mit aller Klarheit und in allen Einzelheiten. Es ist ein kurzer Blick. Ich kann sehen. Und dann wieder nicht.

Mir steigt das Blut in den Kopf, und der Magen zieht sich zusammen, als wäre ich ganz knapp etwas sehr Gefährlichem entgangen. Als wäre ich beim Stehlen ertappt worden oder bei einer Lüge; oder als hätte ich gehört, wie andere Leute über mich reden, wie sie schlechte Dinge über mich sagen, hinter meinem Rücken. Es ist dieselbe Welle von Scham, ein Gefühl von Schuld und Schrecken und von kaltem Ekel vor mir selbst. Aber ich weiß nicht, woher diese Gefühle kommen, was ich getan habe.

Ich will es nicht wissen. Was immer es ist, es ist nichts, das ich brauche oder will. Ich will hier sein, an diesem Dienstag im Mai, in der Nische im Sunnyside am roten Tisch und Cordelia dabei zusehen, wie sie die letzten Tropfen ihres Milkshakes durch die Strohhalme hochschlürft. Sie hat nichts gemerkt.

»Ich weiß noch einen«, sage ich. »Warum ist das Huhn ungewaschen über die Straße gelaufen?«

»Warum?« sagt Cordelia.

»Weil es ein dreckiger Überläufer war«, sage ich.

Cordelia verdreht die Augen, so wie Perdie. »Sehr komisch«, sagt sie.

Ich schließe die Augen. In meinem Kopf ist ein Quadrat aus Dunkelheit – und aus purpurroten Blumen.

46

Ich fange an, Cordelia auszuweichen. Ich weiß nicht, warum.

Wir gehen nicht mehr zusammen aus. Ich sage ihr, daß der Junge, mit dem ich gehe, keine passenden Freunde hat. Ich sage, daß ich nach der Schule noch dableiben muß, was auch stimmt: Ich male die Dekorationen für die nächste Tanzveranstaltung, Palmen und Mädchen in Hula-Röcken.

An manchen Tagen wartet Cordelia auf mich, so daß ich trotzdem mit ihr zusammen nach Hause gehen muß. Sie redet und redet, als wäre alles in Ordnung, und ich sage wenig; aber ich habe ja auch sonst nie viel geredet. Nach einer Weile sagt sie übertrieben heiter: »Aber ich habe ja die ganze Zeit nur von mir geredet. Und was ist mit dir?« Und ich lächle und sage: »Nicht viel.« Manchmal macht sie einen Witz draus und sagt: »Aber genug von mir, und was denkst *du* von mir?« Und ich greife den Witz auf und sage: »Nicht viel.«

Cordelia schreibt mehr und mehr schlechte Arbeiten. Es scheint sie nicht weiter zu stören, oder zumindest will sie nicht darüber reden. Ich helfe ihr jetzt auch nicht mehr bei den Hausaufgaben, weil ich weiß, daß sie sowieso nicht zuhört. Sie hat Schwierigkeiten, sich auf irgend etwas zu konzentrieren. Selbst wenn sie einfach nur redet, auf dem Nachhauseweg, wechselt sie das Thema oft mitten im Satz, so daß man ihr nur schwer folgen kann. Sie ist auch nicht mehr so gepflegt angezogen, wird wieder so schlampig wie vor ein paar Jahren. Sie hat ihre gebleichte Strähne im Haar rauswachsen lassen, so daß sie jetzt irritierend zweifarbig ist. In ihren Nylonstrümpfen sind Laufmaschen, an ihrer Bluse sind Knöpfe abgeplatzt. Ihr Lippenstift scheint irgendwie nicht zu ihrem Mund zu passen.

Es wird beschlossen, daß es für Cordelia das beste ist, wieder die Schule zu wechseln, und das tut sie dann auch. Danach ruft sie mich öfters an, aber dann nicht mehr so oft. Sie sagt, wir sollten uns bald mal treffen. Ich lehne es nie ab, aber ich mache auch nie eine feste Zeit aus. Nach einer Weile sage ich dann: »Ich muß jetzt Schluß machen.«

Cordelias Familie zieht in ein anderes, größeres Haus, in einer vornehmeren Gegend weiter nördlich. In ihr altes Haus ziehen irgendwelche Holländer. Sie pflanzen einen Haufen Tulpen an. Das scheint das Ende von Cordelia.

Ich schreibe die letzten Arbeiten in der dreizehnten Klasse, ein Fach nach dem anderen, Tag für Tag sitze ich an einem Tisch in der Turnhalle. Die Blätter sind schon alle heraus, die Schwertlilien blühen, es herrscht eine Hitzewelle; die Turnhalle heizt sich wie ein Ofen auf, und wir sitzen alle da, überhitzt, schreiben, während die Turnhalle ihren Geruch vergangener Athleten ausströmt. Die Lehrer patrouillieren in den Gängen. Mehrere Mädchen fallen in Ohnmacht. Ein Junge kippt um, und später stellt sich heraus, daß er sich einen Krug Tomatensaft aus dem Kühlschrank geholt und ausgetrunken hat, der in Wirklichkeit gar keinen Tomatensaft enthielt, sondern Bloody Marys für den Bridgeclub seiner Mutter. Ich sehe kaum von meiner Arbeit auf, als die Körper hinausgetragen werden.

Ich weiß, daß ich die beiden Biologieprüfungen gut bestehen werde. Ich kann alles zeichnen: Krebsohren von innen, das menschliche Auge, die Geschlechtsorgane von Fröschen, den Querschnitt der Löwenmaulblüte (*Antirrhinum majus*). Ich kenne den Unterschied zwischen einem Razem und einem Rhizom, ich kann die Fotosynthese erklären, ich weiß, wie man *Scrofulariaciae* schreibt. Aber mitten in der Botanikprüfung trifft es mich wie ein Schlag, wie ein plötzlicher epileptischer Anfall, und ich weiß, daß ich keine Biologin werde, wie ich immer geglaubt habe. Ich werde Malerin werden. Ich starre auf das Papier, auf dem der Lebenszyklus des Pilzes von der Spore bis zum Fruchtkörper Form annimmt, und ich weiß dies mit absoluter Gewißheit. Von einem Augenblick zum andern hat sich mein Leben geändert, geräuschlos. Ich fahre mit meinen Darstellungen von Knollen, Zwiebeln und Fruchtstempeln fort, als wäre nichts geschehen.

Eines Abends, gleich nachdem die Abschlußprüfungen vorbei sind, klingelt das Telefon. Es ist Cordelia. Mir wird klar, daß ich dies erwartet habe.

»Ich würd dich gern sehen«, sagt sie. Ich will sie nicht sehen, aber ich weiß, daß ich hingehen werde. Was ich höre, ist nicht *würde*, sondern *muß*.

Am nächsten Nachmittag nehme ich die U-Bahn und dann den Bus, fahre durch die heiße Stadt nach Norden, wo Cordelia jetzt wohnt. Hier oben war ich noch nie. Die Straße ist gewunden, die Häuser sind groß, gewichtig, im georgianischen Stil, liegen hinter üppigem Buschwerk. Als ich die Auffahrt hinaufgehe, sehe ich, oder glaube ich, Cordelias Gesicht am Fenster zu sehen, blaß und verschwommen. Sie öffnet die Tür, noch bevor ich geklingelt habe.

»Hallo, wie geht's?« sagt sie. »Lange nicht gesehen.« Ihre Fröhlichkeit ist nicht echt, und wir wissen es beide, denn Cordelia ist ein Wrack. Ihr Haar ist stumpf, ihr Gesicht teigig. Sie hat stark zugenommen, aber kein festes, muskulöses Gewicht, sondern schlaffes Fettgewebe, aufgedunsen und wäßrig. Sie nimmt wieder den viel zu grellen orangeroten Lippenstift, der ihr Gesicht gelb macht. »Ich weiß«, sagt sie. »Ich seh aus wie Haggis McBaggis.«

Das Haus ist kühl. Die Diele besteht aus weißen und schwarzen Rechtecken; in der Mitte führt eine elegante Treppe nach oben. An ihrem Fuß steht ein Strauß Gladiolen auf einem glänzend polierten Tisch. In dem Haus ist es völlig still, außer einer Uhr, die im Wohnzimmer tickt. Niemand sonst scheint zu Hause zu sein.

Wir gehen nicht ins Wohnzimmer, sondern nach hinten, an der Treppe vorbei und durch eine Tür in die Küche, wo mir Cordelia eine Tasse Fertigkaffee macht. Die Küche ist sehr schön, perfekt eingerichtet, in blassen Farben und friedlich. Der Kühlschrank und der Herd sind weiß. Manche Leute haben jetzt farbige Kühlschränke, blaßgrün oder pink, aber ich mag diese Farben nicht, und ich bin froh, daß Cordelias Mutter sie auch nicht mag. Auf dem Küchentisch, den ich als den Wohnzimmertisch aus ihrem alten Haus wiedererkenne und aus dem die beiden mittleren Fächer herausgenommen sind, liegt ein aufgeschlagenes liniiertes Schulheft. Das bedeutet, daß sie einen neuen Eßtisch haben müssen. Erschrocken merke ich, daß ich den neuen Eßtisch lieber sehen würde als Cordelia.

Cordelia kramt im Kühlschrank und bringt eine geöffnete Packung mit Krapfen zum Vorschein. »Ich warte schon die ganze Zeit auf einen Vorwand, sie aufzuessen«, sagt sie. Aber schon nach dem ersten Bissen zündet sie sich eine Zigarette an.

»Also«, sagt sie. »Was treibst du so?« Das ist ihre viel zu fröhliche Stimme, die Stimme, die sie immer bei den Jungen hatte. Im Augenblick macht sie mir angst.

»Ach, nur das übliche«, sage ich. »Du weißt schon, die Abschlußprüfungen.« Wir sehen uns an. Es geht ihr schlecht, soviel ist klar. Ich weiß nicht, ob sie will, daß ich das ignoriere oder nicht. »Und du?« frage ich.

»Ich hab jetzt 'ne Privatlehrerin«, sagt sie. »Ich soll jetzt eigentlich lernen. Für die Sommerkurse.« Ohne es auszusprechen, wissen wir beide, daß sie die Klasse trotz der neuen Schule nicht geschafft hat. Sie muß ziemlich schlimm durchgerasselt sein. Falls sie die Fächer, in denen sie durchgefallen ist, nicht bei den nächsten Prüfungen oder irgendwann besteht, wird sie nie an eine Universität gehen können.

»Ist die Privatlehrerin nett?« sage ich, als würde ich mich nach einem neuen Kleid erkundigen.

»Glaub schon«, sagt Cordelia. »Sie heißt Miss Dingle. Sie heißt wirklich so. Sie kneift die ganze Zeit die Augen zusammen, sie hat wäßrige Augen. Sie wohnt in einem vergammelten Appartement. Sie hat lachsfarbene Unterwäsche, sie hängt sie zum Trocknen über den Duschvorhang in ihrem vergammelten Badezimmer. Ich kann sie jederzeit vom Thema abbringen, indem ich mich nach ihrer Gesundheit erkundige.«

»Von welchem Thema?« frage ich.

»Ach, einfach jedem«, sagt Cordelia. »Physik, Latein. Von allem und jedem.« Es klingt, als schämt sie sich ein bißchen, aber auch stolz und erregt. So wie damals, als sie immer die Sachen mitgehen ließ. Das ist jetzt ihre große Leistung: die Nachhilfelehrerin abzulenken.

»Ich weiß nicht, warum alle glauben, ich würd den ganzen Tag mit Lernen verbringen«, sagt sie. »Ich schlafe viel. Oder ich trink Kaffee und rauch und hör mir Schallplatten an. Manchmal nehm ich 'nen kleinen Schluck aus Daddys Whiskyflasche. Ich füll sie mit Wasser auf. Bis jetzt hat er noch nichts gemerkt!«

»Aber *irgendwas* mußt du doch tun, Cordelia!« sage ich.

»Warum?« fragt sie, fast so herausfordernd wie früher. Sie meint es nicht nur im Spaß.

Und ich kann ihr keinen Grund nennen. Ich kann nicht sagen: »Weil das alle tun.« Ich kann nicht mal sagen: »Du mußt dir doch deinen Lebensunterhalt verdienen«, denn offensichtlich hat sie das nicht nötig, sie wohnt ja hier, in diesem großen Haus, und sie verdient absolut keinen Lebensunterhalt. Sie könnte einfach immer so weitermachen, wie eine Frau von früher, eine unverheiratete Tante, ein ältliches übriggebliebenes Mädchen, das nie aus dem Haus geht. Es ist unwahrscheinlich, daß ihre Eltern sie rauswerfen würden.

Also sage ich: »Du wirst dich langweilen.«

Cordelia lacht, zu laut. »Und wenn ich lerne?« sagt sie. »Ich besteh meine Prüfungen. Ich geh auf die Universität. Ich lern es alles. Dann werd ich eine Miss Dingle. Nein danke.«

»Sei kein Idiot«, sage ich. »Wer sagt denn, daß du Miss Dingle sein mußt?«

»Vielleicht bin ich ein Idiot«, sagt sie. »Ich kann mich einfach nicht auf das Zeug konzentrieren, ich kann kaum lesen, was da steht, alles verschwimmt mir vor den Augen, und es werden kleine schwarze Punkte draus.«

»Vielleicht könntest du 'ne Sekretärinnenausbildung machen«, sage ich. Ich habe es kaum ausgesprochen, da komme ich mir schon wie eine Verräterin vor. Sie weiß genau, was wir beide von Mädchen halten, die auf die Sekretärinnenschule gehen und sich spinnenbeindünne Augenbrauen zupfen und rosa Nylonblusen tragen.

»Danke bestens.« Wir schweigen. »Aber laß uns nicht mehr davon reden«, sagt sie dann, wieder mit ihrer übertrieben fröhlichen Stimme. »Laß uns von Sachen reden, die Spaß machen. Erinnerst du dich an den Kohlkopf? Der über die Bühne gehüpft ist?«

»Ja«, sage ich. Mir kommt der Gedanke, daß sie vielleicht schwanger ist, oder daß sie vielleicht schwanger war. Es ist normal, bei Mädchen an so etwas zu denken, wenn sie von der Schule abgehen. Aber ich komme zu dem Schluß, daß es unwahrscheinlich ist.

»Ich hab mich so geschämt«, sagt sie. »Weißt du noch, wie wir immer in die Stadt gefahren sind und in der Union Station Fotos von uns gemacht haben? Wir hielten uns für unheimlich toll!«

»Kurz bevor die U-Bahn gebaut wurde«, sage ich.

»Wir haben mit Schneebällen auf alte Damen geworfen. Und diese albernen Lieder gesungen.«

»Lepra«, sage ich.

»Ein Stück von deinem Herzen«, sagt sie. »Wir haben uns für absolute Spitze gehalten. Wenn ich jetzt manchmal Kinder in dem Alter sehe, denke ich: *dumme Gören*!«

Sie blickt auf diese Zeit zurück, als wäre sie für sie ein goldenes Zeitalter gewesen; oder vielleicht kommt es ihr deshalb so vor, weil es besser war als jetzt. Aber ich will nicht, daß sie sich noch weiter erinnert. Ich möchte mich vor ihren dunkleren Erinnerungen schützen, mit Anstand hier herauskommen, bevor es peinlich wird. Sie bewegt sich am Rande einer künstlichen Fröhlichkeit, die jeden Augenblick ins Gegenteil umschlagen könnte, in Tränen und Verzweiflung. Ich will nicht mitansehen, wie sie zusammenbricht, weil ich ihr nichts an Trost zu bieten habe.

Ich mache mich ihr gegenüber hart. Sie führt sich auf wie eine Blöde. Niemand zwingt sie, sich einzusperren, in diesem jämmerlichen, endlosen, billigen Elend auszuharren. Sie hat so viele Chancen, sie kann frei wählen, und das einzige, was sie davon abhält, ist ihr Mangel an Willenskraft. *Reiß dich zusammen*, möchte ich zu ihr sagen. *Komm in die Strümpfe.*

Ich sage ihr, daß ich zurück muß, daß ich noch eine Verabredung habe. Das ist nicht wahr, und sie ahnt es. Obwohl sie so durcheinander ist, hat sich ihr Instinkt für gesellschaftliche Unwahrheiten geschärft. »Natürlich«, sagt sie. »Das ist völlig verständlich.« Sie sagt es mit ihrer distanzierten Erwachsenenstimme.

Jetzt, da ich mich beeile, so tue, als müßte ich schnell irgendwohin, wird mir klar, daß der Grund für meine hastige Flucht ihre Mutter ist, der ich auf keinen Fall begegnen möchte, wenn sie, von wo immer sie war, nach Hause kommt. Ihre Mutter würde mich vorwurfsvoll ansehen, als wäre ich für Cordelias gegenwärtige Verfassung verantwortlich, als wäre sie enttäuscht, nicht von Cordelia, sondern von mir. Warum sollte ich mich einem solchen Blick aussetzen, für etwas, an dem ich nicht schuld bin?

»Wiedersehn, Cordelia«, sage ich im Flur. Ich drücke kurz ihren Arm, mache einen Schritt zurück, bevor sie mich auf die Wange küssen kann. Auf die Wange küssen ist in ihrer Familie üblich. Ich weiß, daß sie etwas von mir erwartet hat, irgendeine Verbindung zu ihrem alten Leben oder zu sich selbst. Ich weiß, daß ich versagt habe, daß ich ihr das nicht habe geben können. Ich bin über mich selbst erschrocken, über meine Grausamkeit und Gleichgültigkeit, meinen Mangel an Gutmütigkeit. Aber ich spüre auch Erleichterung.

»Ich ruf dich an«, sage ich. Ich lüge, aber sie zieht es vor, das nicht zur Kenntnis zu nehmen.

»Das wär nett«, sagt sie, uns beide mit Höflichkeit schützend.

Ich gehe die Auffahrt zur Straße hinunter, drehe mich um und blicke zurück. Da ist wieder ihr Gesicht hinter dem Fenster, die verschwommene Spiegelung eines Mondes.

Aktbilder

47

Es gibt verschiedene Krankheiten des Gedächtnisses. Das Vergessen von Substantiven, zum Beispiel, oder von Zahlen. Und es gibt noch komplexere Amnesien. Bei einer kann man seine gesamte Vergangenheit verlieren, so daß man wieder von vorn beginnen muß, lernen muß, Schuhbänder zuzubinden, mit der Gabel zu essen, zu lesen und zu singen. Man wird seinen Verwandten vorgestellt, den ältesten Freunden, als hätte man sie noch nie zuvor gesehen; man erhält eine zweite Chance bei ihnen, die besser ist als Vergebung, denn es ist ein Neubeginn in völliger Unschuld. Bei einer anderen Form behält man die weit zurückliegende Vergangenheit, verliert aber die Gegenwart. Man kann sich nicht daran erinnern, was vor fünf Minuten geschehen ist. Wenn jemand, den man sein ganzes Leben lang gekannt hat, aus dem Zimmer geht und kurz darauf wieder hereinkommt, begrüßt man ihn, als hätte man ihn seit zwanzig Jahren nicht mehr zu Gesicht bekommen; man weint und weint vor Freude und Erleichterung, wie bei der Wiedervereinigung mit einem Toten.

Manchmal frage ich mich, unter welcher Form ich einmal leiden werde, später; denn ich weiß, eine wird mich treffen.

All die Jahre wollte ich älter sein, und jetzt bin ich es.

Ich sitze in dem harten Ultraschwarz des »Quasi«, trinke Rotwein und starre aus dem Fenster. Hinter der Scheibe gleitet Cordelia vorbei, fließt auseinander und wieder zusammen und hat sich in jemand anderen verwandelt. Eine weitere Verwechslung.

Warum haben sie ihr diesen Namen gegeben? Dieses Gewicht um ihren Hals gehängt, Herz des Mondes, Juwel des Meeres, je nach der Sprache, auf die man sich bezieht. Die dritte Schwester, die einzig ehrliche. Die dickköpfige, die zurückgewiesene, die nicht gehört wurde. Wäre alles anders, wenn man sie Jane genannt hätte?

Meine Mutter hat mich nach ihrer besten Freundin genannt, wie es damals üblich war. Elaine, das war mir früher einmal zu klagend vorgekommen. Ich hätte lieber einen eindeutigeren, einsilbigen Namen gehabt: Dot oder Pat, als stampfte jemand mit dem Fuß auf. Nichts, bei dem man einen Fehler machen konnte; nichts Wäßriges. Aber mit der Zeit hat sich mein Name um mich herum erhärtet. Für mich ist er jetzt fest, aber anschmiegsam, wie ein vielgetragener Handschuh.

Es gibt hier eine Menge Neoschwarz, einiges in Leder, einiges in Vinyl. Diesmal bin ich darauf vorbereitet, ich habe meinen schwarzen Rollkragenpullover und meinen schwarzen Trenchcoat mit der abknöpfbaren Kapuze an, aber es ist nicht der richtige Stoff. Und das richtige Alter habe ich auch nicht: hier ist niemand über zwölf. Es war Jons Vorschlag. Man kann sich auf ihn verlassen, bis zum Ertrinken wird er mit der letzten Welle schwimmen.

Er hat aus dem Zuspätkommen immer einen Fetisch gemacht, um zu zeigen, daß sein Leben mit vielen Dingen vollgepackt ist, alle wichtiger als ich, und heute ist keine Ausnahme. Dreißig Minuten später als verabredet kommt er hereingerauscht. Diesmal entschuldigt er sich aber. Hat er etwas dazugelernt, oder führt seine neue Frau ein strengeres Regiment? Komisch, daß ich sie immer noch als »neu« laufen habe.

»Macht nichts, ich war drauf programmiert«, sage ich. »Ich bin froh, daß du zum Spielen rauskommen durftest.« Ein kleiner einleitender Seitenhieb auf seine Frau.

»Mit dir zu Mittag zu essen, wird kaum als Spielen durchgehen«, sagt er grinsend.

Er ist noch nicht aus der Übung. Wir mustern einander. In den vier Jahren hat er noch ein paar Fältchen mehr gekriegt, und die Koteletten und der Schnurrbart sind noch ein bißchen grauer geworden. »Bitte nicht die kahle Stelle erwähnen«, sagt er.

»Welche kahle Stelle?« sage ich und gebe damit zu verstehen, daß ich über seine physische Degeneration hinwegsehen werde, wenn er über meine hinwegsieht. Auch darin hat er Übung.

»Du siehst besser aus denn je«, sagt er. »Der große Ausverkauf scheint dir zu bekommen.«

»Tut er auch«, sage ich. »Das ist viel besser als Leuten in den Arsch zu kriechen und in Blut-und-Kotz-Filmen Frauenkörper zu zerstückeln.« Früher hätte das blutende Wunden geschlagen, aber offenbar hat er sich mit seinem Schicksal abgefunden. Er zuckt die Achseln, macht das Beste draus; aber er sieht müde aus.

»Leb lang genug, und der Kriecher wird zum Bekrochenen«, sagt er. »Seit ich den explodierenden Augapfel gemacht hab, stehn sie hinter mir Schlange.«

Die Gelegenheit für krude sexuelle Anspielung ist da, aber ich drücke mich. Außerdem hat er recht: So wie die Dinge liegen, sind jetzt wir das Establishment. Jedenfalls müssen wir so wirken. Früher sind die Leute, die ich kannte, an Selbstmord und durch Verkehrsunfälle und andere Formen der Gewalt gestorben. Jetzt sind es Krankheiten: Herzinfarkt, Krebs, Verrat des Körpers. Die Welt wird von Leuten meines Alters regiert, Männern meines Alters, mit sich lichtendem Haar und anfälliger Gesundheit, und das macht mir angst. Wenn die Politiker älter wären als ich, könnte ich an ihre Weisheit glauben, ich könnte glauben, daß sie über Haß und Wut und den Wunsch nach Liebe hinaus sind. Aber ich weiß es jetzt besser. Ich sehe mir die Gesichter in den Zeitungen an, in den Magazinen, und frage mich: Welche Begierden, welche Furien treiben sie?

»Und wie geht's mit deiner richtigen Arbeit?« sage ich besänftigend, lasse ihn wissen, daß ich ihn noch immer ernst nehme.

Das beunruhigt ihn. »Ganz gut«, sagt er. »In letzter Zeit bin ich allerdings nicht viel dazu gekommen.«

Wir schweigen, denken über unsere Defizite nach. Es bleibt uns nicht mehr viel Zeit, das zu werden, was wir früher einmal hatten werden wollen. Jon hat Potential, aber das ist kein Wort, das sich jetzt noch ohne Verlegenheit auf ihn anwenden läßt. Auch Potential hat ein Verfallsdatum.

Wir reden von Sarah, entspannt und ohne Konkurrenz, als wären wir ihre Tante und ihr Onkel. Wir reden von meiner Ausstellung.

»Ich nehm an, du hast das Blutbad in der Zeitung gesehen«, sage ich.

»War das 'n Blutbad?« sagt er.

»Ist meine Schuld. Ich war nicht gerade nett zu der Interviewerin«, sage ich, mit zerknirschter Stimme, wie ich hoffe. »Ich bin auf dem besten Weg, 'ne giftige alte Hexe zu werden.«

»Ich wär enttäuscht, wenn du das nicht wärst«, sagt er. »Bring sie zum Schwitzen, dafür werden sie schließlich bezahlt.« Wir lachen beide. Er kennt mich. Er weiß, wie übel ich sein kann.

Ich sehe ihn mit der gleichen nostalgischen Zuneigung an, die Männer angeblich für ihre Kriege empfinden und für ihre alten Kameraden. Ich denke daran, daß ich diesem Mann früher einmal Sachen an den Kopf geworfen habe. Ich habe einen Glasaschenbecher auf ihn geworfen, einen ziemlich billigen, der nicht zerbrach. Ich habe einen Schuh (seinen) und eine Handtasche (meine) auf ihn geworfen, ohne die Handtasche vorher auch nur zugemacht zu haben, so daß ein Metallregen aus Schlüsseln und Kleingeld auf ihn niederging. Das Schlimmste, was ich je auf ihn geworfen habe, war ein kleines tragbares Fernsehgerät, ich stand auf dem Bett und wuchtete es gegen ihn, obgleich ich im selben Augenblick, in dem ich es losließ, dachte: *O Gott, laß ihn sich ducken!* Eine Zeitlang glaubte ich sogar, ich sei fähig, ihn umzubringen. Heute verspüre ich nur ein mildes Bedauern, daß wir damals nicht zivilisierter miteinander umgegangen sind. Trotzdem, es war erstaunlich, all diese Explosionen, diese Unbekümmertheit, dieser Trümmerhaufen in Technicolor. Erstaunlich und quälend und fast tödlich.

Jetzt, nachdem ich vor ihm mehr oder weniger sicher bin, und er vor mir, denke ich mit Wärme an ihn, erinnere mich sogar an Einzelheiten, und das ist mehr, als ich von verschiedenen anderen sagen kann. Verflossene Liebhaber gehen denselben Weg wie alte Fotografien, sie bleichen allmählich aus, wie in einem langsamen Säurebad: zuerst die Leberflecken und Pickel, dann die Schattierungen, dann die Gesichter selbst, bis nichts bleibt außer den allgemeinen Konturen. Was wird von ihnen übrig sein, wenn ich siebzig bin? Nichts von der barocken Ekstase, nichts von dem grotesken Zwang. Ein Wort oder zwei, die in der inneren Leere schweben. Vielleicht eine Zehe hier, ein Nasenflügel dort, oder ein Schnurrbart, der wie eine kleine Locke aus Seegras zwischen dem anderen Strandgut treibt.

Mir gegenüber, an dem nachtschwarzen Tisch, sitzt Jon, er ist schon verkleinert, aber er bewegt sich noch, er atmet noch. In mir ist ein Splitter von Schmerz, ein Stückchen Sehnsucht: *Geh noch nicht! Es ist noch nicht Zeit! Geh nicht!* Es wäre – wie immer – dumm, ihm meine Sentimentalität, meine Schwäche zu zeigen.

Was wir essen, ist vage thailändisch: ein saftiges, würziges Hühnchen, einen Salat aus exotischem Laubwerk, rote Blätter mit kleinen purpurfarbenen Spritzern darin. Buntes Essen. Solche Dinge ißt man heutzutage, wenn man an Orten wie diesem ißt: Toronto ist jetzt nicht mehr das Land der Hühnerfrikassees, der Rindfleischeintöpfe, des zu weich gekochten Gemüses. Ich erinnere mich an meinen ersten Avocado, damals war ich zweiundzwanzig. Es war wie das erste Symphonieorchester meines Vaters. Perverserweise sehne ich mich nach den Nachspeisen meiner Kindheit, den Nachspeisen des Krieges, einfach und billig und ohne Drum und Dran: der Sagopudding mit seinen gelatineartigen Fischaugen, der Karamelpudding, Quarkspeise. Quarkspeise wurde aus weißen Tabletten gemacht, die aus einer Tube kamen, und mit einem Klecks Traubengelee obendrauf serviert. Wahrscheinlich gibt es das heute gar nicht mehr.

Jon hat uns eine Flasche bestellt; Glas für Glas, das ist nichts für ihn. Es erinnert mich an seine alte bombastische Art, an das alte Pfauenrad, und wirkt irgendwie beruhigend auf mich.

»Wie geht's deiner Frau?« frage ich.

»Ach«, sagt er, ohne aufzublicken. »Mary Jean und ich haben beschlossen, es 'ne Weile getrennt zu probieren.«

Das ist vielleicht die Erklärung für den Kräutertee: irgendein jüngerer, mehr vegetarischer Einfluß, der sich heimlich im Studio ausbreitet. »Ich schätze, du hast irgendwas laufen«, sage ich.

»Ehrlich gesagt war es Mary Jean, die gegangen ist«, sagt er.

»Tut mir leid«, sage ich. Und sofort tut es mir auch wirklich leid, ich bin entrüstet, wie konnte sie ihm das antun, dieses kaltherzige, gefühllose Weib. Ich bin ganz auf seiner Seite, trotz der Tatsache, daß ich ihm vor ein paar Jahren dasselbe angetan habe.

»War wohl zum Teil meine Schuld«, sagt er. So etwas hätte er früher niemals zugegeben. »Sie sagte, sie käme nicht an mich ran.«

Ich wette, das war nicht alles, was sie gesagt hat. Er hat etwas verloren, irgendeine Illusion, von der ich immer geglaubt habe, daß er sie benötigt. Er hat festgestellt, daß er auch nur ein Mensch ist. Oder ist dies eine Darbietung für mich, um mir zu zeigen, daß er nicht von gestern ist? Vielleicht hätte man den Männern besser nie was über ihre Menschlichkeit erzählen sollen. Es hat sie nur unsicher gemacht.

Es hat sie nur dazu gebracht, trickreicher, hinterlistiger, ausweichender zu sein und schwerer zu durchschauen.

»Wenn du nicht so verrückt gewesen wärst«, sage ich, »hätte es vielleicht funktionieren können. Mit uns, mein ich.«

Sofort lebt er auf. »Wer war verrückt?« sagt er mit einem Grinsen. »Wer hat wen ins Krankenhaus gefahren?«

»Wenn du nicht gewesen wärst«, sage ich, »hätte ich nicht ins Krankenhaus gefahren werden müssen.«

»Das ist nicht fair, das weißt du genau«, sagt er.

»Du hast recht«, sage ich. »Es ist nicht fair. Ich bin froh, daß du mich ins Krankenhaus gefahren hast.«

Männern zu vergeben ist so viel leichter, als Frauen zu vergeben.

»Ich bring dich«, sagt er, als wir draußen auf dem Bürgersteig sind. Es wäre schön. Wir kommen so gut miteinander aus, nun, da nichts mehr auf dem Spiel steht. Ich verstehe, warum ich mich in ihn verliebt habe. Aber ich habe jetzt nicht die Energie dafür.

»Nicht nötig«, sage ich. Ich will nicht zugeben, daß ich nicht weiß, wo ich hin will. »Vielen Dank für das Atelier. Sag Bescheid, wenn du irgendwas von da brauchst.« Obgleich ich weiß, daß er nicht hinkommen wird, solange ich dort bin, will ich sichergehen, denn es ist noch immer zu anstrengend und auch zu gefährlich, allein mit ihm in einem Raum zu sein, der sich abschließen läßt.

»Vielleicht können wir später was zusammen trinken«, sagt er.

»Ja, vielleicht«, sage ich.

Nachdem ich mich von Jon getrennt habe, gehe ich durch die Queen Street nach Osten, an den Straßenhändlern vorbei, die gewagte T-Shirts verkaufen, an den Strumpfhaltergürteln und Satinschlüpfern in den Auslagen vorbei. Ich muß an ein Bild denken, das ich vor Jahren gemalt habe. *Fallende Frauen* war der Titel. Eine ganze Reihe meiner Bilder von damals sind aus meiner Verwirrung über Wörter entstanden.

Auf dem Bild waren keine Männer, aber es handelte von Männern, von der Art Männer, die Frauen zu Fall brachten. Ich habe diesen Männern keine Absicht unterstellt. Sie waren wie das Wetter, sie besaßen keinen Verstand. Sie durchweichten einen nur oder schlugen

wie der Blitz ein und zogen dann weiter, gedankenlos wie Schnee-
stürme. Oder sie waren wie Felsen, eine ganze Reihe scharfkantiger,
schlüpfriger Felsen mit ausgezackten Rändern. Man konnte sich zwischen diesen Felsen vorsichtig fortbewegen, jeden Schritt sorgfältig
prüfend, bevor man ihn tat, denn wenn man ausrutschte, würde man
hinfallen und sich weh tun, aber es hatte keinen Sinn, dafür den Felsen die Schuld zu geben.

Das mußte es sein, was mit gefallenen Frauen gemeint war. Gefallene Frauen waren Frauen, die auf Männer gefallen waren und sich
weh getan hatten. Es lag eine Bewegung nach unten darin, gegen den
eigenen Willen, aber auch ohne den Willen eines anderen. Gefallene
Frauen wurden nicht nach unten gezogen und auch nicht gestoßen,
sondern sie fielen von selbst. Natürlich war da noch Eva und der
Sündenfall; aber in dieser Geschichte ging es nicht ums Fallen, sondern ums Essen, wie in den meisten Kindergeschichten.

Fallende Frauen zeigte drei Frauen, die wie durch Zufall von einer
Brücke fielen, und deren Röcke der Wind zu Glocken aufblähte, deren Haare nach oben strömten. Da fielen sie hin, auf die Männer, die
unsichtbar, schroff und dunkel und willenlos weit unten lagen.

48

Ich starre auf eine nackte Frau. Auf einem Bild wäre sie ein Akt, aber sie ist nicht auf einem Bild. Sie ist die erste lebendige nackte Frau, die ich je gesehen habe, außer mir selbst im Spiegel. Die Mädchen im Umkleideraum in der High-School hatten immer ihre Unterwäsche an, was nicht dasselbe ist, und die Frauen in den einteiligen Lycra-Stretch-Badeanzügen mit sittsamen Einsätzen, die in den Werbeanzeigen der Zeitschriften abgebildet waren, sind auch etwas anderes.

Selbst diese Frau ist nicht völlig nackt, denn sie hat sich ein Laken über die linke Hüfte drapiert und zwischen die Beine gezogen: es ist kein Haar zu sehen. Sie sitzt auf einem Schemel, ihr Hintern wird nach außen gequetscht; der kräftige Rücken ist gebogen, ihr rechtes Bein über das linke gelegt, ihr rechter Ellbogen ruht auf ihrem rechten Knie, ihr linker Arm greift nach hinten, die Hand liegt auf dem Schemel. Ihre Augen sehen gelangweilt aus, ihr Kopf ist nach vorn gebeugt, wie man ihn ihr zurechtgerückt hat. Sie sieht verkrampft aus, unbehaglich, und auch kalt: Ich kann die Gänsehaut an ihren Oberarmen sehen. Sie hat einen dicken Hals. Ihr Haar ist gekräuselt und kurz, rot mit dunkleren Wurzeln, und ich habe den Verdacht, daß sie Kaugummi kaut: Alle paar Augenblicke bewegt sich ihr Kiefer langsam, verstohlen. Es wird von ihr erwartet, daß sie sich absolut still verhält.

Ich versuche, diese Frau mit einem Stück Kohle zu zeichnen. Ich versuche, meine Linien fließend zu halten. So hat der Lehrer sie hingesetzt: wegen der fließenden Linien. Ich würde lieber einen harten Bleistift benutzen; die Kohle verschmiert nur die Finger, und für die Haare ist sie nicht gut geeignet. Außerdem macht mir die Frau angst. Sie hat eine Menge Fleisch an ihrem Körper, vor allem unterhalb der Taille; über ihren Bauch ziehen sich Wülste. Ihre Brüste sind schlaff und haben große dunkle Warzen. Das grelle, fluoreszierende Licht, das direkt auf sie fällt, verwandelt ihre tiefliegenden Augen in Höhlen, betont die abfallenden Linien von der Nase zum Kinn; aber der massige Körper läßt ihren Kopf wie einen Nachgedanken erscheinen. Sie ist nicht hübsch, und ich habe Angst, mich in so was zu verwandeln.

Dies ist ein Abendkurs. Er heißt Aktzeichnen und findet jeden Dienstag im Toronto College of Art statt, in einem großen leeren Raum, hinter dem eine niedrige Treppe ist, dann die McCaul Street, dann Queen Street mit den Betrunkenen und den Straßenbahnschienen, und dahinter das quadratische, kastenartige Toronto. Wir sind ein Dutzend in diesem Raum, mit hoffnungsvollen, fast neuen Bristol-Zeichenbrettern und unseren schwarzen Fingerspitzen; zwei ältere Frauen, acht junge Männer, noch ein Mädchen in meinem Alter und ich. Ich bin kein Student am College, aber auch wer kein Student ist, kann sich unter bestimmten Umständen für diesen Kurs einschreiben. Die Umstände bestehen darin, daß man den Lehrer davon überzeugen muß, daß man es ernst meint. Aber es ist überhaupt noch nicht klar, wie lange ich dort bleiben darf.

Der Lehrer ist Mr. Hrbik. Er ist Mitte Dreißig, hat dunkles, dick gelocktes Haar, einen Schnurrbart, eine Adlernase und Augen, die fast purpurrot wirken, wie Maulbeeren. Er hat die Angewohnheit, einen anzustarren, ohne etwas zu sagen, und auch, wie es scheint, ohne Wimpernschlag.

Diese Augen waren mir als erstes aufgefallen, als ich zu ihm ging, um mit ihm zu reden. Er saß in seinem winzigen, mit Papieren vollgestopften Büro im College, lehnte sich in seinem Stuhl zurück und kaute auf einem Bleistift. Als er mich sah, legte er den Bleistift aus der Hand.

»Wie alt sind Sie?«

»Siebzehn«, sagte ich. »Fast achtzehn.«

»Aha«, sagte er und stieß einen Seufzer aus, als sei das eine schlechte Nachricht. »Was haben Sie gemacht?«

Das hörte sich fast so an, als klagte er mich wegen irgendwas an. Aber dann wurde mir klar, was er meinte: Man erwartete etwas von mir, irgend etwas, »eine Mappe mit neueren Arbeiten«, Bilder also, nach denen er mich beurteilen konnte. Aber ich hatte nicht viele Arbeiten vorzuweisen. Meinen einzigen Kontakt zur Kunst hatte ich auf der High-School gehabt, in einem Kurs für »Kunstverständnis«, den wir in der neunten Klasse absolvieren mußten, und in dem wir der Mondscheinsonate lauschten und sie mit gewellten Kreidelinien interpretierten, oder eine Tulpe in einer Vase zeichneten. Ich hatte noch nie eine Kunstgalerie besucht, aber ich hatte in *Life* einen Artikel über Picasso gelesen.

Im vergangenen Sommer, als ich, um etwas dazuzuverdienen, einen Job in dem Badeort Muskoka hatte, wo ich Betten machen und Klos säubern mußte, hatte ich mir in einem der Touristenläden einen kleinen Ölmalkasten gekauft. Die Namen auf den kleinen Tuben klangen wie Losungen: Kobaltblau, Gebrannte Umbra, Karminrot. In meiner Freizeit ging ich mit dem Malkasten an den Strand und setzte mich mit dem Rücken an einen Baum und blickte, während mich die Tannennadeln von unten stachen und sich Moskitos um mich sammelten, hinaus auf das flache metallgraue Wasser und die blitzblanken Mahagoni-Motoryachten, die sich mit kleinen Flaggen am Heck auf ihm bewegten. Auf diesen Booten waren manchmal einige von den anderen Zimmermädchen, solche, die zu verbotenen Partys in die Zimmer von Gästen gingen und dort Whisky und Ginger Ale aus Papierbechern tranken und, wie es hieß, alles mit sich machen ließen. In der Wäschekammer, über den zusammengefalteten Laken, war es deswegen zu tränenreichen Konfrontationen gekommen.

Ich wußte nicht, wie man malt, nicht einmal, was ich malen sollte, aber ich wußte, daß ich es tun mußte. Nach einer Weile hatte ich ein Bild von einer Bierflasche ohne Etikett gemalt, und einen Baum, der wie ein kaputter Schneebesen aussah, und mehrere unbestimmte, schlammige Bilder von Felsblöcken, mit einem schmerzendblauen See im Hintergrund. Und außerdem noch einen Sonnenuntergang, der aussah wie Erbrochenes. All das produzierte ich aus dem schwarzen Aktenordner, in dem ich es mit mir herumgetragen hatte. Mr. Hrbik runzelte die Stirn und spielte mit seinem Bleistift und sagte nichts. Ich war entmutigt und auch voller Scheu vor ihm, weil er Macht über mich besaß, die Macht, mich auszuschließen. Ich konnte sehen, daß er meine Bilder für schlecht hielt. Sie waren schlecht.

»Sonst noch was?« fragte er. »Irgendwelche Zeichnungen?«

Aus Verzweiflung hatte ich einige meiner alten Biologiezeichnungen mitgenommen, mit hartem Bleistift und kolorierten Schattierungen. Ich wußte, ich konnte besser zeichnen als malen, ich hatte es schon länger getan. Ich hatte nichts zu verlieren, und so zog ich sie heraus.

»Was ist denn das?« sagte er und hielt das oberste Bild verkehrt herum.

»Das ist das Innere eines Wurms«, sagte ich.

Er zeigte keine Überraschung. »Das?«

»Das ist ein Plattwurm. Ein gefärbtes seziertes Präparat.«

»Und das?«

»Das ist das Fortpflanzungssystem eines Froschs. Eines männlichen Froschs«, fügte ich hinzu.

Mr. Hrbik starrte mich mit seinen glänzenden rotbraunen Augen an. »Warum wollen Sie diesen Kurs belegen?« sagte er.

»Er ist der einzige, in den ich reinkommen kann«, sagte ich. Dann wurde mir klar, wie schlecht das klang. »Es ist meine einzige Hoffnung. Ich kenne sonst niemanden, der mich unterrichten kann.«

»Warum wollen Sie es denn lernen?«

»Ich weiß nicht«, sagte ich.

Mr. Hrbik nahm seinen Bleistift und steckte ihn in den Mund, wie eine Zigarette. Dann nahm er ihn wieder heraus. Er drehte mit den Fingern in seinen Haaren. »Sie sind eine völlige Amateurin«, sagte er. »Aber manchmal ist das sogar besser. Wir können bei Null anfangen.« Er lächelte mich an, das erste Mal. Er hatte unregelmäßige Zähne. »Wir werden sehen, was wir aus Ihnen machen können«, sagte er.

Mr. Hrbik geht im Raum auf und ab. Er verzweifelt an uns, an uns allen, einschließlich dem Modell, dessen heimliches Kaugummikauen ihn wahnsinnig macht. »Sitzen Sie still«, sagt er zu ihr und zieht an seinen Haaren. »Genug Gummi.« Das Modell wirft ihm einen feindseligen Blick zu und beißt die Zähne zusammen. Er ergreift ihren Arm und ihren Kopf mit dem mürrischen Gesicht und rückt sie wieder zurecht, als wäre sie eine Schaufensterpuppe. »Wir werden es noch einmal versuchen.«

Er geht mit langen Schritten auf und ab, sieht uns über die Schulter und murmelt vor sich hin, während der Raum mit dem sandigen, knirschenden Geräusch von Kohle auf Papier erfüllt ist. »Nein, nein«, sagt er zu einem jungen Mann. »Das ist ein *Körper*.« Er spricht es wie »Körpär« aus. »Das ist kein Automobil. Sie müssen sich die Finger vorstellen, wie sie dieses Fleisch berühren, oder wie die Hand darübergleitet. Es muß taktil sein.« Ich bemühe mich, so zu denken, wie er es gern haben will, schrecke aber zurück. Ich habe nicht den Wunsch, mit meinen Fingern über die Gänsehaut dieser Frau zu streichen.

Zu einer der beiden älteren Frauen sagt er: »Hübsch wollen wir nicht. Der Körpär ist nicht hübsch wie eine Blume. Zeichnen Sie, was da ist.« Er bleibt hinter mir stehen, und ich zucke zusammen, warte. »Wir machen kein Handbuch für Medizin«, sagt er zu mir. »Sie haben einen Leichnam gemacht, keine Frau.» Er spricht es aus wie »Frrrau«.

Ich sehe mir an, was ich gezeichnet habe, und er hat recht. Ich bin vorsichtig und genau, aber ich habe eine menschenförmige Flasche gezeichnet, schwer und ohne Leben. Der Mut, der mich hierhergebracht hat, schwindet schnell. Ich habe kein Talent.

Aber am Ende der Unterrichtsstunde, nachdem sich das Modell steif erhoben und ihr Laken um sich geschlungen hat und davongewatschelt ist, um sich wieder anzuziehen, und als ich gerade meine Kohle einpacke, kommt Mr. Hrbik und stellt sich neben mich. Ich reiße die Zeichnungen, die ich angefertigt habe, aus dem Block und will sie zerknüllen, aber er legt schnell seine Hand auf meine. »Heben Sie sie auf«, sagt er.

»Warum?« sage ich. »Sie sind nicht gut.«

»Sie werden sie sich später ansehen«, sagt er, »und Sie werden erkennen, wie weit Sie gekommen sind. Sie können sehr gut Objekte zeichnen. Aber das Leben können Sie bis jetzt noch nicht zeichnen. Zuerst hat Gott die Körpär aus Schmutz gemacht, und dann hat er ihnen die Seele eingehaucht. Beides ist notwendig. Schmutz und Seele.« Er schenkt mir ein kurzes Lächeln, drückt meinen Oberarm. »Es muß Leidenschaft da sein.«

Ich sehe ihn unsicher an. Was er sagt, ist ein Übergriff: Man redet nicht von Körpern, außer im Fall von Krankheiten, oder von Seelen, außer in der Kirche, oder von Leidenschaft, außer es handelt sich um Sex. Aber Mr. Hrbik ist ein Ausländer, man kann nicht erwarten, daß er das weiß.

»Sie sind eine unfertige Frrrau«, fügt er mit leiser Stimme hinzu, »aber hier werden Sie fertig gemacht.« Er weiß nicht, daß *fertig machen* dasselbe heißt wie erledigt werden. Er möchte mir Mut machen.

49

Ich sitze in der verdunkelten Aula, unten im Royal Ontario Museum, lehne mich in dem harten Sitz zurück, der mit kratzigem Plüsch bezogen ist, und atme den Geruch von Staub und Stickigkeit und muffiger Polsterung und dem süßlichen Gesichtspuder der anderen Studentinnen ein. Ich merke, wie meine Augen immer runder werden, wie die Pupillen sich weiten wie bei einer Eule: schon seit einer Stunde sehe ich Dias an, gelbliche, manchmal unscharfe Dias von weißen Marmorfrauen mit abgeflachten Köpfen. Diese Köpfe tragen Steinplatten, die sehr schwer aussehen; kein Wunder, daß ihre Köpfe oben flach sind. Diese Marmorfrauen werden Karyatiden genannt, was ursprünglich auf die Priesterinnen der Artemis in Karye zurückgeht. Aber jetzt sind sie keine Priesterinnen mehr; jetzt sind sie Dekorationen, die zugleich als Säulen dienen.

Es gibt auch viele Dias von Säulen, verschiedene Arten von Säulen aus verschiedenen Perioden: dorische, ionische, korinthische. Dorische Säulen sind die stärksten und einfachsten, korinthische sind die leichtesten und haben die meisten Verzierungen, sie sind mit Akanthusblättern geschmückt, die als anmutige Voluten und Schnecken hervortreten. Ein langer Zeigestock, der aus dem Dunklen neben der Leinwand auftaucht, bleibt auf den Voluten und Schnecken haften, zeigt, welches was ist. Ich werde diese Wörter später benötigen, wenn ich sie für die Prüfungen wieder hochwürgen muß, daher versuche ich, sie in mein Notizbuch zu schreiben, beuge den Kopf tief über das Papier, um etwas sehen zu können. Ich verbringe jetzt eine Menge Zeit damit, im Dunkeln obskure Wörter aufzuschreiben.

Ich erwarte, daß im nächsten Monat alles besser wird, wenn wir mit den Römern und Griechen fertig sind und zum Mittelalter und der Renaissance kommen. *Klassisch* ist für mich zu etwas geworden, das ausgebleicht und zerbrochen ist. Bei den meisten griechischen und römischen Gegenständen fehlen Körperteile, und die allgemein vorherrschende Armlosigkeit, Beinlosigkeit und Nasenlosigkeit geht mir auf die Nerven, von den abgebrochenen Penissen ganz zu schweigen. Auch das Grau und Weiß, obgleich ich zu meiner Überraschung erfahren habe, daß all diese Marmorstatuen früher einmal angemalt waren, mit kräftigen Farben, mit gelben Haaren und blauen Augen und Fleischtönen, und manchmal sogar richtige Kleider anhatten, wie Puppen.

Dieser Kurs ist eine Einführung und soll den Studenten einen Überblick geben. Damit wir uns zeitlich zurechtfinden und für spätere, speziellere Kurse vorbereitet sind. Er gehört an der Universität von Toronto zum Studienfach Kunst und Archäologie, dem einzigen sanktionierten Pfad, der irgendwo in die Nähe von Kunst führt. Außerdem der einzige, den ich mir leisten kann: Ich habe ein Stipendium bekommen, was auch von mir erwartet worden war. »Du solltest den Verstand gebrauchen, den Gott dir gegeben hat«, sagt mein Vater immer, obgleich wir beide wissen, daß er davon überzeugt ist, mir selbst diese Begabung vererbt zu haben. Wenn ich von der Universität abginge, mein Stipendium sausen ließe, würde er sich kaum dazu durchringen, mir für irgend etwas anderes Geld zu geben.

Als ich meinen Eltern eröffnete, daß ich doch nicht Biologie studieren würde, sondern Künstlerin werden wollte, reagierten sie mit Bestürzung. Meine Mutter sagte, es sei in Ordnung, wenn es das sei, was ich wirklich wollte, aber sie machten sich Sorgen, wie ich mir meinen Lebensunterhalt verdienen wolle. Kunst war etwas, auf das man sich nicht verlassen konnte, wenn auch als Hobby völlig in Ordnung, wie zum Beispiel Einlegearbeiten mit Muscheln oder Holzschnitzen. Aber Kunst und Archäologie flößte ihnen dann wieder Vertrauen ein: es war möglich, daß ich mehr zur Archäologie tendierte und damit begann, Dinge auszugraben, was seriöser war.

Zumindest aber würde ich mit einem Diplom abschließen, und mit einem Diplom kann man immer unterrichten. In dieser Hinsicht habe ich geheime Vorbehalte: Ich muß an Miss Creighton denken, die Lehrerin für »Kunstverständnis« an der Burnham High, klein und dick und heimgesucht von den Haaröl- und Leder-Jungen, die sie immer mal wieder in der Materialkammer einschlossen, wo das Papier und die Farben lagerten.

Eine der Freundinnen meiner Mutter sagt ihr, daß Kunst etwas sei, das man immer zu Hause machen könne, in der Freizeit.

Die anderen Studenten in Kunst und Archäologie sind mit einer Ausnahme alle Mädchen, genauso wie die Professoren mit einer Ausnahme alle Männer sind. Der Student, der kein Mädchen ist, und der Professor, der kein Mann ist, werden als seltsam angesehen; ersterer hat eine unglückliche Hautallergie, letzterer ein nervöses Stottern. Keines der studierenden Mädchen will Künstlerin werden; alle wollen sie Kunstlehrerinnen an der High-School werden und, in einem Fall, Kuratorin in einem Museum. Oder aber sie drücken sich sehr vage über ihre Wünsche aus, was bedeutet, daß sie heiraten wollen, bevor irgend etwas von den anderen Dingen notwendig wird.

Sie tragen Kaschmir-Twinsets, Kamelhaarmäntel, gute Tweedröcke, Perlen in den Ohren. Sie tragen ordentliche mittelhohe Pumps und teure Blusen, oder Pullover oder kleine Westen mit dazu passenden Röcken und Knöpfen. Ich ziehe mich genauso an, ich versuche mich anzupassen. In den Pausen trinke ich mit ihnen eine Tasse Kaffee und esse einen Krapfen, sitze in den diversen Aufenthaltsräumen und Kantinen und Cafeterias herum. Sie reden über Kleider, oder sie reden über die Jungen, mit denen sie gehen, während sie sich den Zucker der Krapfen von den Fingern lecken. Zwei von ihnen haben sich bereits fest gebunden. Während dieser Gespräche sehen ihre Augen feucht, verschwommen, schwammig, leicht verletzlich aus, wie die Augen blinder Katzenbabys; aber auch verschlagen und berechnend und erfüllt von Gier und Betrug.

Ich fühle mich in ihrer Mitte nicht wohl, als wäre ich unter falschen Vorspiegelungen hier. Mr. Hrbik und die Taktilität des Körpers passen nicht zu Kunst und Archäologie; meine stümperhaften Versuche, nackte Frauen zu zeichnen, würde man hier als Zeitverschwendung abtun. Die Kunst ist bereits vollendet worden, anderswo. Was bleibt, ist die Erinnerungsarbeit. Der gesamte Aktzeichnen-Kurs würde als prätentiös und auch lächerlich angesehen werden.

Aber der Kurs ist meine Rettungsleine, mein wahres Leben. Ich fange an, immer mehr von dem, was dort nicht hineinpaßt, zu tilgen, ich fange an, mich auf mich selber zu reduzieren. Im ersten Semester habe ich den Fehler gemacht, einen karierten Pullover und eine weiße Bluse mit Peter-Pan-Kragen zu tragen, aber ich lerne schnell. Ich gehe dazu über, mich so zu kleiden wie die Jungen und das andere Mädchen: schwarze Rollkragenpullis und Jeans. Diese Sachen sind keine Verkleidung wie alles, was ich bisher getragen habe, sondern Zeichen einer Allianz, und mit der Zeit fasse ich den Mut, sie sogar am Tage zu tragen, wenn ich in die Vorlesungen von Kunst und Archäologie gehe; außer den Jeans allerdings, die niemand trägt. Dafür ziehe ich schwarze Röcke an. Ich lasse meinen High-School-Pony auswachsen und stecke mir die Haare nach hinten, in der Hoffnung, streng zu wirken. Die Mädchen an der Universität, mit ihren Kaschmirpullis und Perlen, reißen Witze über Künstler-Beatniks und reden nicht mehr so viel mit mir.

Den beiden älteren Frauen im Aktzeichnen fällt meine Verwandlung ebenfalls auf. »Wer ist denn gestorben?« fragen sie mich. Sie heißen Babs und Marjorie, und sie sind beide Profis. Sie malen Porträts, Babs von Kindern, Marjorie von Hundebesitzern und ihren Hunden; sie machen das Aktzeichnen zum Auffrischen, sagen sie. Sie selbst tragen keine schwarzen Rollkragenpullis, sondern weite Kittel, wie Schwangere. Sie reden sich gegenseitig mit »Mädchen« an und geben rauhe Kommentare über ihre Arbeit zum besten, und sie rauchen auf der Toilette, als wäre das etwas Verwegenes. Weil sie im Alter meiner Mutter sind, ist es mir peinlich, mit ihnen und dem nackten Modell im selben Raum zu sein. Gleichzeitig finde ich sie würdelos. Sie erinnern mich jedoch weniger an meine Mutter als an Mrs. Finestein von nebenan.

Mrs. Finestein trägt jetzt immer enganliegende rote Kostüme und flotte hohe Hüte, die mit Kirschen besteckt sind. Sie sieht mich in meiner neuen Aufmachung und ist enttäuscht. »Sie sieht aus wie eine italienische Witwe«, sagt sie zu meiner Mutter. »Sie läßt sich gehen. Das ist so schade. Mit einem guten Haarschnitt und ein bißchen Make-up könnte sie umwerfend sein.« Meine Mutter berichtet es mir, lächelt, als wäre es komisch, aber ich weiß, daß es ihre Art ist, Besorgnis auszudrücken. Ich bewege mich hart am Rande der Schlampigkeit. *Sich gehenlassen* ist ein alarmierender Ausdruck; man benutzt ihn bei älteren Frauen, die ungepflegt und fett werden.

Natürlich ist etwas daran. Ich lasse mich gehen.

50

Ich sitze in einer Bierstube, trinke mit den anderen Studenten vom Aktzeichnen Bier vom Faß für zehn Cent. Der mürrische Kellner kommt mit einem runden Tablett, das er mit einer Hand balanciert, und knallt die Gläser, die wie ganz gewöhnliche Wassergläser aussehen, nur voller Bier, auf den Tisch. Der Schaum schwappt über den Rand. Ich mag den Geschmack von Bier nicht besonders, aber inzwischen weiß ich, wie ich es trinken muß. Ich weiß sogar, daß man Salz draufstreuen muß, wenn man den Schaum wegkriegen will.

Die Bierstube hat einen schmutzigroten Teppich und schwarze Tische und Plastikstühle und eine trübe Beleuchtung; es riecht wie nach vollen Autoaschenbechern. Die anderen Bierstuben, in die wir gehen, sind ähnlich. Sie tragen Namen wie Lundy's Lane und The Maple Leaf Tavern, und sie sind alle dunkel, selbst tagsüber, weil sie keine Fenster haben dürfen, durch die man von der Straße aus hineinsehen kann. Auf die Weise will man verhindern, daß Minderjährige verführt werden. Ich bin selbst minderjährig – das legale Trinkalter beginnt mit einundzwanzig –, aber keiner der Kellner hat je nach meinem Ausweis gefragt. Jon sagt, ich sehe so jung aus, daß sie denken, ich würde mich niemals hineinwagen, wenn ich nicht wirklich über einundzwanzig wäre.

Die Bierstuben sind in zwei Teile geteilt. Der eine Teil ist für *Nur Männer*, und in ihm hängen laute Trinker und Saufbrüder herum; auf den Fußboden ist Sägemehl gestreut, aus dem der Geruch von verschüttetem Bier und abgestandenem Urin und Krankheit aufsteigt. Manchmal hört man Gebrüll und zerbrechendes Glas, und dann sieht man, wie irgendein Mann von zwei Kellnern in Ringergröße rausgeworfen wird, mit blutender Nase und um sich schlagenden Armen.

In dem Teil, der für *Damen und Begleiter* reserviert ist, ist es viel sauberer und ruhiger und friedlicher, und es riecht auch besser. Als Mann kommt man hier nicht rein, wenn man nicht mit einer Frau zusammen ist, und als Frau kommt man nicht in den Teil für Männer hinein. Dadurch soll verhindert werden, daß sich Prostituierte an die

Männer heranmachen, und auch, daß die schweren Trinker die Frauen belästigen. Colin, der aus England stammt, erzählt uns von Pubs, in denen es offene Kamine gibt, in denen man Darts werfen und herumschlendern und sogar singen kann, aber all diese Dinge sind in unseren Bierstuben nicht erlaubt. Sie sind einzig dazu da, Bier zu trinken, Punkt. Wenn man zuviel lacht, kann es passieren, daß sie einen rauswerfen.

Die Studenten vom Aktzeichnen ziehen *Damen und Begleiter* vor, aber sie brauchen eine Frau, um da reinzukommen. Deshalb laden sie mich ein: sie bezahlen sogar mein Bier. Ich bin ihr Paß. Manchmal bin ich die einzige, die nach dem Unterricht zur Verfügung steht, weil sich Susie, das Mädchen, das so alt ist wie ich, häufig entschuldigt und Marjorie und Babs nach Hause gehen. Sie haben Ehemänner und werden nicht ernst genommen. Die Jungen nennen sie »Damenmaler«.

»Wenn sie Damenmaler sind, was bin ich dann?«

»Ein Mädchenmaler«, sagt Jon scherzend.

Colin, der so etwas wie Benehmen hat, erklärt es mir: »Wenn du schlecht bist, dann bist du ein Damenmaler. Und sonst bist du einfach nur eine Malerin.« Sie sagen nicht »Künstler«. Für sie ist jeder Maler, der sich als Künstler bezeichnen würde, ein Arschloch.

Ich habe es aufgegeben, mich wie früher mit Jungen zu verabreden: irgendwie ist das nicht mehr ernsthaft genug. Außerdem bin ich seit den schwarzen Rollkragenpullis nicht mehr oft gefragt worden: die Jungen mit Blazer und weißem Hemd wissen, was gut ist für sie. Außerdem sind sie Jungen, keine Männer. Ihre rosigen Wangen und ihr Gruppengekicher, ihre Gutes-Mädchen-schlechtes-Mädchen-Kategorien, ihre hitzigen, fummelnden Versuche, die Hüftgürtel- und Büstenhaltergrenze zu überwinden, interessieren mich nicht mehr. Mich interessieren Schnurrbärte, die schon ein gewisses Alter haben, und nikotingefärbte Finger, erfahrene Fältchen, schwere Augenlider, eine weltmüde Toleranz; Männer, die den Zigarettenrauch durch den Mund ausstoßen und ihn, ohne einen Gedanken daran zu verschwenden, durch die Nase wieder einatmen. Ich weiß nicht, woher dieses Bild gekommen ist. Es scheint, vollkommen ausgeformt, aus dem Nichts aufgetaucht zu sein.

Die Aktzeichnen-Studenten sind nicht so, aber Blazer tragen sie auch nicht. Mit ihrer bewußt schäbigen und farbbeklecksten Kleidung und ihren frisch sprießenden Bartstoppeln sind sie eine Übergangsform. Obgleich sie reden, mißtrauen sie Worten; Reg, der aus Saskatchewan kommt, kann sich so schwer ausdrücken, daß er praktisch stumm ist, und diese Wortlosigkeit verleiht ihm einen besonderen Status, als habe das Visuelle einen Teil seines Gehirns verspeist und ihn als heiligen Idioten zurückgelassen. Colin, der Engländer, genießt kein Vertrauen, nicht weil er zuviel redet, sondern weil er zu gut redet. Richtige Maler grunzen wie Marlon Brando.

Trotzdem können sie ihre Gefühle ausdrücken. Mit Achselzucken, Gestammel, halbfertigen Sätzen, Handbewegungen: Schläge, Stöße, geballte Fäuste, gespreizte Finger, angedeutete Skulpturen in der Luft. Manchmal ist in dieser Zeichensprache von den Bildern anderer Leute die Rede: »Das trieft«, sagen sie, oder sehr gelegentlich: »Verdammt gut.« Es gibt nicht viel, das sie gutheißen können. Außerdem finden sie, daß Toronto ein Kaff ist. »Hier ist doch nichts los«, sagen sie, und in vielen Gesprächen schmieden sie Pläne, wie sie entkommen können. Paris ist erledigt, und selbst Colin, der Engländer, will nicht nach England zurück. »Dort malen sie alle gelbgrün«, sagt er. »Gelbgrün, wie Gänsedreck. Verdammt deprimierend.« Außer New York kommt nichts in Frage. Es ist der Ort, wo alles passiert, wo die Action ist.

Wenn sie ein paar Bier getrunken haben, reden sie manchmal von Frauen. Sie reden von ihren Freundinnen, mit denen manche zusammenleben; dann sagen sie »meine Alte«. Oder sie reißen über die Modelle im Aktzeichnen, die jeden Abend wechseln, Witze. Sie reden davon, mit ihnen ins Bett zu gehen, als hinge das einzig und allein von ihrer Lust oder Unlust ab. Zu diesem Thema sind zwei Haltungen möglich: sich die Lippen lecken oder der Ausdruck tiefsten Ekels. »Eine Kuh«, sagen sie. »Ein Sack Kartoffeln.« »Was für eine Niete.« Manchmal werfen sie mir Blicke zu, um zu sehen, wie ich reagiere. Wenn die Beschreibungen einzelner Körperteile zu detailliert werden – »Fotze wie 'n Elefantenarsch«; »Woher willst du das wissen, schon viele Elefanten gebumst?« –, stoßen sie sich an und machen *Schsch*, als säßen Mütter am Tisch; als könnten sie sich nicht entschließen, wofür sie mich halten sollen.

Ich nehme es ihnen nicht übel. Im Gegenteil, ich halte mich für privilegiert: ich bin eine Ausnahme von einer Regel, die ich noch nicht mal identifiziert habe.

Ich sitze in der Feuchtigkeit und dem Bierdunst und dem Zigarettenrauch, und mir wird ein bißchen schwindlig, während ich den Mund geschlossen und die Augen offen halte. Ich glaube, daß ich sie klar sehe, weil ich von ihnen nichts erwarte. In Wirklichkeit erwarte ich sehr viel. Ich erwarte, akzeptiert zu werden.

Aber etwas tun sie, das mir nicht gefällt: sie machen sich über Mr. Hrbik lustig. Sein Vorname ist Josef, und sie nennen ihn Onkel Joe, weil er einen Schnurrbart und einen osteuropäischen Akzent hat und in seinen Überzeugungen autoritär ist. Das ist unfair, denn ich weiß – alle von uns wissen es inzwischen –, daß er in den Kriegswirren vier verschiedener Länder herumgestoßen wurde, hinter den Eisernen Vorhang geriet und sich von Abfällen ernährte und fast verhungert wäre, und daß er während des Aufstands in Ungarn entkam, wahrscheinlich unter Lebensgefahr. Die genauen Umstände hat er nie erwähnt. Überhaupt hat er im Kurs nichts davon erwähnt. Trotzdem ist es bekannt.

Aber bei den Jungen bringt ihm das nichts. Zeichnen ist nervig, und Mr. Hrbik ist ein Rückschlag. Sie nennen ihn einen D. P., was *Displaced Person* bedeutet, eine alte Beleidigung, die ich noch von der High-School her kenne. So nannte man die Flüchtlinge aus Europa und Leute, die dumm und unkultiviert waren und nicht ins Bild paßten. Sie ahmen seine Aussprache nach und die Art und Weise, wie er über den Körper spricht. Sie machen das Aktzeichnen nur mit, weil der Lehrplan es fordert. Aktzeichnen ist nicht, was läuft, Action Painting ist es, und dafür braucht man verdammt noch mal nicht zu wissen, wie man einen Akt zeichnet. Insbesondere braucht man nicht zu wissen, wie man eine Kuh ohne Kleider zeichnet. Trotzdem sitzen sie da und kratzen mit der Kohle immer neue Brüste und Hintern, Oberschenkel und Nacken aufs Papier, und an manchen Abenden nichts als Füße, genauso wie ich, während Mr. Hrbik auf und ab schreitet, an seinen Haaren zieht und verzweifelt.

Die Gesichter der Jungen sind ungerührt. Ich erkenne ihre Verachtung, aber Mr. Hrbik merkt nichts. Er tut mir leid, und außerdem bin ich ihm dankbar, weil er mich in den Kurs genommen hat.

Auch bewundere ich ihn. Der Krieg ist schon fern genug, um romantisch zu sein, und er hat ihn durchgemacht. Ich überlege, ob er in seinem Körper vielleicht Kugellöcher hat oder andere Zeichen der Gnade.

Heute abend sitze nicht nur ich mit den Jungen in *Damen und Begleiter* in der Maple Leaf Tavern. Susie ist auch da.

Susie hat gelbe Haare, die sie, wie ich sehe, auf Wickel rollt und legt und dann zerzaust, und deren Enden aschblond getönt sind. Sie trägt auch Jeans und schwarze Rollkragenpullover, aber ihre Jeans sind hauteng, und gewöhnlich hat sie etwas um den Hals, eine Silberkette oder ein Medaillon. Über die Augenlider zieht sie sich dicke schwarze Linien, wie Kleopatra, und sie verwendet schwarze Wimperntusche und macht sich rauchige dunkelblaue Lidschatten, so daß sie blaue Ränder um die Augen hat und es aussieht wie ein blauer Fleck, als hätte ihr jemand aufs Auge geboxt; und sie legt weißen Gesichtspuder und einen blaßrosa Lippenstift auf, was sie irgendwie krank aussehen läßt, oder so als wäre sie seit Wochen nicht mehr ins Bett gekommen. Sie hat volle runde Hüften und Brüste, die für ihre Größe zu voll sind, wie bei einer quietschenden Gummipuppe, die vom Kopf abwärts zusammengedrückt wird und sich an diesen Stellen wölbt. Sie hat eine leise atemlose Stimme und ein erschrecktes kleines Lachen; selbst ihr Name klingt wie eine Puderquaste. Ich halte sie für ein albernes Mädchen, das sich auf der Kunstschule nur die Zeit vertreibt, weil sie für die Uni zu dumm ist, obwohl ich so etwas nie über die Jungen sagen würde.

»Onkel Joe hat heute abend wieder geschäumt«, sagt Jon. Jon ist groß, hat Koteletten und große Hände. Er trägt eine Jeansjacke mit einer Menge Druckknöpfe. Neben Colin, dem Engländer, ist er der Redegewandteste unter ihnen. Er verwendet Wörter wie »Reinheit« und »die Bildebene«, aber nur, wenn wir zu zweit oder zu dritt sind, niemals vor der ganzen Gruppe.

»Oh«, sagt Susie mit einem winzigen atemlosen Lachen, als würde die Luft in sie hineinfahren, anstatt aus ihr heraus, »das ist gemein! Nenn ihn nicht so!«

Das irritiert mich: weil sie etwas gesagt hat, das ich selbst hätte sagen sollen, wozu ich aber nicht den Mut hatte, aber auch, weil selbst diese Verteidigung herauskommt wie eine Katze, die um ein Bein streicht, eine bewundernde Hand auf einem Bizeps.

»Er ist ein pompöser alter Windbeutel«, sagt Colin, um ihre Aufmerksamkeit ein bißchen auf sich zu lenken.

Susie sieht ihn mit ihren großen blauumrandeten Augen an. »Er ist nicht alt«, sagt sie feierlich. »Er ist erst fünfunddreißig.« Alle lachen.

Aber woher weiß sie das? Ich sehe sie an und überlege. Ich erinnere mich an das eine Mal, als ich zu früh in den Unterricht kam. Das Modell war noch nicht da, ich war ganz allein in dem Raum, und dann kam Susie herein, ohne Mantel, und direkt hinter ihr Mr. Hrbik.

Susie kam zu mir an meinen Platz und sagte: »Ist dieser Schnee nicht gräßlich?« Gewöhnlich redete sie nicht mit mir. Und ich war diejenige, die draußen im Schnee gewesen war: sie sah so warm aus wie ein frisches Toastbrot.

51

Tagsüber ist es Februar. Die graue Aula des Museums dampft von nassen Mänteln und dem Schneematsch, der von den Winterstiefeln schmilzt. Es wird viel gehustet.

Wir haben das Mittelalter mit seinen Reliquienschreinen und länglichen Heiligen hinter uns und rasen durch die Renaissance, stoppen nur an den Höhepunkten. Die Jungfrau Maria ist im Überfluß vorhanden. Es kommt einem so vor, als habe eine gewaltige Jungfrau Maria eine ganze Herde von Töchtern gehabt, von denen die meisten ein bißchen wie sie aussehen, aber nicht ganz. Sie haben ihre Goldblattheiligenscheine abgeschüttelt, sie haben ihr längliches, flachbrüstiges Aussehen verloren, das sie in Stein und Holz hatten, sie sind ausgefüllter. Sie steigen nicht mehr so oft gen Himmel auf. Einige haben mehlige Gesichter und sitzen ernst an Kaminen oder auch auf Stühlen aus dieser Periode, oder an offenen Fenstern, dahinter Dächer, die gerade gedeckt werden; manche sehen besorgt aus, andere sind milchig und rosigweiß, mit drahtdünnen Heiligenscheinen und zarten goldenen Haarranken, die sich unter ihren Schleiern hervorstehlen, und mit klaren italienischen Himmeln in der Ferne. Sie beugen sich über die Wiege, oder sie halten Jesus auf dem Schoß.

Jesus hat Mühe, wie ein richtiges Baby auszusehen, weil seine Arme und Beine zu lang und zu dürr sind. Selbst wenn er wie ein Baby aussieht, ist er niemals wie ein Neugeborener. Ich kenne neugeborene Babys, sie sehen runzlig aus, wie eine vertrocknete Aprikose, aber diese Jesuskinder sehen überhaupt nicht so aus. Sie sehen aus, als wären sie im Alter von einem Jahr geboren, oder als wären sie verkleinerte Männer. In diesen Bildern gibt es viele Rot- und Blautöne, und es wird viel gestillt.

Die trockene Stimme aus der Dunkelheit konzentriert sich auf die formalen Eigenschaften der Kompositionen, den Faltenwurf der Gewänder, um die Zirkularität zu betonen, die stofflichen Werte, die Perspektive in den Säulengängen und den Kacheln unter den Füßen. Das Stillen übergehen wir: der Zeigestock, der aus dem Nichts auftaucht, deutet nie auf diese nackten Brüste, von denen manche eine unangenehme rosiggrüne Farbe haben oder von Adern durchzogen sind, oder deren Warze von einer Hand zusammengedrückt wird, sogar richtige Milch ist da. Es gibt einiges Herumgerücke auf den Sitzen: niemand hat Lust, ans Stillen zu denken, nicht der Professor und ganz gewiß nicht die Mädchen. Beim Kaffeetrinken hinterher schütteln sie sich: sie selbst sind da sehr enthaltsam, sie werden ihren Kindern die Flasche geben, was sowieso hygienischer ist.

»Das Entscheidende an diesem Stillen ist, daß die Jungfrau demütig ist und es selbst tut«, sage ich. »Die meisten Frauen damals hatten Ammen, die ihre Kinder versorgten, wenn sie es sich leisten konnten.« Das habe ich in einem Buch gelesen, das ich tief in den untersten Regalen der Bibliothek aufgestöbert habe.

»Ach, Elaine«, sagen sie. »Du bist so intelligent.«

»Der andere Punkt ist, daß Christus als Säugetier auf die Welt kam«, sage ich. »Ich frage mich, was Maria eigentlich mit den Windeln gemacht hat? Die Heilige Windel, das wäre doch wirklich eine Reliquie. Wie kommt es, daß es keine Bilder von Christus auf dem Töpfchen gibt? Ich weiß, daß irgendwo ein Stück von der Heiligen Vorhaut herumliegt, aber was ist mit der Heiligen Scheiße?«

»Du bist schrecklich!«

Ich grinse, ich lege den Knöchel aufs Knie, ich stütze meine Ellbogen auf den Tisch. Es macht mir Spaß, die Mädchen auf diese triviale Art zu ärgern: es beweist, daß ich nicht so bin wie sie.

Das ist mein eines Leben, mein Leben am Tage. Mein anderes, mein wahres Leben, findet in der Nacht statt.

Ich habe Susie beobachtet und aufgepaßt, was sie tut. Genaugenommen ist Susie nicht in meinem Alter, sie ist zwei Jahre älter, oder noch mehr, sie ist fast einundzwanzig. Sie wohnt nicht bei ihren Eltern zu Hause, sondern in einem kleinen Appartement in einem der neuen Hochhäuser in der Avenue Road, nördlich von St. Clair. Es heißt, daß ihre Eltern es bezahlen. Wie sollte sie es sich sonst leisten können? Diese Gebäude haben Fahrstühle und große Foyers mit Topfpflanzen, und sie haben Namen wie »Das Monte Carlo« oder ähnliches. Dort zu wohnen ist kühn und kultiviert, auch wenn sich die Maler darüber lustig machen: Krankenschwestern wohnen dort zu dritt. Die Maler selbst wohnen in der Bloor Street oder in Queen, über Eisenwarenhandlungen und Läden, in denen es Koffer zum Großhandelspreis gibt, oder in Nebenstraßen, wo Immigranten leben.

Susie bleibt nach dem Unterricht länger da, sie kreuzt früher auf, sie hängt herum; während des Unterrichts sieht sie Mr. Hrbik nur von der Seite an, ausweichend. Ich treffe sie, als sie aus seinem Büro kommt; sie zuckt zusammen und lächelt mich an, dann dreht sie sich um und ruft gekünstelt und zu laut: »Vielen Dank, Mr. Hrbik! Bis nächste Woche!« Sie winkt mit der Hand, obgleich die Tür fast zu ist und er sie unmöglich sehen kann: das Winken ist für mich. Jetzt errate ich, was ich eigentlich von Anfang an hätte merken müssen: Sie hat eine Liebesaffäre mit Mr. Hrbik. Außerdem glaubt sie, daß es noch niemand gemerkt hat.

Aber das ist ein Irrtum. Ich höre, wie Marjorie und Babs indirekt darüber reden: »Na ja, Mädchen, das ist natürlich auch eine Möglichkeit, den Kursus zu bestehen«, sagen sie. »Ich wünschte, ich könnte das auch, indem ich mich einfach flachlege.« »Ja, was? Aber die Zeiten sind lange vorbei, was?« Und sie lachen vergnügt miteinander, als wäre das alles nichts Besonderes, höchstens komisch.

Ich finde diese Liebesaffäre ganz und gar nicht komisch. Ich nenne es eine Liebesaffäre; ich kann das Wort *Affäre* von dem Wort *Liebe* nicht trennen, obgleich nicht klar ist, wer von den beiden wen liebt. Ich komme zu dem Schluß, daß Mr. Hrbik es ist, der Susie liebt. Oder daß er sie nicht richtig liebt: Er ist von ihr *betört*. Mir gefällt dieses *betört*, es bedeutet berauscht, schlaff, wie Fliegen, die im Sirup ertrinken. Susie selbst ist gar nicht fähig zu lieben, dazu ist sie zu seicht. Ich stelle sie mir als diejenige vor, die das alles ganz bewußt tut, die es im Griff hat: Sie spielt mit ihm, ganz kühl und gelackt, ganz nach Art der Filmposter aus den vierziger Jahren. Knallhart wie Nägel, und ich weiß sogar, welche Farbe die Nägel haben: Feuer und Eis. Und das trotz ihres leicht verletzlichen Ausdrucks, ihrer einschmeichelnden Art. Schuld umgibt sie wie ein süßes Aroma, und Mr. Hrbik taumelt betört in sein Schicksal.

Nachdem Susie klar ist, daß die andern im Kurs es wissen – Babs und Marjorie haben eine eigene Art, ihr Wissen zu verbreiten –, wird sie kühner. Sie beginnt, Mr. Hrbik beim Vornamen zu nennen und ihn in

Sätze einzubauen: Josef glaubt, Josef sagt. Sie weiß immer, wo er ist. Manchmal ist er über das Wochenende in Montreal, wo es viel bessere Restaurants und ordentliche Weine gibt. Das sagt sie im Brustton der Überzeugung, obgleich sie noch nie da war. Sie reicht uns häppchenweise Informationen über ihn: Er war in Ungarn verheiratet, aber seine Frau ist nicht mit ihm fortgegangen, und jetzt ist er geschieden. Er hat zwei Töchter, deren Bilder er in seiner Brieftasche mit sich herumträgt. Es bringt ihn um, von ihnen getrennt zu sein – »Es *bringt* ihn einfach *um*«, sagt sie leise, mit feuchten Augen.

Marjorie und Babs verschlingen diese Neuigkeiten. Sie verliert bei ihnen allmählich ihren Flittchen-Status, gerät in die Nähe einer gewissen Häuslichkeit. »Hör zu, man kann es dir nicht verdenken!« sagen sie ermunternd. »Er ist ein ganz Süßer!« »Ich könnte ihn auffressen! Aber das hieße, sich an einem Kind vergreifen, oder?« Auf der Toilette sitzen die beiden nebeneinander in getrennten Kabinen, reden zum Plätschern ihres Urinstrahls, während ich im Waschraum vor dem Spiegel stehe und zuhöre. »Ich hoff nur, er weiß, was er tut. Ein nettes Mädchen wie sie.« Damit meinen sie, daß er sie heiraten sollte. Oder vielleicht meinen sie auch, daß er sie heiraten sollte, falls sie schwanger wird. Das wäre nur anständig.

Im Unterschied dazu behandeln die Maler sie ziemlich grob. »Verdammt, hör endlich mit deinem Josef auf! Man könnte meinen, daß dem die Sonne direkt aus dem Arsch scheint!« Aber Susie kann nicht aufhören. Sie kichert zaghaft, entschuldigend, worüber sich die Maler noch mehr ärgern, und ich auch. Ich kenne diesen gesättigten, überströmenden Blick von früher.

Ich bin überzeugt, daß Mr. Hrbik geschützt werden muß, daß er vielleicht sogar Rettung benötigt. Ich weiß noch nicht, daß ein Mann in vielerlei Hinsicht bewundernswert, aber in anderer ein mieser Typ sein kann. Und ich habe noch nicht gelernt, daß Ritterlichkeit bei Männern Idiotie bei Frauen ist: Männer können sich aus einer Rettungsaktion sehr viel leichter zurückziehen, Frauen kommen nur schwer wieder raus, wenn sie erst einmal drin sind.

52

Ich wohne noch immer zu Hause, was demütigend ist; aber warum sollte ich Geld ausgeben, um in einem Studentenheim zu wohnen, wenn die Universität in derselben Stadt ist? Das ist die Ansicht meines Vaters, und sie ist vernünftig. Er weiß nicht, daß es kein Studentenheim ist, was mir vorschwebt, sondern eine heruntergekommene, fahrstuhllose Bleibe über einer Bäckerei oder einem Zigarettenladen, mit vorbeiratternden Straßenbahnen, die Decken mit schwarz angemalten Eierkartons verkleidet.

Aber ich schlafe jetzt nicht mehr in meinem Kinderzimmer mit der vanillefarbenen Deckenlampe und den Vorhängen vor den Fenstern. Ich habe mich in den Keller zurückgezogen, mit der Begründung, da besser lernen zu können. Dort unten habe ich mir in einer nur trüb beleuchteten Vorratskammer, gleich neben der Heizung, ein Reich der Ersatzschlampigkeit eingerichtet. Aus dem Schrank mit der alten Campingausrüstung habe ich eine Armeepritsche und einen klumpigen khakifarbenen Schlafsack ausgegraben und so die Pläne meiner Mutter durchkreuzt, mein Bett in den Keller zu bringen, damit ich eine ordentliche Matratze habe. An die Wände habe ich Theaterplakate von örtlichen Aufführungen geklebt – Becketts *Warten auf Godot*, Sartres *Bei geschlossenen Türen* – mit bewußt daraufgemachten Fingerabdrücken und tintenschwarzer Beschriftung und schattigen Figuren, die aussehen, als wären sie ausgelaufen; und auch mehrere meiner sorgfältigen Zeichnungen von Füßen. Meine Mutter findet die Theaterplakate düster, und die Füße versteht sie überhaupt nicht: Füße sollten einen Körper haben. Ich sehe sie mit zusammengekniffenen Augen an, denn ich weiß es besser.

Was meinen Vater betrifft, so findet er mein Zeichentalent beeindruckend, aber vergeudet. Es wäre besser auf die Querschnitte von Stengeln und Algenzellen angewandt worden. Für ihn bin ich eine Botanikerin *manquée*.

Seine Weltsicht hat sich verdüstert, seit Mr. Banerji nach Indien zurückgekehrt ist. Diese Angelegenheit ist in Dunkel gehüllt: es wird nicht viel darüber geredet. Meine Mutter sagt, er habe Heimweh gehabt, und macht Andeutungen, die auf einen Nervenzusammenbruch schließen lassen, aber das ist nicht alles. »Sie wollten ihn nicht befördern«, sagt mein Vater. Hinter diesem *sie* (nicht *wir*) und dem *wollten nicht* (nicht *haben nicht*) versteckt sich eine ganze Menge. »Man hat ihn nicht richtig gewürdigt.« Ich glaube, ich weiß, was das zu bedeuten hat. Meines Vaters Meinung über die menschliche Natur ist schon immer ziemlich düster gewesen, aber früher waren Wissenschaftler davon ausgenommen, und jetzt sind sie es nicht mehr. Er fühlt sich verraten.

Über meinem Kopf höre ich die Schritte meiner Eltern auf und ab gehen; die Geräusche des Haushalts, den Mixer und das Telefon und die gedämpften Nachrichtensendungen, das alles dringt zu mir wie zu einer Kranken. Ich tauche auf, kneife die Augen zusammen, nehme meine Mahlzeiten zu mir, während ich in Stumpfsinn und Schweigen erstarrt dasitze und in meinem Hühnerfrikassee und dem Kartoffelpüree stochere, und die Bemerkungen, die meine Mutter über meinen mangelnden Appetit und meine blasse Hautfarbe macht, und die nützlichen und interessanten Dinge, die mein Vater mir erzählt, über mich ergehen lasse, als wäre ich ein kleines Kind. Ist mir klar, daß Stickstoffdünger das Fischleben zerstört, weil es die Algen zu übermäßigem Wachstum anregt? Hab ich schon von der neuen Seuche gehört, die uns alle zu verkrüppelten Kretins machen wird, wenn man die Papierfabriken nicht zwingt, damit aufzuhören, Quecksilber in die Flüsse zu kippen? Es ist mir nicht klar, ich habe nichts gehört.

»Bekommst du auch genügend Schlaf?« fragt meine Mutter.

»Ja«, sage ich, was nicht der Wahrheit entspricht.

Mein Vater hat in der Zeitung eine Filmanzeige entdeckt: ein Horrorfilm über Insektenmonster, die durch atomare Strahlung entstanden sind. »Wie du weißt«, sagt er, »könnten so riesige Grashüpfer in Wirklichkeit niemals existieren. Bei dieser Größe würde ihr Atemsystem zusammenbrechen.«

Ich weiß es nicht.

Im April, während ich mich aufs Examen vorbereite, und noch bevor die ersten Knospen heraus sind, wird mein Bruder Stephen verhaftet. Das mußte ja so kommen.

Stephen war nicht hier, wie er es hätte sein sollen, um mir in den Gesprächen am Tisch beizustehen, er ist das ganze Jahr über nicht zu Hause gewesen. Statt dessen ist er in der Welt herumgezogen. Nachdem er sein erstes Examen anstatt nach vier bereits nach zwei Jahren absolviert hat, studiert er an einer Universität in Kalifornien Astrophysik. Jetzt bereitet er sich auf das Abschlußexamen vor.

Ich habe keine klare Vorstellung von Kalifornien, weil ich nie dortgewesen bin, aber ich glaube, daß es dort andauernd sonnig und warm ist. Der Himmel erstrahlt in einem vibrierenden Anilinblau, das Grün der Bäume ist unnatürlich. Seine Einwohner sind für mich braungebrannte, gutaussehende Männer mit Sonnenbrillen und Sporthemden, auf denen Palmen abgebildet sind. Es gibt natürlich auch echte Palmen dort und langbeinige blonde Frauen, ebenfalls braungebrannt, in weißen Cabrios.

Zwischen diesen sonnenbebrillten modischen Menschen ist mein Bruder eine Anomalität. Seit er seine Jungenschule verlassen hat, ist er zu seinen alten, ungepflegten Gewohnheiten zurückgekehrt und läuft wieder in seinen Mokassins und seinen Pullis mit den durchgewetzten Ellbogen herum. Die Haare läßt er sich nur schneiden, wenn man ihn daran erinnert, und wer sollte ihn jetzt schon daran erinnern? Er spaziert unter den Palmen umher, selbstvergessen, pfeifend, den Kopf eingehüllt in einen Heiligenschein aus unsichtbaren Zahlen. Was werden die Kalifornier von ihm halten? Sie werden denken, daß er eine Art Tramp ist.

An dem Tag, an dem es passiert, packt er sein Fernglas und sein Schmetterlingsbuch ein und macht sich mit seinem gebraucht gekauften Fahrrad auf, das Land zu durchstreifen, um nach kalifornischen Schmetterlingen zu suchen. Er kommt zu einem vielversprechenden Feld, steigt ab, schließt das Fahrrad ab: innerhalb gewisser Grenzen ist er umsichtig. Er geht in das Feld, in dem es hohes Gras und ein paar kleinere Büsche geben muß. Er sieht zwei exotische kalifornische Schmetterlinge und macht sich an ihre Verfolgung, bleibt immer wieder stehen, um sie mit seinem Fernglas ausfindig zu machen; aber er kann sie aus dieser Entfernung nicht identifizieren, und jedesmal, wenn er sich ihnen nähert, fliegen sie davon.

Er folgt ihnen bis zum Ende des Feldes, an dem ein Maschendrahtzaun steht. Sie fliegen durch den Zaun, und er klettert hinüber. Auf der anderen Seite ist wieder ein Feld, niedriger bewachsen, mit weniger Vegetation. Eine ungepflasterte Straße führt mitten hindurch, aber er achtet nicht darauf und folgt den Schmetterlingen, die rot und weiß und schwarz sind, mit einem Sanduhrmuster, er hat sie noch nie gesehen. Am anderen Ende dieses Feldes ist wieder ein Zaun, ein höherer, und er überwindet auch den. Dann, als die Schmetterlinge sich endlich auf einen niedrigen tropischen Busch mit rosa Blumen gesetzt haben und er in die Knie gegangen ist und sein Fernglas auf sie richtet, kommen drei uniformierte Männer in einem Jeep angefahren.

»Was machen Sie hier drin?« fragen sie.

»Wo drin?« fragt mein Bruder. Er ist ungeduldig, weil sie die Schmetterlinge aufgescheucht haben, die wieder weggeflogen sind.

»Haben Sie die Schilder nicht gesehen?« fragen sie. »Die mit *Gefahr, betreten verboten*?«

»Nein«, sagt mein Bruder. »Ich bin hinter diesen Schmetterlingen her.«

»Schmetterlinge?« sagt der eine. Der zweite tippt sich an die Stirn, um zu zeigen, daß er ihn für verrückt hält. »Ausgerastet«, sagt er. Der dritte sagt: »Und das sollen wir glauben?«

»Was Sie glauben, ist Ihre Sache«, sagt mein Bruder. Oder so ähnlich.

»Du bist ja 'n ganz Schlauer«, sagen sie. Ich füge noch Zigaretten hinzu, die in ihren Mundwinkeln hängen, ein paar Pistolen und Stiefel.

Wie sich herausstellt, sind sie Soldaten, und es handelt sich hier um militärisches Versuchsgelände. Sie bringen meinen Bruder ins Hauptquartier und sperren ihn ein. Auch konfiszieren sie sein Fernglas. Sie glauben nicht, daß er ein graduierter Student der Astrophysik ist, der hinter Schmetterlingen herjagt, sie halten ihn für einen Spion, obgleich sie sich nicht erklären können, warum er so offen aufgetreten ist. Spionageromane, das weiß das Militär und das weiß ich, aber nicht mein Bruder, sind voll von Spionen, die sich als harmlose Schmetterlingsliebhaber ausgeben.

Schließlich erlauben sie ihm, ein Telefongespräch zu führen, und sein Doktorvater von der Universität muß kommen und ihn rausholen. Als er zurückgeht, um sein Fahrrad zu holen, ist es gestohlen.

Ich bekomme die blanken Tatsachen beim Rindfleischeintopf von meinen Eltern serviert. Sie wissen nicht, ob sie belustigt oder erschrocken sein sollen. Von meinem Bruder höre ich nichts darüber. Statt dessen bekomme ich einen Brief, der mit Bleistift auf ein Blatt Papier geschrieben ist, einer aus einem Schreibheft gerissenen Seite. Seine Briefe fangen immer ohne Gruß an und enden ohne Unterschrift, als wären sie Teil eines einzigen Briefs, der sich im Laufe der Zeit wie ein endloses Papierhandtuch entrollt.

Er schreibt diesen Brief, sagt er, aus einer Baumkrone, von wo er dem Footballspiel über die Stadionwand hinweg zuschaut – billiger, als ein Ticket zu kaufen – und wo er ein Erdnußbuttersandwich ißt, billiger, als in einem Restaurant zu essen: er mag keine Geldtransaktionen. Auf dem Papier sind tatsächlich mehrere Fettflecken. Er sagt, er sieht eine Reihe Pompon-Kapaunen, die auf und ab springen. Das müssen die Cheerleader sein. Er wohnt in einem Studentenwohnheim, zusammen mit einem Haufen Schleimhäute, die nichts anderes tun als von Mädchen sabbern und sich mit amerikanischem Bier abfüllen, bis sie nicht mehr geradeaus gucken können. Seiner Meinung nach gehört dazu einiges, denn das Zeug ist schwächer als Shampoo und schmeckt noch dazu ganz genau so. Morgens ißt er eingefrorene und wiederaufgewärmte Spiegeleier, die viereckig sind und Eisstückchen im Eidotter haben. Ein Triumph der modernen Technologie, sagt er.

Abgesehen davon, geht es ihm bestens, denn er arbeitet hart am »Wesen des Universums«. Die brennende Frage lautet: Ist das Universum mehr wie ein riesiger, immer größer werdender Ballon oder pulsiert es, bläht sich auf und zieht sich wieder zusammen? Wahrscheinlich wird die Spannung mich umbringen, aber ich werde noch ein paar Jahre warten müssen, bis er die endgültige Antwort gefunden hat. SCHALTEN SIE SICH ZUR NÄCHSTEN AUFREGENDEN FORTSETZUNG UNSERER SERIE WIEDER EIN, schreibt er in Großbuchstaben.

Ich höre, Du bist ins Malgeschäft eingestiegen, fährt er in normaler Schrift fort. *Ich hab so was auch gemacht, als ich jünger war. Ich hoffe, du nimmst deine Lebertrantabletten und bleibst sauber.* Und damit ist der Brief zu Ende.

Ich denke an meinen Bruder, wie er in einer Baumkrone sitzt, in

Kalifornien. Er weiß gar nicht mehr, wem er diese Briefe schreibt, denn ganz bestimmt habe ich mich weit über seine Vorstellung hinaus verändert. Und ich weiß nicht mehr, wer mir schreibt. Ich denke an ihn, als wäre er noch genauso wie früher, aber das kann natürlich nicht sein. Inzwischen muß er einige Dinge erfahren haben, die er vorher nicht wußte, so wie ich auch.

Außerdem: Wenn er ein Sandwich ißt und gleichzeitig einen Brief schreibt, wie hält er sich dann fest? Aber es scheint ihm gutzugehen, dort oben auf seinem Heckenschützenhochsitz. Trotzdem sollte er sich besser vorsehen. Was ich immer als Mut angesehen habe bei ihm, könnte auch einfach nur Unkenntnis der Folgen sein. Er fühlt sich sicher, weil er das ist, wofür er sich ausgibt. Aber er befindet sich auf offenem Feld, umgeben von Fremden.

53

Ich sitze mit Josef in einem französischen Restaurant, trinke Weißwein und esse Schnecken. Es sind die ersten Schnecken, die ich je gegessen habe, und es ist das erste Mal, daß ich in einem französischen Restaurant bin. Es ist das einzige französische Restaurant in Toronto, sagt Josef. Es heißt La Chaumière, was, laut Josef, soviel wie »strohgedeckte Kate« heißt. Allerdings ist La Chaumière keine strohgedeckte Kate, sondern ein prosaisches, schäbiges Gebäude, genau wie viele andere Gebäude in Toronto. Die Schnecken selbst sehen wie große dunkle Stückchen Rotz aus; man ißt sie mit einer zweizinkigen Gabel. Ich finde sie ganz gut, wenn auch ein bißchen gummiartig.

Josef sagt, daß es keine frischen Schnecken sind, sondern daß sie aus der Dose kommen. Er sagt es traurig, resigniert, als bedeute es das Ende, allerdings ist nicht klar, das Ende wovon; so spricht er von vielen Dingen.

So hat er auch meinen Namen das erste Mal ausgesprochen. Das war im Mai, in der letzten Woche des Aktzeichnens. Wir mußten alle einzeln zu Mr. Hrbik, zu einer individuellen Bewertung, um unsere Fortschritte im Verlauf des Jahres zu diskutieren. Marjorie und Babs waren vor mir dran, sie standen mit Kaffeebechern in der Halle. »Hallo, Mädchen«, sagten sie. Marjorie erzählte von einem Mann, der sich in der Union Station vor ihr entblößte, als sie ihre Tochter, die aus Kingston kam, vom Zug abholte. Ihre Tochter war so alt wie ich und ging aufs Queen College.

»Er hatte 'nen Regenmantel an, stell dir das mal vor«, sagte Marjorie.

»Oh, Gott«, sagte Babs.

»Ich hab ihm also ins Auge gesehen – ins *Auge* –, und ich hab gesagt: ›Ist das alles?‹ Ich mein, wirklich nur ein Würstchen. Kein Wunder, daß der arme Tropf in Bahnhöfen rumrennen muß, damit jemand den anguckt!«

»Und dann?«

»Hör zu, was hochgeht, muß auch wieder runterkommen, oder?«

Sie schnaubten, verschütteten ihren Kaffee, husteten Rauch aus. Wie üblich fand ich sie leicht anrüchig: sie machten sich über Dinge lustig, die nicht witzig waren.

Susie kam aus Mr. Hrbiks Büro. »Hallo, Leute«, sagte sie gewollt munter. Ihre Lidschatten waren verschmiert, ihre Augen rötlich angelaufen. Ich hatte moderne französische Romane gelesen und auch William Faulkner. Ich wußte, wie Liebe zu sein hatte: eine Besessenheit mit Untertönen von Selbstekel. Susie war genau das Mädchen, das sich auf diese Art der Liebe einlassen würde. Sie würde sich erniedrigen, sie würde sich anklammern und unterwürfig sein. Sie würde am Boden kriechen, stöhnen, Mr. Hrbiks Beine umschlingen, ihr Haar würde sich wie blonder Seetang über das schwarze Leder seiner Schuhe ergießen (er würde seine Schuhe anhaben, da er gerade zur Tür hinaus wollte). Aus diesem Blickwinkel gesehen, war Mr. Hrbik über den Knien abgeschnitten und Susies Gesicht unsichtbar. Sie würde von Leidenschaft zerdrückt sein, ausgelöscht.

Sie tat mir jedoch nicht leid. Ich war ein bißchen neidisch.

»Armes Häschen«, sagte Babs hinter ihrem sich entfernenden Rücken.

»Europäer!« sagte Marjorie. »Ich glaub keine Sekunde, daß er je geschieden war.«

»Hör zu, vielleicht war er nicht mal *verheiratet*.«

»Und was ist mit seinen Kindern?«

»Wahrscheinlich seine Nichten oder so.«

Ich sah sie wütend an. Ihre Stimmen waren viel zu laut; Mr. Hrbik würde sie hören.

Nachdem sie gegangen waren, kam ich an die Reihe. Ich ging hinein und blieb stehen, während Mr. Hrbik dasaß und meine Mappe, die vor ihm auf dem Tisch ausgebreitet war, durchsah. Ich glaubte, daß es das war, was mich nervös machte.

Er ging die Blätter durch, Hände, Köpfe, Hintern; er schwieg und kaute auf seinem Bleistift. »Das ist gut«, sagte er schließlich. »Sie haben Fortschritte gemacht. Das ist schon viel entspannter, diese Linie hier.«

»Wo?« sagte ich und beugte mich mit aufgestützten Händen über den Tisch. Er wandte den Kopf zur Seite, sah mich an, und da waren seine Augen. Sie waren gar nicht purpurrot, sondern dunkelbraun.

»Elaine, Elaine«, sagte er traurig. Er legte seine Hand auf meine Hand. Kälte schoß mir den Arm hinauf und bis in den Magen; ich stand wie erstarrt, vor mir selbst bloßgestellt. War es das, worauf ich hinausgewollt hatte mit meinen Ideen von Rettung?

Er schüttelte den Kopf, als habe er aufgegeben oder keine andere Wahl, dann zog er mich zu sich hinunter, zwischen seine Knie. Er stand nicht einmal auf. Also war ich auf dem Boden, auf den Knien, mit zurückgelegtem Kopf, während seine Hände meinen Rücken streichelten. Auf diese Weise war ich noch nie geküßt worden. Es war wie eine Parfümwerbung: fremd und gefährlich und vielleicht herabsetzend. Ich hätte aufstehen und weglaufen können, aber wenn ich blieb, auch nur eine Minute lang blieb, dann würde es ein für allemal vorbei sein mit dem Herumfummeln auf Autositzen und in Kinos, dann würde es nie wieder ein Geplänkel wegen der Haken an den Büstenhaltern geben. Keinen Unsinn, kein Getue.

Wir fuhren mit einem Taxi zu Josefs Wohnung. In dem Taxi saß Josef ziemlich weit weggerückt von mir, obwohl er die Hand auf meinem Knie liegen ließ. Ich war da noch nicht an Taxis gewöhnt und dachte, der Fahrer würde uns durch den Rückspiegel beobachten.

Josefs Wohnung lag in der Hazelton Avenue, nicht ganz ein Slum, aber dicht dran. Die Häuser dort sind alt, eng aneinandergebaut, mit uneleganten kleinen Gärten und spitzen Dächern und verschimmelten Holzschnitzereien an den Terrassen. Auf den Gehsteigen standen geparkte Autos, Stoßstange an Stoßstange. Fast nur Doppelhäuser, an einer Seite zusammengewachsen. In einem dieser verfallenden, spitzgiebeligen Doppelhäuser wohnte Josef. Er hatte das zweite Stockwerk.

Ein dicker älterer Mann mit Hemdsärmeln und Hosenträgern saß im Haus nebenan in einem Schaukelstuhl auf der Veranda. Er starrte uns an, als Josef das Taxi bezahlte, und auch noch, als wir zum Haus hinaufgingen. »Schöner Tag heute«, sagte er.

»Ja, schöner Tag«, sagte ich. Josef kümmerte sich nicht um ihn. Er legte mir die Hand leicht auf den Nacken, während wir die schmale Treppe im Haus hinaufstiegen. Überall, wo er mich berührte, verspürte ich Schwere.

Seine Wohnung bestand aus drei Zimmern, einem vorderen Zimmer, einem mittleren Zimmer mit einer kleinen Küche und einem Hinterzimmer. Die Räume waren klein, und es standen nur wenig Möbel darin. Es sah aus, als wäre er gerade erst eingezogen, oder als wäre er gerade dabei, wieder auszuziehen. Sein Schlafzimmer hatte einen malvenfarbenen Anstrich. An den Wänden hingen mehrere Drucke mit langgestreckten Figuren in düsteren Farben. Außer einer Matratze am Boden mit einer mexikanischen Decke darüber, war das Zimmer leer. Ich sah es an und glaubte, das erwachsene Leben vor Augen zu haben.

Josef küßte mich, diesmal im Stehen, aber ich fühlte mich unbehaglich. Ich hatte Angst, daß er von mir verlangen könnte, mich auszuziehen, und daß er mich dann herumdrehen würde, um mich aus einiger Entfernung von allen Seiten zu betrachten. Ich mochte es nicht, wenn man mich von hinten musterte. Das war ein Anblick, über den ich keinerlei Kontrolle besaß. Aber wenn er es von mir verlangte, dann würde ich es tun müssen, denn schon das geringste Zögern würde heißen, daß ich seinen Erwartungen nicht entsprach.

Er legte sich auf die Matratze und blickte zu mir hoch, als wartete er auf etwas. Nach einer Weile legte ich mich neben ihn, und er küßte mich wieder, wobei er behutsam meine Knöpfe aufmachte. Die Knöpfe befanden sich an einem sehr weiten Hemd, das ich jetzt, da es wärmer war, statt des Rollkragenpullovers trug. Ich legte die Arme um ihn und dachte: er war im Krieg.

»Und was ist mit Susie?« sagte ich. Aber kaum war es über meine Lippen, da wußte ich schon, daß es eine Schulmädchenfrage war.

»Susie?« fragte Josef, als könnte er sich nur mit Mühe an ihren Namen erinnern. Sein Mund war dicht an meinem Ohr; ihr Name war wie ein Seufzer des Bedauerns.

Die mexikanische Decke kratzte, aber das störte mich nicht: beim ersten Mal sollte Sex ja nie angenehm sein. Ich war auch auf den Geruch von Gummi vorbereitet und auf Schmerzen; aber es tat gar nicht so besonders weh, und soviel Blut, wie alle immer sagten, kam auch nicht.

Josef war auf die Schmerzen nicht vorbereitet. »Das tut dir weh?« fragte er an einem Punkt. »Nein«, sagte ich zusammenzuckend, und er hörte nicht auf. Auf das Blut war er auch nicht vorbereitet. Das Laken würde er in die Reinigung geben müssen, aber das erwähnte er nicht. Er war rücksichtsvoll und streichelte meine Schenkel.

Mit Josef ist es den ganzen Sommer über weitergegangen. Manchmal führt er mich in Restaurants, in denen es karierte Tischdecken und Kerzen gibt, die in Chianti-Flaschen stecken; manchmal in ausländische Filme über Schweden und Japaner, in kleine, fast leere Kinos. Aber am Ende landen wir immer wieder in seiner Wohnung, unter oder auf der mexikanischen Decke. In der Liebe ist er unberechenbar; manchmal ist er feurig, manchmal ganz routinemäßig, manchmal wirkt er völlig abwesend, als sei er nicht richtig bei der Sache. Zum Teil ist es auch diese Unberechenbarkeit, die mein Interesse wachhält. Das und sein Verlangen, das ihn manchmal so hilflos macht, gegen das er sich anscheinend nicht wehren kann.

»Verlaß mich nicht«, sagt er und streicht mit der Hand über meinen Körper; immer vorher, nie hinterher. »Das könnte ich nicht ertragen.« Das klingt ziemlich altmodisch, und bei einem anderen Mann käme es mir komisch vor, aber nicht bei Josef. Ich liebe sein Verlangen. Wenn ich nur daran denke, bin ich davon erfüllt, schwer und schlaff, wie das Fruchtfleisch einer Wassermelone. Aus diesem Grund habe ich meinen Plan, wieder nach Muskoka zu gehen, um dort wie im vergangenen Sommer zu arbeiten, aufgegeben. Statt dessen habe ich einen Job im Swiss Chalet in der Bloor Street angenommen. Das ist ein Restaurant, in dem es nur Hühnchen gibt. Hühnchen und Soße und Kohlsalat und weiße Brötchen und eine Sorte Eis, Burgunderkirsch, das eine erstaunliche purpurrote Farbe hat. Ich trage eine Uniform, auf deren Tasche mein Name gestickt ist, wie auf dem Turnanzug in der High-School.

Manchmal holt mich Josef nach der Arbeit dort ab. »Du riechst nach Hühnchen«, murmelt er im Taxi und drückt sein Gesicht an meinen Hals. Ich habe in den Taxis jetzt überhaupt keine Scheu mehr, ich lehne mich an ihn, und er legt den Arm um mich, steckt ihn unter meinem Arm durch, legt die Hand auf meine Brust, oder ich strecke mich lang auf dem Sitz aus, den Kopf in seinem Schoß.

Außerdem bin ich zu Hause ausgezogen. An den Abenden, an denen ich bei ihm bin, möchte Josef, daß ich die ganze Nacht bleibe. Er möchte, daß ich neben ihm liege, wenn er aufwacht, er möchte anfangen, mich zu lieben, ohne mich aufzuwecken. Ich habe meinen Eltern gesagt, daß es nur für den Sommer ist, damit ich es zum Swiss Chalet nicht so weit habe. Sie finden, daß es Verschwendung ist. Sie treiben sich irgendwo im Norden herum, und ich hätte das ganze Haus für mich; aber mein Bild von mir selbst und das Bild, das sich meine Eltern von mir machen, gehören nicht mehr in dasselbe Haus.

Wenn ich nach Muskoka gegangen wäre, würde ich in diesem Sommer auch nicht zu Hause wohnen, aber nicht zu Hause zu wohnen, wenn man sich in derselben Stadt aufhält, ist etwas völlig anderes. Jetzt wohne ich mit zwei Mädchen zusammen, die auch im Swiss Chalet arbeiten, auch Studentinnen, in einem Schlauch von einer Wohnung in der Harbord Street. Im Badezimmer hängen Strümpfe und Unterhosen wie Girlanden; auf dem Küchentisch liegen Lockenwickler wie stachlige Raupen, im Ausguß backt das Geschirr zusammen.

Ich treffe Josef zweimal die Woche und bin klug genug, ihn dazwischen nicht anzurufen oder den Versuch zu machen, ihn zu treffen. Entweder wäre er gar nicht da oder er wäre mit Susie zusammen, denn er hat sie nicht aufgegeben, ganz und gar nicht. Aber wir wollen ihr nichts von mir sagen; wir wollen es geheimhalten. »Es würde sie so schrecklich verletzen«, sagt er. Die Letzte in der Reihe muß die Last des Wissens tragen: wenn jemand verletzt wird, dann werde ich es sein. Aber ich bin stolz auf das Vertrauen, das er in mich setzt: wir sind Verbündete, wir beschützen Susie gemeinsam. Es ist zu ihrem Besten. Und außerdem verschafft es mir die Befriedigung aller Geheimnisse: ich weiß etwas, das sie nicht weiß.

Irgendwie hat sie herausgefunden, daß ich im Swiss Chalet arbeite – wahrscheinlich weiß sie es von Josef, der es ihr ganz beiläufig erzählt hat, die Entlarvung streifend, wahrscheinlich findet er es aufregend, an uns beide zusammen zu denken –, und ab und zu kommt sie am späten Nachmittag, wenn nicht viel los ist, vorbei, um eine Tasse Kaffee zu trinken. Sie hat ein bißchen zugenommen, und ihre Wangen sind aufgedunsen. Ich kann mir vorstellen, wie sie in fünfzehn Jahren aussehen wird, wenn sie nicht aufpaßt.

Ich bin netter zu ihr, als ich es je war. Aber ich hüte mich auch vor ihr. Wenn sie es herausfindet, wird sie dann das bißchen Fassung, das ihr noch geblieben ist, verlieren und mit dem Steakmesser auf mich losgehen?

Sie will mit mir reden. Sie will, daß wir uns irgendwann einmal treffen. Sie sagt immer noch »Josef und ich«. Sie sieht verloren aus.

Josef spricht mit mir über Susie wie über ein schwieriges Kind. »Sie will heiraten«, sagt er. Damit deutet er an, daß sie unvernünftig ist, aber daß es ihm trotzdem sehr weh tut, ihr diese Sache, dieses allzu teure Spielzeug, vorenthalten zu müssen. Ich habe keine Lust, mich in diese Kategorie einzureihen: irrational, jammernd. Ich will weder Josef noch sonstwen heiraten. Ich halte die Ehe inzwischen für etwas Unehrenhaftes, für einen groben Handel, nicht für ein freiwilliges Geschenk. Und schon der Gedanke an Heirat würde Josef kleiner machen, ihn verderben; das ist nicht der Platz, der ihm zusteht. Sein Platz ist der eines Liebhabers, mit seiner Heimlichkeit und seinen fast leeren Räumen und seinen traurigen Erinnerungen und schlechten Träumen. Jedenfalls kommt eine Heirat für mich nicht in Betracht. Ich sehe eine solche Möglichkeit wie in ferner Vergangenheit, unschuldig und mit Bändern geschmückt wie eine Puppe: unwiederbringlich. Ich werde nicht heiraten, sondern ich werde mich meiner Malerei widmen. Ich werde mit gebleichten Haaren, bizarren Kleidern und schwerem ausländischem Silberschmuck enden. Ich werde viel reisen. Möglicherweise werde ich trinken.

(Da gibt es natürlich das Schreckgespenst der Schwangerschaft. Wenn man nicht verheiratet ist, bekommt man keine Spirale, Präservative werden unter dem Ladentisch verkauft, und nur an Männer. Es gibt Mädchen, die auf den Rücksitzen der Autos zu weit gingen, schwanger wurden und von der Schule abgehen mußten oder seltsame, nie völlig geklärte Unfälle erlitten. Dafür gibt es ein paar spaßige Redewendungen: Verkehrsunfall, einen Braten im Rohr haben. Aber solche Biertischbegriffe haben mit Josef und seinem erprobten malvenfarbenen Schlafzimmer nichts zu tun. Sie haben auch mit mir nichts zu tun, in meiner engen, auf kleiner Flamme gehaltenen Verzückung. Trotzdem hake ich in meinem Taschenkalender die Tage ab.)

349

An den Tagen, an denen ich frei habe und Josef nicht treffe, versuche ich zu malen. Manchmal zeichne ich mit Farbstiften. Ich zeichne die Möbel in der Wohnung: das dick gepolsterte Sofa von Sally Ann, das mit abgelegten Kleidungsstücken übersät ist, die knollige Lampe, die uns die Mutter einer Zimmergenossin ausgeliehen hat, den Küchenschemel. Aber noch öfter bringe ich nicht soviel Energie auf und lande schließlich mit einem Krimi in der Badewanne.

Josef will mir nichts vom Krieg erzählen, und auch nichts darüber, wie er während des Aufstands aus Ungarn herausgekommen ist. Er sagt, diese Dinge verstörten ihn zu sehr, und er bemühe sich, sie zu vergessen. Er sagt, es gebe viele Arten zu sterben, aber einige seien nicht so angenehm wie andere. Er sagt, daß ich Glück habe, weil ich all diese Dinge nicht zu wissen brauche. »Dieses Land hat keine Helden«, sagt er. »Und so sollte es auch bleiben.« Er sagt, ich sei unberührt. Und genauso möchte er mich haben, sagt er. Wenn er solche Dinge sagt, streicht er mit den Händen über meine Haut, als wolle er mich ausradieren, mich glattreiben.

Aber er erzählt mir seine Träume. Diese Träume beschäftigen ihn sehr, und sie sind auch tatsächlich anders als alle Träume, von denen ich je gehört habe. Es kommen darin rote Samtvorhänge vor, rote Samtsofas, rote Samtzimmer. Es kommen weiße Seidenschnüre darin vor, mit Kordeln an den Enden; den Stoffen wird sehr viel Bedeutung beigemessen. Es kommen zerfallende Teetassen vor.

Er träumt von einer Frau, die in Zellophan verpackt ist, sogar das Gesicht, und von einer anderen, die, in ein Leichentuch gehüllt, am Geländer eines Balkons entlanggeht, und von einer weiteren, die mit dem Gesicht nach unten in der Badewanne liegt. Wenn er mir diese Träume erzählt, sieht er mich nicht richtig an; es sieht so aus, als starrte er auf einen Punkt, der mehrere Zentimeter tief in meinem Kopf liegt. Ich weiß nicht, wie ich reagieren soll, also lächle ich schwach. Ich bin auf diese Frauen in seinen Träumen ein bißchen eifersüchtig: keine von ihnen ist ich. Josef seufzt und tätschelt meine Hand. »Du bist so jung«, sagt er.

Darauf gibt es keine Antwort, obwohl ich mich nicht jung fühle. Im Augenblick komme ich mir uralt vor und überarbeitet, und mir ist heiß. Der ständige Geruch bratender Hühnchen raubt mir den

Appetit. Es ist Ende Juli, die feuchte Schwüle Torontos hängt wie Sumpfgas über der Stadt, und heute ist im Swiss Chalet die Klimaanlage ausgefallen. Es hat Beschwerden gegeben. In der Küche hat jemand eine Platte mit Brot und Salatsoße fallen lassen, der Boden war glitschig. Der Chef hat mich dummes Stück genannt.

»Ich habe kein Heimatland«, sagt Josef trauervoll. Zart berührt er meine Wange, blickt mir in die Augen. »Du bist jetzt mein Heimatland.«

Ich esse noch eine von den unechten Schnecken aus der Dose. Ohne Warnung überfällt mich die Erkenntnis, daß ich unglücklich bin.

54

Cordelia ist von zu Hause weggelaufen. So würde sie es allerdings nicht ausdrücken.

Sie hat mich über meine Mutter aufgespürt. Ich treffe sie während meiner Nachmittagspause zu einer Tasse Kaffee, aber nicht im Swiss Chalet. Dort bekäme ich den Kaffee umsonst, aber inzwischen will ich möglichst oft raus dort, raus aus dem Übelkeit erregenden Hinterzimmergeruch des rohen Geflügels, weg von den aufgereihten nackten Hühnern, die wie tote Babys aussehen, von den matschigen lauwarmen, nach Hundenapf aussehenden Speiseresten der Gäste. Deshalb sind wir zu Murray gegangen, ein Stück die Straße hinunter, im Park Plaza Hotel. Es ist einigermaßen sauber, und wenn es dort auch keine Klimaanlage gibt, so haben sie immerhin Ventilatoren an der Decke. Wenigstens weiß ich hier nicht, was in der Küche vor sich geht.

Cordelia ist dünner geworden, fast hager. In ihrem schmalen langen Gesicht stehen die Backenknochen vor, ihre graugrünen Augen sind groß. Um jedes Auge ist eine grüne Linie gezogen. Sie ist braun, die Lippen sind in einem dezenten Orangepink angemalt. Ihre Arme sind eckig, ihr Hals ist elegant; das Haar trägt sie wie eine Ballerina nach hinten gekämmt. Sie hat schwarze Strümpfe an, obgleich Sommer ist, und Sandalen, aber keine zierlichen Sommersandalen für Frauen, sondern solche mit dicken Sohlen, Künstlersandalen mit primitiven Bauernschnallen. Sie trägt ein kurzärmeliges schwarzes Jerseyhemd mit tiefem Ausschnitt, das ihre Brüste betont, einen weiten Baumwollrock in einer trüben blaugrünen Farbe mit abstrakten schwarzen Spiralen und Quadraten, einen breiten schwarzen Gürtel. An ihren Fingern stecken zwei schwere Ringe, einer mit einem Türkis, sie trägt klotzige viereckige Ohrringe und ein Silberarmband: mexikanisches Silber. Schön würde man sie nicht nennen, aber man starrt sie an, so wie ich jetzt: zum ersten Mal in ihrem Leben sieht sie vornehm aus.

Wir haben uns mit ausgestreckten Händen begrüßt, mit halben Umarmungen, den Schreien des Erstaunens und Entzückens, die

Frauen, die sich schon eine Weile nicht gesehen haben, immer von sich geben. Jetzt sitze ich tief in einem Sessel, trinke wäßrigen Kaffee, während Cordelia redet, und ich frage mich, warum ich mich auf dieses Treffen eingelassen habe. Ich bin im Nachteil: ich habe meine zerknitterte, mit Soßenflecken übersäte Kellnerinnenjacke aus dem Swiss Chalet an, meine Achselhöhlen sind naß von Schweiß, meine Füße tun weh, meine Haare sind bei dieser Feuchtigkeit durcheinander und naß und kräuseln sich wie versengte Wolle. Unter meinen Augen liegen dunkle Ringe, denn letzte Nacht war eine von Josefs Nächten.

Cordelia dagegen spielt sich vor mir auf. Sie will mir zeigen, wie weit sie es gebracht hat seit den Tagen des Müßiggangs, der Völlerei und des Versagens. Sie hat sich neu erfunden. Sie ist kühl und beherrscht und voller beiläufig angebrachter Neuigkeiten.

Sie ist jetzt beim Stratford-Shakespeare-Festival beschäftigt. Sie spielt kleine Rollen. »*Sehr* kleine Rollen«, sagt sie und schwenkt Armband und Ringe abfällig, was bedeutet, daß die Rollen nicht so klein sind, wie sie sagt. »Speerträger, weißt du, obgleich ich natürlich keinen Speer trage.« Sie lacht und zündet sich eine Zigarette an. Ich überlege, ob Cordelia wohl je Schnecken gegessen hat, komme zu dem Schluß, daß sie ihr wahrscheinlich sehr vertraut sind; ein deprimierender Gedanke.

Das Stratford-Shakespeare-Festival ist inzwischen ziemlich berühmt. Es ist vor einigen Jahren in Stratford, einer kanadischen Stadt, die ihren Fluß auch Avon genannt hat und in der es Schwäne beider Farben gibt, ins Leben gerufen worden. Ich habe das in Zeitschriften gelesen. Die Leute fahren mit dem Zug, mit Bussen oder in Autos mit Picknickkörben hin; manchmal bleiben sie das ganze Wochenende dort und sehen sich gleich drei oder vier Shakespeare-Stücke an, eins nach dem anderen. Zuerst wurde das Festival in einem großen Zelt abgehalten, wie ein Zirkus. Aber jetzt gibt es dafür ein Gebäude, ein seltsames, modernes Gebäude, kreisförmig. »Man muß also nach drei Seiten spielen. Ziemlich anstrengend für die Stimme«, sagt Cordelia und lächelt mißbilligend. Sie benimmt sich wie jemand, der sich ständig beim Reden selbst entwirft. Sie improvisiert.

»Wie denken deine Eltern darüber?« frage ich. Das ist mir in letzter Zeit oft durch den Kopf gegangen: was Eltern denken.

Ihr Gesicht wird für einen Augenblick verschlossen. »Die sind froh, daß ich überhaupt was mache«, sagt sie.

»Und Perdie und Mirrie?«

»Du kennst doch Perdie«, sagt sie mit zusammengekniffenen Lippen. »Immer von oben herab. Aber jetzt habe ich genug von mir erzählt. Was denkst *du* von mir?« Diesen Witz hat sie früher auch immer gemacht, und ich lache. »Nein, im Ernst, was treibst du jetzt so?« Ich erinnere mich noch gut an diesen Ton: höflich, aber nicht allzu interessiert. »Seit wir uns das letzte Mal gesehen haben.«

Ich erinnere mich an dieses letzte Mal mit schlechtem Gewissen. »Och, nicht viel«, sage ich. »Ich studier, weißt du.« In diesem Augenblick sieht es wirklich nicht nach sehr viel aus. Was habe ich denn tatsächlich das ganze Jahr lang gemacht? Ein bißchen Kunstgeschichte, mit Kohlestiften herumgeschmiert. Da gibt es nicht viel vorzuzeigen. Natürlich ist da Josef, aber eine besondere Errungenschaft ist er eigentlich nicht, und ich beschließe, ihn nicht zu erwähnen.

»Lernen!« sagt Cordelia. »Du kannst dir ja gar nicht vorstellen, wie froh ich war, als ich endlich nicht mehr lernen mußte. Großer Gott.« Allerdings ist Stratford nur den Sommer über. Sie wird sich für den Winter etwas anderes einfallen lassen müssen. Vielleicht die Earle Grey Players, die an den High-Schools spielen. Vielleicht ist sie dann ja soweit.

Den Job in Stratford hat sie mit Hilfe eines der Earle Grey-Vettern gekriegt, der sich noch aus ihren Bettlakentagen im Burnham an sie erinnerte. »Leute kennen, das ist alles«, sagt sie. Sie ist einer von Prosperos dienstbaren Geistern im *Sturm* und muß ein Trikot mit einem netzartigen Kostüm drüber tragen, das mit getrockneten Blättern und Flitter besetzt ist. »Obszön«, sagt sie. In der ersten Szene ist sie auch ein Matrose; das geht, weil sie recht groß ist. In *Richard III.* ist sie eine Hofdame, und in *Maß für Maß* ist sie die Franziska. In diesem Stück spricht sie sogar ein paar Zeilen. Sie rezitiert sie für mich mit honigsüßer Stimme:

Und wenn Ihr sprecht, bleibt Euer Gesicht verhüllt;
entschleiert Ihr das Antlitz, müßt Ihr schweigen.

»Bei der Probe hab ich immer alles durcheinandergebracht«, sagt sie. Sie zählt es an ihren Fingern ab. »Sprechen, Gesicht verstecken, Gesicht zeigen, Mund halten.« Sie legt die Hände wie zum Gebet zusammen, beugt sich nach vorn, neigt den Kopf. Dann steht sie auf und vollführt einen vollen Hofknicks aus *Richard III.*, und die Frauen, die beim Einkaufsbummel sind und bei Murray einen Tee zu sich nehmen, starren sie mit offenen Mündern an. »Nächstes Jahr würd ich gern die Erste Hexe in den ›Karos‹ spielen. ›Wann treffen wir drei uns das nächste Mal, bei Regen, Donner, Wetterstrahl?‹ Der Alte sagt, daß ich vielleicht schon soweit bin. Er glaubt, es wär brillant, mal eine *junge* Erste Hexe zu haben.«

Mit dem Alten ist, wie sich herausstellt, Tyrone Guthrie, der englische Regisseur, gemeint, der so berühmt ist, daß ich nicht so tun kann, als hätte ich noch nie von ihm gehört. »Großartig«, sage ich.

»Erinnerst du dich noch an die ›Karos‹ in der Burnham? Erinnerst du dich an den Kohlkopf?« fragt sie. »Es war so demütigend für mich.«

Ich will mich nicht daran erinnern. Die Vergangenheit ist unzusammenhängend geworden, wie Steine, die über das Wasser hüpfen, wie Ansichtskarten: Ich sehe ein Bild von mir, dann ist da Dunkelheit, wieder ein Bild, wieder Dunkelheit. Habe ich je Fledermausärmel und Samtslipper getragen, habe ich je zu Schulbällen Kleider angehabt, die wie gefärbter türkischer Honig aussahen, und bin darin mit fremden Leuten, die ihr Becken an meines preßten, über den Tanzboden geschlurft? Die vertrockneten Blumengebinde habe ich alle längst weggeworfen, die Diplome und Klassennadeln und Fotos müssen alle unten im Keller meiner Mutter sein, in dem Überseekoffer, zusammen mit dem angelaufenen Silber. Ich sehe die Fotos vor mir, Reihe um Reihe von geschminkten und frisierten Kindern. Ich habe bei diesen Aufnahmen nie gelächelt. Ich habe immer mit steinernem Gesicht in die Ferne gestarrt, über solche pubertären Angelegenheiten hinaus.

Ich erinnere mich an mein böses Mundwerk, ich weiß noch, für wie erfahren ich mich gehalten habe. Aber ich war damals nicht erfahren. Jetzt bin ich erfahren.

»Weißt du noch, wie wir immer Sachen geklaut haben?« sagt Cordelia. »Das war das einzige, was mir in der ganzen Zeit wirklich Spaß gemacht hat.«

»Wieso?« sage ich. Mir hatte es nicht besonders gefallen. Ich hatte immer Angst, ertappt zu werden.

»Das war etwas, das ich für mich haben konnte«, sagt sie, und ich bin mir nicht sicher, was sie damit meint.

Cordelia zieht eine Sonnenbrille aus ihrer Schultertasche und setzt sie auf. Und da bin ich, in ihren Spiegelaugen, in doppelter Ausfertigung und einfarbig, und sehr viel kleiner als in Lebensgröße.

Cordelia besorgt mir eine Freikarte für Stratford, damit ich sie auf der Bühne sehen kann. Ich fahre mit dem Bus hin. Es ist eine Matinee: ich kann hinfahren mir das Stück ansehen und dann mit dem Bus zurückfahren, so daß ich noch rechtzeitig zu meiner Abendschicht im Swiss Chalet ankomme. Das Stück ist *Der Sturm*. Ich halte nach Cordelia Ausschau, und als Prosperos Gehilfen auf die Bühne kommen, zu Musik und zuckenden Lichteffekten, spähe ich angestrengt auf die Bühne, versuche herauszufinden, hinter welchem Kostüm sich Cordelia verbirgt. Aber ich kann es nicht erkennen.

55

Josef ist dabei, mich umzumodeln. »Du solltest deine Haare offen tragen«, sagt er und zieht die Nadeln aus dem wirren Knoten, fährt mit den Händen durch das Haar, um es aufzulockern. »Du siehst wie eine prächtige Zigeunerin aus.« Er drückt seinen Mund auf mein Schlüsselbein, zieht das Bettlaken auseinander, in das er mich gewikkelt hat.

Ich stehe still und lasse es zu. Ich lasse ihn tun, was ihm gefällt. Es ist August und zu heiß, um sich zu bewegen. Der Dunst hängt wie nasser Rauch über der Stadt; er überzieht meine Haut mit einem öligen Film, sickert in mein Fleisch ein. Ich bewege mich wie ein Zombie durch die Tage, eine Stunde nach der anderen, ohne Richtung und ohne Ziel. Ich habe damit aufgehört, die Möbel in der Wohnung zu zeichnen; ich lasse die Badewanne mit kaltem Wasser vollaufen und steige hinein, aber ich lese nicht mehr darin. Bald werde ich wieder an die Uni müssen. Ich kann es mir kaum vorstellen.

»Du solltest purpurrote Kleider tragen«, sagt Josef. »Das wäre eine Verbesserung.« Er stellt mich vor das Zwielicht des Fensters, dreht mich herum, geht einen Schritt zurück, streicht mit der Hand über meine Hüften. Es ist mir schon lange egal, ob jemand hereinsehen kann. Ich fühle, wie meine Knie weich werden, mein Mund. Wenn wir zusammen sind, läuft er nicht nervös auf und ab, und er zieht auch nicht an den Haaren, er bewegt sich langsam, sanft, mit großer Behutsamkeit.

Josef geht mit mir in meinem neuen purpurroten Kleid in den Dachgarten des Park Plaza Hotels. Das Kleid liegt eng an und hat einen Ausschnitt und einen weiten Rock, der meine nackten Beine streift, wenn ich gehe. Mein Haar ist offen und feucht. Ich habe das Gefühl, daß es wie ein Mop aussieht. Aber als wir hinauffahren, erblicke ich mich ganz plötzlich in der dunklen Spiegelwand des Fahrstuhls, und für einen Augenblick sehe ich, was Josef sieht: eine schlanke Frau mit wolkigem Haar und schwermütigen Augen in dem schmalen weißen Gesicht. Ich erkenne den Stil: spätes 19. Jahrhundert. Präraffaelitisch. Ich müßte eine Mohnblume in der Hand halten.

Wir sitzen auf der Terrasse im Freien, trinken Manhattan-Cocktails und sehen über die Steinbrüstung. Seit neuestem hat Josef eine Vorliebe für Manhattans. Dieses Gebäude ist eins der höchsten in der ganzen Umgebung. Unter uns schwärt Toronto in der Abendhitze, die Bäume breiten sich aus wie abgetretenes Moos, in der Ferne der See wie Zink.

Josef erzählt mir, daß er einmal einen Mann in den Kopf geschossen hat; was ihn verstörte, war, wie leicht es war, das zu tun. Er sagt, er haßt den Kurs in Aktzeichnen, er wird es nicht ewig machen, in diesem toten provinziellen Hinterhof eingesperrt, Schwachköpfe Rudimentäres lehrend. »Ich komme aus einem Land, das nicht mehr existiert«, sagt er, »und du kommst aus einem Land, das noch nicht existiert.« Früher wäre es mir tiefgründig vorgekommen. Jetzt frage ich mich, was er meint.

Und über Toronto sagt er, daß es keine Heiterkeit und keine Seele habe. Die Malerei ist sowieso nur ein Überbleibsel aus der europäischen Vergangenheit. »Sie hat keine Bedeutung mehr«, sagt er und wischt sie mit einer Handbewegung vom Tisch. Er möchte zum Film, er würde in den USA gern Regie führen. Sobald sich die Gelegenheit ergibt, wird er dorthingehen. Er hat gute Verbindungen. Es gibt dort ein ganzes Netz von Ungarn, zum Beispiel. Ungarn, Polen, Tschechoslowaken. Dort unten gibt es bessere Möglichkeiten, Filme zu machen, um das mindeste zu sagen, denn die einzigen Filme, die hier gemacht werden, sind Kurzfilme, die vor den richtigen Filmen gezeigt werden, von Blättern, die langsam vom Baum in den Teich fallen, oder von Blumen, die sich im Zeitlupentempo öffnen, zu Flötenmusik. Die Leute, die er kennt, kommen in den Vereinigten Staaten alle gut voran. Sie werden ihm helfen reinzukommen.

Ich halte Josefs Hand. Wenn wir jetzt miteinander schlafen, ist er immer so grüblerisch, als sei er mit den Gedanken woanders. Ich merke, daß ich ein bißchen betrunken bin; auch, daß ich mich vor der Höhe fürchte. Ich bin noch nie so hoch in der Luft gewesen. Ich stelle mir vor, wie ich an der Steinbrüstung stehe und langsam vornüberkippe. Von hier aus kann man die Vereinigten Staaten sehen, ein zarter Flaum am Horizont. Josef sagt nicht, daß ich mitkommen werde, wenn er dorthin geht. Ich stelle keine Fragen.

»Du bist sehr still«, sagt er statt dessen. Er berührt meine Wange. »Geheimnisvoll.« Ich komme mir nicht geheimnisvoll vor, sondern leer.

»Würdest du alles für mich tun?« sagt er und blickt mir in die Augen. Ich schwanke ihm entgegen, fern der Erde. *Ja* wäre so leicht.

»Nein«, sage ich. Das überrascht mich. Ich weiß nicht, woher sie gekommen ist, diese unerwartete und störrische Ehrlichkeit. Es klingt schroff.

»Das habe ich mir gedacht«, sagt er traurig.

Eines Nachmittags taucht Jon im Swiss Chalet auf. Zuerst erkenne ich ihn gar nicht, weil ich ihn nicht ansehe. Ich wische mit einem Tuch den Tisch ab, jede Bewegung eine Anstrengung, mein Arm schwer vor Trägheit. Letzte Nacht war ich mit Josef zusammen, aber heute nacht werde ich nicht mit ihm zusammensein, denn es ist nicht meine Nacht, es ist Susies Nacht.

In letzter Zeit erwähnt Josef Susie kaum noch. Und wenn, dann voller Schwermut, als gehörte sie bereits der Vergangenheit an, oder als wäre sie eine wunderschöne Tote, jemand aus einem Gedicht. Aber das liegt vielleicht nur an seiner Ausdrucksweise. Vielleicht verbringen sie ganz prosaische häusliche Abende zusammen, er liest die Zeitung, und sie serviert einen Auflauf. Trotz seiner Behauptung, ich sei für Susie ein Geheimnis, reden sie vielleicht über mich, so wie Josef und ich früher über Susie geredet haben. Das ist kein beruhigender Gedanke.

Ich stelle mir Susie lieber als eine Frau vor, die in einem Turm eingesperrt ist, dort oben im Monte Carlo, in der Avenue Road, und aus dem Fenster über die graue Metallbrüstung ihres Balkons blickt, schwächlich weinend und darauf wartend, daß Josef auftaucht. Ich kann mir nicht vorstellen, daß sie außer diesem noch ein anderes Leben hat. Ich kann sie mir zum Beispiel nicht dabei vorstellen, wie sie ihre Unterhosen auswäscht, in einem Handtuch auswringt und über den Handtuchständer im Badezimmer hängt, so wie ich es mache. Ich kann mir nicht vorstellen, daß sie etwas ißt. Die Liebe macht sie schlaff, willenlos, ohne Rückgrat; so wie mich.

»Lange nicht gesehen«, sagt Jon. Er springt jenseits meines hin und her wischenden Arms in mein Blickfeld, grinst mich an, die Zähne weiß in einem gebräunteren Gesicht, als ich in Erinnerung hatte. Er stützt sich auf den Tisch, den ich gerade abwische, er trägt ein graues T-Shirt, alte Jeans, die über den Knien abgeschnitten sind. Turnschuhe ohne Socken. Er sieht gesünder aus als im Winter. Ich habe ihn noch nie bei Tageslicht gesehen.

Ich bin mir meiner fleckigen Jacke bewußt: rieche ich nach Achselschweiß, nach Hühnerfett? »Wie kommst du denn hier rein?« sage ich.

»Zu Fuß«, sagt er. »Wie wär's mit 'nem Kaffee?«

Er hat auch einen Sommerjob, beim Straßenbauamt, füllt Schlaglöcher, teert die Risse, die durch Frostverwerfungen entstanden sind; er hat auch wirklich einen schwachen Teergeruch an sich. Sauber würde man ihn nicht gerade nennen. »Wie wär's mit 'nem Bier später?« sagt er. Das hat er schon oft zu mir gesagt: er braucht einen Paß für *Damen und Begleiter*, wie gewöhnlich. Ich habe nichts vor, also sage ich: »Warum nicht? Aber ich muß mich erst umziehen.«

Nach der Arbeit treffe ich die Vorsichtsmaßnahme einer Dusche und ziehe mein rotes Kleid an. Wir treffen uns im Maple Leaf, und wir gehen in *Damen und Begleiter*. Wir sitzen da in der Düsternis, wo es wenigstens kühl ist, und trinken Bier vom Faß. Es ist etwas schwierig nur mit ihm allein: früher waren wir immer eine Gruppe. Jon fragt mich, was ich gemacht habe, und ich sage, nicht viel. Er fragt mich, ob ich Onkel Joe mal irgendwo gesehen habe, und ich sage nein.

»Wahrscheinlich hat er sich in Susies Unterröcke verkrochen«, sagt er. »Der glückliche Scheißer.« Er behandelt mich noch immer wie einen Jungen ehrenhalber, gibt noch immer grobe Dinge über Frauen von sich. Ich wundere mich über den Ausdruck »Unterröcke«. Er muß ihn bei Colin aufgeschnappt haben. Ich frage mich, ob er über mich und Josef auch Bescheid weiß, ob er hinter meinem Rücken Bemerkungen über meine Schlüpfer macht. Aber wie sollte er?

Er sagt, beim Bauamt ließe sich gutes Geld verdienen, aber er erzählt den anderen Typen da nicht, daß er Maler ist, schon gar nicht den Ständigen. »Die denken sonst, ich wär schwul oder so was«, sagt er.

Ich trinke mehr Faßbier, als ich eigentlich sollte, und dann gehen die Lichter an und aus, und es ist Sperrstunde. Wir gehen nach draußen, in die heiße Sommernacht, und ich mag nicht allein nach Hause gehen.

»Schaffst du es allein zurück?« fragt Jon. Ich schweige. »Na gut, dann bring ich dich«, sagt er. Er legt die Hand auf meine Schulter, und ich rieche seinen Teergeruch und den Staub und die sonnige Haut und fange an zu heulen. Ich stehe mitten auf der Straße, während aus *Nur Männer* die Betrunkenen herausgetaumelt kommen, presse mir die Hand auf den Mund und heule und komme mir blöd vor.

Jon ist erschrocken. »He, Kumpel«, sagt er und klopft mir verlegen auf den Rücken. »Was ist denn?«

»Nichts«, sage ich. Als Kumpel bezeichnet zu werden, bringt mich noch mehr zum Heulen. Ich fühle mich wie ein triefender Waschlappen; ich fühle mich häßlich. Ich hoffe, er denkt, daß ich bloß zuviel getrunken habe.

Er legt einen Arm um mich, drückt mich. »Komm«, sagt er. »Wir gehen einen Kaffee trinken.«

Ich höre auf zu weinen, während wir weitergehen. Wir kommen zu einer Tür neben einem Koffergroßhandel, er zieht einen Schlüssel aus der Tasche, und wir gehen im Dunkeln die Treppe hinauf. Vor der Wohnungstür gibt er mir mit seinem teerigen Biermund einen Kuß. Es ist dunkel. Ich schlinge meine Arme um seine Taille und halte mich fest, als versänke ich im Schlamm, und er hebt mich einfach hoch und trägt mich durch das dunkle Zimmer, wir stoßen gegen Möbel und Wände, und wir fallen zusammen auf den Boden.

Fallende Frauen

56

Ich gehe in östlicher Richtung weiter durch die Queen Street, immer noch ein bißchen schwindlig von dem Wein beim Mittagessen. Beschwipst, nannte man das früher. Alkohol deprimiert, ich werde es später merken, aber im Augenblick bin ich aufgekratzt und summe mit leicht geöffnetem Mund vor mich hin.

Hier steht eine Gruppe Statuen, kupfergrün, mit schwarzen Schmierspuren, die wie metallenes Blut an ihnen herunterrinnen: eine sitzende Frau, die ein Zepter hält, vor ihr drei junge Soldaten, die um sie herum gruppiert sind, sie marschieren, mit bandagenartig um ihre Beine gewickelten Gamaschen; sie verteidigen das Empire, ihre Gesichter sind ernst, dem Untergang geweiht, eingefroren in der Zeit. Über ihnen steht eine weitere Frau auf einem Steinsockel, sie hat Engelsflügel: Sieg oder Tod, oder vielleicht beides. Dieses Denkmal wurde in Erinnerung an den Südafrikanischen Krieg errichtet, der vor ungefähr neunzig Jahren stattgefunden hat. Ich frage mich, ob sich noch irgend jemand an diesen Krieg erinnert, oder ob irgend jemand in all den Autos, die daran vorbeifahren, jemals hinsieht.

Ich gehe durch die University Avenue weiter nach Norden, vorbei an den sterilen Krankenhäusern, auf der früheren Route des Weihnachtsumzuges. Das Zoologiegebäude ist abgerissen worden. Es muß schon Jahre her sein. Die Fensterbank, von der aus ich mir früher die nassen Feen und die verfrorenen Schneeflocken angesehen und dabei den Geruch von Schlangen und Antiseptika und Mäusen eingesogen habe, ist jetzt leere Luft. Wer sonst erinnert sich noch daran, wo es früher gestanden hat?

An dieser breiten Straße sind jetzt Springbrunnen und saubere Blumenbeete und neue seltsame Statuen. Ich folge der Kurve um das Parlamentsgebäude, das die Form einer am Boden hockenden viktorianischen Matrone hat, dunkelrosa, mit aufgeplusterten Röcken, unerschütterlich. Die Fahne, die ich niemals habe malen können, inzwischen zur Provinzfahne degradiert, fliegt in ihrer kräftigen scharlachroten Farbe vor dem Gebäude, mit dem Union Jack oben in der Ecke und mit all den unmöglichen Biber- und Blätterwappen darunter. Die neue Nationalflagge flattert ebenfalls dort, zwei rote Streifen und dazwischen ein rotes Ahornblatt, üppig auf Weiß, das wie das Markenzeichen einer der billigeren Margarinesorten aussieht, oder wie etwas, das eine Eule im Schnee geschlagen hat. Für mich ist die Fahne noch immer neu, obwohl sie schon vor langer Zeit ausgewechselt wurde.

Ich überquere die Straße, biege hinter einer kleinen Kirche ab, die man gestrandet und allein hat stehenlassen, als alles neu gestaltet wurde. Auf einem Schild, das genauso aussieht wie die Schilder in den Supermärkten, auf denen Sonderposten angepriesen werden, ist die Sonntagspredigt angekündigt: *Glauben heißt Sehen*. Direkt neben der Kirche brandet vertikales Tafelglas in die Höhe. Hinter der blanken Fassade: drapierte Bündel von Kammgarnstoffen, kräftiges braunes Leder, raffinierter Silberschmuck. Zum Sterben gute Pasta. Mit den Jahren hat sich auch die Theologie gewandelt: *Todsünden* waren einmal schrecklich. Jetzt heißt die Luxuskonditorei so. Sie brauchten nichts anderes zu tun, als das Gewissen abzuschaffen und aus »sündigen« etwas Kulinarisches zu machen.

Ich biege um eine Ecke in eine Seitenstraße, eine Doppelreihe teurer Boutiquen: Handgestricktes und französische Umstandskleider und in Schleifen verpackte Seifen, importierte Tabakwaren, opulente Restaurants, in denen die Weingläser dünne Stiele haben und Lage und Ausstattung im Preis inbegriffen sind. Der Designer-Jeans-Markt, der venezianische Papierkunsthandwerkladen, die Strumpfboutique mit kickendem Neonbein.

Diese Häuser waren früher halbe Schuppen; Josefs altes Territorium, wo bierdurchtränkte, dicke Männer vor den Haustüren saßen, in der Augusthitze schwitzten, während ihre Kinder tobten und kreischten und ihre Hunde japsend und mit abgescheuerten Seilen an den Zaun gebunden auf dem Boden lagen, wo überall die Farbe abblätterte und wo neben zerbröckelnden Gehsteigen entmutigte Katzenpisse-Ringelblumen vor sich hin welkten. Ein paar tausend Dollar damals am richtigen Ort investiert, und man wäre heute Millionär, aber wer hätte das ahnen können? Ich nicht, als ich die schmale Treppe zu Josefs zweitem Stock hinaufstieg, während sich mein

Atem beschleunigte und seine Hand schwer auf meinem Hintern lag – im sterbenden Licht von Sommerabenden: langsam, verboten, traurig und köstlich.

Heute weiß ich mehr über Josef, als ich damals wußte. Ich weiß diese Dinge, weil ich älter bin. Ich weiß von seiner Melancholie, seinem Ehrgeiz, seiner Verzweiflung, den leeren Winkeln in ihm, die ausgefüllt werden mußten. Ich weiß von den Gefahren.

Was zum Beispiel tat er mit zwei Frauen, die fünfzehn Jahre jünger waren als er selbst? Wenn sich eine meiner Töchter in einen solchen Mann verliebte, wäre ich außer mir. Es wäre wie zu dem Zeitpunkt, als Sarah und ihre beste Freundin von der Schule nach Hause gerannt kamen, um mir zu erzählen, daß sie im Park ihren ersten Exhibitionisten gesehen hatten. »Mummy, Mummy, ein Mann hatte die Hosen runter!«

Für mich bedeutete es Furcht und wilder Zorn. *Wenn du sie anfaßt, bring ich dich um.* Aber für sie war es nur bemerkenswert und sehr komisch.

Oder als ich meine Küche sah, nachdem ich Sarah bekommen hatte. Ich brachte sie vom Krankenhaus nach Hause und dachte: *All diese Messer. All diese scharfen und heißen Dinge.* Alles, was ich sah, war das, was ihr weh tun konnte.

Vielleicht hat eine meiner Töchter einen Mann wie Josef, oder einen Mann wie Jon, den sie in ihrem Leben versteckt hält, geheim. Wer weiß, was für schmierige oder ältere Jungen sie sich für ihre Zwecke anlachen, oder um ein Gegengewicht gegen mich zu haben. Während sie mich die ganze Zeit vor sich selbst schützen, weil sie wissen, daß ich entsetzt wäre.

Auf den Titelseiten der Zeitungen lese ich Wörter, die niemals ausgesprochen und schon gar nicht gedruckt wurden – *Geschlechtsverkehr, Abtreibung, Inzest* –, und ich würde ihnen am liebsten die Augen zuhalten, obwohl sie erwachsen sind, oder das, was dafür gehalten wird. Weil ich eine Mutter bin, bin ich zu schockieren; wie nie, als ich es nicht war.

Eigentlich sollte ich für jede ein kleines Geschenk kaufen, wie ich es früher immer getan habe, wenn ich weggefahren bin, als sie noch jünger waren. Früher wußte ich instinktiv, was ihnen gefallen würde.

Heute nicht mehr. Es fällt mir schwer, mich genau daran zu erinnern, wie alt sie inzwischen sind. Ich mochte es überhaupt nicht, wenn meine Mutter vergaß, daß ich erwachsen war, aber inzwischen komme ich allmählich selbst in die Jammerphase, grabe die vergilbten Babyfotos aus, starre versunken auf Haarlocken.

Ich sehe mit zusammengekniffenen Augen durch ein Fenster auf italienische Seidentücher in wunderbaren unbestimmten Farben, graublau, seegrün, als ich eine Berührung am Arm spüre, ein kaltes Aussetzen des Herzschlages.

»Cordelia«, sage ich und drehe mich um.

Aber es ist nicht Cordelia. Es ist niemand, den ich kenne. Es ist eine Frau, eigentlich ein Mädchen, irgendwie nahöstlich: ein langer weiter Rock bis über die Knöchel, bedruckte Baumwolle, unten kanadische Stiefel mit Gummisohlen, die nicht dazupassen; eine kurze zugeknöpfte Jacke, ein Tuch, das, an den Seiten aufgefaltet, wie ein Wimpel quer über ihre Stirn gelegt ist. Die Hand, die mich berührt, ist klumpig in ihrem schweren nordischen Fausthandschuh, die Haut des Handgelenks zwischen Fausthandschuh und Jackenärmel ist bräunlich getönt, wie Kaffee mit einer doppelten Portion Sahne. Die Augen sind groß, wie auf Bildern von Waisen.

»Bitte«, sagt sie. »Sie töten mein Volk.« Sie sagt nicht, wo. Das könnte an vielen Orten sein, oder auch zwischen Orten; Heimatlosigkeit ist jetzt eine Nationalität. Irgendwie ist der Krieg schließlich doch noch nicht aus. Er ist nur in einzelne Stücke zerbrochen und verstreut, er dringt überall ein, man kann ihn nicht fernhalten. Das Töten geht endlos weiter, es ist eine Industrie, mit der Geld zu verdienen ist, und die gute Seite und die böse Seite sind nur schwer auseinanderzuhalten.

»Ja«, sage ich. Das ist der Krieg, der Stephen getötet hat.

»Manche sind hier. Sie haben kein, sie haben nichts. Sie würden getötet...«

»Ja«, sage ich. »Ich weiß.« Das habe ich nun von meinem Spaziergang. Im Auto ist man isoliert. Und woher soll ich wissen, daß sie ist, was sie zu sein vorgibt? Sie könnte eine Drogensüchtige sein. Mit der sanften Tour, es gibt alle möglichen Tricks.

»Ich hab mir Familie, vier. Zwei Kinder. Sie sind bei mir, es ist meine eigene Verantwortung.« Bei »Verantwortung« stottert sie ein bißchen, aber sie bekommt es heraus. Sie ist schüchtern, sie mag nicht, was sie tut, Leute auf der Straße ansprechen.

»Ja?«

»Ich tu's.« Wir sehen uns an. Sie tut es. »Von fünfundzwanzig Dollar kann eine Familie von vier einen ganzen Monat essen.«

Was können sie da essen? Vertrocknetes Brot, weggeworfene Doughnuts? Meint sie eine Woche? Wenn sie das wirklich glaubt, verdient sie mein Geld. Ich ziehe meinen Handschuh aus, leere mein Portemonnaie, zerknitterte Scheine, rosa, blau, purpur. Es ist obszön, soviel Macht zu besitzen; und auch, soviel Machtlosigkeit zu empfinden. Wahrscheinlich haßt sie mich.

»Hier«, sage ich.

Sie nickt. Sie ist nicht dankbar, sondern nur in ihrer Meinung von mir bestätigt, oder in ihrer Meinung von sich selbst. Sie zieht ihren grobgestrickten Fausthandschuh aus, um das Geld entgegenzunehmen. Ich blicke auf unsere Hände, ihre glatte Hand, die Nägel blasse Monde, meine mit der abgerissenen Nagelbetthaut, die schon fast wie die Haut einer Schildkröte aussieht. Sie stopft die Scheine zwischen die Knöpfe ihrer Jacke. Wahrscheinlich hat sie da eine Geldtasche, die ihr niemand wegnehmen kann. Dann zieht sie den Fausthandschuh wieder über, dunkelrot, mit einem aus rosa Wolle aufgestickten Blatt.

»Gott wird Sie segnen«, sagt sie. Sie sagt nicht Allah. Allah könnte ich vielleicht glauben.

Ich gehe weiter, weg von ihr, ziehe meinen Handschuh an. Jeden Tag sind es mehr, mehr von diesen stummen Klagen, diesen hungrigen ausgestreckten Händen, *Hunger Hunger, Hilfe Hilfe*, es ist endlos.

57

Im September höre ich im Swiss Chalet auf und gehe wieder zur Uni. Ich kehre auch wieder in den Keller meines Elternhauses zurück, weil ich es mir nicht leisten kann, es nicht zu tun. Beide Orte sind gefährlich: mein Leben ist jetzt zersplittert, und ich bin in Fragmente zerlegt. Aber ich bin nicht mehr teilnahmslos. Im Gegenteil, ich bin hellwach, trotz der spätsommerlichen Hitze knistere ich vor Adrenalin. Verrat und Betrug tun das für mich, ich muß meine Täuschungen aufrechterhalten: Josef muß ich vor meinen Eltern verbergen und Jon vor Josef und ihnen. Geduckt gehe ich umher, mit im Hals klopfendem Herzen, fürchte Enthüllungen; ich vermeide es, zu spät nach Hause zu kommen, ich weiche aus und bewege mich auf Zehenspitzen. Komischerweise fühle ich mich dadurch nicht unsicherer, sondern sicherer.

Zwei Männer sind besser als einer, jedenfalls ist mir jetzt wohler. Ich liebe beide, sage ich mir, und zwei zu haben bedeutet, daß ich mich weder für den einen noch für den anderen entscheiden muß.

Josef bietet mir, was er mir immer geboten hat, plus Furcht. Ganz nebenbei erzählt er mir, genauso wie er mir einmal erzählte, daß er einen Mann in den Kopf geschossen hat, daß es in den meisten Ländern, außer in unserem, üblich sei, daß eine Frau einem Mann gehört: Wenn ein Mann seine Frau zusammen mit einem anderen Mann antrifft, tötet er beide, und niemand verurteilt ihn deshalb. Was eine Frau tut, wenn eine andere Frau im Spiel ist, sagt er nicht. Während er es erzählt, streicht er mir mit der Hand über den Arm, über die Schulter, über den Nacken, und ich frage mich, was er vermutet. Er hat sich angewöhnt, von mir zu verlangen, daß ich spreche; wenn ich nicht reden soll, legt er mir die Hand auf den Mund. Ich schließe die Augen und empfinde ihn als eine Quelle von Macht, nebelartig und ungreifbar. Ich habe den Verdacht, daß er irgendwie albern wäre, wenn ich ihn objektiv sehen könnte. Aber das kann ich nicht.

Was Jon betrifft, so weiß ich, was er mir bietet. Er bietet ein Entkommen, Weglaufen vor den Erwachsenen. Er bietet mir Spaß und Unordnung. Er bietet Übermut.

Ich überlege, ob ich ihm von Josef erzählen soll, um zu sehen, was passiert. Aber das würde andere Gefahren mit sich bringen. Er würde mich auslachen, weil ich mit Josef schlafe, den er für lächerlich und alt hält. Er würde nicht verstehen, wie ich einen solchen Mann ernst nehmen kann, er würde das Getriebene daran nicht verstehen. Es würde mich in seinen Augen herabsetzen.

Jons Wohnung über dem Koffergeschäft ist lang und schmal und riecht nach Acryl und getragenen Socken und besteht aus nur zwei Zimmern und dem Badezimmer. Das Badezimmer ist purpurrot, und die Wand hinauf sind rote Fußabdrücke gemalt, quer über die Decke und an der anderen Wand wieder herunter. Das vordere Zimmer ist in einem strahlenden Weiß gestrichen und das andere – das Schlafzimmer – in einem schimmernden Schwarz. Jon sagt, das habe er aus Rache getan, weil der Vermieter ein Spießer sei. »Wenn ich mal auszieh, wird er's fünfzehnmal übermalen müssen, um es wegzukriegen«, sagt er.

Manchmal wohnt Jon in dieser Wohnung allein; manchmal ist noch jemand da, manchmal sind es auch zwei, die in Schlafsäcken auf dem Flur schlafen. Das sind andere Maler, die sich vor wütenden Wohnungsvermietern hierher gerettet haben oder die sich zwischen ihren Gelegenheitsjobs hier aufhalten. Wenn ich unten klingle, weiß ich nie, wer mir die Tür aufmacht oder was mich erwartet: die Überreste einer Party, die die ganze Nacht gedauert hat, mehrere Diskussionen gleichzeitig, jemand, dem gerade das Essen aus dem Gesicht fällt. »Dem ist das Essen aus dem Gesicht gefallen«, sagt Jon immer, er findet das komisch.

Auf der Treppe begegne ich verschiedenen Frauen, die rauf- oder runtergehen; oder es hocken welche in dem weißgestrichenen Zimmer, in der Ecke, in der eine improvisierte Küche ist, die aus einer Kochplatte und einem elektrischen Kessel besteht. Es ist niemals ganz klar, zu wem diese Frauen gehören; manchmal sind es andere Kunststudentinnen, die reinschauen, um zu reden. Aber sie reden nicht viel miteinander. Sie reden mit den Männern, oder sie sind still.

Jons Bilder hängen in dem weißen Zimmer, oder sie lehnen an den

Wänden. Sie wechseln fast jede Woche: Jon ist produktiv. Er malt sehr schnell, in gewalttätigen, ins Auge stechenden Acrylfarben, rot und pink und purpur, in hektischen Schleifen und Kurven. Ich habe das Gefühl, daß ich diese Bilder bewundern sollte, weil ich selbst nicht so malen kann, und ich bewundere sie auch, einsilbig. Aber insgeheim mag ich sie nicht besonders: ich habe so was schon neben der Autobahn gesehen, wenn ein Tier überfahren wurde.

Allerdings sind diese Bilder keine Bilder von etwas, das man wiedererkennen sollte. Sie sind Momente eines Prozesses, auf Leinwand festgehalten. Sie sind reine Malerei.

In bezug auf Reinheit ist Jon ganz groß, aber nur in der Kunst: seinen Haushalt betrifft das nicht, der ist der Inbegriff eines überschäumenden Protests gegen alle Mütter und besonders seine eigene. Er wäscht das Geschirr, falls er es wäscht, in der Badewanne, wo dann im Abfluß Brotkrusten, Reste und Körner hängen. Auf dem Fußboden seines Wohnzimmers sieht es aus wie an einem Badestrand nach dem Wochenende. Seine Bettlaken sind selbst ein Moment eines Prozesses, aber ein Moment, der schon eine ganze Weile anhält. Ich ziehe die Oberseite seines Schlafsacks vor, der weniger septisch ist. Sein Badezimmer ähnelt den Waschräumen in Tankstellen an abgelegenen Straßen oben im Norden: in der Kloschüssel, in der die meiste Zeit Zigarettenkippen schwimmen, ist ein brauner Rand, auf den Handtüchern, falls überhaupt welche da sind, sind Handabdrücke, hier und da auf dem Fußboden undefinierbare Papierfetzen.

Im Moment mache ich keine Anstalten in Richtung Sauberkeit. Das zu tun, hieße die Grenzen überschreiten und einen bourgeoisen Mangel an Cool zeigen. »Was bist du, meine Mom?« habe ich ihn zu einer der herumhängenden Frauen sagen hören, die schwache Anstrengungen unternahm, wenigstens den fauligeren Dreck unter Kontrolle zu bringen. Ich will nicht seine Mom sein, sondern lieber seine Mitverschwörerin.

Mit Jon zu schlafen, ist nicht der gemächliche, quälende Trancezustand wie mit Josef, sondern ungestüm, wie junge Hunde im Matsch. Es ist schmutzig, wie bei Straßenkämpfen, wie in Witzen. Danach liegen wir auf seinem Schlafsack, essen Kartoffelchips aus der Tüte und kichern über nichts. Jon denkt nicht, daß Frauen hilflose Blumen sind, oder Gebilde, die arrangiert und vervollkommnet werden müssen, so wie Josef es tut. Er findet sie intelligent oder blöd. Das sind seine Kategorien. »Hör zu, Kumpel«, sagt er zu mir. »Du hast mehr Grips als die meisten.« Darüber freue ich mich, aber ich fühle mich auch allein gelassen. Ich kann mich um mich selbst kümmern.

Josef fängt an, mich zu fragen, wo ich war, was ich gemacht habe. Ich antworte beiläufig und schlau. Ich halte Jon wie einen Trumpf gegen ihn: wenn er ein doppeltes Spiel spielt, kann ich das auch. Aber er spricht nicht mehr von Susie.

Ich habe sie Ende August das letzte Mal gesehen, kurz bevor ich im Swiss Chalet aufhörte. Sie kam herein und aß etwas, ein halbes Huhn und Burgunder-Cherry-Eis. Ihre Haare, die jetzt dunkler und glatter waren, sahen vernachlässigt aus, ihr Körper war plump, ihr Gesicht voll. Sie aß ganz mechanisch, als müßte sie sich einer unangenehmen Aufgabe entledigen, aber sie aß alles auf. Vielleicht aß sie, um sich zu trösten, wegen Josef: was auch geschah, er würde sie niemals heiraten, das muß sie gewußt haben. Ich glaubte, sie sei gekommen, um mit mir über Josef zu reden, und wich ihr aus, wimmelte sie mit einem neutralen Lächeln ab. Ihr Tisch war keiner von meinen.

Aber bevor sie ging, kam sie direkt auf mich zu. »Hast du Josef gesehen?« fragte sie mit klagender Stimme, was mich ärgerte.

Ich log, wenn auch nicht besonders gut. »Josef?« sagte ich und wurde rot. »Nein. Warum sollte ich?«

»Ich dachte nur, daß du vielleicht weißt, wo er ist«, sagte sie. Es klang nicht vorwurfsvoll, sondern hoffnungslos. Mit hängenden Schultern ging sie hinaus, wie eine Frau mittleren Alters. Kein Wunder, daß Josef sich fernhält, dachte ich, bei dem Hintern. Er mochte keine dürren Frauen, aber auch das Gegenteil hatte seine Grenzen. Susie ließ sich gehen.

Jetzt aber ruft sie mich an. Es ist später Nachmittag, und ich bin im Keller und lerne, als mich meine Mutter ans Telefon ruft.

Susies Stimme ist ein weiches, verzweifeltes Wimmern. »Elaine«, sagt sie. »Bitte, komm zu mir.«

»Was ist los?« frage ich.

»Das kann ich dir nicht sagen. Bitte, komm.«

Schlaftabletten, denke ich. Das wäre ihr Stil. Und warum ich, warum hat sie nicht Josef angerufen? Ich würde sie am liebsten ohrfeigen.

»Alles in Ordnung mit dir?« frage ich.

»Nein«, sagt sie mit etwas lauterer Stimme. »Nichts ist in Ordnung. Es ist was passiert.«

Ich komme gar nicht auf die Idee, ein Taxi zu rufen. Taxis sind für Josef; ich bin daran gewöhnt, überall mit Bussen oder Straßenbahnen hinzufahren, und mit der U-Bahn. Ich brauche fast eine Stunde, bis ich am Monte Carlo bin. Susie hat mir nicht gesagt, welche Wohnungsnummer sie hat, und ich habe nicht daran gedacht, sie danach zu fragen, so daß ich den Hausmeister suchen muß. Ich klopfe an die Tür, aber es antwortet niemand, und so muß ich noch einmal zum Hausmeister gehen.

»Ich weiß, daß sie da drin ist«, sage ich, als er die Tür nicht aufschließen will. »Sie hat mich angerufen. Es ist ein Notfall.«

Als ich schließlich reinkomme, ist die Wohnung dunkel; die Vorhänge sind zugezogen, die Fenster sind geschlossen, und da ist ein merkwürdiger Geruch. Hier und da sind Kleider verstreut, Jeans, Winterstiefel, ein schwarzer Schal, den ich schon an ihr gesehen habe. Die Möbel sehen aus, als hätten ihre Eltern sie ausgesucht: ein grünliches Sofa mit breiten Lehnen, ein weizenblonder Teppich, ein Kaffeetisch, zwei Lampen, auf deren Schirmen noch die Zellophanverpackung klebt. Nichts davon paßt zu Susie, wie ich sie mir vorgestellt habe.

Auf dem Teppich ist ein dunkler Fußabdruck.

Susie ist hinter dem Vorhang, der die Schlafecke abteilt. Sie liegt in einem rosafarbenen Nylon-Shortie auf dem Bett, weiß wie ein ungebratenes Hühnchen, mit geschlossenen Augen. Die Zudecken und die dicke rosafarbene Überdecke liegen auf dem Fußboden. Unter ihr ist ein großer Fleck aus frischem Blut quer über dem Laken, der sich nach beiden Seiten erstreckt und wie zwei helle rote Flügel aussieht.

Trostlosigkeit geht wie eine Welle durch mich hindurch: ohne Grund habe ich das Gefühl, daß ich im Stich gelassen wurde.

Dann wird mir übel. Ich laufe ins Badezimmer und übergebe mich. Es ist noch schlimmer, weil in der Kloschüssel dunkelrotes Blut ist. Auf dem weißschwarzgekachelten Fußboden sind blutige Fußspuren, am Waschbecken blutige Fingerabdrücke. Der Abfallkorb ist mit durchweichten Binden vollgestopft.

Ich wische mir an Susies babyblauem Handtuch den Mund ab, wasche mir die Hände in dem blutbespritzten Becken. Ich weiß nicht, was ich als nächstes tun soll; was immer hier passiert ist, ich will nichts damit zu tun haben. Ganz flüchtig kommt mir der absurde Gedanke, daß man mich, falls sie tot ist, des Mordes anklagen wird. Ich überlege mir kurz, mich aus der Wohnung zu schleichen, die Tür hinter mir zuzumachen, meine Spuren zu verwischen. Statt dessen gehe ich wieder zum Bett und fühle Susies Puls. Ich weiß, daß man das tun soll. Susie lebt noch.

Ich suche den Hausmeister, der die Ambulanz ruft. Ich rufe auch Josef an, aber er ist nicht zu Hause.

Ich fahre mit Susie ins Krankenhaus, hinten in der Ambulanz. Sie ist jetzt halb bei Bewußtsein, und ich halte ihre Hand, die kalt und klein ist. »Sag Josef nichts«, flüstert sie mir zu. Das rosafarbene Nachthemd macht es mir endgültig klar: sie ist nichts von alldem, wofür ich sie gehalten habe, sie ist es nie gewesen. Sie ist einfach nur ein nettes Mädchen, das Sichverkleiden gespielt hat.

Aber was sie getan hat, trennt sie von allen. Es gehört zu der untergetauchten Landschaft, zu den Dingen, die niemals ausgesprochen werden, die unter dem normalen Gesprochenen liegen wie Hügel unter Wasser. Alle in meinem Alter wissen davon. Niemand spricht davon. Dort unten gehen Gerüchte um, von Küchentischen, heimlich überreichtem Geld; bösen alten Frauen, illegalen Ärzten, von Schande und Schlächterei. Dort unten herrscht der Terror.

Die beiden Pfleger sind gleichgültig und verächtlich. Sie haben so was schon mal gesehen.

»Wie hat sie's denn gemacht, mit 'ner Stricknadel?« fragt der eine. Sein Ton ist anklagend: vielleicht denkt er, daß ich ihr geholfen habe.

»Ich hab keine Ahnung«, sage ich. »Ich kenn sie kaum.« Ich will nichts damit zu tun haben.

»Das nehmen sie meistens«, sagt er. »Dumme Gören. Man sollte meinen, sie hätten mehr Verstand.«

Ich finde auch, daß es dumm war von ihr. Aber ich weiß auch, daß ich mich an ihrer Stelle genauso dumm verhalten hätte. Ich hätte ganz genau dasselbe getan wie sie, Schritt für Schritt, jeden Augenblick. Ich wäre genauso wie sie in Panik geraten, und genauso wie sie hätte ich Josef nichts davon erzählt, genauso wie sie hätte ich nicht gewußt, wo ich hin sollte. Alles, was mit ihr passiert ist, hätte genausogut mir passieren können.

Aber da ist noch eine andere Stimme; eine leise böse Stimme, uralt und überheblich, von irgendwo tief in meinem Kopf, die sagt: *Geschieht ihr ganz recht.*

Als Josef schließlich ausfindig gemacht wird, ist er völlig am Boden zerstört. »Das arme Kind, das arme Kind«, sagt er. »Warum hat sie mir denn nichts gesagt?«

»Sie dachte, daß du ihr dann böse bist«, sage ich kalt. »Wie ihre Eltern. Sie dachte, du würdest sie rausschmeißen, weil sie schwanger ist.«

Wir wissen beide, daß das sehr wohl möglich wäre. »Nein, nein«, sagt Josef unsicher. »Ich hätte mich um sie gekümmert.« Das konnte mehreres bedeuten.

Er ruft das Krankenhaus an, aber Susie will ihn nicht sehen. Irgend etwas hat sich verändert in ihr, verhärtet. Sie sagt ihm, daß sie vielleicht niemals mehr Kinder haben kann. Sie liebt ihn nicht. Sie will ihn nie wiedersehen.

Josef schwimmt jetzt in Selbstmitleid. »Aber ich habe ihr doch nichts getan«, klagt er und zieht sich an den Haaren.

Er wird melancholischer denn je; er will nicht essen gehen, er will nicht ins Bett. Er bleibt in seiner Wohnung, die jetzt nicht mehr aufgeräumt und leer ist, sondern sich mit desorganisierten Teilen seines Lebens füllt: den Behältern chinesischer Fertigspeisen, ungewaschenen Laken.

Er sagt, daß er nie darüber hinwegkommen wird, was er Susie angetan hat. So sieht er es: er hat etwas getan, hat Susie etwas angetan, ihrem trägen und unschuldigen Fleisch. Zugleich hat sie ihn verletzt: wie kann sie ihn nur so behandeln, ihn aus ihrem Leben verbannen?

Er erwartet von mir, daß ich ihn tröste, ihm über seine Schuld und das, was ihm zugefügt wurde, hinweghelfe, aber das liegt mir nicht besonders. Ich fange an, ihn nicht zu mögen.

»Es war mein Kind«, sagt er.

»Hättest du sie geheiratet?« frage ich. Das Schauspiel seines Leidens macht mich nicht mitfühlend, sondern rücksichtslos.

»Du bist grausam zu mir«, sagt Josef. Das hat er schon mal zu mir gesagt, im sexuellen Sinn, neckend. Jetzt meint er es ernst. Jetzt hat er recht.

Was es auch war, das uns im Gleichgewicht gehalten hat, ohne Susie ist es nicht mehr vorhanden. Josef lastet nun mit seinem vollen Gewicht auf mir, und er ist zu schwer für mich. Ich kann ihn nicht glücklich machen, und ich ärgere mich, weil ich versagt habe: ich bin nicht genug für ihn, ich bin unzulänglich. Ich sehe ihn jetzt als Schwächling, der sich an mich klammert, ausgeweidet wie ein Fisch. Ich habe keinen Respekt vor einem Mann, der sich von Frauen zu einem solchen Wrack machen läßt. Ich blicke in seine trübseligen Augen und empfinde Verachtung.

Am Telefon erfinde ich Entschuldigungen. Ich sage ihm, ich sei sehr beschäftigt. Eines Abends versetze ich ihn. Das ist ein so ungeheuer wohltuendes Gefühl, daß ich es gleich noch mal tun muß. Er spürt mich an der Universität auf, zerknittert und unrasiert und plötzlich zu alt, und fleht mich an, während ich zur nächsten Vorlesung gehe. Sein Wortschwall macht mich wütend.

»Wer war das?« fragt das Mädchen mit dem Kaschmir-Twinset.

»Nur jemand, den ich mal kannte«, sage ich leichthin.

Josef lauert mir vor dem Museum auf und verkündet, daß ich ihn in Verzweiflung gestürzt habe: weil ich ihn so schlecht behandelt habe, verläßt er Toronto für immer. Er macht mir nichts vor: er hatte das sowieso geplant. Mein böses Mundwerk meldet sich zu Wort.

»Gut«, sage ich.

Er wirft mir einen schmerzerfüllten, vorwurfsvollen Blick zu und flüchtet sich dann in die stolze, theatralische Körperhaltung eines Matadors.

Ich lasse ihn einfach stehen. Dieser Akt des Weggehens ist ebenfalls enorm befriedigend. Es ist, als wäre man fähig, Leute erscheinen und verschwinden zu lassen, ganz wie man will.

Ich träume nicht von Josef. Aber ich träume von Susie, mit ihrem schwarzen Rollkragenpullover und den Jeans, aber kleiner, als sie in Wirklichkeit ist, mit einem Bubikopf. Sie steht auf einer Straße, die mir bekannt ist, die ich aber nicht wiedererkenne, zwischen Haufen schwelenden Herbstlaubs, hält ein aufgerolltes Springseil und lutscht ein Orangeneis am Stiel.

Sie ist nicht blutleer und knochenlos wie beim letzten Mal, als ich sie gesehen habe. Ihr Blick ist hinterhältig, berechnend. »Weißt du denn nicht, was ein Twinset ist?« fragt sie mich gehässig.

Sie lutscht an ihrem Eis. Ich weiß, ich habe etwas falsch gemacht.

58

Zeit vergeht, und Susie verblaßt. Josef taucht nicht wieder auf.

Nur Jon bleibt mir erhalten. Ich spüre, daß er, wie eine von zwei Buchstützen, für sich unvollständig ist. Aber ich komme mir tugendhaft vor, weil ich jetzt nichts mehr vor ihm verberge. Allerdings hat sich für ihn nichts geändert, denn er wußte ja gar nicht, daß ich etwas vor ihm verborgen habe. Er weiß nicht, warum es mir nun nicht mehr so gleichgültig ist, was er mit seiner restlichen Zeit anstellt.

Ich beschließe, daß ich ihn liebe. Obwohl ich viel zu vorsichtig bin, es ihm zu sagen: möglicherweise hat er was gegen die Vokabel oder glaubt, ich wolle ihn festnageln.

Ich gehe noch immer zu ihm, in seine lange weißschwarze Wohnung, ende noch immer auf seinem Schlafsack, auch wenn es meist rein zufällig ist: Jon ist nicht besonders begabt darin, Dinge im voraus zu planen, oder sich etwas zu merken. Manchmal stehe ich vor seiner Haustür, und es macht niemand auf. Oder sein Telefon wird abgestellt, weil er die Rechnung nicht bezahlt hat. In gewisser Hinsicht sind wir ein Paar, auch wenn zwischen uns nichts ausgesprochen wird. Wenn er mit mir zusammen ist, ist er mit mir zusammen: ungefähr so weit, aber nicht weiter, geht er in seiner Definition dessen, was noch nicht als Beziehung bezeichnet wird.

Es gibt trübe, rauchige Partys, bei abgeschaltetem Licht und flakkernden Kerzen in Flaschenhälsen. Die anderen Maler sind da und verschiedene Frauen in Rollkragen, die jetzt aber lange glatte Haare mit Mittelscheitel tragen. Sie sitzen in Gruppen auf dem Boden, im Dunkeln, hören sich Folksongs über Frauen an, die mit Messern erstochen werden, und rauchen Marihuanazigaretten, wie es jetzt in New York üblich ist. Sie nennen es »Dope« oder »Pot« und behaupten, daß es einen beim Malen lockerer macht.

Bei Zigaretten jeder Art muß ich husten, daher rauche ich keine. An manchen Abenden lande ich mit dem einen oder anderen der Maler hinten im Flur, weil ich lieber nicht mitansehen will, was Jon mit den Mädchen mit den glatten Haaren treibt. Was auch immer, ich wünschte, er würde es heimlich tun. Aber er sieht keinen Anlaß, irgend etwas zu verheimlichen: sexuelles Besitzdenken ist spießig und nur ein Relikt der Vorstellungen von der Unantastbarkeit privaten Eigentums. Niemand besitzt irgend jemanden.

So drückt er es natürlich nicht aus. Er sagt höchstens: »Hör mal, ich bin doch nicht dein Besitz.«

Manchmal sind die anderen Maler nur *stoned* oder betrunken, aber manchmal wollen sie mir von ihren Problemen erzählen. Sie tun es ungeschickt, fangen immer wieder von vorne an und geraten ins Stocken, kurze abgehackte Worte. Ihre Probleme haben meistens mit ihren Freundinnen zu tun. Bald werden sie mir ihre Socken zum Stopfen bringen, ihre Knöpfe zum Annähen. Ich komme mir vor wie eine alte Tante. Dies setze ich an die Stelle der Eifersucht, die keine Zukunft mehr hat. Jedenfalls glaube ich das.

Jon malt jetzt keine Wirbel und Eingeweide mehr. Er sagt, das sei zu romantisch, zu emotional, zu schlampig, zu sentimental. Jetzt macht er Bilder, auf denen jede Form entweder aus geraden Linien oder vollkommenen Kreisen besteht. Er verwendet Klebestreifen, damit die Linien völlig gerade werden. Er arbeitet in flachen Farbblöcken, ohne sichtbares Impasto.

Er gibt diesen Bildern Titel wie *Rätsel: Blau und Rot* oder *Variation: Schwarz und Weiß* oder *Opus 36*. Wenn man sie ansieht, tun einem die Augen weh. Jon sagt, das sei's ja gerade.

Tagsüber gehe ich in die Uni.

Kunst und Archäologie ist trüber und samtener als im vergangenen Jahr, erfüllt von Impasto und Chiaroscuro. Noch immer gibt es Madonnen, aber ihre Körper sind nicht mehr wie früher in Licht getaucht, sondern eher bei Nacht zu sehen. Noch immer sind Heilige da, obgleich sie nun nicht mehr in stillen Räumen oder Wüsten sitzen, mit ihren Memento-mori-Schädeln und hundeähnlichen Löwen zu ihren Füßen; statt dessen winden sie sich in verzerrten Posen, ihre Leiber von Pfeilen gespickt oder an Pfähle gebunden. Biblische Themen haben nun eine starke Tendenz zur Gewalt: Judith, die Holofernes den Kopf abschneidet, ist jetzt gefragt. Es gibt nun auch viel mehr klassische Götter und Göttinnen. Es gibt Kriege, Schlachten und Gemetzel wie früher, aber verwirrter und mit ineinander verschlungenen Armen und Beinen. Es gibt noch immer Porträts von reichen Leuten, wenn auch in dunklerer Kleidung.

Bei unserem eiligen Zug durch die Jahrhunderte erscheinen neue Dinge: Bilder nur mit Schiffen oder nur mit Tieren, Hunde und Pferde, zum Beispiel. Nur Bauern. Landschaften, mit oder ohne Häuser. Nur Blumen, Früchteteller und Fleischstücke, mit oder ohne Hummer. Hummer sind wegen ihrer Farbe beliebt.

Nackte Frauen.

Dabei gibt es beträchtliche Überschneidungen: eine nackte, blumenbekränzte Göttin mit einigen Hunden an ihrer Seite; biblische Figuren mit oder ohne Kleidung, plus oder minus Tieren, Bäumen und Schiffen. Reiche Leute, die so tun, als wären sie Götter und Göttinnen. Früchte und Gemetzel werden gewöhnlich nicht kombiniert, genausowenig wie Götter und Bauern. Die nackten Frauen werden auf die gleiche Weise präsentiert wie die Platten mit Fleisch und toten Hummern, mit derselben Konzentration auf das Spiel des Kerzenlichts auf der Haut, der gleichen Üppigkeit, demselben sinnlichen und prächtig ausgeführten Detail, derselben malerischen Freude am Tastbaren. (*Prächtig ausgeführt*, schreibe ich. *Malerische Freude am Tastbaren*.) Sie wirken wie aufgetischt.

Ich mag diese schattigen, zähen Bilder nicht. Ich mag die früheren lieber, mit ihrer Tageslichtklarheit, ihren ruhigen, zurückgehaltenen Gesten. Außerdem habe ich die Ölfarbe aufgegeben, sie ist zu dick, sie verwischt die Linien, sieht aus wie geleckte Lippen und lenkt die Aufmerksamkeit auf die Pinselstriche des Malers. Ich kann mit ihnen nichts anfangen. Was ich will, sind Bilder, die aus sich selbst heraus zu existieren scheinen. Ich will Objekte, die Licht ausatmen, eine leuchtende Flachheit.

Ich male mit Farbstiften. Oder ich male mit Temperafarben – die Technik der Mönche. Das lehrt heute niemand mehr, daher wühle ich die ganze Bibliothek durch, suche nach Anleitungen. Temperamalerei ist schwierig und schmutzig, mühevoll, und zuerst bricht es einem fast das Herz. Ich verschmiere den Küchenfußboden und die Kochtöpfe meiner Mutter, in denen ich den Gips koche, und ruiniere eine Tafel nach der anderen, bevor ich herausgefunden habe, wie ich auftragen muß, um einen glatten Grund zu erhalten. Oder ich vergesse meine Flaschen mit Eigelb und Wasser, die verderben und den Keller mit ihrem Schwefelgestank erfüllen. Ich verbrauche eine Menge Eidotter. Ich trenne sie sorgfältig vom Eiweiß, das ich meiner Mutter bringe, damit sie daraus Baisertörtchen macht.

Ich zeichne neben dem großen Wohnzimmerfenster, wenn niemand zu Hause ist, oder in dem Tageslicht, das durch das Kellerfenster fällt. Bei Nacht verwende ich zwei Bogenlampen mit jeweils drei Birnen. Nichts davon ist wirklich adäquat, aber mehr kriege ich nicht zustande. Später, glaube ich, werde ich ein großes Atelier haben, mit Oberlicht; was ich allerdings darin malen werde, ist überhaupt nicht klar. Aber was es auch sein wird, es wird noch später auf Farbtafeln in Büchern erscheinen; wie die Arbeiten von Leonardo da Vinci, über dessen Studien von Händen und Füßen und Haaren und von Toten ich sitze und brüte.

Die Wirkung von Glas beginnt mich zu faszinieren, und auch von anderen Oberflächen, die Licht reflektieren. Ich studiere Bilder, in denen Perlen, Kristalle, Spiegel, glänzende Messingteile vorkommen. Ich verbringe viel Zeit über van Eycks *Die Arnolfini-Hochzeit*, sitze mit einem Vergrößerungsglas über dem unbefriedigenden Farbdruck in meinem Textbuch; dabei sind es nicht die beiden zarten, blassen, schulterlosen, sich an den Händen haltenden Gestalten, die mich faszinieren, sondern der Pfeilerspiegel an der Wand hinter ihnen, auf dessen gewölbter Oberfläche sich nicht nur ihre Rücken abbilden, sondern auch zwei andere Personen, die überhaupt nicht in dem Bild sind. Diese Gestalten im Spiegel erscheinen etwas schief, als herrschte im Spiegelinneren ein anderes Gesetz der Schwerkraft, eine andere Anordnung des Raums, eingeschlossen und im Glas versiegelt wie in einem Briefbeschwerer. Dieser runde Spiegel ist wie ein Auge, ein einzelnes Auge, das mehr sieht als alle anderen: über diesem Spiegel steht *Johannes de Eyck fuit hic. 1434*. Die Schrift ähnelt irritierend dem Gekritzel in einer Toilette oder den Spraydosen-Graffiti an den Wänden.

In unserem Haus gibt es keinen Pfeilerspiegel, den ich zum Üben verwenden könnte. Deshalb male ich Ginger Ale-Flaschen, Weingläser, Eiswürfel aus dem Kühlschrank, die lasierte Teekanne, die unechten Perlenohrringe meiner Mutter. Ich male poliertes Holz und Metall: eine Bratpfanne mit Kupferboden, von unten gesehen, einen Tauchsieder aus Aluminium. Ich fummele an den Details herum, tief über meine Bilder gebeugt, setze mit winzigen Pinseln Lichteffekte.

Mir ist klar, daß mein Geschmack nicht in Mode ist, daher mache ich meine Bilder heimlich. Jon, zum Beispiel, würde sie als Illustrationen bezeichnen. Jedes Bild, das irgend etwas Erkennbares aufweist, ist seiner Meinung nach Illustration. Solche Arbeit ist ohne spontane Energie, würde er sagen. Kein Prozeß. Ich könnte genausogut Fotograf sein oder Norman Rockwell. An manchen Tagen gebe ich ihm recht, denn was habe ich bis jetzt schon groß getan? Nichts, was sich von jedem beliebigen Beispiel aus der Haushaltswarenabteilung im Eaton-Katalog unterscheiden würde. Aber ich mache weiter.

Mittwochabends besuche ich wieder einen Abendkurs: nicht Aktzeichnen, das in diesem Jahr von einem leicht erregbaren Jugoslawen unterrichtet wird, sondern Werbegraphik. Die Studenten sind völlig anders als die beim Aktzeichnen. Sie kommen hauptsächlich aus dem kommerziellen Zweig des Art College, nicht von der Bildenden Kunst. Auch hier sind die meisten männlich. Manche von ihnen haben ernsthafte künstlerische Ambitionen, aber sie trinken viel weniger Bier. Sie sind sauberer und gesitteter, und sie wollen bezahlte Jobs, wenn sie ihren Abschluß haben. Das will ich auch.

Unser Lehrer ist ein ältlicher Mann, dünn und niedergeschlagen. Er glaubt, daß er in der realen Welt versagt hat, obgleich er früher einmal eine sehr bekannte Illustration für Schweinefleisch- und Bohnenkonserven gemalt hat, an die ich mich aus meiner Kindheit erinnere. Wir haben während des Krieges eine Menge Schweinefleisch mit Bohnen gegessen. Seine Spezialität ist die Darstellung von Lächeln: der Trick besteht darin, die Zähne, schöne weiße gleichmäßige Zähne, so zu zeichnen, daß die einzelnen Zähne ohne Trennung ineinander übergehen, weil das Lächeln sonst zu hundezahnig oder zu sehr nach Gebiß (das er selber hat) aussehen würde. Er sagt, daß ich Talent für Lächeln besitze und es weit bringen kann.

Jon macht sich über meinen Abendkurs ein bißchen lustig, aber nicht so sehr, wie ich befürchtet habe. Den Lehrer nennt er Mr. Beanie Weenie, und dabei läßt er es bewenden.

59

Ich mache meinen Abschluß an der Uni und entdecke, daß ich mit meinem akademischen Grad nicht viel anfangen kann. Jedenfalls nichts, was ich machen will. Ich will nicht noch länger an der Uni bleiben, um zu promovieren, ich will nicht an der High-School unterrichten, und ich will auch nicht den Lakai für einen Kurator im Museum spielen.

Inzwischen habe ich fünf Abendkurse am Art College absolviert, vier davon im kommerziellen Bereich, und mit ihnen und meiner Mappe mit den Lächelbildern und Schüsseln mit Karamelpudding und den Pfirsichhälften in Dosen klappere ich mehrere Werbeagenturen ab. Zu diesem Zweck kaufe ich mir bei Simpson's ein beigefarbenes Wollkostüm (Sonderangebot), dazu passende Pumps mit mittelhohem Absatz, Perlenstecker für die Ohren und einen geschmackvollen Seidenschal (Sonderangebot); ich folge da ganz dem Rat meiner Lehrerin im letzten Abendkurs, Layout und Design. Sie riet mir auch zu einem anderen Haarschnitt, aber zu mehr als zu einer Hochfrisur, die ich mit Hilfe einiger großer Lockenwickler und eines Haargels und vielen Haarklemmen zustande brachte, konnte ich mich nicht durchringen. Am Ende bekomme ich einen untergeordneten Job, bei dem ich Modelle in Lebensgröße anfertigen muß. Ich miete eine kleine möblierte Dreizimmerwohnung mit Küche und separatem Eingang in einem großen heruntergekommenen Gebäude, nördlich von Bloor. Das zweite Schlafzimmer nehme ich zum Malen und halte die Tür geschlossen.

Diese Wohnung hat ein richtiges Bett und eine richtige Küchenspüle. Jon kommt zum Abendessen und spottet über die Handtücher, die ich (Sonderangebot) gekauft habe, die feuerfesten Schüsseln, die ich mir zugelegt habe, und meinen Duschvorhang. »*Schöner Wohnen*, was?« sagt er. Er verspottet auch das Bett, aber er schläft gern drin. Er kommt jetzt öfter zu mir in die Wohnung, als ich zu ihm gehe.

Meine Eltern verkaufen ihr Haus und ziehen nach Norden. Mein Vater hat die Universität verlassen und ist wieder in die Forschung gegangen; er ist jetzt Direktor beim Forest Insect Laboratory in Sault Ste. Marie. Er sagt, Toronto leide an Überbevölkerung und totaler Umweltverschmutzung. Er sagt, die unteren Great Lakes seien die größten Kloaken der Welt, und daß wir alle zu Alkoholikern würden, wenn wir wüßten, was ins Trinkwasser gelangt. Und was die Luft betrifft, so sei sie so voller Chemie, daß wir eigentlich alle Gasmasken tragen müßten. Oben im Norden kann man noch atmen.

Meine Mutter war nicht glücklich, ihren Garten verlassen zu müssen, aber sie machte das Beste daraus: »Wenigstens ist das eine gute Gelegenheit, den ganzen alten Kram im Keller wegzuwerfen«, sagte sie. Sie haben da oben schon wieder einen neuen Garten angelegt, auch wenn die Wachstumsperiode dort kürzer ist. Aber im Sommer sind sie sowieso meistens unterwegs, fahren von einem Schädlingsbefall zum nächsten. An Insekten gibt es keinen Mangel.

Ich vermisse meine Eltern nicht. Noch nicht. Oder vielmehr will ich nicht mit ihnen zusammen wohnen. Ich bin froh, meinen eigenen Plänen und Einfällen überlassen zu sein, meinem eigenen Chaos. Ich kann jetzt essen, wann es mir Spaß macht, Fertigerichte und den Fraß vom Schnellimbiß, ohne mich um ausgewogene Mahlzeiten kümmern zu müssen, ich kann ins Bett gehen, wann es mir paßt, meine schmutzige Wäsche verschimmeln, das Geschirr sich stapeln lassen.

Ich werde befördert. Nach einer Weile wechsle ich in die graphische Abteilung eines Verlags und entwerfe Buchumschläge. Wenn Jon nicht da ist, male ich abends. Manchmal vergesse ich, ins Bett zu gehen, und stelle fest, daß es schon wieder hell wird, und dann ziehe ich mich um und gehe gleich zur Arbeit. An solchen Tagen bin ich ziemlich angeschlagen und habe Mühe, zu hören, was man mir sagt; aber das scheint niemandem aufzufallen.

Ich bekomme Ansichtskarten und gelegentlich einen kurzen Brief von meiner Mutter aus Orten wie Duluth und Kapuskasing. Sie sagt, die Straßen würden zu voll. »Zu viele Wohnwagen.« Ich antworte mit Neuigkeiten über meinen Job, meine Wohnung und das Wetter. Jon erwähne ich nicht, denn da gibt es nichts Neues. Neuigkeiten wären etwas Definitives und Solides, wie eine Verlobung etwa.

Mein Bruder Stephen ist mal hier, mal dort. Er ist noch wortkarger geworden: auch er kommuniziert jetzt per Ansichtskarten. Eine kommt aus Deutschland, zeigt einen Mann in kurzen Lederhosen und trägt die Nachricht: *Doller Teilchenbeschleuniger;* eine aus Nevada, mit einem Kaktus und der Bemerkung: *Interessante Lebensformen.* Er geht nach Bolivien, auf Urlaub, wie ich vermute, und schickt eine Frau mit Zigarre und hohem Hut: *Ausgezeichnete Schmetterlinge. Hoffe, es geht Dir gut.* Irgendwann heiratet er, was er mittels einer Ansichtskarte aus San Francisco, mit der Golden Gate Bridge und einem Sonnenuntergang und den Worten: *Habe geheiratet. Annette läßt grüßen*, bekannt gibt. Das ist alles, was ich darüber erfahre, bis er sieben Jahre später eine Ansichtskarte mit der Freiheitsstatue aus New York schickt: *Bin geschieden.* Ich nehme an, daß er über beide Ereignisse erstaunt war, als wären sie nicht etwas, das er selbst mit voller Absicht getan hat, sondern als handelte es sich um etwas, das ihm ganz zufällig widerfahren ist, wie man sich den Zeh anstößt. Ich kann ihn mir gut vorstellen, wie er in die Ehe spaziert ist wie in einen Park in einem fremden Land, bei Nacht, und sich der Möglichkeit, Schaden davonzutragen, gar nicht bewußt war.

Er taucht in Toronto auf, um einen Vortrag auf einer Tagung zu halten, und teilt es mir vorher auf einer Ansichtskarte aus Boston mit, sie zeigt eine Statue von Paul Revere: *Komme So. 12. an. Mein Vortrag ist Mo. Bis dann.*

Ich gehe in den Vortrag, nicht weil ich mir für mich selbst viel davon verspreche – der Titel lautet: »Die ersten Pikosekunden und die Suche nach einer Einheitlichen Feldtheorie: Einige Überlegungen« –, sondern weil er mein Bruder ist. Ich sitze da und kaue an meinen Fingern, während sich die Universitätsaula mit Zuhörern füllt, im großen und ganzen Männer. Die meisten von ihnen sehen aus wie Leute, mit denen ich in der High-School nicht ausgegangen wäre.

Dann kommt mein Bruder herein, zusammen mit dem Mann, der ihn einführen wird. Ich habe meinen Bruder seit Jahren nicht gesehen; er ist schmaler, und seine Haare lichten sich schon ein wenig. Er benötigt eine Brille, um seinen Text zu lesen; sie ragt aus seiner Brusttasche. Jemand hat sich um seine Garderobe gekümmert, er trägt einen Anzug und eine Krawatte. Diese Veränderungen machen ihn jedoch nicht normaler, sondern ungewöhnlicher, wie ein Wesen von einem fremden Planeten, das in menschliche Kleidung geschlüpft ist. Der Eindruck, den er vermittelt, ist von verblüffender Brillanz, als würde sein Kopf jeden Augenblick aufleuchten und durchsichtig werden und ein riesiges Gehirn in hellen Farben zum Vorschein kommen. Zugleich sieht er zerknittert und verwirrt aus, als wäre er gerade aus einem angenehmen Traum erwacht und sähe sich von Schlümpfen umringt.

Der Mann, der meinen Bruder vorstellt, sagt, daß er keine Vorstellung brauche, dann liest er eine Liste mit Arbeiten vor, die mein Bruder veröffentlicht hat, mit Preisen, die er verliehen bekommen hat, mit den Beiträgen, die er geleistet hat. Die Leute klatschen, und mein Bruder geht zum Podium. Er steht vor einer weißen Leinwand, räuspert sich, tritt von einem Fuß auf den anderen, setzt seine Brille auf. Jetzt sieht er aus wie jemand, der später einmal auf einer Briefmarke zu sehen sein wird. Er ist befangen, und ich bin für ihn nervös. Ich befürchte, daß er zu leise sprechen wird. Aber als er dann beginnt, läuft es ausgezeichnet.

»Wenn wir in den Nachthimmel blicken«, sagt er, »sehen wir Fragmente der Vergangenheit. Nicht nur in dem Sinne, daß die Sterne, so wie wir sie sehen, Echos von Ereignissen sind, die in Zeit und Raum Lichtjahre entfernt stattgefunden haben: Alles dort oben und tatsächlich auch alles hier unten ist ein Fossil, etwas, das von den ersten Pikosekunden der Schöpfung übriggeblieben ist, als das Universum sich aus dem ursprünglichen homogenen Plasma herauskristallisiert hat. In der ersten Pikosekunde waren die Bedingungen kaum vorstellbar. Wenn wir in einer Zeitmaschine zu diesem explosiven Moment zurückkreisen könnten, würden wir uns in einem Universum wiederfinden, das mit Energien angefüllt ist, die wir nicht verstehen, und mit sehr seltsam agierenden Kräften, die bis zur Unkenntlichkeit verzerrt sind. Je weiter wir zurückgehen, um so extremer werden diese Bedingungen. Die gegenwärtigen experimentellen Möglichkeiten erlauben uns nur eine kurze Strecke auf diesem Weg zurück. Jenseits dieses Punktes ist die Theorie unser einziger Führer.« Von da an spricht er in einer Sprache, die wie englisch klingt, es aber nicht ist, weil ich kein einziges Wort verstehe.

Zum Glück gibt es etwas zum Anschauen. Der Raum verdunkelt

sich, und die Leinwand wird hell, und dann erscheint das Universum, oder Teile davon: die schwarze Leere, von Punkten durchsetzt, den Galaxien und den Sternen, heißen weißen Sternen, heißen blauen, roten. Ein Pfeil bewegt sich auf der Leinwand zwischen ihnen, sucht und findet. Dann kommen Diagramme und Zahlenreihen und Bezüge auf Dinge, die hier außer mir jeder zu kennen scheint. Offenbar gibt es sehr viel mehr Dimensionen als nur vier.

Interessiertes Raunen zieht durch den Saal; Flüstern, Rascheln von Papier. Am Ende, als das Licht wieder angegangen ist, kehrt mein Bruder zur Sprache zurück. »Aber was ist mit dem Augenblick vor dem ersten Augenblick?« fragt er. »Oder macht es gar keinen Sinn, das Wort *vor* zu verwenden, da Zeit ohne Raum nicht existieren kann, und Raum-Zeit nicht ohne Ereignisse, und Ereignisse nicht ohne Materie-Energie? Aber etwas muß vorher existiert haben. Dieses Etwas ist der theoretische Rahmen, die Parameter, innerhalb derer die Gesetze der Energie wirksam werden. Nach dem spärlichen, aber zunehmenden Beweismaterial, das uns heute zur Verfügung steht, zu urteilen, war, wenn das Universum tatsächlich durch ein *fiat lux* geschaffen wurde, dieses *fiat* nicht in Latein ausgedrückt, sondern in der einzigen wahrlich universellen Sprache: der Mathematik.« Das hört sich für mich ziemlich nach Metaphysik an, aber die Männer im Saal scheinen nichts dagegen einzuwenden zu haben. Sie applaudieren.

Anschließend gehe ich zum Empfang, auf dem es das übliche Universitätsangebot gibt: schlechten Sherry, trüben Tee, Plätzchen aus der Packung. Die Zahlenmänner stehen in Gruppen zusammen und murmeln miteinander, schütteln einander die Hände. Ich komme mir unter ihnen allzu auffällig vor, und auch fehl am Platz.

Ich mache meinen Bruder ausfindig. »Das war großartig«, sage ich zu ihm.

»Ich bin froh, daß es dir was gegeben hat«, sagt er ironisch.

»Na ja, Mathe war nie meine ganz große Stärke«, sage ich. Er lächelt wohlwollend.

Wir tauschen Neuigkeiten über unsere Eltern aus, die, als ich das letzte Mal von ihnen hörte, in Kenora waren und in Richtung Westen fuhren. »Die zählen noch immer ihre Fichtenwickler, schätze ich«, sagt mein Bruder.

Ich erinnere mich, wie er sich immer neben der Straße übergeben mußte, und an seinen Geruch nach Zedernbleistiften. Ich erinnere mich an unser Leben in Zelten und Holzfällerlagern, an den Geruch von frisch geschlagenem Holz und Benzin und zertretenem Gras und ranzigem Käse, daran, wie wir in der Dunkelheit herumgeschlichen sind. Ich erinnere mich an seine Holzschwerter mit dem orangefarbenen Blut daran, an seine Comic-Heft-Sammlung. Ich sehe ihn auf der sumpfigen Erde herumkriechen und höre ihn rufen: *Leg dich hin, du bist tot.* Ich sehe ihn, wie er mit Gabeln als Sturzbomber auf das Geschirr wirft. All meine frühen Bilder von ihm sind klar und scharf und in Technicolor: seine ausgebeulten Shorts, sein gestreiftes T-Shirt, sein zerzaustes, von der Sonne gebleichtes Haar, seine Winterhosen und sein Lederhelm. Dann kommt eine Lücke, und er erscheint wieder auf der anderen Seite der Lücke, unerklärlicherweise zwei Jahre älter.

»Erinnerst du dich an das Lied, das du immer gesungen hast?« frage ich. »Während des Kriegs. Manchmal hast du's gepfiffen. ›Mit einem Flügel und einem Gebet‹?«

Er sieht verdutzt aus, zieht die Stirn in Falten. »Nein, eigentlich nicht«, sagt er.

»Du hast andauernd diese Explosionen gezeichnet. Du hast dir meinen roten Stift ausgeborgt, weil deiner aufgebraucht war.«

Er sieht mich an, nicht so, als erinnere er sich selbst gar nicht mehr daran, sondern als sei er erstaunt, daß ich es tue. »Du kannst damals noch nicht sehr alt gewesen sein«, sagt er.

Ich überlege, wie es wohl für ihn gewesen sein mag, eine kleine Schwester zu haben, die immer hinter ihm herlief. Für mich war er etwas Gegebenes: da war keine Zeit, in der er nicht existierte. Aber ich war für ihn nichts Gegebenes. Zuerst war er allein dagewesen, und ich war ein Eindringling. Ich frage mich, ob er mich abgelehnt hat, als ich geboren wurde. Vielleicht war ich für ihn eine Qual, bestimmt hat er es manchmal so empfunden. Aber alles in allem hat er sich mit mir abgefunden und machte das Beste daraus.

»Weißt du noch, wie du das Glas mit Murmeln vergraben hast, unter der Brücke?« sage ich. »Du wolltest mir nie sagen, warum du's getan hast.« Die besten, die roten und blauen Puris, die Wasserbabys und die Katzenaugen, in der Erde vergraben, außer Reichweite.

Wahrscheinlich hat er die Stelle über dem Glas festgetreten und Blätter darüber verstreut.

»Ich glaube, daran erinnere ich mich noch«, sagt er, als sei er nicht ganz und gar bereit, sich an sein früheres, jüngeres Ich zu erinnern. Es verstört mich, daß er sich an manche Dinge erinnern kann, aber an andere nicht; daß die Dinge, die er in seinem Gedächtnis verloren oder verlegt hat, jetzt nur noch für mich existieren. Wenn er so viel vergessen hat, was habe ich vergessen?

»Vielleicht sind sie noch immer da unten«, sage ich. »Ich frag mich, ob sie jemand gefunden hat, als die neue Brücke gebaut wurde. Die Karte hast du auch vergraben.«

»Ja, stimmt«, sagt er und lächelt auf seine alte, geheimnisvolle, verrückt machende Art. Er sagt mir noch immer nicht, warum, und ich bin beruhigt: trotz seiner veränderten Fassade, seinem schütteren Haar und seinem provisorischen Anzug, ist er darunter noch immer ein und dieselbe Person.

Nachdem er wieder fort ist, unterwegs wohin auch immer er als nächstes muß, überlege ich mir, ob ich nicht einen Stern nach ihm benennen lassen soll, zu seinem Geburtstag. Ich habe Anzeigen gesehen, in denen so was angeboten wird. Man schickt das Geld hin und erhält dafür eine Urkunde mit einer Sternenkarte, auf der der betreffende Stern markiert ist. Vielleicht würde es ihn amüsieren. Aber ich bin mir nicht sicher, ob das Wort *Geburtstag* überhaupt noch eine Bedeutung für ihn hat.

60

Jon hat seine augenschädigenden geometrischen Formen aufgegeben und malt jetzt Bilder, die wie kommerzielle Illustrationen aussehen: riesiges Eis-am-Stiel, gigantische Salz- und Pfefferstreuer, Pfirsichhälften in Sirup, Papierteller voller Pommes frites. Er spricht jetzt nicht mehr von Reinheit, sondern von der Notwendigkeit, allgemein übliche kulturelle Zeichensysteme zu verwenden, um die ikonische Banalität unserer Zeit zu reflektieren. Ich glaube, daß ich ihm aus meiner eigenen beruflichen Erfahrung ein paar Tips geben könnte: zum Beispiel könnten seine Pfirsichhälften mehr Glanz gebrauchen. Aber das sage ich nicht.

Zunehmend malt Jon diese Dinge in meinem Wohnzimmer. Er hat nach und nach seine Sachen mitgebracht, angefangen mit den Farben und der Leinwand. Er sagt, er kann in seiner Wohnung nicht malen, weil dort immer so viele Leute sind, was stimmt: das vordere Zimmer ist mit jungen Amerikanern vollgestopft, die vor der Wehrpflicht nach Kanada geflohen sind, eine wechselnde Bevölkerung, von denen alle Freunde von Freunden zu sein scheinen. Jon muß über sie hinwegsteigen, um an die Wände zu gelangen, weil sie auf ihren Schlafsäcken herumliegen, verloren und Haschisch rauchend, grübelnd, wie es nun weitergehen soll. Sie sind deprimiert, weil Toronto nicht die Vereinigten Staaten minus Krieg ist, wofür sie es gehalten haben, sondern eine Art Niemandsland, in das sie rein zufällig hineingeraten sind und aus dem sie nun nicht mehr herauskommen. Toronto ist nirgendwo, und in ihm geschieht nichts.

Jon bleibt drei- oder viermal in der Woche über Nacht bei mir. Ich frage nicht, was er in den anderen Nächten tut.

Er glaubt, daß er für mich große Konzessionen macht. Und vielleicht will ich es auch wirklich. Wenn ich allein bin, lasse ich das Geschirr im Ausguß stehen, ich lasse zu, daß die Reste in den benutzten Gläsern einen farbigen Pelz ansetzen, ich brauche alle meine Slips auf, bevor ich sie wasche. Aber Jon verwandelt mich in ein Vorbild von Ordnung und Tüchtigkeit. Morgens stehe ich auf und koche für ihn Kaffee, ich lege zwei Gedecke auf den Tisch, mit meinen neuerworbenen feuerfesten mattweißen Schüsseln mit Tupfen. Es macht mir nicht einmal etwas aus, seine Wäsche zusammen mit meiner eigenen im Waschsalon zu waschen.

Jon ist nicht daran gewöhnt, soviel saubere Sachen zu haben. »Du bist ein Mädchen, das heiraten sollte«, sagt er eines Tages, als ich mit einem Stapel zusammengefalteter Hemden und Jeans ankomme. Ich habe das Gefühl, daß er das als Beleidigung gemeint haben könnte, aber ich bin mir nicht sicher.

»Dann wasch deine Wäsche selbst«, sage ich.

»He«, sagt er, »sei nicht so.«

An den Sonntagen schlafen wir lange, lieben uns, gehen händchenhaltend spazieren.

Eines Tages, als nichts anders ist als sonst, wir auch nichts anderes getan haben als gewöhnlich, entdecke ich, daß ich schwanger bin. Meine erste Reaktion ist Ungläubigkeit. Ich zähle und zähle noch mal, warte noch einen Tag, dann noch einen, horche in meinen Körper hinein, wie auf Schritte. Schließlich schleiche ich mit einer Flasche Pipi in die Apotheke und komme mir wie eine Verbrecherin vor. Verheiratete Frauen gehen zu ihren Ärzten. Unverheiratete Frauen tun, was ich tue.

Der Mann in der Apotheke sagt mir, daß das Ergebnis positiv sei. »Gratuliere«, sagt er mit mißbilligender Ironie. Er kann geradewegs in mich hineinsehen.

Ich habe Angst, es Jon zu sagen. Er wird von mir erwarten, daß ich hingehe und es wegmachen lasse, wie man sich einen Zahn ziehen läßt. Er wird »es« sagen. Oder er wird von mir verlangen, mich in die Badewanne zu setzen, während er kochendes Wasser hineinschüttet; er wird von mir verlangen, Gin zu trinken. Oder aber er verschwindet. Oft genug hat er mir gesagt, daß Künstler nicht wie andere Leute leben können, an ständig fordernde Familien und teuren materiellen Besitz gefesselt.

Ich muß an all die Dinge denken, von denen ich gehört habe: viel Gin, Stricknadeln, Kleiderbügel; aber was macht man damit? Ich muß an Susie und ihre Flügel aus rotem Blut denken. Was sie auch getan haben mag, ich werde es jedenfalls nicht tun. Dazu habe ich viel zuviel Angst. Ich will nicht so enden wie sie.

Ich gehe in meine Wohnung zurück, lege mich auf den Fußboden. Mein Körper ist taub, träge, ohne Gefühl. Ich kann mich kaum bewegen, ich kann kaum atmen. Ich habe das Gefühl, als befände ich mich mitten im Nichts, mitten in einem schwarzen Rechteck, das völlig leer ist; daß ich langsam explodiere, nach außen, in die kalte brennende Leere des Raums.

Als ich aufwache, ist es Mitternacht. Ich weiß nicht, wo ich mich befinde. Ich glaube, daß ich wieder in meinem alten Zimmer mit der trüben Deckenlampe bin, im Haus meiner Eltern, und daß ich auf dem Fußboden liege, weil ich aus dem Bett gefallen bin, so wie damals, als wir noch die Feldbetten hatten. Aber ich weiß, daß das Haus verkauft wurde, daß meine Eltern gar nicht mehr dort sind. Ich wurde irgendwie übersehen, zurückgelassen.

Das ist nur das Ende eines Traums. Ich stehe auf, schalte das Licht an, mache mir Milch heiß, setze mich an den Küchentisch, zitternd vor Kälte.

Bis jetzt habe ich immer Dinge gemalt, die tatsächlich da waren, direkt vor mir. Jetzt fange ich an, Dinge zu malen, die nicht da sind.

Ich male einen silbernen Toaster, wie es sie früher gab, mit Knöpfen und Türen. Eine Tür ist halb offen, so daß der rote heiße Grill im Inneren zu sehen ist. Ich male eine Kaffeemaschine aus Glas, mit Blasen, die sich in dem klaren Wasser bilden; ein Tropfen des dunklen Kaffees ist gefallen und breitet sich aus.

Ich male eine Waschmaschine mit Wringer. Die Waschmaschine ist ein untersetzter Zylinder aus weißer Emaille. Die Wringmaschine ist in einem verstörend fleischfarbenen Rosa.

Ich weiß, daß diese Dinge Erinnerungen sein müssen, aber sie haben nicht die Qualität von Erinnerungen. Die Umrisse sind nicht verschwommen, sondern scharf und klar. Sie tauchen losgelöst von jedem Zusammenhang auf; sie sind einfach da, isoliert, genauso wie ein Gegenstand, den man auf der Straße sieht, da ist.

Ich habe kein Bild von mir selbst, das mit ihnen in Zusammenhang steht. Sie sind mit Angst erfüllt, aber es ist nicht meine eigene Angst. Die Angst liegt in den Dingen selbst.

Ich male drei Sofas. Das eine ist mit Chintz bezogen, in einem schmutzigen Rosa; das zweite ist aus kastanienbraunem Samt, mit Deckchen. Das in der Mitte ist apfelgrün. Auf dem mittleren Kissen des mittleren Sofas steht ein Eierbecher, fünfmal größer als Lebensgröße, mit einer zerbrochenen Eierschale darin.

Ich male einen Glaskrug mit einem Nachtschattenstrauß, der sich wie Rauch daraus erhebt, wie Dunkelheit, die aus der Flasche, in der der Geist ist, aufsteigt. Die Stiele sind gewunden und ineinander verschlungen, die Zweige hängen voller roter Beeren und haben purpurfarbene Blüten. Kaum sichtbar, weit hinten im dichten Gewirr der schimmernden Blätter, sind die Augen von Katzen.

Tagsüber gehe ich zur Arbeit, komme zurück, rede und esse. Jon kommt vorbei, ißt, schläft und geht wieder. Ich beobachte ihn distanziert; er bemerkt nichts. Jede Bewegung, die ich mache, ist von Unwirklichkeit durchtränkt. Wenn niemand in der Nähe ist, kaue ich auf den Fingern. Ich muß physische Schmerzen spüren, um mich am täglichen Leben festzuhalten. Mein Körper ist etwas von mir Getrenntes. Er tickt wie eine Uhr; in ihm ist die Zeit. Er hat mich verraten, und ich verabscheue ihn.

Ich male Mrs. Smeath. Ohne Vorwarnung treibt sie an die Oberfläche wie ein toter Fisch, nimmt auf einem Sofa, das ich male, Gestalt an: zuerst ihre weißen, dünn behaarten Beine ohne Knöchel, dann ihre dicke Taille und ihr Kartoffelgesicht, ihre Augen in den Stahlrändern. Die Wolldecke ist quer über ihre Oberschenkel drapiert, wie ein Wedel ragt der Gummibaum hinter ihr auf. Auf ihrem Kopf sitzt wie ein schlecht gepacktes Paket der Filzhut, den sie sonntags immer trug.

Sie blickt mich von der Farbfläche herunter an, jetzt dreidimensional, lächelt ihr verschlossenes halbes Lächeln, selbstgefällig und anklagend. Was auch immer mit mir passiert ist, ich ganz allein trage daran die Schuld, die Schuld an dem, was mit mir nicht stimmt.

Mrs. Smeath weiß, was es ist. Sie sagt es nicht.

Ein Bild von Mrs. Smeath führt zum nächsten. Sie vervielfältigt sich an den Wänden wie Bakterien, stehend, sitzend, fliegend, mit Kleidung, ohne Kleidung, verfolgt mich mit ihren vielen Augen wie die 3-D-Ansichtskarten von Jesus, die man in den billigen Läden an der Ecke kaufen kann. Manchmal drehe ich ihre Gesichter zur Wand.

61

Ich schiebe Sarah in ihrem Sportkarren die Straße hinunter, mache einen Bogen um die Haufen aus schmelzendem Schneematsch. Obwohl sie schon über zwei ist, läuft sie in ihren roten Gummistiefeln noch immer nicht schnell genug, um mithalten zu können, wenn wir einkaufen gehen. Außerdem kann ich die Einkaufstüten an den Griff des Wagens hängen, oder sie um sie herum hineinstopfen. Ich kenne jetzt eine ganze Reihe solcher Tricks, die mit Gegenständen und Vorrichtungen und der Neueinteilung von Raum zu tun haben, Dinge, um die ich mich früher nicht zu kümmern brauchte.

Wir drei wohnen jetzt in einer größeren Wohnung: in den oberen zwei Stockwerken einer roten Doppelhaushälfte aus Ziegelstein, mit einer durchsackenden Holzveranda mit viereckigen Pfeilern, in einer Nebenstraße westlich der Bloor Street. Hier wohnen eine Menge Italiener. Die älteren Frauen, die Verheirateten und die Witwen, tragen schwarze Kleider und kein Make-up, so wie ich früher. Als ich in den letzten Monaten meiner Schwangerschaft war, lächelten sie mich an, als gehörte ich fast zu ihnen. Jetzt lächeln sie immer zuerst Sarah an.

Ich selbst trage Miniröcke in den Grundfarben, mit Strumpfhosen und Stiefeln und einem knöchellangen Mantel drüber. Ich bin mit dieser Kleidung nicht völlig zufrieden. Man kann darin kaum sitzen. Und ich habe zugenommen, seit ich Sarah habe. Diese knappen Röcke und winzigen Mieder sind für Frauen gemacht, die viel dünner sind als ich, und sie scheinen jetzt zu Dutzenden, ja Hunderten herumzulaufen: wieselgesichtige Mädchen mit langen Haaren, die weit hinunterhängen bis dahin, wo der Hintern sein sollte, die Brust flach wie ein Bügelbrett. Neben ihnen komme ich mir birnenförmig vor.

Mit ihnen ist ein neues Vokabular aufgetaucht. *Irre*, sagen sie. *Kosmisch. Ausgeflippt. Angetörnt. Cool.* Ich betrachte mich als zu alt für solche Wörter: sie sind für junge Leute, und ich bin nicht mehr jung. Ich habe hinter meinem linken Ohr ein graues Haar entdeckt. In wenigen Jahren werde ich dreißig sein. Über den Berg.

Ich schiebe Sarah durch den Vorgarten, löse ihren Gurt, setze sie auf die unterste Stufe der Verandatreppe, nehme die Einkaufstüten ab, hebe andere heraus, klappe den Sportwagen zusammen. Ich gehe mit Sarah an der Hand die Stufen bis zur Haustür hinauf: manchmal sind diese Stufen glatt. Ich gehe zurück, um die Tüten und den Wagen zu holen, trage sie die Treppe hinauf, wühle in meiner Tasche nach dem Schlüssel, schließe die Haustür auf, hebe Sarah hoch und hinein, dann die Tüten und den Sportwagen, mache die Tür zu und schließe sie ab. Im Haus gehe ich mit Sarah die Treppe hinauf, schließe die Wohnungstür auf, stelle sie hinein, schließe das Babygitter an der Tür, gehe hinunter, um die Tüten zu holen, trage sie hinauf, mache das Gitter auf, gehe hinein, schließe das Gitter, gehe in die Küche, stelle die Tüten auf den Tisch und fange an, sie auszupacken: Eier, Klopapier, Käse, Äpfel, Bananen, Karotten, Würstchen und Brötchen. Ich habe ein schlechtes Gewissen, weil ich zu oft Würstchen auf den Tisch bringe: als ich klein war, galten sie als Jahrmarktsessen, und es hieß, sie seien ungesund. Es konnte sein, daß man von ihnen Kinderlähmung kriegte.

Sarah hat Hunger, deshalb höre ich mit Auspacken auf, um ihr ein Glas Milch zu geben. Ich liebe sie wie wild und bin oft wütend auf sie.

Im ersten Jahr war ich immer müde, von den Hormonen benebelt. Aber jetzt komme ich da raus. Ich blicke um mich.

Jon kommt herein, hebt Sarah hoch, gibt ihr einen Kuß, kitzelt ihr Gesicht mit seinem Bart, trägt sie ins Wohnzimmer, sie kreischt vor Vergnügen. »Komm, wir verstecken uns vor Mummy«, sagt er. Er versteht es, Sarah auf seine Seite zu ziehen, in ein spielerisches Bündnis gegen mich, worüber ich mich mehr ärgere, als ich sollte. Außerdem mag ich es nicht, wenn er mich Mummy nennt. Ich bin nicht seine Mummy, sondern ihre. Aber er liebt sie auch. Das war eine Überraschung, und ich bin ihm dafür noch immer dankbar. Ich betrachte Sarah noch nicht als ein Geschenk, das ich ihm gemacht habe, sondern als ein Geschenk, das er mir erlaubt hat. Ihretwegen haben wir im Rathaus geheiratet, aus dem ältesten Grund der Welt. Der schon fast überholt war. Aber das wußten wir nicht.

Jon, ein abtrünniger Lutheraner aus Niagara Falls, fand, daß wir unsere Flitterwochen dort verbringen sollten. Bei dem Wort »Flitterwochen« brach er in Lachen aus. Er hielt es für eine Art Witz: bewußter Kitsch, wie das Bild von einer riesigen Coca-Cola-Flasche. »Tolle visuelle Effekte«, sagte er. Er wollte mir die Wachsfiguren zeigen, die Blumenuhr, die *Maid of the Mist*. Er wollte Satinhemden für uns kaufen, auf deren Taschen unsere Namen eingestickt waren, und auf deren Rücken NIAGARAFÄLLE stand. Aber insgeheim störte mich seine Haltung zu unserer Heirat. Egal, in was wir hineingerieten, während die Wochen vergingen und mein Körper anschwoll wie ein träger fleischiger Ballon, ein Witz war es nicht. Und so fuhren wir am Ende doch nicht hin.

Gleich nach unserer Heirat fiel ich in wollüstigen Müßiggang. Mein Körper war wie ein Federbett, warm, knochenlos, zutiefst behaglich. Ich war in ihm gebettet wie in einem Kokon. Vielleicht sog die Schwangerschaft mein Adrenalin auf wie ein Schwamm. Vielleicht war es aber auch Erleichterung. Denn Jon erstrahlte für mich damals wie eine Pflaume im Sonnenlicht, schillernd in allen Farben, vollkommen in seiner Form. Wenn ich im Bett neben ihm lag oder mit ihm am Küchentisch saß, ließ ich meine Augen über ihn gleiten wie Hände. Meine Bewunderung war körperlich und wortlos. *Ah*, sonst nichts. Wie ausgehauchter Atem. Oder ich dachte wie ein Kind: *Mein*. Dabei wußte ich, daß es nicht stimmte. *Bleib so*, dachte ich. Aber das konnte er nicht.

Jon und ich haben jetzt oft Streit. Unsere Kämpfe finden heimlich statt, in der Nacht, wenn Sarah schläft: wir streiten in Flüstertönen. Wir wollen sie damit verschonen, denn wenn sie schon für uns erschreckend sind – und das sind sie –, um wieviel erschreckender müssen sie für sie sein?

Wir dachten, wir liefen vor den Erwachsenen davon, und jetzt sind wir selbst die Erwachsenen: das ist der springende Punkt. Wir wollen es beide nicht auf uns nehmen, nicht alles. Zum Beispiel wetteifern wir darin, wer sich von uns beiden in einer schlimmeren Verfassung befindet. Wenn ich Kopfschmerzen kriege, kriegt er Migräne. Wenn ihm der Rücken weh tut, bringen mich meine Nackenschmerzen um. Keiner von uns will Sanitätsdienst leisten. Wir kämpfen um unser Recht, Kinder zu bleiben.

Zuerst gewinne ich diese Kämpfe nicht, aus Liebe. Jedenfalls sage ich mir das. Wenn ich sie gewönne, wäre die Ordnung der Welt ver-ändert, und soweit bin ich noch nicht. Statt dessen verliere ich die Kämpfe und meistere andere Künste. Ich zucke die Achseln, kneife in schweigendem Vorwurf die Lippen zusammen, im Bett kehre ich ihm den Rücken, bleibe auf Fragen die Antworten schuldig. Ich sage: »Tu, was du willst«, womit ich Jon in dumpfe Wut versetze. Er will keine Kapitulation, sondern Bewunderung, Begeisterung, für sich und seine Ideen, und wenn man sie ihm verweigert, fühlt er sich be-trogen.

Jon hat jetzt einen Job, er beaufsichtigt in Teilzeitarbeit ein graphisches Gemeinschaftsatelier. Ich habe auch einen Teilzeitjob. Zusammen können wir die Miete aufbringen.

Jon malt nicht mehr auf Leinwand oder auf irgend etwas anderem Flachen. Er malt überhaupt nicht mehr. Flache Oberflächen mit Farbe darauf sind für ihn »Kunst-an-der-Wand«. Es besteht kein Grund, warum Kunst an der Wand hängen soll, es besteht kein Grund, einen Rahmen darum herum zu machen oder Farbe darauf-zumalen. Statt dessen stellt er Konstrukte aus Dingen her, die er von Müllhaufen holt oder sonstwo findet. Er macht Holzkisten und baut Fächer hinein, die verschiedene Dinge enthalten: drei Paar übergroße Damenunterhosen in fluoreszierenden Farben, eine Gipshand mit langen falschen Fingernägeln, einen Klistierbeutel, ein Toupet. Er baut einen motorisierten Schlafzimmerslipper aus Pelz, der von ganz allein auf dem Boden herumläuft, und eine Familie von Pessaren, die mit Augen und Mündern aus Monsterfilmen und mit Springbeinen ausgestattet sind und wie radioaktiv verseuchte Austern um den Tisch springen. Unser Badezimmer hat er in Rot und Orange ausge-malt, an den Wänden schwimmen purpurrote Meerjungfrauen, und unser Klodeckel spielt »Jingle Bells«, wenn man ihn hochhebt. Das ist für Sarah. Er macht auch Spielzeug für sie und läßt sie mit den Holzresten und übriggebliebenen Stoffstücken und einigen seiner nicht so gefährlichen Werkzeuge spielen, während er arbeitet.

Das heißt, wenn er da ist. Was keineswegs immer der Fall ist.

Im ersten Jahr nach Sarahs Geburt malte ich überhaupt nicht. Damals arbeitete ich frei, zu Hause, und es war schon anstrengend genug, nur die paar Buchumschläge fertig zu machen, die ich angenommen hatte. Ich kam mir eingeengt vor, als schwömme ich in voller Kleidung. Jetzt, da ich den halben Tag arbeiten gehe, ist es besser.

Ich habe ein wenig von dem gemacht, was ich meine Arbeit nenne, wenn auch zögernd: meine Hände sind aus der Übung, meine Augen untrainiert. Meistens mache ich Zeichnungen, denn die Vorbereitung der Oberfläche, das mühsame Auftragen der Grundierung und die detaillierte Konzentration, die bei Eitempera erforderlich ist, sind einfach zuviel für mich. Ich habe das Vertrauen verloren: vielleicht werde ich nie mehr sein, als ich jetzt bin.

Ich sitze auf einem hölzernen Klappstuhl auf einer Bühne. Der Vorhang ist auf, und ich kann in den Saal sehen, der klein, schäbig und leer ist. Auf der Bühne steht noch die Kulisse vom letzten Stück, das gerade ausgelaufen ist. Die Kulisse stellt die Zukunft dar, die spärlich möbliert, aber mit vielen zylindrischen schwarzen Säulen und mehreren strengen Treppen ausgestattet sein wird.

Rund um die Säulen auf weiteren Holzstühlen und da und dort auf den Treppen sitzen siebzehn Frauen. Alle sind Künstlerinnen oder so was Ähnliches. Mehrere Schauspielerinnen, zwei Tänzerinnen und außer mir noch drei Malerinnen. Eine Journalistin und eine Lektorin des Verlags, in dem ich arbeite. Eine der Frauen ist Rundfunksprecherin (klassische Musik), eine andere macht Puppenspiele für Kinder, eine ist ein professioneller Clown. Eine ist Bühnenbildnerin, das ist auch der Grund, warum wir hier sind: sie hat uns diesen Raum für unser Treffen besorgt. Ich weiß diese Dinge, weil wir reihum unsere Namen sagen mußten und was wir tun. Nicht, was wir für unseren Lebensunterhalt tun: für den Lebensunterhalt, das ist etwas anderes, besonders für die Schauspielerinnen. Auch für mich.

Dies hier ist ein Treffen. Es ist nicht das erste Treffen dieser Art, das ich besucht habe, aber ich finde es immer noch verblüffend. Einmal, weil wir alle Frauen sind. Das ist an sich schon ungewöhnlich und hat etwas von Heimlichkeit an sich, und auch eine undefinierbare, attraktive Schmutzigkeit: Das letzte Treffen nur mit Frauen, an dem ich teilgenommen habe, war in der High-School, in der Gesundheitsklasse, in der die Mädchen von den Jungen getrennt wurden, damit man ihnen von dem Fluch erzählen konnte. Natürlich nannte man es nicht so: »Die Tage« war der allgemein gebräuchliche Begriff. Es wurde erklärt, daß jungen Mädchen, womit Jungfrauen gemeint waren, wie wir wußten, zwar vom Gebrauch der Tampons abgeraten wurde, daß diese aber nicht in einem verlorengehen konnten und in der Lunge landeten. Es gab ein ziemliches Gekicher, und als die Lehrerin *Blut* buchstabierte – »B-L-U-T« –, fiel ein Mädchen in Ohnmacht.

Heute gibt es kein Gekicher, und es fällt auch niemand in Ohnmacht. Bei diesem Treffen geht es um Zorn.

Es werden Dinge ausgesprochen, über die ich noch nie bewußt nachgedacht habe. Dinge werden über den Haufen geworfen. Warum zum Beispiel rasieren wir uns die Beine? Tragen Lippenstift? Ziehen enge Kleider an? Verändern unsere Gestalt? Was ist verkehrt an dem, wie wir sind?

Es ist Jody, die diese Fragen stellt, eine der Malerinnen. Sie zieht sich nicht schön an, und sie verändert ihre Gestalt nicht. Sie trägt Arbeitsstiefel und einen gestreiften Overall, dessen eines Bein sie hochkrempelt, um uns das wahre Bein zu zeigen, das trotzig und unübersehbar behaart ist. Ich muß an meine eigenen feigen nackten Beine denken und komme mir vor wie bei einer Gehirnwäsche, denn ich weiß, daß ich diesen Weg nicht voll und ganz mitgehen kann. Ich ziehe die Grenze bei den Achselhaaren.

Was verkehrt an dem ist, wie wir sind, liegt an den Männern.

Es wird eine Menge über Männer gesagt. Zum Beispiel wurden zwei dieser Frauen vergewaltigt. Eine wurde zusammengeschlagen. Andere wurden bei der Arbeit diskriminiert, übergangen oder ignoriert; oder man hat ihre künstlerische Arbeit lächerlich gemacht, als zu feminin abgetan. Andere haben ihre Gehälter mit denen der Männer verglichen und festgestellt, daß sie niedriger waren.

Ich zweifle nicht daran, daß all diese Dinge wahr sind. Es gibt Männer, die vergewaltigen, und solche, die Kinder belästigen und Mädchen erwürgen. Sie lauern in den Schatten, wie die zwielichtigen Männer in der Schlucht, von denen ich nie einen zu Gesicht bekommen habe. Sie sind gewalttätig, führen Kriege, morden. Sie arbeiten weniger und bekommen mehr Geld dafür. Und die Hausarbeit halsen sie den Frauen auf.

Sie sind unsensibel und weigern sich, ihre eigenen Gefühle einzugestehen. Sie lassen sich leicht zum Narren halten, und es gefällt ihnen: zum Beispiel können sie durch ein bißchen Stöhnen und Keuchen dazu gebracht werden zu glauben, daß sie sexuelle Supermänner seien. Bei diesem Punkt gibt es zustimmendes Gekicher. Ich beginne mich zu fragen, ob ich meine Orgasmen, ohne es zu wissen, nur gespielt habe.

Aber ich bewege mich bei dieser Anklage gegen die Männer auf unsicherem Boden, denn ich lebe mit einem zusammen. Frauen wie ich, mit einem Ehemann und einem Kind, sind mit einiger Verachtung als »Kerne« bezeichnet worden, womit *Kernfamilie* gemeint ist. *Pronatalist* ist plötzlich ein Schimpfwort. Es gibt noch einige andere Kerne in dieser Gruppe, aber sie sind in der Minderzahl, und sie bringen nichts zu ihrer Verteidigung vor. Es scheint ehrenvoller zu sein, ein Kind, aber keinen Mann zu haben. Auf diese Weise hat man den Preis bezahlt. Wenn man bei dem Mann bleibt, hat man sich seine Probleme selbst zuzuschreiben.

Nichts von alldem wird direkt ausgesprochen.

Diese Treffen sollen mir das Gefühl größerer Macht geben, und in gewisser Hinsicht tun sie das auch. Wut kann Berge versetzen. Außerdem verblüffen sie mich: es ist schockierend und aufregend, solche Dinge aus dem Mund von Frauen zu hören. Ich beginne zu glauben, daß Frauen, die ich früher für dumm gehalten habe, für Heulsusen, vielleicht einfach nur etwas zu verbergen versucht haben, genauso wie ich.

Aber diese Treffen machen mich auch nervös, und ich weiß nicht, warum. Ich sage nicht viel, ich bin befangen und unsicher, denn was immer ich sage, könnte falsch sein. Ich habe nicht genug gelitten, ich habe den Preis noch nicht bezahlt, ich habe nicht das Recht zu sprechen. Ich habe das Gefühl, als stünde ich vor einer verschlossenen Tür, hinter der Entscheidungen getroffen werden, abwertende Urteile gefällt werden, da drinnen, über mich. Gleichzeitig habe ich den Wunsch zu gefallen.

Schwesternschaft ist für mich ein schwieriges Konzept, sage ich mir, weil ich nie eine Schwester gehabt habe. Bruderschaft wäre einfacher.

Ich arbeite abends, wenn Sarah schläft, oder früh am Morgen. Im Augenblick male ich die Jungfrau Maria. Ich male sie in Blau, mit dem üblichen weißen Schleier, aber mit dem Kopf einer Löwin. Christus liegt in Form eines Löwenjungen in ihrem Schoß. Wenn Christus ein Löwe ist, wie er in der traditionellen Ikonographie dargestellt wird, warum soll die Jungfrau Maria dann keine Löwin sein? Auf jeden Fall kommt mir das, was die Mutterschaft betrifft, richtiger vor, als die alten blutlosen Milch-und-Wasser-Jungfrauen der Kunstgeschichte. Meine Jungfrau Maria ist grimmig, wachsam gegenüber Gefahren, wild. Mit ihren gelben Löwenaugen sieht sie den Betrachter ruhig an. Ein abgenagter Knochen liegt zu ihren Füßen.

Ich male die Jungfrau Maria, wie sie zur Erde herabsteigt, die mit Schnee und Schneematsch bedeckt ist. Über ihrer blauen Robe trägt sie einen Wintermantel, und über ihrer Schulter hängt eine Tasche. Sie hat zwei braune Papiertüten mit Lebensmitteln in der Hand. Ein paar Sachen sind aus den Tüten herausgefallen: ein Ei, eine Zwiebel, ein Apfel. Sie sieht müde aus.

Unsere Liebe Frau der Immerwährenden Hilfe nenne ich sie.

Jon mag es nicht, daß ich abends male. »Wann soll ich es sonst tun?« frage ich. »Kannst du mir das verraten?« Darauf gibt es nur eine Antwort, eine einzige, die ihn nicht zwänge, selbst Zeit zu opfern: *Dann laß es doch sein.* Aber das sagt er nicht.

Er sagt nicht, was er von meinen Bildern hält, aber ich weiß es auch so. Er findet sie belanglos. Für ihn gehört das, was ich male, in eine Reihe mit den Blumenbildern, die andere Frauen malen. Die Gegenwart schreitet fort, ein Konzept nach dem anderen wird verworfen, und ich stehe irgendwo an der Seite, verplempere meine Zeit mit Tempera und glatten Oberflächen, als hätte das 20. Jahrhundert nie stattgefunden.

Darin liegt Freiheit: weil das, was ich mache, belanglos ist, kann ich machen, was ich will.

Wir haben begonnen, Türen zu knallen und mit Gegenständen zu werfen. Ich werfe meine Tasche, einen Aschenbecher, eine Packung Schokoladenchips, die beim Aufschlag platzt. Wir sammeln tagelang Schokoladenchips auf. Jon wirft ein Glas Milch, die Milch, nicht das

Glas: er weiß um seine Kraft, ich nicht. Er wirft eine Schachtel Cornflakes, ungeöffnet.

Die Sachen, die ich werfe, gehen daneben, obwohl sie schlimmer sind. Die Sachen, die er wirft, treffen, sind aber harmlos.

Ich beginne zu erkennen, wie die Linie zwischen Theatralik und Mord überschritten wird.

Jon zerschlägt Gegenstände und klebt die Scherben im Muster ihres Bruchs zusammen. Ich verstehe den Appell darin.

Jon sitzt im Wohnzimmer und trinkt mit einem anderen Maler ein Bier. Ich bin in der Küche und knalle mit den Töpfen.

»Was hat sie denn?« fragt der Maler.

»Sie ist wütend, weil sie 'ne Frau ist«, sagt Jon. Das ist etwas, das ich schon seit Jahren nicht mehr gehört habe, nicht seit der High-School. Früher war das etwas Beschämendes und niederschmetternd, wenn ein Mann so was über einen sagte. Es bedeutete, daß man wunderlich war, deformiert, sexuell unfähig.

Ich gehe zur Wohnzimmertür. »Ich bin nicht wütend, weil ich eine Frau bin«, sage ich. »Ich bin wütend, weil du ein Arschloch bist.«

62

Ein paar Frauen von unseren Treffen haben eine Gruppenausstellung, in der nur Arbeiten von Frauen gezeigt werden. Es ist eine riskante Sache, und das wissen wir auch. Jody sagt, das männliche Kunstestablishment könnte uns fertigmachen. Sie haben dieser Tage die Linie, daß große Kunst das Geschlecht transzendiert. Jodys Linie ist, daß Kunst bis jetzt vor allem aus Männern bestand, die sich gegenseitig bewunderten. Eine weibliche Künstlerin kann von ihnen nur als ein Nebenzweig bewundert werden, als eine etwas absonderliche Ausnahme. »Tittenlose Wunder«, sagt Jody.

Wir könnten aber auch von Frauen fertiggemacht werden, weil wir uns absondern, weil wir uns in den Vordergrund drängen. Man könnte uns als elitär bezeichnen. Es gibt viele Fallgruben.

Vier von uns sind an der Ausstellung beteiligt. Carolyn, mit engelhaftem Mondgesicht, das von einem dunklen Kurzhaarschnitt mit Pony eingerahmt wird, nennt sich Textilkünstlerin. Zu ihren Arbeiten gehören Flickendecken in phantasievollen Designs. Auf eine sind Kondome in Form von Buchstaben geklebt, in die (ungebrauchte) Tampons gestopft sind, sie fügen sich zu dem Satz LIEBE, WAS IST DAS? zusammen. Eine andere hat ein Blumenmuster mit einer aufgenähten Botschaft:

LECK MICH
MAN
IFEST!

Oder sie macht Wandgehänge aus Toilettenpapier, das wie ein Seil gedreht ist, verwoben mit Rollen altmodischer Softpornofilme, die man früher als »Kunstfilme« bezeichnet hat. »Gebrauchtpornos«, sagt sie fröhlich. »Warum sollen sie nicht recyclet werden?«

Jody macht Schaufensterpuppen, die sie in Stücke zersägt und dann zu irritierenden Posen zusammenklebt. Sie bearbeitet sie mit Farbe und Collagen und Stahlwolle, die sie an passenden Stellen befestigt. Eine hängt von einem Fleischerhaken, der in der Magengrube steckt, bei einer anderen ist das ganze Gesicht aus Bäumen und

Blumen gemalt, wie feine Tätowierungen, so zart, wie ich es von Jody gar nicht erwartet hätte. Eine andere trägt die Köpfe von sechs oder sieben alten Puppentypen am Bauch. Einige von ihnen erkenne ich wieder: Sparkle Plenty, Betsy Wetsy, Barbara Ann Scott.

Zillah ist blond und dünn wie die zerbrechlichen Blumenmädchen von vor ein paar Jahren. Sie nennt ihre Arbeiten *Lintschaften*. Sie sind aus Wattebäuschchen des filzigen, fasrigen Flaums, der sich auf Trokkenfiltern ansammelt und sich in einzelnen Schichten abpellen läßt. Ich habe sie selbst schon bewundert, wenn ich sie in den Papierkorb geworfen habe. Ihre Textur, ihre weichen Farben. Zillah hat einen Haufen Handtücher in verschiedenen Farbabstufungen gekauft und sie wiederholt durch den Trockner laufen lassen, um so Schattierungen in Pink, Graugrün, Grauweiß, wie auch in dem üblichen Standardgrau von unter dem Bett zu erhalten. Sie hat sie zerschnitten und geformt und vorsichtig auf eine Unterlage geklebt, um vielschichtige Kompositionen von Wolkenlandschaften zu erzielen. Ich bin begeistert und wünschte, ich wäre selbst auf die Idee gekommen. »Es ist wie bei einem Soufflé«, sagt Zillah. »Ein einziger kalter Luftzug, und alles ist hinüber.«

Jody, die sich am energischsten um alles kümmert, hat meine Bilder durchgesehen und die ausgesucht, die in die Ausstellung sollen. Sie hat ein paar von den Stilleben genommen, *Wringmaschine, Toaster, Tödlicher Nachtschatten* und *Drei Hexen*. *Drei Hexen* ist das Bild mit den drei verschiedenen Sofas.

Abgesehen von den Stilleben zeige ich hauptsächlich Figuratives, aber auch ein paar Konstruktionen, die aus Trinkstrohhalmen und ungekochten Makkaronis gemacht sind, und eine, die ich *Silberpapier* genannt habe. Ich wollte sie nicht dabeihaben, aber Jody gefielen sie. »Häusliche Materialien«, sagt sie.

Die Bilder von der Jungfrau Maria sind ebenfalls in der Ausstellung, und alle von Mrs. Smeath. Ich fand, daß es zu viele von ihr waren, aber Jody wollte sie alle. »Die Frau als Anti-Torte«, sagte sie. »Warum müssen es immer junge, hübsche Frauen sein? Zur Abwechslung tut es mal richtig gut, den alternden weiblichen Körper mit Einfühlung dargestellt zu sehen.« Genau dasselbe, nur in einer etwas gewählteren Sprache, hat sie in den Katalog geschrieben.

Die Ausstellung findet in einem kleinen ehemaligen Supermarkt in der westlichen Bloor Street statt. Er soll in Kürze in einen Hamburger-Palast umgewandelt werden; aber solange steht er leer, und einer der Frauen, die einen Vetter der Frau des Immobilienhändlers kennt, dem er gehört, ist es gelungen, ihn dazu zu überreden, daß wir ihn zwei Wochen lang benutzen dürfen. Sie erzählte ihm, daß die berühmtesten Fürsten der Renaissance für ihren ästhetischen Geschmack und die Patronage der Künste bekannt waren, und dieser Gedanke hat ihm gefallen. Er weiß nicht, daß es sich um eine Nur-Frauen-Ausstellung handelt; einfach ein paar Künstler, mehr hat sie ihm nicht erzählt. Er sagt, er sei einverstanden, solange wir nicht alles schmutzig machen.

»Was soll denn hier noch verschmutzt werden?« sagt Carolyn, als wir uns dort umsehen. Sie hat recht, es ist alles schon schmutzig genug. Die Tresen und Regale sind abgebrochen, von dem früheren Fußbodenbelag aus Linoleum sind ganze Stücke weggerissen, so daß breite nackte Holzbretter erscheinen, die Glühbirnen baumeln in Drahtkästen; nur ein paar davon gehen überhaupt an. Aber die Kassen sind noch an Ort und Stelle, und an den Wänden hängen ein paar alte, angelaufene Schilder: SONDERANGEBOT 3/95 c. FRISCH AUS KALIFORNIEN. FLEISCH, WIE SIE ES MÖGEN.

»Wir können mit diesem Raum arbeiten«, sagt Jody, die mit den Händen in den Overalltaschen umherschreitet.

»Wie?« fragt Zillah.

»Ich habe nicht umsonst Judo gelernt«, sagt Jody. »Man nutzt den Schwung des Gegners, um ihn aus dem Gleichgewicht zu bringen.«

In der Praxis bedeutet das, daß sie das Schild FLEISCH, WIE SIE ES MÖGEN konfisziert und in eine ihrer Konstruktionen einbaut, in eine besonders gewalttätige Zerstückelung, bei der die Schaufensterpuppe, nur in Seile und Lederriemen gekleidet, ihren Kopf verkehrt herum unter dem Arm hält.

»Wenn du ein Mann wärst, würdest du dafür niedergemacht werden«, sagt Carolyn zu ihr.

Jody lächelt süß. »Ich bin aber keiner.«

Wir arbeiten drei Tage lang, ordnend und immer wieder umordnend. Nachdem alles an seinem Platz ist, müssen noch die geliehenen Tische für die Bar aufgestellt, Fusel und Fraß gekauft werden. *Fusel* und *Fraß* sind Jodys Wörter. Wir besorgen kanadischen Wein in Zweiliterflaschen, Styroporbecher, um ihn darin auszuschenken, Brezeln und Kartoffelchips, mehrere große Stücke Cheddarkäse, in dünne Plastikfolie gewickelt, Ritz-Cracker. Soviel können wir uns gerade leisten; aber außerdem gibt es noch das ungeschriebene Gesetz, daß alles unerbittlich plebejisch zu sein hat.

Unser Katalog besteht aus einigen vervielfältigten Seiten, die an der oberen linken Ecke zusammengeklammert sind. Dieser Katalog sollte eigentlich eine Gemeinschaftsarbeit werden, aber in Wirklichkeit hat Jody das meiste davon geschrieben, weil sie weiß, wie man so was macht. Carolyn näht aus gebleichten Bettlaken, die so aussehen sollen, als hätte jemand darauf geblutet, eine Fahne, die vor dem Eingang aufgehängt werden soll:

VIER FÜR ALLE

»Was soll denn das bedeuten?« fragt Jon, der hereingeschaut hat, angeblich, um mich abzuholen, in Wirklichkeit aber, um sich das Ganze anzusehen. Er verfolgt das, was ich mit Frauen mache, mit Mißtrauen, obgleich es unter seiner Würde ist, das auszusprechen. Allerdings nennt er sie »die Mädchen«.

»Es heißt, daß wir etwas für alle tun«, erkläre ich, obgleich ich weiß, daß er es weiß. »Wir machen eine Aussage.« *Aussage* ist ebenfalls eins von Jodys Wörtern.

Dazu sagt er nichts.

Es ist die Fahne, die die Zeitungen anzieht: so etwas ist neu, es ist ein Ereignis, und es verspricht Aufsehen. Eine Zeitung schickt schon vor der Eröffnung einen Fotografen, der, während er uns fotografiert, witzelnd sagt: »Na, kommt schon, Mädchen, verbrennt ein paar BHs für mich.«

»Schwein«, sagt Carolyn leise.

»Cool bleiben«, sagt Jody. »Die wollen doch nur, daß du ausrastest.«

Vor der Eröffnung komme ich ein bißchen früher in die Galerie. Ich gehe die früheren Gänge auf und ab, um die Kassen herum, wo Jodys Skulpturen wie Modelle auf dem Laufsteg posieren, vorbei an der Wand, an der Carolyns Decken ihren Trotz herausschreien. Das sind starke Arbeiten, denke ich. Stärker als meine. Selbst Zillahs gazeartige Konstruktionen scheinen mir ein Selbstvertrauen und eine Subtilität auszustrahlen, eine Sicherheit, die meinen eigenen Bildern fehlt: in diesem Kontext sind meine Bilder viel zu fertig, zu dekorativ, zu sehr nur hübsch.

Ich bin vom Weg abgekommen, ich habe versäumt, eine Aussage zu machen. Ich bin marginal.

Ich trinke ein bißchen von dem grauenhaften Wein, und dann noch ein bißchen und fühle mich besser; auch wenn ich weiß, daß ich mich nachher noch schlechter fühlen werde. Das Zeug schmeckt wie etwas, mit dem man vielleicht versuchen würde, einen Schmorbraten weich zu machen.

Ich lehne an der Wand neben der Tür, halte mich an meinem Kunststoffbecher fest. Ich stehe hier, weil es der Ausgang ist. Auch der Eingang: Leute kommen, und dann noch mehr Leute.

Viele, die meisten von ihnen, sind Frauen. Alle Arten von Frauen. Sie haben lange Haare, lange Röcke, Jeans und Overalls, Ohrringe, Mützen wie Bauarbeiter, lavendelfarbene Schals. Manche von ihnen sind Malerinnen, manche sehen nur so aus. Carolyn und Jody und Zillah sind inzwischen auch hier, und es finden Begrüßungen statt, Händedrücken, Wangenküsse, Entzückensschreie. Sie scheinen alle mehr Freundinnen zu haben als ich, engere Freundinnen. Darüber habe ich bis jetzt noch nie nachgedacht, über dieses Fehlen; ich habe immer angenommen, daß andere Frauen wie ich seien. Früher waren sie es. Und jetzt sind sie es nicht mehr.

Da gibt es natürlich Cordelia. Aber ich habe sie schon Jahre nicht mehr gesehen.

Jon ist noch nicht hier, obwohl er gesagt hat, daß er kommen würde. Wir haben sogar einen Babysitter bestellt, damit er kommen kann. Ich habe das Gefühl, daß ich vielleicht mit jemandem flirten werde, irgend jemand Unpassendem, nur um zu sehen, was passiert; aber es gibt nicht viele Möglichkeiten dazu, weil nicht viele Männer da sind. Ich bahne mir mit einem weiteren Becher der schrecklichen roten Marinade einen Weg durch die Menge und bemühe mich, mir nicht ausgeschlossen vorzukommen.

Direkt hinter mir sagt eine Frauenstimme: »Also, die sind nun wirklich *anders*.« Es klingt nach absolutem Mißfallen, dem Inbegriff spießbürgerlicher matronenhafter Verachtung, wie sie in Toronto gepflegt wird. So reden sie über Slums. Über dem Sofa würde es nicht gut aussehen, das ist es, was sie meint. Ich drehe mich um und sehe sie an: ein gutgeschnittenes silbergraues Kostüm, Perlen, ein weiches Halstuch, teure Wildlederhandschuhe. Sie ist von ihrer Legitimität überzeugt, von ihrem Recht, zu urteilen: ich und meine Art sind hier nur geduldet.

»Elaine, ich möchte dich gern mit meiner Mutter bekannt machen«, sagt Jody. Die Vorstellung, daß diese Frau Jodys Mutter sein soll, ist atemberaubend. »Mum, Elaine hat das Blumenbild gemacht. Das, das du mochtest?«

Sie meint *Tödlicher Nachtschatten*. »Oh ja«, sagt Jodys Mutter und lächelt herzlich. »Ihr Mädchen seid alle so begabt. Das mochte ich wirklich, die Farben sind wunderbar. Aber wozu sind all die Augen da drin?«

Das hört sich so sehr nach meiner eigenen Mutter an, daß ich plötzlich von Sehnsucht nach ihr überschwemmt werde. Ich möchte, daß meine Mutter hier ist. Ihr würde das meiste nicht gefallen, vor allem nicht die auseinandergeschnittenen Schaufensterpuppen; sie würde es überhaupt nicht verstehen. Aber sie würde lächeln und sich irgend etwas Nettes dazu einfallen lassen. Noch vor gar nicht langer Zeit hätte ich mich über diese Begabung lustig gemacht. Jetzt könnte ich sie gebrauchen.

Ich hole mir noch einen Becher Wein und einen Ritz-Cracker mit etwas Käse drauf und halte in der Menschenmenge nach Jon Ausschau, nach irgend jemandem. Über den Köpfen sehe ich Mrs. Smeath.

Mrs. Smeath beobachtet mich. Sie liegt mit ihrem turbanartigen Sonntagshut auf dem Sofa, eingewickelt in die Decke. Wegen der Pose und wegen des Gummibaums, der wie ein Wedel hinter ihr

steht, habe ich dieses Bild *Torontodaliske: Homage an Ingres* genannt. Sie sitzt vor einem Spiegel, die eine Hälfte ihres Gesichts
schält sich herunter wie bei dem Schurken eines Horrorcomics, den
ich mal gelesen habe; dieses Bild heißt *Lepra*. Sie steht vor ihrem
Abwaschbecken, mit ihrem bösen Schälmesser in der einen und einer
halb geschälten Kartoffel in der anderen Hand. Dieses heißt AUGE ·
UM · AUGE.

Daneben hängt *Weißes Geschenk*, das in vier Tafeln aufgeteilt ist.
Im ersten ist Mrs. Smeath in weißes Seidenpapier eingewickelt, wie
eine Fleischdose oder eine Mumie, nur der Kopf mit dem verschlossenen halben Lächeln guckt heraus. Auf den nächsten drei Tafeln ist
sie immer weiter ausgepackt: in ihrem bedruckten Kleid und der
Latzschürze, in ihrem fleischfarbenen Korsett aus dem Schlußteil des
Eaton-Katalogs – obgleich ich eigentlich nicht glaube, daß sie eins
besaß –, und schließlich in ihren durchhängenden Baumwollunterhosen, ihre eine große Brust aufgeschnitten, um das Herz zu zeigen.
Ihr Herz ist das Herz einer sterbenden Schildkröte: reptilartig, dunkelrot, verseucht. Unten steht quer über diese Tafel in Schablonenschrift: DAS · KÖNIGREICH · GOTTES · IST · IN · DIR.

Es ist mir noch immer ein Rätsel, warum ich sie so hasse.

Ich wende meinen Blick von Mrs. Smeath, und da ist eine andere
Mrs. Smeath, aber diese bewegt sich. Sie steht dicht bei der Tür und
kommt auf mich zu. Sie ist genauso alt wie damals. Als wäre sie von
der Wand herabgestiegen, von den Wänden: das gleiche runde rohe
Kartoffelgesicht, der schwere knochige Bau, die glitzernde Brille
und die Haarnadelkrone. Mein Magen zieht sich vor Furcht zusammen; dann flammt für einen kurzen Augenblick dieser ranzige Haß
auf.

Aber natürlich kann das nicht Mrs. Smeath sein, die inzwischen
viel älter sein muß. Und sie ist es auch nicht. Die Haarnadelkrone war
eine optische Täuschung: es sind nur Haare, ergrauend und kurz geschnitten. Es ist Grace Smeath, ohne Charme und rechtschaffen, in
unförmigen, alterslosen Kleidern, mausgrau in den Farben; sie trägt
keinen Ring und auch sonst keinen Schmuck. Aus der Art und Weise,
wie sie schreitet, steif und zitternd, mit zusammengekniffenen Lippen, und den Sommersprossen, die aus ihrer wurzelweißen Haut
hervortreten wie Mückenstiche, erkenne ich, daß es mir nicht gelin-

gen wird, diese Begegnung durch irgendein schwaches Lächeln in etwas Gesellschaftliches zu verwandeln.

Ich versuche es trotzdem. »Bist du es, Grace?« frage ich. Mehrere Leute in meiner Nähe sind mitten im Wort verstummt. Sie sieht nicht aus wie eine Frau, die Ausstellungseröffnungen besucht, welcher Art auch immer.

Grace stampft unerbittlich voran. Ihr Gesicht ist dicker, als es früher war. Ich muß an orthopädische Schuhe denken, an Strümpfe aus Florgarn, an Unterwäsche, die vom Waschen dünn und grau geworden ist, an Kohlenkeller. Ich habe Angst vor ihr. Nicht vor etwas, das sie mir antun könnte, sondern vor ihrem Urteil. Und da kommt es auch schon.

»Sie sind widerlich«, sagt sie. »Sie mißbrauchen den Namen des Herrn. Warum müssen Sie andere Leute verletzen?«

Was kann man darauf sagen? Ich könnte behaupten, daß Mrs. Smeath nicht Graces Mutter ist, sondern eine Komposition. Ich könnte die formalen Werte erwähnen, den sorgfältigen Einsatz der Farben. Aber *Weißes Geschenk* ist keine Komposition, es sind Bilder von Mrs. Smeath, und unanständige Bilder dazu. Es sind Toilettengraffiti, auf eine höhere Ebene gehoben.

Grace starrt an mir vorbei auf die Wand: dort hängen nicht nur etwa ein oder zwei schmutzige Bilder, die sie entsetzen, dort hängen viele. Mrs. Smeath in Metamorphose, rahmenfüllend, nackt, bloßgestellt und entweiht, zusammen mit dem kastanienbraunen Samtsofa, dem heiligen Gummibaum, den Engeln Gottes. Ich bin viel zu weit gegangen.

Grace hat die Hände zu Fäusten geballt, ihr verfettetes Kinn zittert, ihre Augen sind rosa und wäßrig wie bei einem Versuchskaninchen. Ist das eine Träne? Ich bin entsetzt und zutiefst befriedigt. Sie fällt endlich einmal aus der Rolle, und ich kontrolliere die Situation.

Aber dann sehe ich noch einmal genauer hin: diese Frau ist gar nicht Grace. Sie sieht nicht einmal aus wie Grace. Grace ist so alt wie ich, sie kann noch gar nicht so alt sein. Sie sieht ihr nur ziemlich ähnlich, das ist alles. Diese Frau ist eine Fremde.

»Sie sollten sich schämen«, sagt die Frau, die nicht Grace ist. Sie kneift die Augen hinter der Brille zusammen. Sie hebt die geballte Faust, und ich lasse meinen Styroporbecher mit Wein fallen. Rote Spritzer verbreiten sich auf der Wand und dem Boden.

Was sie in der Faust hält, ist ein Tintenfaß. Mit zittrigen Bewegungen dreht sie den Verschluß auf, und ich halte den Atem an, aus Schreck, aber auch vor Neugier: wird sie es auf mich werfen? Denn Werfen ist ganz offensichtlich ihre Absicht. Um uns herum Keuchen, alles geht so schnell, Carolyn und Jody drängen sich zu uns durch.

Die Frau, die nicht Grace ist, schleudert die Tinte, Faß und alles, direkt auf *Weißes Geschenk*. Das Tintenfaß torkelt durch die Luft, trifft das Bild und schlägt auf dem Teppich auf, die Tinte ergießt sich über die Himmelslandschaft und hüllt Mrs. Smeath in Parkers Waschblau. Die Frau lächelt mich triumphierend an und dreht sich um, und jetzt schreitet sie nicht mehr, sondern sie trippelt eilig zur Tür.

Ich halte mir die Hände vor den Mund, als wollte ich schreien. Carolyn legt den Arm um mich, drückt mich. Sie riecht wie eine Mutter. »Ich ruf die Polizei«, sagt sie.

»Nein«, sage ich. »Das geht wieder ab.« Und das wird es wahrscheinlich auch, denn *Weißes Geschenk* ist lackiert und auf Holz gemalt. Vielleicht bleibt nicht mal eine Delle.

Um mich herum drängen sich die Frauen, rascheln mit ihren Federn, gurren. Ich werde besänftigt und getröstet, gestreichelt, umsorgt, als stünde ich unter Schock. Vielleicht meinen sie es ja ehrlich, vielleicht mögen sie mich am Ende doch. Bei Frauen weiß ich das nie so recht.

»Wer war das?« fragen sie.

»Eine religiöse Spinnerin«, sagt Jody. »Irgendeine Reaktionäre.«

Jetzt wird man mich mit Respekt behandeln: Gemälde, die Tintenfässer auf sich ziehen, die solch wutentbrannte Gewalttätigkeit inspirieren, einen solchen Aufschrei und ein solches Spektakel, müssen eine seltsame revolutionäre Macht besitzen. Ich werde verwegen erscheinen, unerschrocken. Eine heroische Dimension ist mir angefügt worden.

FEDERN STIEBEN BEI FEMINISTINNEN-SPEKTAKEL steht in der Zeitung. Daneben ein Bild von mir, wie ich zusammenzucke, mit den Händen vor dem Mund. Dahinter Mrs. Smeath, splitternackt und von Tinte tropfend. Auf diese Weise erfahre ich, daß es Nachrichtenwert hat, wenn Frauen streiten. Es hat etwas Prickelndes, Anstößiges und Komisches, wie Männer in Abendkleidern und Stöckelschuhen. Sie nennen es *Hennenkämpfe*.

Die Ausstellung selbst zieht abwertende Adjektive auf sich: »überspitzt«, »aggressiv« und »schrill«. Vor allem Jodys Plastiken und Carolyns Decken werden so genannt. Zillahs Lintschaften werden als »subjektiv«, »introvertiert« und »fadenscheinig« bezeichnet. Im Vergleich dazu komme ich noch ganz gut weg: »Naiver Surrealismus mit einem Schuß feministischer Zitrone.«

Carolyn fertigt eine knallgelbe Fahne an, auf der in roter Farbe steht: »Überspitzt«, »aggressiv« und »schrill«. Sie hängt sie vor die Tür. Es kommen sehr viele Leute.

63

Ich warte, in einem Wartezimmer. Das Wartezimmer hat mehrere nichtssagende Stühle aus hellem Holz mit olivgrün gepolsterten Sitzen und drei Beistelltische. Diese Möbel sind eine ungehobelte Imitation der ersten skandinavischen Möbel von vor zehn oder fünfzehn Jahren, die jetzt völlig aus der Mode sind. Auf einem der Tischchen liegen ein paar oft durchgeblätterte Ausgaben von *Reader's Digest* und *Maclean's*, und auf einem der anderen beiden steht ein Aschenbecher, weiß mit Rosenknospenrand. Der Teppich ist orange-grün, die Wände ein schmuddeliges Gelb. An der Wand hängt ein einziges Bild, eine Lithographie von zwei koketten, gräßlichen Kindern in pseudobäuerlicher Kleidung, entfernt österreichisch, die einen Pilz wie einen Regenschirm halten.

Das Zimmer riecht nach kaltem Zigarettenrauch, altem Gummi, der abgetragenen Intimität von Kleidern, die zu lange am Körper gewesen waren. Und darüber legt sich von den Korridoren her der Geruch von Fußbodenreiniger. Fenster gibt es keine. Dieser Raum irritiert mich wie Fingernägel auf einer Wandtafel. Oder wie das Wartezimmer eines Zahnarztes oder ein Zimmer, in dem man wartet, um sich um eine Stelle zu bewerben, eine Stelle, die man eigentlich gar nicht wollte.

Das hier ist eine diskrete private Klapsmühle. Ein Pflegeheim, und es heißt: das Dorothy Lyndwick-Pflegeheim. Eine Einrichtung, in die wohlsituierte Leute die Angehörigen ihrer Familie stecken, die sie nicht für geeignet halten, frei herumzulaufen, um sie so davor zu bewahren, nach 999 Queen gebracht zu werden, wo es weder diskret noch privat zugeht.

999 Queen ist sowohl ein realer Ort als auch eine High-School-Abkürzung für alle Klapsmühlen, Affenkästen und Idiotenanstalten, die man sich vorstellen kann. Wir mußten es uns damals vorstellen, da wir noch nie eine gesehen hatten. »999 Queen«, sagten wir und steckten die Zunge aus dem Mundwinkel, schielten und machten mit den Zeigefingern Kreise um die Ohren. Verrücktheit wurde als etwas

Komisches angesehen, genauso wie alle anderen Dinge, die in Wirklichkeit erschreckend und zutiefst beschämend waren.

Ich warte auf Cordelia. Oder jedenfalls glaube ich, daß es Cordelia sein wird: am Telefon klang ihre Stimme nicht wie ihre eigene, sondern langsamer und irgendwie beschädigt. »Ich hab dich gesehen«, sagte sie, als hätten wir gerade erst vor fünf Minuten zusammengesessen. Aber in Wirklichkeit war das sieben Jahre her, oder acht oder neun: in dem Sommer, in dem sie beim Stratford-Shakespeare-Festival arbeitete, in dem Josef-Sommer. »In der Zeitung«, fügte sie hinzu. Und dann machte sie eine Pause, als wäre das eine Frage.

»Ach ja«, sagte ich. Und dann, weil ich wußte, daß ich es tun sollte: »Warum treffen wir uns nicht irgendwo?«

»Ich kann hier nicht weg«, sagte Cordelia mit der gleichen verlangsamten Stimme. »Du mußt hierherkommen.«

Und so bin ich hier.

Cordelia kommt am anderen Ende des Zimmers durch eine Tür, sie geht vorsichtig, als müsse sie das Gleichgewicht halten, oder als sei sie lahm. Aber sie ist nicht lahm. Hinter ihr kommt eine Frau, mit dem optimistischen, falschen, breiten Lächeln einer bezahlten Pflegekraft.

Ich brauche einen Augenblick, um Cordelia wiederzuerkennen, denn sie sieht ganz und gar nicht wie früher aus. Oder vielmehr sieht sie nicht so aus, wie sie aussah, als ich sie das letzte Mal gesehen habe, in ihrem weiten Baumwollrock und mit dem barbarischen Armband, elegant und selbstsicher. Sie befindet sich in einer früheren Phase, oder in einer späteren: die weichen grünen Tweedstoffe und die gutgeschnittenen Blusen ihres früheren guten Geschmacks wirken jetzt matronenhaft an ihr, denn sie hat zugenommen. Oder nicht? Es ist jetzt mehr Fleisch, aber es ist hinuntergerutscht, zur Mitte ihres Körpers, wie Schlamm, der einen Hügel hinunterrutscht. Die langen Knochen sind an die Oberfläche ihres Gesichts getreten, die Haut ist wie durch eine unwiderstehliche Schwerkraft nach unten gezogen. Ich kann mir vorstellen, wie sie aussehen wird, wenn sie alt ist.

Jemand hat ihr die Haare frisiert. Nicht sie. Sie würde sie sich niemals in diese festen kleinen Wellen legen.

Cordelia steht unsicher da, blinzelt ein wenig, den Kopf vorgeschoben. Er schwingt kaum wahrnehmbar hin und her, wie es Elefanten tun oder sonst irgendein langsames verwirrtes Tier. »Cordelia«, sage ich und stehe auf.

»Da ist deine Freundin«, sagt die Frau unerbittlich lächelnd. Sie faßt Cordelia am Arm und zieht einmal kurz, um sie in die richtige Richtung in Bewegung zu setzen. »Da bist du ja«, sage ich und tappe bereits in die Falle, rede wie zu einem Kind. Ich gehe auf sie zu, gebe ihr einen verlegenen Kuß. Zu meiner eigenen Überraschung freue ich mich, sie zu sehen.

»Besser spät als gar nicht«, sagt Cordelia mit dem gleichen Zögern, mit der gleichen belegten Stimme, die mir schon am Telefon aufgefallen ist. Die Frau steuert sie zu dem Stuhl, der meinem gegenübersteht, schiebt sie mit einem kleinen Schubs hinein, als wäre sie alt und dickköpfig.

Plötzlich werde ich wütend. Niemand hat das Recht, Cordelia so zu behandeln. Ich sehe die Frau böse an, die sagt: »Wie nett von Ihnen, zu kommen! Cordelia freut sich über Besuch, nicht wahr, Cordelia?«

»Du kannst mich mit rausnehmen«, sagt Cordelia. Sie sieht zu der Frau auf, wartet auf Zustimmung.

»Ja, das stimmt«, sagt die Frau. »Auf eine Tasse Tee oder so. Natürlich nur, wenn Sie versprechen, sie auch wieder zurückzubringen!« Sie lacht fröhlich, als wäre das ein Witz.

Ich nehme Cordelia mit hinaus. Das Dorothy Lyndwick-Pflegeheim liegt in High Park, einem Vorort, in dem ich noch nie gewesen bin und wo ich mich nicht auskenne, aber ein paar Häuserblocks weiter ist ein Eckcafé. Cordelia kennt es und weiß, wie man dort hinkommt. Ich bin mir nicht sicher, ob ich sie unterhaken soll oder nicht, und so lasse ich es; ich gehe neben ihr, passe an den Kreuzungen auf, als wäre sie blind, verlangsame meine Schritte, um mich ihr anzupassen.

»Ich hab kein Geld«, sagt Cordelia. »Sie geben mir keins. Sie besorgen mir sogar die Zigaretten.«

»Das macht nichts«, sage ich.

Wir setzen uns in eine Nische, bestellen Kaffee und zwei Teilchen. Ich bestelle: ich will nicht, daß die Kellnerin uns anstarrt. Cordelia kramt in ihren Taschen, zieht eine Zigarette heraus. Ihre Hand ist zittrig, als sie sie anzündet. »Oh, verdammte Scheiße«, sagt sie und hat Mühe mit den Silben. »Es tut gut, da raus zu sein.« Sie versucht ein Lachen, und ich lache mit ihr, fühle mich schuldig und angeklagt.

Ich sollte ihr Fragen stellen: Was hat sie in all den Jahren getan, die wir übersprungen haben? Was ist mit ihrer Schauspielerei, was ist daraus geworden? Hat sie geheiratet, hat sie Kinder? Was genau ist passiert, das sie hierhergebracht hat? Aber das ist alles nebensächlich. Es wurde später hinzugefügt, ist abtrennbar, hat mit uns nichts zu tun. Die Hauptsache ist Cordelia und was sie jetzt ist.

»Verdammt, was geben die dir denn?« sage ich.

»Irgendwelche Tranquilizer«, sagt sie. »Ich hasse sie. Sie machen mich völlig blöd.«

»Wofür denn?« sage ich. »Wie konntest du überhaupt in dieser Klapsmühle landen? Du bist doch kein bißchen verrückter als ich.«

Cordelia sieht mich an, bläst den Rauch aus. »Es ist alles nicht so gut gelaufen«, sagt sie nach einer Weile.

»Und?« sage ich.

»Und. Dann hab ich's mit Tabletten versucht.«

»Oh, Cordelia.« Ich verspüre einen Stich, als würde ich zusehen, wie ein Kind mit dem Mund auf einen Stein fällt. »Warum?«

»Ich weiß nicht. Es überkam mich eben. Ich war müde«, sagt sie.

Es hat keinen Sinn, ihr zu sagen, daß sie es nicht hätte tun sollen. Ich mache dasselbe, was ich auch in der High-School gemacht hätte: ich erkundige mich nach den Einzelheiten: »Und dann bist du bewußtlos geworden?«

»Ja«, sagt sie. »Ich bin in ein Hotel gegangen, um es dort zu tun. Aber sie haben was gemerkt – der Manager oder so. Sie haben mir den Magen ausgepumpt. Das war gräßlich. Zum Kotzen, könnte man sagen.«

Sie stößt eine Art Lachen aus, aber ihr Gesicht ist ganz starr. Ich habe das Gefühl, gleich heulen zu müssen. Gleichzeitig habe ich eine Wut auf sie, obwohl ich nicht weiß, warum. Es ist, als habe Cordelia sich mir entzogen, als sei sie außerhalb meiner Reichweite, so daß ich nicht an sie rankomme. Sie hat ihre Idee von sich aufgegeben. Sie ist verloren.

»Elaine«, sagt sie, »hol mich raus.«

»Was?« sage ich aufgeschreckt.

»Hilf mir, da rauszukommen. Du weißt nicht, wie's da ist. Man ist nie für sich.« Noch nie ist sie so dicht an einer Bitte gewesen.

Mir fällt eine Redewendung ein, ein Überbleibsel von Jungen, von Samstagnachmittagen, als wir die Comics lasen: *Nicht immer auf die Kleinen! Such dir jemand in deiner Gewichtsklasse.* »Wie soll ich das machen?« sage ich.

»Komm mich morgen besuchen, und dann nehmen wir ein Taxi.« Sie sieht, wie ich zögere. »Oder leih mir einfach das Geld. Weiter brauchst du nichts zu tun. Ich kann morgens die Pillen verstecken, ich nehm sie einfach nicht. Dann bin ich völlig in Ordnung. Ich weiß, daß es nur an den Pillen liegt, daß ich so bin. Nur fünfundzwanzig Dollar, mehr brauch ich nicht.«

»Ich hab nicht viel bei mir«, sage ich. Das stimmt zwar, aber im Grunde weiche ich aus. »Sie werden dich erwischen. Sie werden sehen, daß du die Pillen nicht genommen hast. Das merken die.«

»Die trickse ich noch jeden Tag aus«, sagt Cordelia mit einem Funken ihrer alten Gerissenheit. Natürlich, denke ich, sie ist ja Schauspielerin. Oder war es. Sie kann ihnen was vormachen. »Diese Ärzte sind sowieso die reinsten Schwachköpfe. Die stellen mir immer Fragen, die glauben einfach alles, was ich ihnen erzähle. Sie schreiben alles auf.«

Es gibt also Ärzte dort. Mehr als einen. »Cordelia, wie kann ich das verantworten? Ich hab doch gar nicht mit ihnen gesprochen, ich hab mit niemandem gesprochen.«

»Das sind alles Arschlöcher«, sagt sie. »Mir fehlt nichts. Das weißt du doch, das hast du doch selbst gesagt.« Tief drinnen, hinter diesem verschlossenen, schlaffen Gesicht, ist ein verzweifeltes Kind.

Ich stelle mir vor, wie ich Cordelia hier wegbringe, sie rette. Ich könnte es tun, oder so was Ähnliches; aber wo würde sie dann enden? Sie würde sich in unserer Wohnung verstecken, in einem provisorischen Bett schlafen wie die Amerikaner, die wegen der Wehrpflicht abgehauen sind, wie ein Flüchtling, eine Heimatlose, die die Küche vollqualmt. Und Jon würde fragen, wer zum Teufel sie ist und was sie hier zu suchen hat. Es ist schon schwierig genug mit ihm, wie die Dinge liegen; ich bin mir nicht sicher, ob ich mir Cordelia leisten kann. Sie wäre eine weitere meiner Sünden, die er in seinem Kopf ankreidet und auf mein Konto setzt. Außerdem bin ich selbst nicht besonders beisammen.

Und ich muß an Sarah denken. Würde sie diese Tante Cordelia mögen? Wie ist Cordelia mit kleinen Kindern? Und außerdem, wie krank ist sie wirklich? Wie lange würde es dauern, bis ich heimkäme und sie bewußtlos im Badezimmer fände, oder Schlimmeres? Mitten in einem hellroten Sonnenuntergang. Jons Arbeitstisch ist ein Arsenal, es liegen da kleine Sägen herum, kleine Meißel. Vielleicht wäre alles nur ein Melodrama, ein nur hauttiefer Schnitt oder zwei, ihre alte Theatralik; obwohl theatralische Menschen vielleicht nicht weniger riskieren, sondern mehr. Für ihre Rolle würden sie alles opfern.

»Ich kann nicht, Cordelia«, sage ich sanft. Aber ich fühle mich ihr gegenüber nicht sanft. Ich koche, es ist eine Wut, die ich weder erklären noch ausdrücken kann. *Wie kannst du es wagen, mich darum zu bitten?* Am liebsten würde ich ihr den Arm umdrehen, ihr Gesicht in den Schnee drücken.

Die Kellnerin bringt die Rechnung. »Bist du auch saturiert?« frage ich Cordelia und gebe mir Mühe, fröhlich zu wirken und das Thema zu wechseln. Aber dumm war Cordelia nie.

»Du tust es also nicht«, sagt sie. Und dann, verzweifelt: »Ich glaub, du hast mich schon immer gehaßt.«

»Nein«, sage ich. »Warum sollte ich? Nein!« Ich bin schockiert. Warum sagt sie das? Ich kann mich nicht erinnern, Cordelia je gehaßt zu haben.

»Ich komme da auf jeden Fall wieder raus«, sagt sie. Ihre Stimme ist jetzt nicht belegt oder zögernd. Sie hat jetzt dieses dickköpfige, trotzige Aussehen, an das ich mich von früher erinnere. *Ach ja?*

Ich bringe sie zurück, setze sie da ab. »Ich komm dich wieder besuchen«, sage ich. Ich habe die Absicht, es zu tun, aber gleichzeitig weiß ich, daß die Aussichten gering sind. Sie kommt schon zurecht, rede ich mir ein. So ähnlich war sie auch, als wir von der High-School abgingen, und dann wurde es wieder besser. Könnte es diesmal auch werden.

Auf dem Rückweg lese ich in der Straßenbahn die Werbeplakate: ein Bier, eine Schokoladenstange, ein Büstenhalter, der sich in einen

Vogel verwandelt. Ich ahme Erleichterung nach. Ich fühle mich frei, schwerelos.

Aber ich bin nicht frei, nicht frei von Cordelia.

Ich träume, daß Cordelia fällt, von einer Klippe oder einer Brücke, vor einem schummrigen Hintergrund, mit weit ausgebreiteten Armen, ihr Rock zu einer Glocke aufgebläht, so daß sie einen Schneeengel in der leeren Luft macht. Sie schlägt nirgends auf, und sie landet auch nie; sie fällt und fällt, und ich wache auf, mit pochendem Herzen und aller Schwerkraft unter mir beraubt, wie in einem Fahrstuhl, der abstürzt.

Ich träume, daß sie auf dem Schulhof der alten Queen Mary steht. Die Schule ist verschwunden, es ist nur noch ein leeres Feld da, und dahinter der Hügel mit den niedrigen immergrünen Bäumen. Sie hat ihre Schneejacke an, aber sie ist kein Kind mehr, sie ist so alt, wie sie jetzt ist. Sie weiß, daß ich sie im Stich gelassen habe, und sie ist böse.

Nach einem Monat, zwei Monaten, nach dreien, schreibe ich Cordelia eine Notiz auf geblümtem Notizpapier, auf dem nicht viel Platz ist für Worte. Ich kaufe den Notizblock extra zu diesem Zweck. Meine Nachricht ist mit solch falscher Fröhlichkeit verfaßt, daß ich es kaum über mich bringe, den Umschlag zuzukleben. Darin kündige ich ihr meinen Besuch an.

Aber der Brief kommt mit der Post zurück, mit *Empfänger unbekannt* daraufgekritzelt. Ich untersuche die Schrift von allen Seiten, bemühe mich herauszufinden, ob es sich um Cordelias Schrift handeln könnte, die sie verstellt hat. Wenn sie es nicht ist, wenn sie nun nicht mehr in dem Pflegeheim ist, wo ist sie dann? Sie könnte jeden Augenblick an der Tür klingeln, anrufen. Sie könnte überall sein.

Ich träume von einer Schaufensterpuppen-Statue, genauso eine wie die von Jody in der Ausstellung, zerstückelt und wieder zusammengeklebt. Sie hat nichts weiter an als ein Gazekostüm, das mit Glitzerschmuck besetzt ist. Sie geht nur bis zum Hals. Unter dem Arm, in ein weißes Tuch gewickelt, ist Cordelias Kopf.

Ein Flügel

64

Im Winkel eines Parkplatzes, zwischen all den prächtigen Boutiquen, hat man einen Schnellimbiß aus den vierziger Jahren genau nachgebaut. Er heißt: 4-D's Diner. Keine Renovierung, sondern funkelnagelneu.

Früher einmal konnten sie dieses Zeug nicht schnell genug abreißen.

Innen ist es ziemlich authentisch, außer daß es zu sauber wirkt, und es ist auch weniger vierziger Jahre als Anfang der fünfziger. Es gibt eine Bar mit Hockern davor, die mit einem sauren Zitronengrün überzogen sind, und mit Kunststoff ausgekleidete Nischen in leuchtendem Rot, das wie die Haut eines alten Cabriolets mit Haifischflossen aussieht. Ein Musikautomat, Kleiderständer aus Chrom, körnige Schwarzweißfotos an den Wänden mit Abbildungen von richtigen Diners der Vierziger. Die Kellnerinnen tragen weiße Uniformen mit schwarzen Streifen, nur ihr roter Lippenstift trifft nicht exakt den richtigen Ton, und sie hätten damit auch um die Ränder ihrer Lippen fahren sollen. Die Kellner haben schräg auf dem Kopf sitzende Barmixerkäppis wie damals und auch den richtigen Haarschnitt mit bis hoch hinauf ausrasiertem Nacken. Der Laden brummt. Hauptsächlich junge Leute unter dreißig.

Eigentlich ist es wie das Sunnyside, als Museum hergerichtet. Cordelia und ich könnten da drinsitzen, mit unseren Fledermausärmeln und breiten Gürteln, ausgestopft und aufgestellt oder aus Wachs, und unsere Milkshakes trinken und so gelangweilt wie möglich in die Gegend blicken.

Als ich Cordelia das letzte Mal sah, verschwand sie durch die Tür des Pflegeheims. Es war das letzte Mal, daß ich mit ihr sprach. Aber es war nicht das letzte Mal, daß sie mit mir sprach.

Es gibt keine Avocado- und Sojasandwiches, der Kaffee ist kein Espresso, die Torte ist Kokosnußcreme und auch nicht viel schlimmer als damals. Das habe ich mir bestellt, Kaffee und ein Stück Torte.

Ich sitze in einer roten Nische, beobachte die jungen Leute, die sich lauthals darüber auslassen, wie malerisch das ist, was sie für die Vergangenheit halten.

Solange man sich in der Vergangenheit befindet, hat sie nichts Malerisches an sich. Nur aus sicherer Entfernung, später, wenn man sie als Dekor vor sich sieht und nicht als die Form, in die das eigene Leben gepreßt ist.

Es gibt jetzt Elvis Presley-Zucchini-Formen: man klemmt sie um eine Zucchinifrucht, wenn sie noch jung ist, und sie wächst dann in der Form des Kopfes von Elvis Presley weiter. Hat er deshalb gesungen? Um zu Zucchini zu werden? Vegetariertum und Reinkarnation liegen in der Luft, aber das geht wirklich zu weit. Ich selbst würde lieber als Sandwich zurückkommen; oder als gegrillte Languste. Die ganze Idee ist auf jeden Fall nicht so hart wie die Hölle.

»Das habt ihr gut gemacht«, sage ich zu der Kellnerin. »Nur die Preise stimmen nicht. Damals kam der Kaffee auf zehn Cents.«

»Tatsächlich«, sagt sie, aber nicht als Frage. Sie lächelt pflichtgemäß. *Langweilige alte Fregatte.* Sie ist halb so alt wie ich und lebt schon ein Leben, das ich mir nicht vorstellen kann. Wie immer ihre Schuldgefühle aussehen mögen, was immer sie haßt oder fürchtet, es ist nicht dasselbe. Was tun sie wegen AIDS, diese Mädchen? Sie können sich nicht einfach im Heu wälzen, so wie wir. Gibt es ein Werbungsritual, bei dem die Telefonnummern der jeweiligen Ärzte ausgetauscht werden? Für uns war die Schwangerschaft das furchterregende Element, die sexuelle Fallgrube, die Sache, die einen erledigen konnte. Heute nicht mehr.

Ich bezahle die Rechnung, gebe ein viel zu hohes Trinkgeld, raffe meine Päckchen zusammen, einen italienischen Schal für jede meiner beiden Töchter, einen Füllfederhalter für Ben. Füllfederhalter kommen wieder. Irgendwo in der Vergessenheit stehen all die alten Dinge und Apparaturen und Kostüme Schlange und warten darauf, daß sie an der Reihe sind, zurückzukehren.

Ich gehe die Straße entlang, bis zur Ecke. Die nächste ist Josefs Straße. Ich zähle die Häuser: das hier muß seins gewesen sein. Die vordere Wand ist herausgerissen und neu verglast, der Rasen ist jetzt mit Kopfsteinen gepflastert. Im Fenster steht ein antikes Schaukel-

pferd, daneben eine fadenscheinige Decke und eine Puppe mit Holzkopf und zerbeultem Gesicht. Was früher weggeworfen wurde, wird
heute als Geld wieder in Umlauf gebracht. Nirgends etwas so Indis-
kretes wie ein Preisschild, was unverschämt teuer heißt.

Ich frage mich, was schließlich aus Josef geworden ist. Wenn er
noch lebt, muß er jetzt fünfundsechzig oder älter sein. Wenn er damals schon ein schmutziger alter Mann war, wie schmutzig ist er dann
heute?

Er hat tatsächlich einen Film gemacht. Ich glaube, daß er es war;
auf jeden Fall war der Name des Regisseurs sein Name. Ich habe den
Film zufällig bei einem Filmfestival gesehen. Das war sehr viel später,
als ich schon in Vancouver wohnte.

Er handelte von zwei Frauen mit nebulösen Persönlichkeiten und
wolkigen Haaren. Sie wanderten durch die Felder, und der Wind
drückte ihnen die dünnen Kleider an die Schenkel, während sie unergründlich vor sich hin blickten. Die eine nahm ein Radio auseinander
und warf die einzelnen Teile in einen Fluß, aß eine Butterblume und
schnitt einer Katze die Kehle durch, denn sie war geistesgestört. All
das wäre nicht so attraktiv gewesen, wenn sie häßlich gewesen wäre,
statt blond und zart. Die andere machte sich mit einem altmodischen
geraden Rasiermesser, das ihrem Großvater gehört hatte, kleine
Schnitte in die Oberschenkel. Am Ende sprang sie von einer Eisen-
bahnbrücke in einen Fluß, wobei ihr Kleid wie eine Gardine flatterte.
Bis auf ihre Haarfarbe waren die beiden nur schwer auseinanderzuhalten.

Der Mann in dem Film liebte beide und konnte sich nicht entscheiden. Daher ihr Wahnsinn. Und deshalb war ich überzeugt, daß es
Josef gewesen sein muß: es wäre ihm nie in den Sinn gekommen, daß
sie vielleicht eigene Gründe für ihren Wahnsinn hatten, Gründe, die
mit dem Mann nichts zu tun hatten.

Das Blut in diesem Film war nicht wirklich Blut. Frauen waren für
Josef nicht wirklich, genauso wenig, wie er für mich wirklich gewesen war. Das war auch der Grund, warum ich mit seinem Leiden so
verächtlich und unbekümmert umgehen konnte: er war nicht wirklich. Deshalb habe ich auch nie von ihm geträumt, weil er ja bereits
zur Welt der Träume gehörte: zusammenhanglos, irrational, obses-
siv.

Natürlich war ich unfair zu ihm, aber was wäre aus mir geworden, wenn ich mich fair verhalten hätte? Eine Hörige, in Fesseln. Junge Frauen müssen unfair sein können, sie haben sonst kaum etwas zu ihrer Verteidigung. Sie brauchen ihre Härte, sie brauchen ihre Ignoranz. Sie gehen durch die Dunkelheit, am Rande eines tiefen Abgrunds, summen vor sich hin, halten sich für unverwundbar.

Ich kann Josef seinen Film nicht übelnehmen. Er hatte das Recht auf eigene Versionen, eigene Beschwörungen, genauso wie ich. Mag sein, daß ich seinen Zielen nützlich war, aber er war meinen auch nützlich.

Da ist zum Beispiel das Bild *Aktzeichnen*, das jetzt in der Galerie hängt, Josef in Aspik, zum Anbeißen. Er nimmt die linke Seite des Bildes ein, splitternackt, aber vom Beschauer halb abgewendet, so daß man seinen Hintern zu sehen kriegt und den Oberkörper im Profil. Auf der rechten Seite ist Jon in derselben Stellung. Ihre Körper sind ein wenig idealisiert: nicht soviel Haare, wie sie in Wirklichkeit haben, definiertere Muskeln, schimmernde Haut. Ich habe mir überlegt, ob ich ihnen aus Respekt vor Toronto Jockeyshorts anziehen sollte, beschloß dann aber, es nicht zu tun. Beide haben herrliche Pobacken.

Jeder von ihnen malt ein Bild, jedes Bild steht auf einer Staffelei. Auf Josefs ist eine wollüstige, aber nicht übermäßig füllige Frau, die mit nackten Brüsten und einem Laken zwischen den Beinen auf einem Schemel sitzt; ihr Gesicht ist präraffaelitisch, nachdenklich, bewußt geheimnisvoll. Auf Jons Bild sind eingeweideartige Verschlingungen und Wirbel in grellem Pink, Himbeereisrot und Burgunderkirschpurpur.

Das Modell sitzt auf einem Stuhl zwischen ihnen, das Gesicht dem Betrachter zugewandt, die nackten Füße flach auf dem Boden. Unter ihren Brüsten ist ein weißes Bettlaken um ihren Körper gewickelt. Ihre Hände liegen ordentlich gefaltet im Schoß. Ihr Kopf ist eine Kugel aus bläulichem Glas.

Ich sitze mit Jon an einem Tisch in der Dachbar des Park Plaza Hotels und trinke gespritzten Weißwein. Mein Vorschlag: ich wollte es wiedersehen. Die Skyline draußen hat sich verändert: Das Park Plaza Hotel ist jetzt nicht mehr das höchste Gebäude in dieser Gegend, sondern ein untersetztes Überbleibsel, von den grazilen Glastürmen, die ringsherum aufragen, zum Zwergen gemacht. Südlich ist der CN Tower, der sich wie ein riesiger umgestülpter Eiszapfen erhebt. Diese Architektur kenne ich nur aus den Science-fiction-Comics, und wie ich sie nun an den monotonen Seehimmel geklebt vor mir sehe, habe ich plötzlich das Gefühl, mich in der Zeit nicht nach vorn, sondern zur Seite bewegt zu haben – in ein zweidimensionales Universum.

Aber in der Bar hat sich nicht viel geändert. Sie sieht noch immer wie ein hochklassiges Regency-Bordell aus. Selbst die Kellner mit ihren gepflegten Frisuren und ihrem hektischen Bemühen um Diskretion sehen noch genauso aus, und wahrscheinlich sind es sogar noch dieselben. Früher stellte die Geschäftsleitung für Herren, die ihre Krawatte vergessen hatten, an der Garderobe welche zur Verfügung. *Vergessen* war das Wort dafür, denn ganz bestimmt würde doch kein Gentleman mit Absicht ohne Krawatte herumlaufen. Es war eine große Sache, als die Frauen in Hosenanzügen über diesen Ort hereinbrachen. Die erste war ein schickes schwarzes Mannequin: Ihr konnten sie den Eintritt schlecht verweigern, weil man es ihnen als Rassismus ausgelegt hätte. Selbst die Erinnerung kommt mir überholt vor, und auch das Triumphgefühl, von dem sie begleitet ist: Welche Frau würde heute noch einen Hosenanzug als Befreiung empfinden?

Mit Jon bin ich früher nicht hierhergegangen. Er hätte über die gepolsterten Stilmöbel, die drapierten Vorhänge, die Männer und Frauen, die wie aus Hochglanzanzeigen für Whisky geschnitten schienen, nur die Nase gerümpft. Aber ich war mit Josef hier, Josef, dessen Hand ich auf dem Tisch berührte. Nicht Jons Hand, wie jetzt.

Eigentlich sind es nur die Fingerspitzen, nur ganz leicht. Diesmal reden wir nicht viel: es gibt keine verbalen Sticheleien wie beim Mittagessen. Es gibt ein gemeinsames Vokabular aus Einsilbigkeit und Schweigen; wir wissen, warum wir hier sind. Als wir im Fahrstuhl hinunterfahren, blicke ich in den Rauchglasspiegel an der Wand, und ich sehe in dem dunklen Glas mein Gesicht, das die Zeit undeutlich gemacht hat wie einen überwachsenen Stein. Ich könnte jedes Alter haben.

Wir fahren mit dem Taxi zum Lagerhaus zurück, unsere Hände

liegen dicht nebeneinander auf dem Sitz. Wir gehen die Treppe zum Atelier hinauf, langsam, damit wir nicht außer Atem geraten: Keiner möchte sich vom andern bei einem mittelalterlichen Schnaufen ertappen lassen. Jons Hand liegt an meiner Taille. Sie kommt mir dort vertraut vor; es ist genauso wie mit einem Haus, in dem man lange gewohnt hat, in dem man aber seit Jahren nicht mehr gewesen ist und trotzdem noch weiß, wo sich der Lichtschalter befindet. Als wir zur Tür kommen, und bevor wir hineingehen, klopft er mir auf die Schulter, eine Geste der Ermutigung und wehmütiger Resignation.

»Laß das Licht aus«, sage ich.

Jon legt den Arm um mich, lehnt sein Gesicht gegen meinen Hals. Es ist nicht so sehr ein Ausdruck von Verlangen als von Müdigkeit.

Das Atelier ist in rötlichgraue Herbstdämmerung getaucht. Die Gipsabgüsse der Arme und Beine schimmern weißlich, wie zerbrochene Statuen in einer Ruine. Meine Kleider liegen unordentlich in einer Ecke, und hier und da, auf dem Arbeitstisch, auf dem Fensterbrett, stehen leere Tassen und markieren meine täglichen Spuren, meinen Anspruch auf Platz. Der Raum kommt mir inzwischen schon wie mein eigener vor, als hätte ich die ganze Zeit hier gewohnt, egal, wo ich sonst noch überall war oder was ich sonst noch alles getan habe. Es ist Jon, der weg war und endlich zurückgekehrt ist.

Wir ziehen einander aus, wie wir es am Anfang immer getan haben; aber mit mehr Scheu. Ich will nicht verlegen sein. Ich bin froh, daß es dämmrig ist; ich bin nervös wegen der Rückseiten meiner Schenkel, der Haut über meinen Knien, der weichen Falte quer über meinem Bauch, kein richtiges Fett, aber eben eine Falte. Das Haar auf seiner Brust ist grau, das ist ein Schock. Ich vermeide es, auf den kleinen Bierbauch zu sehen, den er angesetzt hat, aber ich nehme ihn zur Kenntnis, genauso wie all die anderen Veränderungen seines Körpers, wie auch er meine zur Kenntnis nehmen wird.

Als wir uns küssen, tun wir es mit einer Ernsthaftigkeit, die wir früher nicht hatten. Wir waren gierig – und egoistisch.

Wir lieben uns, weil es tröstlich ist. Ich erkenne ihn wieder, ich würde ihn auch bei völliger Dunkelheit wiedererkennen. Jeder Mann hat einen eigenen Rhythmus, der sich nicht ändert. Es liegt eine Erleichterung darin, wie die Wiederkehr von etwas Vertrautem.

Ich habe nicht das Gefühl, Ben untreu zu sein, sondern nur, etwas anderem treu zu sein; etwas, das vor ihm da war, das nichts mit ihm zu tun hat. Eine alte Rechnung.

Ich weiß auch, daß ich es nicht noch einmal tun werde. Es ist wie der letzte Blick vor dem Abwenden, der letzte Blick auf einen früher oft besuchten, einst als extravagant empfundenen Ort, von dem man weiß, daß man nicht zu ihm zurückkehren wird. Ein abendlicher Blick auf die Niagarafälle.

Wir liegen engumschlungen unter dem Duvet. Es ist schwer, sich ins Gedächtnis zu rufen, worum wir uns immer gestritten haben. Die alte Wut ist verflogen und mit ihr auch die bissige, eifersüchtige Lust, die wir füreinander verspürten. Zurückgeblieben ist Wärme und Bedauern. Ein Diminuendo.

»Kommst du zur Eröffnung?« sage ich. »Wär schön.«

»Nein«, sagt er. »Ich will nicht.«

»Warum nicht?«

»Ich würd mich nicht wohl fühlen«, sagt er. »Ich will dich nicht so sehen.«

»Wie?« sage ich.

»Mit all den Leuten, die um dich rumtanzen.«

Damit meint er, daß er nicht nur Zuschauer sein will, daß dort für ihn kein Platz sein wird, und er hat recht. Er will nicht nur mein Ex-Ehemann sein. Man würde ihm etwas nehmen, mich – und sich selbst auch. Mir wird klar, daß ich es auch nicht will, ich will nicht wirklich, daß er dort ist. Ich brauche ihn da, aber ich will es nicht.

Ich drehe mich um, stützte mich auf den Ellbogen, gebe ihm noch einen Kuß, diesmal auf die Wange. Die Haare, die weiter unten sind, hinter seinen Ohren, werden schon weiß. Ich denke, das haben wir gerade noch rechtzeitig getan. Es war fast schon zu spät.

65

Mit Jon ist es, als stürzte man die Treppe hinunter. Bis jetzt war es nur ein gelegentliches erstes Stolpern, das abgefangen werden konnte, ein Festklammern an Griffen. Aber nun haben wir völlig das Gleichgewicht verloren und stürzen beide kopfüber hinab, mit Getöse und ohne Anmut, die Geschwindigkeit und die Wunden werden größer.

Ich schlafe voller Wut ein, und mir graut vor dem Aufwachen, und wenn ich aufwache, liege ich neben dem schlafenden Körper von Jon in unserem Bett und lausche dem Rhythmus seiner Atemzüge, neide ihm die Vergessenheit, die er noch genießt.

Seit einigen Wochen ist er schweigsamer als sonst und weniger zu Hause. Das heißt, weniger zu Hause, wenn ich zu Hause bin. Wenn ich bei der Arbeit bin, ist er schon dort, selbst wenn Sarah in der Vorschule ist. Seit einiger Zeit finde ich Zeichen, winzige Hinweise, wie Brotkrumen auf einer Fährte, die für mich ausgelegt ist: eine Zigarettenkippe mit rosa Lippenabdruck, zwei gebrauchte Gläser im Abwasch, eine Haarnadel, die nicht mir gehört, und zwar unter dem Kopfkissen. Ich räume alles weg, sage aber nichts, hebe mir diese Dinge für später auf, wenn ich sie nötiger haben werde.

»Eine Monica hat angerufen«, sage ich zu ihm.

Es ist noch früh, und ich habe einen ganzen Tag vor mir, den ich durchstehen muß. Ein Tag der Ausflüchte, des unterdrückten Zorns, der falschen Ruhe. Mit Sachen werfen wir schon längst nicht mehr, darüber sind wir hinaus.

Er liest in der Zeitung. »Ja?« sagt er. »Was wollte sie denn?«

»Sie hat gesagt, ich soll dir ausrichten, daß Monica angerufen hat«, sage ich.

Am Abend kommt er spät nach Hause, und ich liege im Bett und stelle mich schlafend. In meinem Kopf wühlt es. Ich denke mir Dinge aus, um ihn zu überführen: seine Hemden auf Parfüm untersuchen, ihn auf der Straße verfolgen, mich im Schrank verbergen und herausspringen, glühend vor Entdeckung. Ich denke mir aus, was ich tun könnte. Ich könnte Sarah nehmen und mit ihr weggehen, irgendwohin, an einen unbestimmten Ort. Oder ich könnte darauf bestehen, daß wir über alles reden. Oder ich könnte so tun, als wäre nichts, und einfach weiterleben wie sonst. Diesen Ratschlag würde ich in den Frauenzeitschriften von vor zehn Jahren finden: Steh es schweigend durch.

Ich sehe diese Dinge wie Szenarien, die durchgespielt und dann weggelegt werden. Sie können auch gleichzeitig ablaufen. Keins davon schließt die anderen aus.

Im wirklichen Leben gehen die Tage weiter wie gewöhnlich, verdunkelt vom Winter und schwer vom Ungesagten.

»Du hattest was mit Onkel Joe, stimmt's?« sagt Jon beiläufig. Es ist Samstag, und wir machen ein Experiment in Normalität, gehen mit Sarah in den Grange Park, damit sie im Schnee spielen kann.

»Mit wem?« sage ich.

»Du weißt schon. Josef wie hieß er doch gleich? Der alte Knochen.«

»Ach der«, sage ich. Sarah ist mit ein paar anderen Kindern bei den Schaukeln. Wir sitzen auf einer Bank, von der wir den Schnee abgefegt haben. Ich glaube, ich sollte einen Schneemann bauen oder irgend etwas anderes tun, was eine gute Mutter eben tut. Aber ich bin zu müde.

»Hattest du doch, stimmt's?« sagt Jon. »Zur selben Zeit wie mit mir.«

»Wie kommst du denn auf die Idee?« sage ich. Ich weiß, wann ich angeklagt werde. Ich gehe meine Munition durch: Haarnadeln, Lippenstiftabdrücke, Telefonanrufe, die Gläser im Abwasch.

»Ich bin nicht blöd, weißt du.«

Er ist also auch eifersüchtig, muß seine Wunden lecken. Die ich ihm geschlagen habe. Ich sollte lügen, alles ableugnen. Aber das will ich nicht. Im Augenblick gibt mir Josef ein bißchen Stolz.

»Das ist schon Jahre her«, sage ich. »Tausend Jahre. Es war nicht wichtig.«

»Nicht wichtig, Scheiße!«, sagt er. Früher hatte ich immer geglaubt, daß er sich über mich lustig machen würde, wenn er die Sache mit Josef herausfände. Die Überraschung ist, daß er ihn ernst nimmt.

In der Nacht lieben wir uns, falls man es noch so nennen kann. Es hat nicht dieselbe Form wie Liebe, nicht dieselbe Farbe, sondern ist harsch, kriegerisch, metallisch. Dinge werden bewiesen. Oder bestritten.

Am nächsten Morgen fragt er: »Und wen hat's sonst noch gegeben?« Aus dem Nichts. »Woher soll ich wissen, daß du nicht mit jedem x-beliebigen alten Furz ins Bett gegangen bist?«

Ich seufze. »Jon«, sage ich. »Werd endlich erwachsen.«

»Und was war mit Mr. Beanie Weenie?« fährt er fort.

»Ach, hör doch auf«, sage ich. »Du warst auch nicht gerade ein Engel. In deiner Wohnung wimmelte es ja geradezu von diesen dürren Mädchen. Du wolltest nicht angebunden sein, weißt du noch?«

Sarah liegt noch in ihrem Bettchen und schläft. Wir sind sicher, wir können zur Sache kommen, auf all die schlimmen Wahrheiten, die nicht völlig wahr sind. Wenn man erst mal damit angefangen hat, ist es schwer aufzuhören. Es hat sogar einen gewissen Reiz.

»Wenigstens hab ich's offen gemacht«, sagt er. »Ich hab nichts verheimlicht. Ich hab nicht getan, als wär ich der reinste Unschuldsengel, wie du.«

»Vielleicht hab ich dich geliebt«, sage ich. Ich merke, daß ich in der Vergangenheit gesprochen habe. Und er merkt es auch.

»Du wüßtest nicht, was Liebe ist, wenn du drüber stolpern würdest«, sagt er.

»Im Gegensatz zu Monica?« frage ich. »Im Augenblick bist du nicht sehr offen. Ich hab ihre Haarnadeln gefunden, in meinem eigenen Bett. Du könntest wenigstens so anständig sein, es irgendwo anders zu machen.«

»Und was ist mit dir?« sagt er. »Du gehst andauernd aus, du kommst doch ziemlich rum.«

»Ich?« sage ich. »Dazu hab ich gar nicht die Zeit. Ich hab keine Zeit zu denken, ich hab keine Zeit zu malen, ich hab kaum Zeit aufs Klo zu gehen. Ich bin zu sehr damit beschäftigt, die verdammte Miete zu zahlen.«

Das war das Schlimmste, ich bin zu weit gegangen. »Das reicht«, sagt Jon. »Immer bist du es, was du alles tust, was du alles auf dich nehmen mußt. Nie ich.« Er nimmt seine Jacke, geht zur Tür.

»Hast du 'ne Verabredung mit Monica?« sage ich so gehässig, wie ich nur kann. Ich hasse es, diese Schulhofzänkereien. Ich will Umarmungen, Tränen, Vergebung. Ich will, daß sie von alleine kommen, ohne mich anstrengen zu müssen, wie Regenbogen.

»Trisha«, sagt er. »Monica ist nur 'ne Freundin.«

Es ist Winter. Die Heizung fällt aus, geht wieder an, fällt aus, wie es gerade kommt. Sarah ist erkältet. Nachts hustet sie, und ich stehe auf, um nach ihr zu sehen, gebe ihr Löffel mit Hustensaft, bringe ihr Wasser zum Trinken. Am Tag sind wir beide erschöpft.

Ich bin in diesem Winter selbst sehr oft krank. Ich stecke mich bei ihr an. An den Wochenenden liege ich morgens im Bett, starre an die Decke, mein Kopf ist wie mit Watte vollgestopft. Ich will Gläser mit Ginger Ale, ausgedrückten Orangensaft, entfernte Radiogeräusche. Aber mit diesen Dingen ist es ein für allemal vorbei, nichts trifft auf einem Tablett ein. Wenn ich Ginger Ale haben will, muß ich in den Laden oder in die Küche gehen, es mir kaufen und selbst einschenken. Im Wohnzimmer sieht sich Sarah Zeichentrickfilme an.

Ich male nicht mehr. Ich kann nicht einmal ans Malen denken. Obgleich ich von einem Kunstprogramm der Regierung ein Förderstipendium erhalten habe, schaffe ich es einfach nicht, einen Pinsel in die Hand zu nehmen. Ich schleppe mich durch die Zeit, zur Arbeit, zur Bank, um Geld zu holen, zum Supermarkt, um Essen zu kaufen. Manchmal sehe ich mir tagsüber im Fernsehen Seifenopern an, in denen es mehr Krisen und bessere Kleider als im wirklichen Leben gibt. Ich kümmere mich um Sarah.

Zu etwas anderem komme ich nicht. Ich gehe nicht mehr zu den Frauentreffen, weil ich mich dann noch elender fühle. Jody ruft an und sagt, daß wir uns treffen sollten, aber ich vertröste sie. Sie würde mich aufheitern, mich stärken, mir positive Ratschläge erteilen, denen ich mit Sicherheit nicht nachkommen könnte. Und dann würde ich mich erst recht wie eine Versagerin fühlen.

Ich will niemanden sehen. Ich liege bei zugezogenen Vorhängen im Schlafzimmer, und eine träge Welle der Leere schwappt über mich hinweg. Was immer mit mir geschieht, ist meine eigene Schuld. Irgend etwas habe ich falsch gemacht, irgend etwas so Gewaltiges, daß ich es nicht einmal sehen kann, etwas, daß mich ertränkt. Ich bin untauglich und dumm, ohne Wert. Ich könnte genausogut tot sein.

Eines Nachts kommt Jon nicht nach Hause. Das ist nicht üblich, es widerspricht unserer stillschweigenden Übereinkunft: Selbst wenn es abends später wird, gegen Mitternacht kommt er immer nach Hause. Wir hatten an diesem Tag keinen Streit; wir haben kaum miteinander gesprochen. Er hat nicht angerufen, um zu sagen, wo er ist. Es ist klar, was er vorhat: er läßt mich zurück, in der Kälte.

Ich hocke im Schlafzimmer im Dunkeln, in Jons alten Schlafsack gewickelt, lausche Sarahs keuchenden Atemzügen und dem Flüstern der Graupelkörner an den Fensterscheiben. Liebe macht blind; aber wenn sie zurückgeht, sieht man klarer als je zuvor. Sie ist wie die Ebbe, die freilegt, was weggeworfen wurde und untergegangen war: zerbrochene Flaschen, alte Handschuhe, verrostete Popcorndosen, abgenagte Fischgräten, Knochen. Das sind Dinge, die man sieht, wenn man mit offenen Augen im Dunkeln sitzt, ohne zu wissen, wie die Zukunft aussieht. Was alles in Scherben gegangen ist.

Mein Körper ist schlaff, willenlos. Ich habe das Gefühl, daß ich mich bewegen sollte, um mein Blut zum Zirkulieren zu bringen, wie man es bei einem Schneesturm tun soll, damit man nicht erfriert. Ich zwinge mich, aufzustehen. Ich werde in die Küche gehen und Tee kochen.

Vor dem Haus gleitet ein Auto durch den Schneematsch, ein dumpfes Rauschen. Das Wohnzimmer ist dunkel, nur das Licht der Straßenlaternen fällt durchs Fenster. Das Werkzeug auf Jons Arbeitstisch glitzert in diesem Zwielicht: die flache Schneide eines Meißels, der Kopf eines Hammers. Ich spüre die Anziehungskraft der Erde, das schwere Gewicht ihrer dunklen Gravitationskurve, die Räume zwischen den Atomen, durch die man so leicht hindurchfallen könnte.

In diesem Augenblick höre ich die Stimme, nicht in meinem Kopf, sondern ganz deutlich im Raum: *Tu's. Mach schon. Tu's.* Diese Stimme läßt einem keine Wahl; sie hat die Macht eines Befehls. Es ist der Unterschied zwischen Springen und Gestoßenwerden.

Das Exacto-Messer ist es, das ich gebrauche, um den Schnitt zu machen. Es tut nicht mal weh, denn gleich danach höre ich ein flüsterndes Geräusch, und der Raum wird eng, und ich liege am Fußboden. So findet mich Jon. Blut ist im Dunkeln schwarz, es reflektiert nicht, so daß er erst etwas sieht, als er das Licht angemacht hat.

Ich erzähle den Leuten in der Notaufnahme, daß es ein Unfall war. Ich bin Malerin, sage ich, ich habe Leinwand geschnitten, und mir ist die Hand abgerutscht. Es ist das linke Handgelenk, so daß es plausibel klingt. Ich habe Angst, ich will die Wahrheit verbergen: ich habe nicht vor, in 999 Queen Street zu landen, jetzt nicht und niemals.

»Mitten in der Nacht?« sagt der Arzt.

»Ich arbeite oft nachts«, sage ich.

Jon bestätigt das. Er hat genausoviel Angst wie ich. Er hat mein Handgelenk in ein Geschirrtuch gewickelt und mich ins Krankenhaus gefahren. Das Blut ist durch das Handtuch auf den Vordersitz getropft.

»Sarah«, sagte ich, als ich mich an sie erinnerte.

»Sie ist unten«, sagte Jon. Unten wohnt die Vermieterin, eine italienische Witwe mittleren Alters.

»Was hast du ihr gesagt?« fragte ich.

»Ich hab gesagt, es wär der Blinddarm«, sagte Jon. Ich lachte schwach. »Was zum Teufel ist in dich gefahren?«

»Das weiß ich nicht«, sagte ich. »Du wirst dein Auto saubermachen müssen.« Ich kam mir weiß vor, blutleer, umsorgt, geläutert. Friedlich.

»Sind Sie sicher, daß Sie nicht mit jemandem reden wollen?« fragt der Arzt in der Notaufnahme.

»Mit mir ist alles in Ordnung«, sage ich. Das letzte, was ich will, ist reden. Ich weiß, was er mit *jemand* meint: einen Psychiater. Jemand, der mir sagen wird, daß ich verrückt bin. Ich weiß, was das für Leute sind, die Stimmen hören: Leute, die zuviel trinken, die ihr Gehirn mit Drogen aufweichen, die ausgerastet sind. Ich fühle mich total stabil, ich habe nicht mal mehr Angst. Ich habe bereits beschlossen, was ich tun werde, danach, morgen. Ich werde meinen Arm in einer Schlinge tragen und sagen, daß ich mir das Handgelenk gebrochen habe. Auf diese Weise werde ich weder ihm noch Jon noch sonst irgend jemandem von der Stimme erzählen müssen.

Ich weiß, daß sie nicht wirklich da war. Ich weiß auch, daß ich sie gehört habe.

An sich war die Stimme gar nicht furchterweckend. Nicht böse, sondern aufgeregt, als würde sie mir irgend etwas Wildes vorschlagen, einen Streich, etwas Schönes. Irgend etwas Kostbares und Geheimnisvolles. Die Stimme eines neunjährigen Kindes.

66

Der Schnee ist geschmolzen und hat ein schmutziges Filigran hinterlassen, der Wind bläst in dem Sand und Staub herum, der vom Winter übriggeblieben ist, die Krokusse stoßen durch den Morast der trostlosen zusammengedrückten Rasenflächen. Wenn ich hierbleibe, werde ich sterben.

Es ist die Stadt, die ich ebenso dringend verlassen muß wie Jon, denke ich. Es ist die Stadt, die mich umbringt.

Sie wird mich plötzlich umbringen. Ich werde eine Straße entlanggehen, an gar nichts Besonderes denken, und ganz plötzlich werde ich mich abwenden, vom Rinnstein hechten und von einem vorbeifahrenden Auto überfahren werden. Ich werde, ohne jede Vorwarnung, vor einen U-Bahnzug kippen, ich werde mich ohne Überlegung von einer Brücke stürzen. Alles, was ich hören werde, wird diese kleine Stimme sein, einladend und verschwörerisch, fröhlich, die mich drängt, es zu tun. Ich weiß, daß ich zu so etwas fähig bin.

(Schlimmer noch: obwohl mir der Gedanke angst macht und ich mich deswegen schäme, und obwohl ich ihn bei Tag melodramatisch und absurd finde und mich weigere, daran zu glauben, hege und pflege ich ihn. Es ist wie mit der Flasche, die der Alkoholiker heimlich in Reserve hält: Im Moment habe ich vielleicht kein Verlangen danach, trotzdem fühle ich mich sicherer, wenn ich weiß, daß sie da ist. Es ist ein letztes Mittel, es ist ein Laster, es ist ein Ausgang. Es ist eine Waffe.)

Nachts sitze ich an Sarahs Bettchen, beobachte das Flattern ihrer Augenlider, wenn sie träumt, lausche ihren Atemzügen. Sie wird allein gelassen sein. Oder nicht allein, weil sie Jon haben wird. Mutterlos. Das ist undenkbar.

Ich schalte das Licht im Wohnzimmer an. Ich weiß, daß ich beginnen muß zu packen, aber ich weiß nicht, was ich mitnehmen soll. Kleidung, Spielzeug für Sarah, ihr Fellkaninchen. Es kommt mir zu schwierig vor, also gehe ich ins Bett. Jon liegt bereits darin, mit dem

Gesicht zur Wand. Wir sind durch die Vorspiegelung von Waffenstillstand und Reformation gegangen und direkt in eine Sackgasse geraten. Ich wecke ihn nicht auf.

Am Morgen, nachdem er gegangen ist, setze ich Sarah in den Sportwagen und hole etwas von dem Stipendiumgeld von der Bank. Ich weiß nicht, wohin. Ich weiß nur das eine: daß ich weg muß. Ich kaufe uns Fahrkarten nach Vancouver, das den Vorteil hat, warm zu sein, jedenfalls glaube ich das. Ich stopfe unsere Sachen in Seesäcke, die ich aus Armeebeständen gekauft habe.

Ich will, daß Jon zurückkommt und mich davon abhält, denn jetzt, nachdem ich mich in Bewegung gesetzt habe, kann ich nicht glauben, daß ich es tatsächlich tue. Aber er kommt nicht.

Ich hinterlasse eine Nachricht, ich mache ein Sandwich: Erdnußbutter. Ich schneide es durch und gebe Sarah die eine Hälfte, dazu ein Glas Milch. Ich rufe ein Taxi. Wir sitzen in unseren Mänteln am Küchentisch und essen unsere Sandwiches und trinken unsere Milch und warten.

In diesem Augenblick kommt Jon zurück. Ich esse weiter.

»Wohin zum Teufel willst du?« sagt er.

»Vancouver«, sage ich.

Er setzt sich an den Tisch, starrt mich an. Er sieht aus, als hätte er seit Wochen nicht mehr geschlafen, obwohl er viel geschlafen hat, zuviel. »Ich kann dich nicht aufhalten«, sagt er. Es ist eine Feststellung, kein Schachzug: er wird uns ohne Streit gehen lassen. Auch er ist erschöpft.

»Ich glaub, das Taxi ist da«, sage ich. »Ich werd schreiben.«

Ich bin gut im Weggehen. Der Trick besteht darin, sich zu verschließen. Nichts hören, nichts sehen. Nicht zurückblicken.

Wir haben keinen Schlafwagen, weil ich sparen muß. Ich sitze die ganze Nacht, Sarah liegt breit hingestreckt und schnüffelnd auf meinem Schoß. Sie hat ein bißchen geweint, aber sie ist zu jung, um zu verstehen, was ich getan habe, was wir tun. Die anderen Fahrgäste haben sich in den Gängen hingelegt; Gepäck breitet sich aus, Rauch zieht durch die abgestandene Luft, das Papier, in das die Mahlzeiten gepackt waren, verstopft die Toiletten. Im vorderen Teil des Waggons ist ein Kartenspiel in Gang, sie trinken Bier.

Der Zug fährt nach Nordwesten, durch Hunderte von Meilen dürrer Wälder und aus der Erde zutagetretender Granitfelsen, zwischen Hunderten kleiner blauer anonymer Seen hindurch, umrahmt von Sümpfen und Binsen und totem Nadelgehölz, Schneereste in den Schatten. Ich spähe durch das Glas der Zugfenster, die von Regen und Staub verschmiert sind, und da ist die Landschaft meiner frühen Kindheit, fleckig und geruchlos und unberührbar bewegt sie sich rückwärts an mir vorbei.

Ab und zu, mit langen Abständen überquert der Zug eine Straße, Kies oder schmal und asphaltiert, mit einem weißen Strich in der Mitte. Das wirkt wie Leere und Stille, aber für mich ist es nicht leer, nicht still. Es ist von Echos erfüllt.

Zuhause, denke ich. Aber es ist nichts, zu dem ich zurückkehren könnte.

Es ist schlimmer, als ich geglaubt habe, und auch besser.

An manchen Tagen denke ich, ich bin verrückt, daß ich das getan habe; und an anderen, daß es das Vernünftigste war, was ich seit Jahren gemacht habe.

Vancouver ist billiger. Nach einem kurzen Aufenthalt in einem Holiday Inn finde ich ein Haus, das ich mieten kann, auf der Anhöhe hinter Kitsilano Beach, eines jener Puppenhäuser, die innen größer sind, als sie von außen wirken. Es bietet einen Ausblick auf die Bucht und die Berge dahinter, und im Sommer endloses Licht. Ich finde eine Vorschule für Sarah. Eine Weile lebe ich von dem Stipendium. Ich arbeite ein bißchen und nehme dann einen Teilzeitjob an, bei dem ich für einen Antiquitätenhändler Möbel renoviere. Diese Arbeit gefällt mir, weil ich dabei nichts denken muß, und die Möbel können nicht reden. Ich lechze nach Schweigen.

Ich liege am Boden, werde vom Nichts überschwemmt und versuche, mich festzuhalten. Nachts weine ich. Ich habe Angst davor, Stimmen zu hören, oder eine Stimme. Ich bin an den Rand des Landes gelangt. Ich könnte hinübergestoßen werden.

Ich denke, daß ich vielleicht zu einem Psychiater gehen sollte, das ist heuzutage bei Leuten, die aus dem Gleichgewicht sind, völlig akzeptiert, und ich bin aus dem Gleichgewicht. Schließlich gehe ich.

Der Psychiater ist ein Mann, ein netter Mann. Er will von mir hören, was ich alles erlebt habe, bevor ich sechs war, nichts danach. Sobald man sechs ist, sagt er, ist man wie in Bronze gegossen. Was danach kommt, ist nicht wichtig.

Ich habe ein gutes Gedächtnis. Ich erzähle ihm vom Krieg.

Ich erzähle ihm von dem Exacto-Messer und dem Handgelenk, aber nicht von der Stimme. Ich will nicht, daß er mich für übergeschnappt hält. Ich will, daß er Gutes von mir denkt.

Ich erzähle ihm von nichts.

Er fragt, ob ich Orgasmen habe. Ich sage, das ist nicht das Problem.

Er glaubt, daß ich etwas verberge.

Nach einer Weile gehe ich nicht mehr hin.

Allmählich gewinne ich genug Kraft, um mich in den Griff zu bekommen. Ich stehe morgens sehr früh auf, bevor Sarah wach ist, um zu malen. Ich stelle fest, daß ich durch die Ausstellung in Toronto eine Reputation habe, schwach und ambivalent, aber ich werde zu Partys eingeladen. Zuerst begegnet man mir mit einer gewissen giftigen Schärfe, weil ich von *weit im Osten* komme, wie man hier sagt, was einem angeblich zu unfairen Vorteilen verhilft; aber nachdem ich eine Weile hier bin, werde ich akzeptiert, und danach kann ich es mir leisten, zu Leuten aus dem Osten selbst giftig zu sein.

Ich werde auch mehrmals eingeladen, mich an Gruppenausstellungen zu beteiligen, meistens von Frauen: sie haben von dem Tintenwurf gehört, die rotzigen Artikel gelesen, und das legitimiert mich, auch wenn ich aus dem Osten komme. Künstlerinnen verschiedener Richtungen, die unterschiedlichsten Frauen befinden sich hier im Umbruch, sie kochen vor Energie wie die explosiven Kräfte in einem Druckkochtopf. Sie haben den Eifer aller religiösen Bewegungen in ihren frühen puristischen Stadien. Es genügt nicht, Lippenbekenntnisse abzugeben und an gleiche Bezahlung zu glauben: es muß eine Bekehrung stattfinden, im Herzen. Das deuten sie jedenfalls an.

Die Beichte ist populär, nicht die der eigenen Fehler, sondern die des Leides, das einem die Männer zufügen. Schmerz ist wichtig, aber nur gewisse Arten: der Schmerz von Frauen, aber nicht der

Schmerz von Männern. Über den eigenen Schmerz zu sprechen wird teilen genannt. Ich will nicht teilen, nicht so, außerdem habe ich zuwenig Narben vorzuweisen. Ich habe ein privilegiertes Leben gehabt, ich bin niemals zusammengeschlagen oder vergewaltigt worden, habe niemals gehungert. Natürlich ist da noch die Frage des Geldes, aber Jon war genauso arm wie ich.

Da ist Jon. Aber ich habe nicht das Gefühl, daß er mir mehr angetan hat, als ich ihm. Was er mir getan hat, habe ich ihm zurückgezahlt, und vielleicht schlimmer. Er quält sich jetzt, weil er Sarah vermißt. Er ruft an, Ferngespräche, am Telefon wird seine Stimme leiser, kommt wieder, wird leiser – wie eine Radiosendung im Krieg, klagend in der Niederlage, mit einer archaischen Traurigkeit, die mehr und mehr für Männer typisch zu sein scheint.

Keine Gnade für ihn, würden die Frauen sagen. Ich bin nicht gnädig, aber er tut mir leid.

Eine Reihe dieser Frauen sind Lesbierinnen, solche, die erst jetzt damit herauskommen, oder solche, die überwechseln. Das ist mutig, wird aber auch gefordert. Nach Ansicht einiger ist es die einzige gleichberechtigte Beziehung, die für Frauen möglich ist. Man ist nicht aufrichtig, wenn man es nicht tut.

Ich schäme mich wegen meines Widerwillens, meines fehlenden Verlangens; aber, ehrlich gesagt, käme es mir entsetzlich vor, mit einer Frau ins Bett zu gehen. Frauen sammeln Ressentiments, hegen Mißgunst und verändern ständig ihre Form. Sie fällen harte, legitime Urteile, im Unterschied zu den kurzsichtigen Mutmaßungen der Männer, die von Romantik und Ignoranz und Zuneigung und Vorurteil umnebelt sind. Frauen wissen zuviel, man kann sie weder täuschen, noch kann man ihnen trauen. Ich verstehe, warum Männer sie fürchten, was ihnen ja häufig nachgesagt wird.

Auf Partys beginnen sie Suggestivfragen zu stellen, die etwas von Inquisition an sich haben; sie sind an meinen Standpunkten interessiert, an meinen Dogmen. Ich fühle mich schuldig, weil ich so wenig davon habe: Ich weiß, ich bin unorthodox, hoffnungslos heterosexuell, eine Mutter, ein Quisling und eine heimliche Heulsuse. Mein Herz ist bestenfalls eine etwas zweifelhafte Angelegenheit, verschwommen und treulos. Meine Beine rasiere ich mir noch immer.

Ich gehe den Zusammenkünften dieser Frauen aus dem Weg, voller Furcht, entweder geweiht oder aber am Pfahl verbrannt zu werden. Ich glaube, sie reden hinter meinem Rücken über mich. Sie machen mich nervöser denn je, denn sie wollen aus mir etwas machen, das ich nicht bin. Sie wollen mich erziehen. Manchmal bin ich trotzig: Welches Recht haben sie, mir zu sagen, was ich denken soll? Ich bin nicht Frau, und ich will verdammt sein, wenn ich mich da reinzwängen lasse. *Zicke*, denke ich stumm. *Kommandier mich nicht rum.*

Aber ich beneide sie auch um ihre Überzeugung, ihren Optimismus, ihre Sorglosigkeit, ihre Furchtlosigkeit vor Männern, ihre Kameradschaft. Ich bin wie jemand, der an der Seitenlinie steht und zusieht, feige mit dem Taschentuch winkt, während die Truppen jungenhaft in den Krieg ziehen, tapfere Lieder auf den Lippen.

Ich habe mehrere Freundinnen, nicht sehr enge. Alleinstehende Mütter, so wie ich. Ich treffe sie in der Vorschule. Wir wechseln uns mit den Kindern ab, um ausgehen zu können, und grummeln ein bißchen zusammen über das Leben. Wir vermeiden die tieferen Wunden der anderen. Wir sind wie Babs und Marjorie aus meinem alten Aktzeichnenkurs, mit dem gleichen Sinn für traurige Komik. Das ist für Frauen ein älteres Muster; aber inzwischen sind wir ja auch älter.

Jon kommt zu Besuch, ein erprobender Schritt in Richtung Versöhnung, die ich mir, wie ich glaube, ebenfalls wünsche. Es klappt nicht, und wir lassen uns schließlich scheiden, Fernscheidung.

Meine Eltern kommen auch. Ich glaube, sie vermissen Sarah mehr, als sie mich vermissen. Ich habe Ausreden erfunden, um zu Weihnachten nicht in den Osten fahren zu müssen. Vor dem Hintergrund der Berge wirken sie fehl am Platz, ein bißchen geschrumpft. In ihren Briefen sind sie mehr sie selbst. Sie sind traurig meinetwegen, und wegen dessen, was sie wahrscheinlich meine zerbrochene Familie nennen, und sie wissen nicht, was sie dazu sagen sollen. »Na ja, meine Liebe«, sagt meine Mutter und spricht von Jon. »Ich hab ihn immer für sehr intensiv gehalten.« Ein schlimmes Wort, das Ärger bedeutet.

Ich gehe mit ihnen in den Stanley Park, wo es große Bäume gibt. Ich zeige ihnen das Meer, das in Algen herumpantscht. Ich zeige ihnen eine Riesenschnecke.

Mein Bruder Stephen schickt Postkarten. Er schickt Sarah einen ausgestopften Dinosaurier. Er schickt eine Wasserpistole. Er schickt ein Rechenbuch über eine Ameise und eine Biene. Er schickt das Sonnensystem in Form eines Plastikmobiles und Sterne, die man an die Decke kleben kann und die in der Nacht leuchten.

Nach einiger Zeit stelle ich fest, daß in der winzigen Welt der Kunst (winzig, denn wer kennt sie schon wirklich? Sie ist ja nicht im Fernsehen) Wirbel, Quadrate und riesige Hamburger nicht mehr *in* sind, dafür aber andere Dinge, und daß ich plötzlich auf einer kleinen Welle reite. Es wird ein bißchen Wind gemacht, wie es so läuft. Ich verkaufe mehr Bilder, zu höheren Preisen. Ich werde jetzt von zwei regulären Galerien vertreten, eine im Osten, eine im Westen. Ich fahre kurz nach New York, wo ich an einer Gruppenausstellung teilnehme, die von der kanadischen Regierung organisiert ist und von vielen Leuten besucht wird, die mit der Handelskommission zusammenarbeiten. Sarah lasse ich bei einer meiner befreundeten alleinstehenden Mütter. Ich trage Schwarz. Ich gehe durch die Straßen und komme mir im Vergleich zu den anderen Leuten dort, die alle mit sich selbst zu reden scheinen, völlig gesund vor. Ich kehre zurück.

Ich habe Männer, in längeren Abständen und in ziemlicher Verzweiflung. Diese Affären sind hektisch und unbefriedigend: für die feineren Details habe ich keine Zeit. Schon diese kurzen Zwischenspiele sind mir fast zu anstrengend.

Keiner dieser Männer verläßt mich. Dazu gebe ich ihnen keine Chance. Ich weiß, was für mich gefährlich ist, und passe auf, daß ich nie zu dicht an den Rand der Dinge gerate. Ich hüte mich vor allem, das zu hell, zu scharf ist. Vor zuwenig Schlaf. Wenn ich merke, daß ich zittrig werde, lege ich mich hin, erwarte nichts, und dann kommt es, spült in einer Welle schwarzer Leere über mich hinweg. Ich weiß, daß ich es durchstehen kann.

Nach noch mehr Zeit lerne ich Ben kennen, der mich auf die gewöhnlichste Art anspricht, im Supermarkt. Er fragt tatsächlich, ob er meine Einkaufstüten tragen kann, die schwer aussehen und es auch sind, und ich lasse ihn, komme mir albern und archaisch vor und sehe mich zuerst einmal um, um sicher zu sein, daß keine Frauen, die ich kenne, in der Nähe sind.

Viele Jahre früher hätte ich ihn als zu durchsichtig, zu langweilig, zu simpel angesehen. Und Jahre danach als einen Chauvinisten der liebenswerteren Art. Er ist all das, aber er ist auch wie ein Apfel nach einer ausgedehnten Sauftour.

Er kommt und repariert die Veranda hinter meinem Haus, mit seiner eigenen Säge und seinem eigenen Hammer, wie in den Frauenmagazinen von vor langer Zeit, und trinkt hinterher ein Bier auf dem Rasen, wie in den Werbespots. Er erzählt mir Witze, die ich seit der High-School nicht mehr gehört habe. Ich staune, wie dankbar ich für diese banalen Freuden bin. Aber ich benötige ihn nicht, er ist keine Transfusion. Statt dessen macht er mir Freude. Es ist ein wahres Glück, sich auf so einfache Weise freuen zu können.

Er nimmt mich mit nach Mexiko, wie in einem Lore-Roman. Er hat sich gerade eine kleine Reiseagentur gekauft, mehr als Hobby als aus anderen Gründen: er hat schon vorher genug Geld gemacht, in Immobilien. Aber er fotografiert gern und sitzt gern in der Sonne. Zu tun, was ihm gefällt, und gleichzeitig Geld zu verdienen, das hat er sich sein ganzes Leben lang gewünscht.

Im Bett ist er schüchtern, leicht zu überraschen, leicht glücklich zu machen.

Wir legen unsere Haushalte zusammen, in einem dritten, größeren Haus. Nach einer Weile heiraten wir. Es ist überhaupt nicht dramatisch. Ihm erscheint es ganz normal, mir kommt es exzentrisch vor: es ist ein Verstoß gegen die Konvention, aber eine Konvention, von der er noch nie etwas gehört hat. Er weiß nicht, wie exotisch ich mir vorkomme.

Er ist zehn Jahre älter als ich. Er hat auch eine Scheidung hinter sich und einen erwachsenen Sohn. Meine Tochter Sarah wird die Tochter, die er sich gewünscht hat, und bald danach bekommen wir Anne. Für mich ist sie eine zweite Chance. Sie ist nicht so nachdenklich wie Sarah, aber dickköpfiger. Sarah weiß bereits, daß man nicht immer alles haben kann, was man möchte.

Ben hält mich für gut, und ich lasse ihn in diesem Glauben: er braucht meine unappetitlicheren Wahrheiten nicht. Er hält mich auch für ein bißchen fragil, weil ich mich künstlerisch betätige: ich brauche jemanden, der sich um mich kümmert, wie eine Topfpflanze. Ein bißchen Kappen, ein bißchen Bewässern, ein bißchen Unkraut jäten und aufrichten, um das Beste in mir hervorzubringen. Er richtet eine kleine Buchhaltung für mich ein, für die geschäftliche Seite meiner Malerei: was verkauft wurde und für wieviel. Er sagt mir, was ich auf meiner Einkommensteuererklärung absetzen kann. Er füllt sie mir aus. Er ordnet die Gewürze in alphabetischer Reihenfolge auf einem besonderen Bord in der Küche. Das Bord baut er selbst.

Ich könnte ohne das leben. Das habe ich vorher auch getan. Aber es gefällt mir trotzdem.

Meine Bilder selbst betrachtet er voller Staunen und auch mit Sorge, wie ein kleines Kind, das eine Kerze ansieht. Er betont vor allem, wie gut ich die Hände hinbekomme. Er weiß, daß sie schwer sind. Er wollte früher selbst einmal so was machen, sagt er, aber er ist nie dazu gekommen, weil er seinen Lebensunterhalt verdienen mußte. Das hört sich sehr nach dem an, was einem die Leute auf Ausstellungseröffnungen erzählen, aber ihm vergebe ich es.

In wohldosierten Abständen geht er auf Geschäftsreisen und gibt mir Gelegenheit, ihn zu vermissen.

Ich sitze vor dem Kamin, er hat seinen Arm um mich gelegt, solide wie eine Stuhllehne. Ich gehe in dem beruhigenden Nieselregen von Vancouver den Strand entlang, sehe die Halbtöne der Meeresküste, höre das streichelnde Plätschern der kleinen Wellen. Vor mir liegt der Pazifik, der, völlig umsonst, einen Sonnenuntergang nach dem anderen produziert; hinter mir sind die unwahrscheinlichen Berge, und jenseits von ihnen befindet sich eine riesengroße Landbarrikade.

Toronto liegt hinter ihr, in weiter Ferne, in meinen Gedanken brennend wie Gomorrha. Auf das ich nicht zu blicken wage.

Pikosekunden

67

Ich wache spät auf. Ich esse eine Orange, ein Stück Toast, ein Ei, das ich in einer Teetasse verrühre. Das Loch im Boden der Eierschale ist nicht dazu da, die Hexen daran zu hindern, in See zu stechen, wie Cordelia sagte. Es soll das Vakuum zwischen Schale und Eierbecher aufheben, damit die Schale besser rausgeht. Wieso habe ich vierzig Jahre gebraucht, um das herauszufinden?

Ich ziehe meinen anderen Jogginganzug an, den kirschroten, und mache auf Jons Fußboden ein paar halbherzige Streckübungen. Es ist jetzt wieder Jons Fußboden, nicht meiner. Ich habe das Gefühl, ihm sein Atelier zurückgegeben zu haben und welche Fragmente seines eigenen und unseres gemeinsamen Lebens ich auch immer zurückbehalten hatte. Ich muß an all die mittelalterlichen Gemälde denken, an die erhobene Hand, die geöffnet ist, um zu zeigen, daß sie keine Waffe hält: *Gehe hin in Frieden.* Entlassung und Segen. Meine Art, das zu tun, ist nicht unbedingt die Art der Heiligen gewesen, aber es scheint genausogut zu funktionieren. Der Frieden kam auch dem zugute, der ihn gab.

Ich gehe hinunter, um die Morgenzeitung zu holen. Ich blättere sie durch, ohne viel zu lesen. Ich weiß, daß ich nur Zeit totschlage. Ich habe fast schon vergessen, weshalb ich hier bin, und kann es kaum erwarten, wieder wegzufahren, zurück an die Westküste, zurück in die Zeitzone, in der ich jetzt mein Leben lebe. Aber das kann ich noch nicht. Ich hänge in der Luft, wie auf Flughäfen oder in den Wartezimmern von Zahnärzten, erwarte noch ein weiteres Zwischenspiel ohne Struktur und ohne Verlangen, wie Schmerzmittel oder wie das Innere von Flugzeugen. So stelle ich mir den Abend vor, der mir bevorsteht, die Ausstellungseröffnung: etwas, das ich ohne Katastrophe durchstehen muß.

Ich sollte in die Galerie gehen, mich davon überzeugen, daß alles in Ordnung ist. Wenigstens soviel Höflichkeit sollte ich aufbringen; statt dessen nehme ich die U-Bahn, steige in der Nähe des Friedhoftors aus, wandere nach Süden und nach Osten, schlurfe durch gefallenes Laub, mustere den Rinnstein; sehe hinunter auf den Gehsteig, um Silberpapier, Münzen, Glücksfälle zu entdecken. Ich glaube noch immer an diese Dinge und daß ich sie vielleicht finde.

Nur ein kleiner Stoß, ein Rutschen über eine kaum definierte Grenze könnte mich zu einer Bag Lady machen. Es ist derselbe Instinkt: in Mülltonnen stöbern, in Abfällen wühlen. Die Suche nach etwas, das als nutzlos weggeworfen worden ist, das aber wieder ans Tageslicht gezerrt und gerettet werden könnte. Das Sammeln von Bruchstücken, in ihrem Fall von Raum, von Zeit in meinem.

Dies ist mein alter Nachhauseweg von der Schule. Auf diesem Gehsteig bin ich gegangen, hinter den anderen oder vor ihnen. Zwischen diesen Straßenlaternen hat sich vor mir mein Schatten im winterlichen Schnee gestreckt, doppelt so groß, ist geschrumpft und dann völlig verschwunden, die Lampen hatten einen Heiligenschein wie der Mond im Nebel. Hier ist das Stück Rasen, auf dem sich Cordelia rücklings fallen ließ, um einen Schnee-Engel zu machen. Hier ist sie gelaufen.

Die Häuser sind dieselben Häuser, obgleich sie nicht mehr die weiße, vom Winter grau gewordene, abblätternde Farbe haben, nicht mehr heruntergekommen sind, nachkriegsschäbig. Die Sandstrahler waren hier, die Beleuchter; in den Gärten haben Feigenbäume und tropische Kletterpflanzen die mickrigen Stiefmütterchen verdrängt, die früher draußen auf den Fensterbänken standen. Ich durchschaue diese Häuser, sehe das, was sie einmal waren; ich kann die Farben sehen, mit denen die Wände gestrichen waren, staubiges Rosa, schmutziges Grün, Pilzfarben, und die Chintz-Vorhänge, die jetzt verschwunden sind. In welche Zeit gehören sie wirklich, in ihre eigene oder in meine?

Ich gehe die Straße entlang, leicht bergauf, verstreuten Gruppen kleiner Kinder entgegen, die zum Mittagessen nach Hause gehen. Obwohl die Mädchen Jeans tragen, die Freiheit symbolisieren, sind sie nicht so laut wie die Mädchen früher; es werden keine Lieder gesungen, es gibt keine höhnischen Rufe, keine Pfiffe. Sie trotten verbissen dahin, jedenfalls sieht es so aus. Vielleicht liegt es daran, weil ich jetzt nicht mehr auf ihrer Ebene bin: Ich bin höher, die Laute kommen gefiltert zu mir. Aber vielleicht liegt es auch an mir selbst, an der Gegenwart von jemandem, den sie für erwachsen halten, der Macht besitzt.

Einige von ihnen starren mich an, die meisten nicht. Was gibt es zu sehen? Eine Frau mittleren Alters, die die Hände in die Taschen gesteckt hat, deren Jogginghose sich über den Stiefeln zu Wulsten aufbauscht, nicht bizarrer als die meisten und leicht vergessen.

Auf manchen Terrassen sind Kürbisse mit eingeschnitzten Gesichtern, fröhlich oder traurig oder bedrohlich, die nur auf die Nacht warten. Halloween, wenn die Seelen der Toten zu den Lebenden zurückkehren, als Ballerinas und Coca-Cola-Flaschen und Raumfahrer und Mickymäuse verkleidet, und an dem sie von den Lebenden Süßigkeiten bekommen, damit sie nicht böse werden. Ich kann dieses Fest noch schmecken: die scharfe kalte Luft, Karamelbonbons im Mund, die Hoffnung an der Tür, der Glaube an etwas, das es umsonst gibt, den alle Kinder für selbstverständlich halten. Sie werden keine selbstgemachten Popcornkugeln mehr bekommen und auch keine Äpfel: es gibt Gerüchte von Rasierklingen und möglicherweise sogar Gift. Schon zur Zeit meiner eigenen Kinder haben wir uns wegen der Äpfel Sorgen gemacht. Es fliegt zuviel Bösartigkeit lose herum.

In Mexiko feiern sie dieses Fest auf die richtige Art, ohne Verkleidungen. Grelle Schädel aus Zuckerwerk, Familienpicknicks an den Gräbern, für jeden einzelnen Gast ein Gedeck, eine Kerze für die Seele. Alle sind danach zufrieden, einschließlich der Toten. Wir haben dieses unbeschwerte Fließen zwischen den Dimensionen zurückgewiesen: wir wollen, daß die Toten unerwähnt bleiben, wir weigern uns, sie beim Namen zu nennen, wir lehnen es ab, sie zu füttern. Unsere Toten sind deshalb dünner, grauer, schwerer zu hören, und hungriger.

68

Mein Bruder Stephen ist vor fünf Jahren gestorben. Eigentlich ist gestorben nicht das richtige Wort: er wurde getötet. Ich gebe mir Mühe, es nicht als Mord anzusehen, obwohl es einer war, sondern als eine Art Unfall, wie ein explodierender Zug. Oder wie eine Naturkatastrophe, wie ein Erdrutsch. Etwas, das die Versicherungen höhere Gewalt nennen.

Es war Auge um Auge oder jemandes Vorstellung davon, woran er starb. An einem Exzeß von Gerechtigkeit.

Er saß in einem Flugzeug. Er hatte einen Fensterplatz. Soviel ist bekannt.

In dem Nylonnetz vor ihm steckte eine Zeitschrift der Fluggesellschaft mit einem Artikel über Kamele, den er gelesen hatte, und einem anderen, in dem es darum ging, wie man seine Geschäftskleidung verbessert, den er nicht gelesen hatte. Außerdem waren da noch ein Kopfhörer und eine Speitüte.

Unter dem Sitz vor ihm, vor seinen nackten Füßen – er hatte seine Schuhe und Socken ausgezogen –, liegt sein Aktenkoffer mit einer Arbeit, die er selbst verfaßt hat und die die wahrscheinliche Beschaffenheit des Universums zum Thema hat. Das Universum, von dem er einmal geglaubt hatte, es könne aus winzig kleinen Fädchen beschaffen sein, in 32 verschiedenen Farben. Diese Fädchen sind so klein, daß »Farben« nur eine Redensart ist. Aber er hat Zweifel: Theoretisch gibt es noch andere Möglichkeiten, zwei davon hat er in seinem Artikel dargelegt. Das Universum läßt sich schwer festnageln; es verändert sich, während man es ansieht, als wolle es sich dagegen wehren, durchschaut zu werden.

Vorgestern hätte er seine Arbeit in Frankfurt vortragen sollen. Er hätte von anderen Referate gehört. Er hätte gelernt.

Neben dem Aktenkoffer ist seine Anzugjacke unter den Sitz gestopft, eine von den dreien, die er jetzt besitzt. Seine Hemdsärmel sind hochgerollt, was nicht viel nützt: Die Klimaanlage funktioniert nicht, und die Luft im Flugzeug ist überhitzt. Außerdem riecht es schlecht: Mindestens eine der Toiletten ist nicht in Ordnung, und im Flugzeug furzen die Leute mehr als sonst, wie mein Bruder schon früher beobachten konnte, da er viel mit dem Flugzeug unterwegs war. Das wird nun durch Panik verstärkt, die schlecht für die Verdauung ist. Zwei Sitze weiter schnarcht ein dicker Mann mit Glatze und offenem Mund und stößt eine unsichtbare Wolke fauligen Mundgeruchs aus.

Die Blenden vor den Fenstern sind heruntergezogen. Mein Bruder weiß, daß er eine Rollbahn sehen würde, wenn er seine hochschöbe, flirrend in der Hitze, und dahinter eine graubraune Landschaft, so fremd wie der Mond, und im Hintergrund das Meer, gleißend hell; und einige rechteckige braune Gebäude mit flachen Dächern, aus denen Erlösung kommen wird oder auch nicht. All dies hat er gesehen, bevor die Blenden heruntergezogen wurden. In welchem Land die Gebäude stehen, weiß er nicht.

Er hat seit dem Morgen nichts zu essen gehabt. Von draußen wurden Sandwiches gebracht, mit merkwürdig körnigem Brot, die Butter zerlaufen, mit einer beigefarbenen Fleischpastete, die verdächtig giftig aussah. Dazu noch ein Stück blasser schwitzender Käse in Plastik. Er hat diesen Käse und das Sandwich gegessen, und jetzt riechen seine Hände wie in alten Zeiten beim Picknick, nach den Mahlzeiten am Straßenrand, während des Krieges.

Das letzte spärliche Trinkwasser wurde vor vier Stunden verteilt. Er hat eine Rolle Life Savers: er nimmt sie immer auf Reisen mit, für den Fall eines unruhigen Fluges. Er hat der älteren Frau mit überdimensionaler Brille und kariertem Hosenanzug, die neben ihm gesessen hatte, eins davon gegeben. Er ist ein wenig erleichtert, daß sie jetzt nicht mehr da ist: ihr stimmloses, farbloses Wimmern, schniefend und monoton, ging ihm auf die Nerven. Die Frauen und die Kinder durften alle aussteigen, aber er ist weder eine Frau noch ein Kind. Im Flugzeug sind jetzt nur noch Männer.

Sie wurden, immer zu zweit, im Flugzeug verteilt, zwischen jedem Paar jeweils ein leerer Sitz. Ihre Pässe wurden eingesammelt. Die das Einsammeln besorgt haben, stehen in gleichmäßigen Abständen im Mittelgang des Flugzeugs, es sind sechs, drei mit kleinen Maschinenpistolen, drei mit deutlich sichtbaren Handgranaten. Sie haben Kissenbezüge aus dem Flugzeug über dem Kopf, in die Löcher für Augen und Münder geschnitten sind, die in dem trüben Licht weißlichrosa schimmern. Unter diesen Kopfkissenbezügen tragen sie normale Kleidung: ein Freizeitanzug, graue Flanellhosen mit einem weißen Hemd, ein konservativer marineblauer Anzug.

Natürlich kamen sie als Passagiere verkleidet an Bord; wie sie allerdings ihre Waffen durch die Kontrollen kriegten, weiß keiner. Es muß ihnen jemand geholfen haben, jemand im Flughafen, so daß sie irgendwo über dem englischen Kanal mit Waffen fuchtelnd und Befehle schreiend aufspringen konnten. Entweder das, oder die Sachen waren bereits vorher im Flugzeug versteckt, denn durch die Röntgenkontrollen kommt heutzutage nichts, was metallisch ist.

Vorn im Cockpit sind noch zwei oder vielleicht sogar drei weitere Männer, die über Funk mit dem Kontrollturm verhandeln. Bis jetzt haben sie den Passagieren noch nicht gesagt, wer sie sind oder was sie wollen; alles, was sie in einem Englisch mit starkem Akzent, aber verständlich gesagt haben, ist, daß entweder alle, die im Flugzeug sind, zusammen weiterleben werden oder daß sie alle zusammen sterben werden. Sonst hat es nur einsilbige Befehle und Gesten gegeben: *Du, da!* Wie viele es insgesamt sind, läßt sich wegen der identischen Kissenbezüge schwer sagen. Sie sehen aus wie Gestalten in den alten Comics, die mit den zwei Identitäten. Diese Männer sind bei ihrer Umwandlung auf halbem Wege steckengeblieben: normale Körper, aber mächtige, übernatürliche Köpfe, deformiert in Richtung Heldentum oder Schurkerei.

Ich weiß nicht, ob mein Bruder das alles genauso gedacht hat. Aber es ist das, was ich jetzt für ihn denke.

Anders als der Mann mit dem offenen Mund neben ihm, kann mein Bruder nicht schlafen. Daher beschäftigt er sich mit theoretischen Strategien: Was würde er an ihrer Stelle tun, an der Stelle der Männer mit den Kissenbezügen über den Köpfen? Das ganze Flugzeug ist von ihrer Anspannung, ihrer bis zum Äußersten angespannten Erregung und ihrem blockierten Adrenalin erfüllt, trotz der schlaffen Körper der Passagiere, ihrer Müdigkeit und Resignation.

Er an ihrer Stelle wäre natürlich bereit zu sterben. Ohne diese Voraussetzung wäre ein solches Unternehmen witzlos und undenkbar. Aber sterben wofür? Wahrscheinlich gibt es ein religiöses Motiv, wenn auch im Vordergrund irgend etwas Unmittelbares: Geld, die Freilassung anderer, die in irgendeiner Senkgrube gefangengehalten werden, weil sie mehr oder weniger dasselbe getan haben, was diese Männer jetzt tun. Etwas in die Luft gejagt haben, oder zumindest damit gedroht haben. Oder jemanden erschossen haben.

In gewisser Hinsicht kommt ihm das alles sehr bekannt vor. Als hätte er es schon einmal erlebt, vor langer Zeit; und trotz der Unbequemlichkeit, der Irritation, der Kombination von Langeweile und Angst, empfindet er für sie so etwas wie Kameradschaft. Er hofft, daß diese Männer nicht den Kopf verlieren, sondern durchführen, was sie vorhaben, was immer es ist. Er hofft, daß die Passagiere nicht zu wimmern anfangen und sich in die Hosen machen vor Angst, daß niemand durchdreht und einen Schreikrampf kriegt und auf diese Weise ein nervöses Massaker auslöst. Eine ruhige Hand und einen kühlen Blick, das ist es, was er ihnen wünscht.

Ein Mann ist aus dem vorderen Teil des Flugzeugs gekommen und redet mit zwei anderen. Es scheint einen Streit zu geben: sie gestikulieren mit den Händen, werden laut. Die anderen Männer im Gang sind hellwach, ihre viereckigen rosa Köpfe mustern die Passagiere wie seltsame Radarantennen. Mein Bruder weiß, daß er jeden Augenkontakt vermeiden, den Kopf gesenkt halten sollte. Er blickt auf das Nylonnetz vor sich, pellt verstohlen einen Pfefferminzbonbon von der Rolle.

Der neue Mann geht jetzt durch den Gang der Kabine, sein rechteckiger Kopf mit den drei Löchern dreht sich von einer Seite zur anderen. Ein zweiter Mann folgt ihm. Die Musik aus dem Lautsprecher klingt unheimlich, süßlich, einschläfernd. Der Mann bleibt stehen; sein übergroßer Kopf bewegt sich schwerfällig nach links, wie der Kopf eines kurzsichtigen, stumpfsinnigen Monsters. Er streckt den Arm aus, winkt mit der Hand: *Aufstehen.* Es ist mein Bruder, auf den er deutet.

Hier höre ich auf, Dinge zu erfinden. Ich habe mit den Zeugen gesprochen, den Überlebenden, daher weiß ich, daß mein Bruder aufsteht, sich an dem Mann auf dem Sitz am Gang vorbeischiebt, »Entschuldigung« sagt. Sein Gesicht drückt Neugier und Verwirrung aus: diese Leute sind unergründlich, aber das sind die meisten. Vielleicht haben sie ihn mit jemand anderem verwechselt. Oder vielleicht wollen sie, daß er ihnen beim Verhandeln hilft, weil sie in den vorderen Teil des Flugzeugs gehen, wo ein weiterer Kissenkopf wartet.

Der schwingt die Tür für ihn auf, wie ein höflicher Hotelportier, läßt das grelle Leuchten des Tages herein. Nach dem dämmrigen Licht im Flugzeug ist mein Bruder geblendet, er steht da und blinzelt durch zusammengekniffene Augen, während sich das Bild in Sand und Meer auflöst, eine glückliche Ferienpostkarte. Dann fällt er, schneller als mit Lichtgeschwindigkeit.

So tritt mein Bruder in die Vergangenheit ein.

Ich habe fünfzehn Stunden in Flugzeugen und auf Flughäfen zugebracht, um dort hinzukommen. Ich habe danach die Gebäude gesehen, das Meer, das Rollfeld; das Flugzeug selbst war verschwunden. Alles, was sie am Ende erhielten, war freies Geleit.

Ich wollte den Körper nicht identifizieren oder ihn auch nur sehen. Wenn man den Körper nicht sieht, ist es leichter, zu glauben, daß niemand tot ist. Aber ich wollte wissen, ob sie ihn erschossen hatten, bevor sie ihn hinauswarfen, oder danach. Ich wollte, es wäre danach gewesen, damit er diesen kurzen Augenblick von Flucht, von Sonnenlicht, von vorgetäuschtem Flug hatte erleben können.

Auf dieser Reise blieb ich nie spät auf. Ich wollte nicht zu den Sternen sehen.

Der Körper hat seine eigenen Abwehrmechanismen, seine Weise, Dinge von sich fernzuhalten. Die Regierungsleute sagten, ich sei großartig, womit sie meinten, daß ich ihnen keinen Ärger gemacht habe. Ich bin nicht zusammengebrochen, und ich habe mich nicht aufgespielt; ich habe mit Reportern gesprochen, Formulare unterschrieben, Entscheidungen getroffen. Es gab eine Menge Dinge, die ich erst sehr viel später gesehen und an die ich erst sehr viel später gedacht habe.

Woran ich damals dachte, war der Zwilling aus dem Weltraum, der auf eine interplanetarische Reise gegangen war, und dessen Bruder, als er nach einer Woche nach Hause zurückkehrte, zehn Jahre älter geworden war.

Jetzt werde ich älter, dachte ich. Und er nicht.

69

Meine Eltern haben Stephens Tod nie verstanden, weil es keinen Grund dafür gab; jedenfalls keinen Grund, der irgend etwas mit ihm zu tun gehabt hätte. Und sie sind auch nie darüber hinweggekommen. Davor waren sie aktiv, munter, tatkräftig; danach welkten sie dahin.

»Es ist egal, wie alt sie sind«, sagte meine Mutter. »Es sind immer deine Kinder.« Sie sagte es mir wie etwas, das ich, später einmal, wissen muß.

Mein Vater wurde kleiner und dünner, sichtlich geschrumpft; über lange Zeiten saß er da, ohne etwas zu tun. Ganz ungewöhnlich für ihn. Das hat mir meine Mutter erzählt, am Telefon, im Ferngespräch.

Söhne sollten nicht vor ihren Vätern sterben. Es ist unnatürlich, es ist die falsche Reihenfolge. Denn wer wird dann weitermachen?

Meine Eltern selbst starben auf die übliche Weise, an den Dingen, an denen ältere Leute sterben, an denen ich selbst, früher als ich glaube, sterben werde: mein Vater ganz plötzlich, meine Mutter ein Jahr später, an einer langsameren und schmerzhafteren Krankheit. »Es ist gut, daß dein Vater nicht auf diese Weise sterben mußte«, sagte sie. »Er hätte es schrecklich gefunden.« Sie sagte nichts davon, daß sie es auch schrecklich fand.

Die beiden Mädchen besuchten sie für eine Woche, noch rechtzeitig, im Spätsommer, als meine Mutter noch in ihrem Haus in Soo war und wir alle so tun konnten, als handelte es sich um einen ganz gewöhnlichen Besuch. Ich blieb länger dort, jätete Unkraut im Garten, half mit dem Abwasch, denn meine Mutter hatte sich nie einen Geschirrspüler zugelegt, machte die Wäsche unten in der Waschmaschine, hängte sie aber zum Trocknen auf die Leine, weil meine Mutter fand, daß Wäschetrockner zuviel Strom verbrauchten. Fettete die Kuchenformen ein. Spielte das Kind.

Meine Mutter ist müde, aber rastlos. Sie legt sich nicht zu einem Mittagsschläfchen hin, besteht darauf, zum Laden an der Ecke zu gehen. »Ich komm schon zurecht«, sagt sie. Sie will nicht, daß ich für sie koche. »Du findest in dieser Küche sowieso nichts«, sagt sie und meint damit, daß sie selbst nie etwas finden wird, wenn ich erst anfange, da alles durcheinanderzubringen. Ich schmuggle tiefgefrorene Fertiggerichte in den Kühlschrank und bringe sie dazu, sie zu essen, indem ich ihr sage, daß sie sonst schlecht würden. Verschwendung ist für sie immer noch ein Schreckgespenst. Ich gehe mit ihr ins Kino – prüfe den Film aber vorher auf Gewalt, Sex und Tod – und in ein chinesisches Restaurant. Früher, in den alten Tagen, waren die chinesischen Restaurants im Norden die einzigen, auf die man sich verlassen konnte. Die anderen brachten Weißbrot und Sandwiches mit Bratensoße auf den Tisch, lauwarme gebackene Bohnen, Pasteten aus Kleister und Pappe.

Sie braucht Schmerzmittel, dann stärkere Schmerzmittel. Sie liegt sehr viel. »Ich bin froh, daß ich keine Operation brauche, in einem Krankenhaus«, sagt sie. »Das einzige Mal, daß ich im Krankenhaus war, war mit euch Kindern. Bei Stephen haben sie mir Äther gegeben. Ich ging aus wie ein Licht, und als ich wieder aufwachte, war er da.«

Sie redet viel von Stephen. »Erinnerst du dich an den Gestank, den er mit seinem Chemiebaukasten gemacht hat? An dem Tag, an dem ich eine Bridgeparty gab! Wir mußten die Türen aufmachen, dabei war es mitten im Winter.« Oder auch: »Erinnerst du dich an die vielen Comic-Hefte, die er unter seinem Bett verstaut hatte? Es waren viel zu viele, um sie alle aufzuheben. Ich hab sie weggeworfen, nachdem er nicht mehr da war. Ich hab damals nicht geglaubt, daß sie zu irgendwas nütze wären. Aber manche Leute sammeln sie, das hab ich gelesen; jetzt wären sie ein Vermögen wert. Wir haben immer geglaubt, sie wären nur Schund.« Sie sagt es, als wäre es ein Witz und sie die Dumme.

Wenn sie von Stephen redet, ist er niemals älter als zwölf Jahre. Danach konnte sie ihm nicht mehr folgen. Mir wird klar, daß sie mit Scheu erfüllte oder erfüllt, daß sie sich ein wenig vor ihm fürchtete. Sie hatte nicht die Absicht, einen solchen Menschen zu gebären.

»Diese Mädchen haben dir das Leben schwergemacht«, sagt sie eines Tages. Ich habe für uns beide eine Tasse Tee gekocht – wenigstens das hat sie mir erlaubt –, und wir sitzen am Küchentisch, um ihn zu trinken. Sie ist noch immer überrascht, wenn sie mich beim Teetrinken ertappt, und hat schon mehrmals gefragt, ob ich nicht lieber Milch wolle.

»Welche Mädchen?« sage ich. Meine Finger sind völlig zerfetzt; ich reiße pausenlos daran herum, unter dem Tisch, wo sie es nicht sehen kann, wie ich es immer tue, wenn ich unter Streß stehe, eine alte Gewohnheit, die ich offenbar nicht ablegen kann.

»Diese Mädchen, Cordelia und Grace, und die andere. Carol Campbell.« Sie sieht mich ein wenig durchtrieben an, als wolle sie mich auf die Probe stellen.

»Carol?« sage ich. Ich erinnere mich an ein stämmiges Mädchen, das ein Springseil schwingt.

»Natürlich war Cordelia in der High-School deine beste Freundin«, sagt sie. »Ich hab nie geglaubt, daß sie dahintersteckte. Das war diese Grace, nicht Cordelia. Grace hat sie dazu angestiftet, das hab ich schon immer geglaubt. Was ist denn aus ihr geworden?«

»Keine Ahnung«, sage ich. Ich will nicht über Cordelia reden. Ich habe noch immer ein schlechtes Gewissen, weil ich fortgegangen bin und ihr nicht geholfen habe.

»Ich wußte nicht, was ich tun sollte«, sagt sie. »Sie kamen zu mir, damals, an jenem Tag, und sagten, daß man dich in der Schule behalten hätte, weil du zu der Lehrerin frech gewesen wärst. Das war diese Carol, die es gesagt hat. Ich hab nicht geglaubt, daß sie die Wahrheit sagten.« Das Wort *lügen* vermeidet sie, wenn möglich.

»An welchem Tag?« sage ich vorsichtig. Ich weiß nicht, welchen Tag sie meint. Sie fängt an, Dinge durcheinanderzubringen, wegen der Medikamente.

»An dem Tag, an dem du fast erfroren wärst. Wenn ich ihnen geglaubt hätte, wäre ich nicht losgegangen, um dich zu suchen. Ich bin die Straße runtergelaufen, neben dem Friedhof, aber da warst du nicht.« Sie betrachtet mich ängstlich, als wüßte sie nicht, was ich dazu sagen werde.

»Ach ja«, sage ich und tue so, als wüßte ich, wovon sie spricht. Ich will sie nicht durcheinanderbringen. Aber ich bringe schon selbst alles durcheinander. Mein Gedächtnis ist zittrig wie Wasser, auf das man herunteratmet. Einen Augenblick lang sehe ich Cordelia und Grace, und auch Carol, wie sie durch die erstaunliche Weiße des Schnees auf mich zukommen; ihre Gesichter im Schatten.

»Ich hab mir solche Sorgen gemacht«, sagt sie. Sie will, daß ich ihr vergebe, aber wofür?

An manchen Tagen ist sie stärker, so daß man die Illusion hat, es ginge ihr besser. Heute will sie, daß ich ihr helfe, die Sachen im Keller aus-zusortieren. »Damit du später nicht so viel unnützen Kram durchse-hen mußt«, sagt sie zartfühlend. Sie erwähnt den Tod nicht; sie will meine Gefühle schonen.

Ich mag keine Keller. Dieser ist noch nicht fertig gebaut: grauer Zement, Deckensparren. Ich achte darauf, daß die Tür an der Treppe nach oben offen bleibt. »Du solltest dir ein Geländer an die Treppe machen«, sage ich. Sie ist schmal, unsicher.

»Ich komm schon zurecht«, sagt meine Mutter. Wie in alten Zei-ten, als Zurechtkommen noch genügte.

Wir sortieren die alten Zeitschriften, die Stapel verschieden großer Pappkartons, die Regale mit sauberen Gläsern. Sie hat bei ihrem Um-zug hierher sehr viel weniger weggeworfen, als sie hätte tun sollen; oder sie hat neuerdings mehr aufgehoben. Ich trage die Sachen die Treppe hinauf und verstaue sie in der Garage. Da scheinen sie aus dem Weg.

Da ist ein ganzes Regal mit Schuhen und Stiefeln meines Vaters, in Paaren aufgereiht: Stadtschuhe mit perforierten Kappen, Über-schuhe, Gummistiefel, Stiefel zum Fischen, Stiefel mit dicken Sohlen für den Wald, die eine alte Speckpatina tragen und Schnürsenkel aus Leder haben. Manche von ihnen müssen fünfzig Jahre oder noch älter sein. Meine Mutter wird sie nicht wegwerfen, das weiß ich; aber sie erwähnt sie auch nicht. Ich spüre, was sie von mir erwartet, sie will, daß ich mich beherrsche. Ich habe bei der Beerdigung getrauert. Sie kann jetzt kein weinerliches Kind gebrauchen, jetzt nicht.

Ich erinnere mich an das alte Zoologiegebäude, wo wir sonnabends immer hingegangen sind, an die knarrenden, überheizten Korridore, die Flaschen mit Augäpfeln, die beruhigenden Gerüche von Form-aldehyd und Mäusen. Ich erinnere mich daran, wie wir beim Essen saßen, mit Cordelia, und er uns mit seinen Warnungen überschüttete: das verdorbene Wasser, die vergifteten Bäume, eine Spezies nach der anderen ausgelöscht wie totgetretene Ameisen. Für uns waren diese Dinge damals keine Prophezeiungen. Wir fanden sie nur langweilig, Gerede von Erwachsenen, das nichts mit uns zu tun hatte. Jetzt ist es alles eingetreten, nur schlimmer. Ich lebe in seinem Alptraum, der nicht weniger wahr ist, weil man ihn nicht sehen kann. Wir können die Luft atmen, aber wie lange noch?

Vor dem Hintergrund seiner düsteren Voraussagen steht die Fröhlichkeit meiner Mutter, im nachhinein gesehen eine tief gewollte Fröhlichkeit.

Wir machen uns an den Überseekoffer. Es ist derselbe wie in unserem Haus in Toronto; für mich ist er auch heute noch geheimnisvoll, eine Schatztruhe. Auch für meine Mutter ist es ein Abenteuer: Sie sagt, daß sie seit Jahren nicht mehr hineingesehen hat, sie hat keine Ahnung, was sich darin befindet. Sie ist nicht weniger lebendig, weil sie stirbt.

Ich mache den Koffer auf, und der Geruch von Mottenkugeln blüht uns entgegen. Heraus kommen die Babysachen, zwischen Lagen von Seidenpapier, verziertes Silber, gelblich-schwarz verfärbt. »Heb's für die Mädchen auf«, sagt sie. »Du kannst das hier haben.« Das Hochzeitskleid, die Hochzeitsbilder, die sepiafarbenen Verwandten. Ein Paket Federn. Ein paar Bridge-Tallies mit Quasten daran, zwei Paar weiße Kinderhandschuhe. »Dein Vater war ein wunderbarer Tänzer«, sagt sie. »Bevor wir geheiratet haben.« Das habe ich nie gewußt.

Wir gehen die einzelnen Lagen durch, graben Entdeckungen aus: meine High-School-Fotos, meine Lippenstiftlippen ohne Lächeln, eine Haarlocke von irgend jemandem in einem Umschlag, eine einzelne gestrickte Babysocke. Alte Fausthandschuhe, alte Krawatten. Eine Schürze. Einige Sachen sollen aufgehoben, andere weggeworfen oder weggegeben werden. Ein paar davon werde ich mitnehmen. Wir machen mehrere Haufen.

Meine Mutter ist aufgeregt, und ich lasse mich davon anstecken: es ist wie der Strumpf zu Weihnachten. Aber nicht nur Freude.

Ein Päckchen mit Stephens Flugzeugbildern zum Tauschen, von

spröden Gummibändern zusammengehalten. Seine Sammelhefte zum Einkleben, seine Zeichnungen von Explosionen, seine alten Zeugnisse. Die legt sie auf die Seite.

Meine eigenen Zeichnungen und Sammelhefte. Da sind die Bilder von kleinen Mädchen, die mir jetzt wieder einfallen, mit Puffärmeln und rosa Röcken und Haarschleifen. Und dann, eingeklebt, ein paar unbekannte Bilder, die aus Zeitschriften ausgeschnitten sind: Frauenkörper in Kleidern aus den vierziger Jahren, auf die andere Frauenköpfe geklebt sind. *Dies ist ein Wachvogel, der DICH bewacht.*

»Du hast diese Zeitschriften geliebt«, sagt meine Mutter. »Du konntest dich stundenlang darin vertiefen, wenn du krank warst und im Bett bleiben mußtest.«

Unter den Sammelheften liegt mein altes Fotoalbum, die schwarzen Seiten werden mit dem Band wie mit einem Schnürsenkel zusammengehalten. Jetzt erinnere ich mich daran, wie ich es in den Koffer gelegt habe, als ich in die High-School kam.

»Das hast du von uns gekriegt«, sagt meine Mutter. »Zu Weihnachten, zusammen mit deinem Fotoapparat.« In dem Album ist mein Bruder mit einem Schneeball, wurfbereit, und Grace Smeath, mit einem geflochtenen Blumenkranz im Haar. Ein paar große Felsbrokken, unter denen in weißer Druckschrift Namen stehen. Ich selbst in einer Jacke, deren Ärmel zu kurz sind, wie ich an der Tür eines Motelzimmers lehne. Die Nummer 9.

»Ich weiß gar nicht, was aus diesem Fotoapparat geworden ist?« sagt meine Mutter. »Wahrscheinlich hab ich ihn verschenkt. Nach einer Weile hattest du kein Interesse mehr daran.«

Ich bin mir bewußt, daß zwischen uns eine Schranke ist. Sie ist seit langem da. Etwas, das ich ihr übelgenommen habe. Ich möchte sie in die Arme nehmen. Aber ich kann nicht.

»Was ist das?« sagt sie.

»Mein altes Täschchen«, sage ich. »Ich hatte es immer mit in der Kirche.« Das stimmt. Ich sehe die Kirche jetzt wieder vor mir, die Zwiebel auf dem First, die Kirchenbänke, die bunten Glasfenster. DAS · KÖNIGREICH · GOTTES · IST · IN · DIR.

»Also, was sagst du dazu? Ich weiß nicht, warum ich das aufgehoben hab«, sagt meine Mutter und stößt ein kleines Lachen aus. »Leg es zu den Sachen zum Wegwerfen.« Es ist plattgedrückt; der rote Plastikstoff ist an den Seiten aufgerissen, gleich neben der Naht. Ich nehme es in die Hand, drücke daran herum, um es wieder in seine alte Form zu bringen. Etwas rollt dann herum. Ich öffne es und nehme mein blaues Katzenauge heraus.

»Eine Murmel!« ruft meine Mutter und freut sich wie ein Kind. »Weißt du noch, die vielen Murmeln, die Stephen immer gesammelt hat?«

»Ja«, sage ich. Aber diese hier hat mir gehört.

Ich blicke in sie hinein, und ich sehe mein Leben, ganz.

70

Ein Stück weiter unten in dieser Straße war der Laden. Wir kauften rote Lakritzenstangen, Bubble Gum, Orangeneis am Stiel, schwarze, steinharte Bonbons, die zu Samenkörnern zerflossen. Alles Dinge, die man für einen Penny kaufen konnte, mit dem Kopf des Königs darauf. *Georgius VI Dei Gratia.*

Ich habe mich nie daran gewöhnen können, daß die Königin erwachsen war. Immer wenn ich ihren abgeschnittenen Kopf auf den Münzen sehe, stelle ich sie mir als Vierzehnjährige vor, in ihrer Pfadfinderuniform, mit einem so geraden Rücken, wie man ihn auch von uns immer erwartete, von den vergilbenden Zeitungsausschnitten an Miss Lumleys Tafel auf mich herunterblickend; ernsthaft und mit gut verhüllter Furcht vor dem unförmigen Rhombus eines Radiomikrophons stehend, um die Truppen anzuspornen, als die Bomben auf London fielen, während wir in einer Zeitfalte acht Jahre später zum Takt von Miss Lumleys furchterweckendem hölzernen Zeigestock »There'll Always Be an England« sangen.

Inzwischen hat die Königin Enkelkinder bekommen, Tausende von Hüten abgelegt, einen Busen und (ketzerischer Gedanke!) den Ansatz eines Doppelkinns. Doch mir kann man nichts vormachen. Sie ist immer noch irgendwo da drinnen, diese andere.

Ich gehe ein paar Häuserblocks weiter, biege um die Ecke, erwarte, das vertraute schmuddlige rechteckige Gebäude der Schule zu sehen. In verwitterten roten Ziegelsteinen, die die Farbe von getrockneter Leber haben. Der Schulhof mit dem Aschenboden, die hohen schmalen Fenster mit orangefarbenen Papierkürbissen und schwarzen Katzen für Allerseelen. Die eingravierten Buchstaben über den Türen, JUNGEN und MÄDCHEN, wie die Inschrift auf den Mausoleen des späten 19. Jahrhunderts.

Aber die Schule ist verschwunden. An ihrer Stelle ist, auf einen Schlag, wie eine Fata Morgana, eine neue Schule entstanden: in hellen Farben, kastenförmig, glatt und modern.

Ich fühle mich, als hätte ich einen Schlag in den Magen bekommen. Die alte Schule ist ausgelöscht, weggewischt. Als hätte es sie nie gegeben. Bestürzt lehne ich mich gegen einen Telefonmast, als hätte man mir ein Stück aus dem Gehirn geschnitten. Plötzlich bin ich todmüde. Ich würde mich gern schlafen legen.

Nach einer Weile gehe ich auf die neue Schule zu, gehe durch das Tor, gehe langsam um sie herum. JUNGEN und MÄDCHEN wurden abgeschafft, soviel ist klar; allerdings gibt es noch immer einen Maschendrahtzaun. Auf dem Schulhof stehen überall verteilt Schaukeln, Kletterstangen und Rutschen in kräftigen Farben; ein paar Kinder sind früh vom Essen zurück und klettern darauf herum.

Es ist alles so sauber, so offen. Bestimmt gibt es hinter diesen glasigen weißen Türen keine langen hölzernen Zeigestöcke mehr, keine schwarzen Gummiriemen, keine Holzpulte in Reihen; keinen König und keine Königin in ihren steifen, königlichen Insignien, keine eingelassenen Tintenfässer; kein Gekicher über Unterhosen; keine verbitterten bärtigen alten Frauen. Keine grausamen Geheimnisse. All diese Dinge sind verschwunden.

Ich komme um die hintere Ecke herum und stehe vor dem ausgewaschenen Hügel mit den vereinzelten spärlichen Bäumen. Wenigstens der ist noch da.

Es ist niemand oben.

Ich steige die Holzstufen hinauf, stehe, wo ich früher immer stand. Wo ich immer gestanden habe, ohne je weggewesen zu sein. Die Stimmen der Kinder vom Spielplatz unten könnten die Stimmen von allen Kindern sein, aus jeder Zeit, das Licht unter den Bäumen wird dichter, feindselig. Böser Wille umschließt mich. Ich bekomme kaum noch Luft. Ich habe das Gefühl, als kämpfte ich gegen etwas an, das sich wie ein Druck auf mich gelegt hat, als müßte ich bei Schneesturm eine Tür öffnen.

Hol mich hier raus, Cordelia. Ich bin gefangen.

Ich will nicht immer und ewig neun Jahre alt sein.

Die Luft ist weich, herbstlich, die Sonne scheint. Ich bewege mich nicht vom Fleck. Und gehe doch mit gesenktem Kopf hinein in den reglosen Wind.

Einheitliche Feldtheorie

Ich ziehe mein neues Kleid an, schneide mit Jons Drahtschere das Preisschild ab. Schließlich bin ich nun doch bei Schwarz gelandet. Dann gehe ich ins Badezimmer, um mich argwöhnisch in dem unzulänglichen schmierigen Spiegel zu betrachten: Jetzt, da ich das Ding anhabe, sieht es nicht viel anders aus als all die anderen schwarzen Kleider, die ich je besessen habe. Ich suche es sorgfältig nach Fusseln ab, trage meinen rosafarbenen Lippenstift auf und sehe am Ende ganz nett aus, soweit ich das beurteilen kann. Nett und unbedeutend.

Ich könnte mich noch ein bißchen aufmöbeln. Ich müßte ein paar baumelnde Ohrringe haben, ein paar Armreifen, eine silberne Frackschleife an einer kleinen Kette, einen überdimensionalen Schal von Isadora Duncan, mit dem man sich versehentlich erwürgen kann, eine Rheinkiesel-Brosche aus den Dreißigern, gewollt kitschig. Aber so etwas besitze ich nicht, und es ist zu spät, um jetzt noch loszugehen und diese Dinge zu kaufen. Man wird sich eben mit mir abfinden müssen. Früher gab es Komm-wie-du-bist-Partys. Ich werde kommen, wie ich bin.

Ich bin eine Stunde zu früh in der Galerie. Charna ist nicht da, und die anderen auch nicht; vielleicht sind sie essen gegangen, oder sie ziehen sich um, was wahrscheinlicher ist. Aber es ist alles vorbereitet, die geliehenen dickstieligen Weingläser, die Flaschen mit mittelmäßigem Fusel, das Mineralwasser für die Abstinenzler, denn wer würde schon reines Chlor aus der Leitung anbieten? Der Käse, der an den Rändern hart wird, die schwefelgetränkten Trauben, köstlich und glänzend wie Wachs, prall gefüllt mit dem Blut der sterbenden Feldarbeiter Kaliforniens. Es macht sich nicht bezahlt, über diese Dinge allzugut Bescheid zu wissen; am Ende gibt es gar nichts mehr, das man sich in den Mund stecken kann, ohne den Tod darin zu schmecken.

Die Barbedienung, eine junge Frau mit strengem Blick und Gelatine im Haar und in ungebrochenem Schwarz, poliert hinter dem langen Tisch, der als Bar dient, Gläser. Ich luchse ihr ein Glas Wein ab. Sie verrichtet diesen Job als Barkeeper des Geldes wegen, die Gleichgültigkeit bedeutet: ihre wahren Ambitionen liegen ganz woanders. Sie kneift die Lippen zusammen, während sie widerwillig mein Glas füllt: sie hat keine gute Meinung von mir. Möglicherweise wäre sie selbst gern Malerin und findet, daß ich meine Prinzipien verrate, dem Erfolg nachjage. Wie ich selbst in solchen bitteren kleinen Snobismen geschwelgt habe; wie leicht das war, früher.

Ich gehe langsam durch die Galerie, nippe an meinem Weinglas, erlaube mir zum ersten Mal, die Ausstellung gründlich zu betrachten. Was ist hier, und was nicht. Es gibt einen Katalog, der von Charna zusammengestellt wurde, eine profihaft wirkende Computer- und Laserdruck-Affäre. Ich erinnere mich an den Katalog von der ersten Ausstellung, der auf einer Kopiermaschine hergestellt war, verwischt und unleserlich, Ärmlichkeit als Beweis von Authentizität. Ich erinnere mich an das Geräusch der Rolle, wenn sie sich drehte, an den scharfen Geruch der Tinte, an den Schmerz im Arm.

Am Ende hat doch die Chronologie gesiegt: die ersten Arbeiten sind an der Ostseite, und was Charna als die mittlere Periode bezeichnet, hängt an der hinteren Wand, und an der Westseite befinden sich fünf neuere Bilder, die noch nie ausgestellt wurden. Sie sind alles, was ich im vergangenen Jahr habe machen können. Ich arbeite langsamer, dieser Tage.

Hier sind die Stilleben. »Risleys erste Streifzüge in das Reich weiblicher Symbolismen und das Charisma häuslicher Objekte«, schreibt Charna. Mit anderen Worten, der Toaster, die Kaffeemaschine, die Wringmaschine meiner Mutter. Die drei Sofas. Das Silberpapier.

Weiter hinten sind Jon und Josef. Ich betrachte sie mit einiger Zuneigung, sie und ihre Muskeln und ihre umwölkten Vorstellungen von Frauen. Ihre Jugendlichkeit ist erschreckend. Wie habe ich mich in die Hände von so viel Unerfahrenheit begeben können?

Neben ihnen ist Mrs. Smeath; eine ganze Reihe von ihr. Mrs. Smeath sitzend, stehend, neben ihrem heiligen Gummibaum liegend, fliegend mit Mr. Smeath, der auf ihrem Rücken klebt, sie vögelt wie ein Insekt; Mrs. Smeath in den dunkelblauen Unterhosen von Miss Lumley, die sich in irgendeiner erschreckenden Symbiose mit ihr verbindet. Mrs. Smeath, die sich aus weißem Seidenpapier pellt, Schicht um Schicht. Mrs. Smeath in Überlebensgröße, größer als sie je war. Deren Riesengestalt selbst Gott verdeckt.

Ich habe eine Menge Arbeit in diesen Phantasiekörper gelegt, weiß wie eine Kletterwurzel, schlaff wie Schweinefett. Haarig wie das Innere einer Ohrmuschel. Ich habe, wie ich jetzt sehe, mit beträchtlicher Bosheit daran geschuftet. Aber diese Bilder bestehen nicht nur aus Spott, sind nicht nur Entweihung. Ich habe auch Licht hineingelegt. Jedes blasse Bein, jedes stahlgerahmte Auge ist genauso, wie es tatsächlich war, ohne Schnörkel. Ich habe gesagt: *Guckt hin.* Ich habe gesagt: *Ich sehe.*

Es sind die Augen, auf die ich jetzt blicke. Ich habe immer geglaubt, es seien selbstgerechte Augen, schweinisch und selbstzufrieden in ihren Drahtgestellen; und das sind sie auch. Es sind aber auch besiegte Augen, unsicher und melancholisch, schwer von ungeliebter Pflicht. Die Augen von jemandem, für den Gott ein sadistischer alter Mann war; die Augen fadenscheiniger kleinstädtischer Sittsamkeit. Mrs. Smeath war in die Stadt verpflanzt worden, von irgendwoher, wo alles viel kleiner war. Eine Verschleppte, so wie ich.

Jetzt kann ich mich selbst durch die gemalten Augen von Mrs. Smeath sehen: ein zerlumptes verwildertes Kind mit Fransenkopf von Gott weiß woher, praktisch eine Zigeunerin, mit einem heidnischen Vater und einer faulen Mutter, die in langen Hosen herumtrabt und Unkraut pflückt. Ich war nicht getauft, ein Nest für Dämonen: Wie konnte sie wissen, ob nicht Keime der Blasphemie und des Unglaubens in mir nisteten? Trotzdem hat sie mich in ihr Haus eingelassen.

Irgend etwas von all diesen Dingen muß wahr sein. Ich bin ihnen nicht gerecht geworden, ich war nicht barmherzig. Ich wollte nur Rache.

Auge um Auge führt nur zu noch mehr Blindheit.

Ich gehe zur Westwand, an der die neuen Bilder hängen. Sie sind größer als mein übliches Format und füllen die Wand gut.

Das erste heißt *Pikosekunden.* »Ein *jeu d' esprit*«, schreibt Charna,

»sie setzt sich mit der Gruppe der Sieben* auseinander und unternimmt eine Rekonstruktion ihrer Vision der Landschaft im Licht des zeitgenössischen Experiments, ein Spiel mit der postmodernen Nachahmung.«

Es ist tatsächlich eine Landschaft, in Öl, mit dem blauen Wasser, dem purpurnen Schatten, den zerklüfteten Felsen und den vom Wind zerfetzten Bäumen und dem schweren Impasto der zwanziger und dreißiger Jahre. Diese Landschaft nimmt einen großen Teil des Bildes ein. In der unteren rechten Ecke kochen meine Eltern – in einer ähnlich aus dem Zentrum gerückten Motivverteilung wie die verschwindenden Beine des Ikarus in dem Gemälde von Bruegel – ihr Mittagessen. Sie haben ein Feuer gemacht, über dem das Kochgeschirr hängt. Meine Mutter steht in ihrer karierten dicken Jacke darüber gebeugt, rührt um, mein Vater legt ein Stück Holz auf das Feuer. Im Hintergrund steht unser Studebaker.

Sie sind in einem anderen Stil gemalt als der Rest des Bildes: glatt, fein moduliert, realistisch wie ein Schnappschuß. Es hat den Anschein, als fiele ein anderes Licht auf sie, als sähe man sie durch ein Fenster, das sich in der Landschaft selbst geöffnet hat, um zu zeigen, was hinter oder in ihr liegt.

Unter ihnen, wie eine unterirdische Plattform, die sie stützt, befindet sich eine Reihe wie Ikonen aussehender Symbole, gemalt im flachen Stil der ägyptischen Grabmalfresken, jedes vor einem weißen Kreis: eine rote Rose, ein orangefarbenes Ahornblatt, eine Muschel. In Wirklichkeit sind es Benzinmarkenzeichen auf alten Tankstellensäulen der vierziger Jahre. Ihre offensichtliche Künstlichkeit stellt die Realität von Landschaft und Figuren gleichermaßen in Frage.

Das zweite Bild heißt *Drei Musen*. Mit ihm hatte Charna einige Mühe. »Risley setzt ihre bestürzende Dekonstruktion der Geschlechterrollen und ihrer Beziehung zur Macht fort, vor allem mit Blick auf eine numinose Bildlichkeit«, schreibt sie. Wenn ich die Luft anhalte und die Augen zusammenkneife, kann ich sehen, wo sie das her hat: angeblich sind alle Musen weiblich, aber eine von diesen ist es

---

* Die Gruppe der Sieben ist eine kanadische Gruppe von Landschaftsmalern um die Jahrhundertwende. A. d. Ü.

nicht. Vielleicht hätte ich das Bild *Tanz* nennen sollen, um sie aus ihrem Dilemma zu befreien. Aber es ist nun mal kein Tanz.

Rechts ist eine kleine Frau, die einen geblümten Morgenrock und Pantoffeln aus echtem Pelz trägt. Auf ihrem Kopf sitzt ein flacher roter Hut, mit Kirschen verziert. Sie hat schwarze Haare und große goldene Ohrringe, und sie hält einen runden Gegenstand von der Größe eines aufgeblasenen Wasserballs fest, der tatsächlich eine Orange ist.

Links ist eine ältere Frau mit blaugrauen Haaren, die ein knöchellanges lavendelfarbenes Seidenkleid trägt. In ihrem Ärmel steckt ein Spitzentaschentuch, über der Nase und dem Mund hat sie eine Gazemaske, wie sie Krankenschwestern tragen. Über der Maske sehen ihre hellblauen Augen hervor, mit Fältchen an den Rändern und scharf wie Reißnägel. Sie hält einen Globus der Erde in den Händen.

In der Mitte ist ein dünner Mann mit mittelbrauner Haut und weißen Zähnen, der unsicher lächelt. Er trägt ein reichverziertes orientalisches Kostüm in Rot und Gold, das an den Balthasar in Jan Gossaerts *Anbetung der Könige* erinnert, aber ohne die Krone und die Schärpe. Er hält ebenfalls einen runden Gegenstand in den Händen: er ist flach wie eine Scheibe und scheint aus purpurrotem Glas gemacht. Auf dieser Scheibe sind, wie zufällig, mehrere Gegenstände in einem kräftigen Rosa angeordnet, sie ähneln Objekten auf abstrakten Gemälden. Es sind aber Querschnitte von Eiern des nordamerikanischen Fichtenwicklers; allerdings glaube ich nicht, daß irgend jemand außer einem Biologen das erkennen würde.

Die Anordnung der Figuren erinnert an die der klassischen Grazien, oder auch an die Kinder verschiedener Hautfarbe, die auf meiner alten Sonntagsschulzeitung vorne um Jesus gruppiert waren. Aber jene haben nach innen geblickt, und diese hier blicken heraus. Sie halten ihre Geschenke mit ausgestreckten Armen aus dem Bild heraus, als wollten sie sie jemandem geben, der außerhalb des Gemäldes sitzt oder steht.

Mrs. Finestein, Miss Stuart aus der Schule, Mr. Banerji. Nicht so, wie sie sich selbst erschienen: weiß der Himmel, was sie in ihrem Leben sahen oder was sie von ihm hielten. Wer weiß, wieviel Asche aus den Todeslagern täglich durch den Kopf von Mrs. Finestein blies, damals, in diesen Jahren gleich nach dem Krieg? Und Mr. Banerji konnte hier bei uns wahrscheinlich nie auf die Straße gehen, ohne Angst haben zu müssen, angerempelt zu werden oder irgendein Schimpfwort zugeflüstert oder nachgerufen zu bekommen. Miss Stuart war im Exil, von dem ausgeplünderten Schottland, das, dreitausend Meilen von hier, immer weiter verfiel. Für sie alle drei war ich nebensächlich, ihre Freundlichkeit mir gegenüber beiläufig und unbedeutend, ich bin sicher, daß sie keinen Gedanken an mich verschwendeten oder auch nur ahnten, was ihre Freundlichkeit für mich bedeutete. Aber warum sollte ich sie nicht belohnen, wenn mir danach ist? Gott spielen, sie in Farbe verewigen, in Herrlichkeit übersetzen. Nicht, daß sie es je erfahren würden. Sie mußten längst tot sein, oder schon sehr alt. Woanders.

Das dritte Bild heißt *Ein Flügel*. Ich habe es für meinen Bruder gemalt, nach seinem Tod.

Es ist ein Triptychon. Die beiden Seitentafeln sind kleiner. Auf der einen ist ein Flugzeug aus dem Zweiten Weltkrieg im Stil der Zigarettenbilder; auf der anderen ist ein großer blaßgrüner Mondspinner.

Auf der größeren zentralen Tafel fällt ein Mann vom Himmel. Daß er fällt und nicht fliegt, ist ganz deutlich an seiner Haltung zu erkennen, er steht fast auf dem Kopf, schräg zu den Wolken; trotzdem wirkt er ruhig. Er trägt eine RCAF*-Uniform aus dem Zweiten Weltkrieg. Er hat keinen Fallschirm. Er hält ein Spielzeugschwert in der Hand.

Es gehört zu den Dingen, die wir tun, um unsere Schmerzen zu lindern.

Charna versteht es als Aussage über Männer und das infantile Wesen des Krieges.

Das vierte Bild heißt *Katzenauge*. Es ist mehr oder weniger ein Selbstporträt. Mein Kopf ist rechts im Vordergrund, aber er ist nur von der Nasenmitte aufwärts gezeigt: bloß die obere Hälfte der Nase, die Augen, die den Betrachter anschauen, die Stirn und darüber die Haare. Ich habe die beginnenden Fältchen, die kleinen

---

* RCAF – Royal Canadian Air Force. A. d. Ü.

Krähenfüße an den Augenlidern mitgemalt. Ein paar graue Haare. Das ist ein bißchen geschwindelt, denn in Wirklichkeit reiße ich sie mir aus.

Hinter meinem halben Kopf, in der Mitte des Bildes, in dem leeren Himmel, hängt ein Pfeilerspiegel, konvex und mit reichverziertem Rahmen. In ihm ist ein Teil meines Hinterkopfs zu sehen; aber die Haare sind anders, jünger.

In der Ferne und durch die Wölbung des Spiegels verkürzt, sind drei kleine Gestalten in Winterkleidung, wie sie Mädchen vor vierzig Jahren getragen haben. Sie gehen auf den Betrachter zu, ihre Gesichter im Schatten, vor einem schneebedeckten Feld.

Das letzte Gemälde heißt *Einheitliche Feldtheorie*. Es ist ein senkrecht hängendes Rechteck, größer als die anderen Bilder. Auf Höhe des unteren Drittels spannt sich eine Holzbrücke von einer Seite zur anderen. Zu beiden Seiten sind Baumwipfel zu sehen, ohne Blätter, aber schneebedeckt, wie nach einem starken nassen Schneefall. Auch auf dem Geländer und auf den Verstrebungen der Brücke liegt Schnee.

Oberhalb des Brückengeländers, aber so, daß ihre Füße es nicht berühren, ist eine schwarzgekleidete Frau mit einer schwarzen Kapuze oder einem Schleier über den Haaren. Da und dort auf dem schwarzen Kleid oder Umhang sind nadelspitzengroße Lichtpunkte. Der Himmel hinter ihr ist der Himmel nach Sonnenuntergang; an seinem oberen Rand erscheint die untere Hälfte des Mondes. Ihr Gesicht liegt zum Teil im Schatten.

Sie ist die Jungfrau der Verlorenen Dinge. In der Höhe ihres Herzens hält sie einen Gegenstand aus Glas zwischen den Händen: eine übergroße Katzenaugenmurmel mit blauem Zentrum.

Unten durch die Brücke hindurch sieht man den Nachthimmel, wie durch ein Fernrohr. Stern um Stern, rot, blau, gelb und weiß, Spiralnebel, eine Galaxis nach der anderen: das Universum in seinem weißen Glühen und in seiner Schwärze. Das glaubt man jedenfalls. Aber es sind auch Steine dort, Käfer und kleine Wurzeln, denn es ist die Unterseite des Bodens.

Am unteren Rand des Bildes schwindet die Dunkelheit und geht in einen helleren Ton über, in das klare Blau von Wasser, denn dort fließt der Bach, unter der Erde, unter der Brücke, vom Friedhof herab. Dem Land der Toten.

Ich gehe zur Bar, bitte um noch ein Glas Wein. Er ist besser als das saure Zeug, das wir früher zu solchen Gelegenheiten gekauft haben.

Ich gehe durch den Raum, umgeben von der Zeit, die ich geschaffen habe; die kein Ort ist, sondern nur ein verschwommener Fleck, die sich verschiebende Grenzzone, in der wir leben; die flüssig ist, die auf sich selbst zurückschwappt wie eine Welle. Ich mag vielleicht geglaubt haben, daß ich etwas erhalte von der Zeit, etwas rette, wie all die Maler vor so vielen Jahrhunderten, die glaubten, sie holten den Himmel auf die Erde herunter, die Offenbarungen Gottes, die ewigen Sterne, und denen doch nur ihre Holzplatten und ihr Gips gestohlen wurde, weggeschafft, verbrannt, in Stücke gehackt, von Moder und Schimmel zerstört.

Ein undichtes Dach oder ein Streichholz und ein bißchen Kerosin würden alldem hier ein Ende bereiten. Warum bietet sich dieser Gedanke mir nicht als Furcht dar, sondern als Versuchung?

Weil ich die Kontrolle verloren habe über diese Bilder und ihnen nicht mehr sagen kann, was sie zu bedeuten haben. Was an Energie in ihnen steckt, kam aus mir. Ich bin das, was übriggeblieben ist.

Jetzt stürzt Charna in malvenfarbenem Leder und mit klirrendem Goldersatz auf mich zu. Sie schiebt mich hastig ins Büro: Sie will nicht, daß ich in der leeren Galerie herumhänge, ohne etwas zu tun zu haben, während die ersten Gäste hereintröpfeln, sie will nicht, daß ich erfolglos und übereifrig wirke. Sie wird mit mir zusammen unseren Auftritt zelebrieren, wenn der Geräuschpegel hoch genug ist.

»Hier kannst du dich ein bißchen entspannen«, sagt sie; was unwahrscheinlich ist. In ihrem Büro trinke ich mein zweites Glas Wein, gehe in dem leeren Zimmer auf und ab. Es ist wie auf einer Geburtstagsparty, die Papierschlangen und Luftballons sind aufgehängt, und die Hot dogs warten in der Küche, aber was geschieht, wenn niemand kommt? Was ist schlimmer: wenn sie nicht kommen, oder wenn sie kommen? Nicht mehr lange, und die Tür wird aufgehen, und eine Horde gemeiner und hinterhältiger kleiner Mädchen wird hereinkommen, sie werden die Köpfe zusammenstecken und flüstern und mit dem Finger auf mich zeigen, und ich werde unterwürfig, dankbar sein.

Meine Hände beginnen zu schwitzen. Ich habe das Gefühl, ich brauche noch ein Glas Wein, um mich zu beruhigen, das ist ein schlechtes Zeichen. Ich werde hinausgehen und flirten, nur so zum Spaß, um zu sehen, ob ich es noch fertigbringe, jemanden für mich zu interessieren. Aber vielleicht ist überhaupt niemand da, mit dem ich flirten kann. In dem Fall werde ich mich betrinken. Vielleicht werde ich mich auf der Toilette übergeben, mit oder ohne Alkoholexzeß.

An anderen Orten bin ich nicht so, nicht so schlimm. Ich hätte nicht hierherkommen sollen, in diese Stadt, die mich verfolgt. Ich dachte, ich könnte ihr so lange ins Auge starren, bis sie zurückweicht. Aber sie besitzt noch immer Macht über mich; wie ein Spiegel, der einem nur die ruinierte Hälfte seines Gesichts zeigt.

Ich denke an ein Entkommen durch die Hintertür. Später könnte ich ein Telegramm schicken, eine Krankheit behaupten. Das würde ein schönes Gerücht in die Welt setzen: eine kriechende unsichtbare

Krankheit, die mich für alle Zeiten vor solchen Anlässen bewahren würde.

Aber Charna erscheint rechtzeitig in der Tür, mit vor Aufregung gerötetem Gesicht. »Schon 'ne Menge Leute da«, sagt sie. »Sie sind ganz wild darauf, dich kennenzulernen. Wir sind alle sehr stolz auf dich.« Das ist so sehr, wie eine Familie reden würde, eine Mutter oder eine Tante, daß ich die Waffen strecke. Wer ist diese Familie, und wessen Familie ist es? Man hat mich in einen Rahmen gesteckt: das widerspenstige Kind vor dem Klavierabend. Oder, noch treffender, das von vielen Narben gezeichnete Schlachtroß, die Veteranin früherer, kaum erinnerter Schlachten, die man gleich mit einer goldenen Uhr ehren wird, mit Händeschütteln und herzlichen Danksagungen. Ein verblassender Heiligenschein aus blauer Tinte liegt um mein Haupt.

Plötzlich streckt Charna die Arme aus und drückt mich in einer schnellen metallischen Umarmung an sich. Vielleicht ist diese Wärme echt, vielleicht sollte ich mich meiner widerborstigen, zynischen Gedanken schämen. Vielleicht mag sie mich wirklich, will das Beste. Ich kann es fast glauben. Ich stehe im Ausstellungsraum, vom Hals bis zu den Zehen in Schwarz, und habe mein drittes Glas Rotwein in der Hand. Charna ist auf und davon, durchstöbert die Menschenmenge nach Leuten, die wild darauf sind, mich kennenzulernen. Ich stehe zu ihrer Verfügung. Ich recke den Hals, spähe durch die Menge, die die Bilder verdeckt; nur ein paar Schöpfe sind sichtbar, ein paar Himmel, ein paar Stückchen Hintergrund und ein paar Wolken. Ich erwarte oder fürchte immer noch, daß Leute auftauchen, die ich kennen müßte, die ich gekannt habe, und die ich nun nur halb wiedererkenne. Diese Leute werden mit ausgestreckten Händen auf mich zukommen, Mädchen von der High-School, aufgedunsen oder zusammengesunken, mit Falten in der Haut, permanent gewordenem Stirnrunzeln, die glatthäutigen Jungen, mit denen ich vor dreißig Jahren gegangen bin, nun mit Glatze oder Schnurrbart, geschrumpft. *Elaine! Altes Haus! Wie schön, dich zu sehen!* Sie sind im Vorteil, mein Gesicht ist auf dem Plakat. Ich werde sie mit freundlichem Lächeln begrüßen, während ich fieberhaft in der Vergangenheit nach ihren Namen wühle.

In Wirklichkeit ist es Cordelia, die ich erwarte, Cordelia, die ich sehen will. Es gibt Dinge, die ich sie fragen muß. Nicht was damals passiert ist in der Zeit, die ich verloren hatte, denn das weiß ich jetzt. Ich muß sie fragen, warum.

Falls sie sich daran erinnert. Vielleicht hat sie die bösen Dinge vergessen, die sie zu mir gesagt hat, die sie mir angetan hat. Oder sie erinnert sich daran, aber nur ganz nebensächlich, wie man sich an ein Spiel erinnert, an einen einzelnen Streich, an ein einzelnes banales Geheimnis, wie es sich Mädchen erzählen und dann wieder vergessen.

Sie wird ihre eigene Version haben. Ich bin nicht der Mittelpunkt ihrer Geschichte, das ist sie selbst. Aber ich könnte ihr etwas geben, das man niemals selbst haben kann, immer nur von einem anderen Menschen: wie man von außen aussieht. Eine Spiegelung. Das ist der Teil von ihr, den ich ihr zurückgeben könnte.

Wir sind wie Zwillinge in alten Märchen, von denen jeder einen halben Schlüssel besitzt.

Cordelia wird durch die sich teilende Menschenmenge auf mich zukommen, eine Frau von unsicherem Alter, in mattgrünen irischen Tweed gekleidet, Perlmuttohrringe in Gold eingefaßt, wunderschöne Schuhe; gepflegt, soigniert, wie es früher hieß. Die auf sich achtgibt, so wie ich. Ihr Haar wird vorsichtig mit grauen Strähnchen durchsetzt, ihr Lächeln leicht spöttisch sein. Ich werde nicht wissen, wer sie ist.

Es sind eine Menge Frauen in diesem Raum, mehrere andere Malerinnen, einige reiche Leute. Vor allem sind es die reichen Leute, die Charna anschleppt. Ich schüttle ihre Hände, beobachte, wie sich ihre Münder bewegen. Andernorts habe ich mehr Ausdauer für diese Dinge, diese Akte der Selbstentblößung; in der Regel stehe ich sie kaltblütig durch. Aber hier fühle ich mich nackt und bloß.

Durch eine Lücke zwischen den reichen Leuten drängt sich ein junges Mädchen zu mir. Sie ist Malerin, das sieht man, ohne es gesagt zu bekommen, aber sie sagt es trotzdem. Sie trägt einen Minirock und schwarze Strumpfhosen und flache Schuhe mit dicken Sohlen und Schuhbändern, ihr Nacken ist ausrasiert, genauso wie früher bei meinem Bruder, ein Jungenschnitt der späten Vierziger. Sie ist *post* alles, sie ist, was nach *post* kommen wird. Sie ist, was nach mir kommen wird.

»Ich war von Ihren frühen Arbeiten begeistert«, sagt sie. »*Fallende Frauen*, das hat mich begeistert. Ich mein, es faßte irgendwie eine Ära zusammen, oder?« Sie hat nicht die Absicht, grausam zu sein, ihr ist nicht klar, daß sie mich gerade zusammen mit den Kurbeltelefonen und den Fischbeinkorsetts auf den Abfallhaufen geworfen hat. Früher hätte ich ihr irgend etwas Vernichtendes darauf geantwortet, irgendeine gemeine, schneidende Bemerkung gemacht, aber mir fällt nichts ein. Ich bin aus der Übung, ich habe den Nerv nicht mehr dafür. Im übrigen, was hätte es für einen Sinn? Ihre Bewunderung in der Vergangenheitsform ist aufrichtig. Ich sollte dankbar sein. Ich stehe da, mein Grinsen versteinert, institutionalisiert. Bedeutung kriecht wie Brandfäule an meinen Beinen hoch.

»Das freut mich«, kriege ich heraus. Im Zweifelsfall mit zusammengebissenen Zähnen lügen. Ich habe Glück, daß ich noch Zähne habe, die ich zusammenbeißen kann.

Ich stehe mit dem Rücken zur Wand, mit einem nachgefüllten Weinglas. Ich verrenke mir den Hals, spähe durch die Menge, über die wohlfrisierten Köpfe hinweg: es wird Zeit, daß Cordelia erscheint, aber sie ist nicht erschienen. Meine Enttäuschung wächst, und meine Ungeduld; und dann Sorge. Sie muß hierher unterwegs sein. Es muß ihr etwas zugestoßen sein, auf dem Weg hierher. Das geht in mir vor, während ich weiter Hände schüttle und rede und der Raum sich allmählich leert.

»Das ist wunderbar gelaufen«, sagt Charna mit einem Seufzer, ich glaube, der Erleichterung. »Du warst großartig.« Sie ist glücklich, weil ich niemanden gebissen oder Wein auf die Hose geschüttet oder mich sonst künstlerisch benommen habe. »Wie wär's, hast du Lust, mit uns allen essen zu gehen?«

»Nein«, sage ich. »Nein, vielen Dank. Ich bin müde bis auf die Knochen. Ich glaub, ich geh einfach nach Hause.« Ich sehe mich noch einmal um: Cordelia ist nicht hier.

Müde bis auf die Knochen, ein alter Ausdruck meiner Mutter. Wenn auch Knochen selbst gar nicht müde werden. Sie sind stark, sie haben sehr viel Ausdauer; sie können noch Jahre und Jahre weitermachen, wenn der restliche Körper längst schlappgemacht hat.

Ich bewege mich auf eine Zukunft zu, in der ich, an einen Rollstuhl gefesselt, mit lichtem Haar und sabberndem Mund, daliege, während mir irgendein fremder junger Mensch mit einem Löffel zerquetschte Speisen in den Mund schiebt und ich im Schnee unter der Brücke stehe und stehe und stehe. Während Cordelia entschwindet und entschwindet.

Ich gehe nach draußen, in das Halbdunkel des Gehwegs vor der Galerie. Ich möchte ein Taxi nehmen, aber ich kann kaum die Hand heben.

Ich war auf fast alles vorbereitet; nur nicht auf Abwesenheit, nur nicht auf Schweigen.

73

Ich nehme ein Taxi und fahre ins Atelier zurück, steige die vier Treppen hinauf, die nachts nur schwach beleuchtet sind, bleibe auf den Treppenabsätzen stehen, um mich auszuruhen. Ich lausche meinem Herzen, das dort drinnen unter den Lagen aus Stoff dumpf und schnell schlägt. Ein brüchiges Herz, ein verfallendes. Ich hätte nicht all den Wein trinken sollen. Es ist kalt hier, sie knausern mit der Wärme. Ich höre das Geräusch meiner Atemzüge, ein körperloses Keuchen, als wäre es Atem von jemand anderem.

Cordelia hat eine Tendenz zu existieren.

Ich taste mit dem Schlüssel nach dem Schlüsselloch, suche nach dem Lichtschalter. Ich könnte gut auf all die falschen Körperteile verzichten, die hier herumliegen. Ich gehe hinüber zu der kleinen Küche, torkle ein bißchen, behalte den Mantel wegen der Kälte an.

Was ich brauche, ist Kaffee. Ich koche mir einen, lege die Hände um die warme Tasse, trage sie zum Arbeitstisch, mache zwischen den Drähten und scharfkantigen Werkzeugen Platz für meine Ellbogen. Morgen bin ich raus aus dieser Stadt, und keinen Augenblick zu früh. Hier gibt es zuviel alte Zeit.

Na also, Cordelia. Da hast du's wieder.

Bete nie um Gerechtigkeit, denn du könntest sie bekommen.

Ich trinke meinen Kaffee, halte die zitternde Tasse, heiße Flüssigkeit läuft mir übers Kinn. Es ist gut, daß ich nicht in einem Restaurant bin. Bei Frauen ist es schlechter Stil, betrunken zu sein. Betrunkenen Männern sieht man es eher nach, man vergibt ihnen leichter, aber warum? Wahrscheinlich glaubt man, daß sie mehr Grund dazu haben.

Ich wische mir mit dem Mantelärmel das Gesicht ab, das naß ist, weil ich weine. Das sind genau die Dinge, vor denen ich mich hüten sollte: Grundloses Weinen, auffälliges Benehmen. Ich habe das Gefühl, mich auffällig zu benehmen, obwohl mich niemand sieht.

Du bist tot, Cordelia.

Nein, bin ich nicht.

Doch, bist du doch. Du bist tot.

Leg dich hin.

Brücke

74

Ich fühle mich schwindlig, wie nach einer Krankheit. Ich habe zusammengerollt unter dem Duvet geschlafen, in meinem schwarzen Kleid, weil ich nicht die Kraft hatte, es auszuziehen. Ich wachte mittags um zwölf auf, mit einem wattigen Riesenschädel, in dem der Kater pochte, und entdeckte, daß ich mein Flugzeug verpaßt hatte. Es ist lange her, seit ich das letzte Mal soviel getrunken habe. Wie bei so vielen anderen Dingen auch, sollte ich es besser wissen.

Jetzt ist es später Nachmittag. Der Himmel ist weich und grau, tief und feucht und verwischt wie nasses Löschpapier. Der Tag fühlt sich leer an, als hätten sich alle aus ihm zurückgezogen, als käme nichts mehr.

Ich gehe auf dem Gehweg, lasse die abgerissene Schule hinter mir. Mein alter Schulweg, ich könnte ihn noch heute mit verbundenen Augen gehen. Wie immer auf diesen Straßen, habe ich das Gefühl, nicht gemocht zu sein.

Tief unter mir ist die Brücke. Von hier aus wirkt sie neutral. Ich stehe ganz oben auf dem Scheitel des Hügels, hole Luft. Dann mache ich mich auf den Weg nach unten.

Es ist verblüffend, wie wenig sich geändert hat. Es sind noch dieselben Häuser auf beiden Seiten, nur der matschige Pfad ist verschwunden: an seiner Stelle ist jetzt ein kleines Geländer, ein sauberer Zementweg. Der Geruch des gefallenen Laubs ist noch da, der brennende Geruch langsamer Verwesung, aber die Nachtschattenranken mit ihren purpurfarbenen Blüten und ihren Blutstropfenbeeren und das Unkraut und der verstreute Müll sind weg, alles ist sauber gestutzt und zivilisiert.

Trotzdem ist da ein Rascheln, ein scharfer Geruch von Katzen, gedämpfte Laute ihrer Jagd und ihr verstohlenes Scharren, das auch hinter der trügerischen Ordnung weitergeht. Unter der Oberfläche dieser sauberen Landschaft existiert eine andere, wildere und verschlungenere Welt.

Wir erinnern über Gerüche, so wie Hunde es tun.

Die Weiden, die über dem Weg hängen, sind noch dieselben. Obwohl sie gewachsen sind, aber ich bin auch gewachsen, so daß die Entfernung zwischen uns gleich geblieben ist. Die Brücke selbst ist natürlich anders; sie ist aus Beton und in der Nacht beleuchtet, nicht aus Holz und verfallend und modrig. Trotzdem ist es dieselbe Brücke.

Irgendwo dort unten ist Stephens Glas aus Licht vergraben.

In dieser Jahreszeit wird es früh dunkel. Es ist still, keine Kinderstimmen; nur das monotone Krächzen einer Krähe und dahinter das Brandungsgeräusch fernen Verkehrs. Ich lege die Arme auf die Betonmauer und blicke durch die leeren Zweige, die wie trockene Korallen sind, nach unten. Ich dachte immer, wenn ich runterspränge, wäre es nicht wie Fallen, sondern mehr ins Wasser springen; und dann wäre das Sterben so weich wie beim Ertrinken. Obwohl da unten ein Kürbis liegt, der runtergestürzt und aufgeplatzt ist und eine unangenehme Ähnlichkeit mit einem Kopf hat.

In der Schlucht stehen mehr Büsche und Bäume als früher. Dazwischen ist der Bach, mit seinem klaren Wasser, das man besser nicht trinkt. Sie haben den Müll weggeräumt, die verrosteten Autoteile und die weggeworfenen Reifen; hier ist jetzt keine inoffizielle Müllhalde mehr, sondern eine Joggingroute. Der saubere Kiesweg für die Läufer führt den Hügel hinauf zur Straße und zum Friedhof, wo die Toten warten, die sich Atom um Atom vergessen, die dahinschmelzen wie Eiszapfen und hinab in den Fluß rinnen.

Dort ist die Stelle, an der ich ins Wasser gefallen bin, dort ist die Uferbank, an der ich herausgeklettert bin. Dort stand ich, während der Schnee auf mich fiel, willenlos, unfähig, mich zu bewegen. Dort habe ich die Stimme gehört.

Da war keine Stimme. Niemand kam von der Brücke durch die Luft gewandelt, da war keine Dame in dunklem Umhang, die sich über mich beugte. Auch wenn sie jetzt zu mir zurückgekehrt ist, mit absoluter Deutlichkeit, bis ins kleinste Detail, und sich die Konturen ihrer Kapuzengestalt, das rote Herz unter ihrem Umhang, gegen die Lichter der Brücke abzeichnen, weiß ich, daß dies nicht geschehen ist. Da war nur Dunkelheit und Stille. Niemand und nichts.

Da ist ein Geräusch: ein Schuh an losem Geröll.

Es wird Zeit zurückzugehen. Ich stoße mich von der Zementwand ab, und der Himmel bewegt sich seitwärts.

Ich weiß, wenn ich mich jetzt umdrehe, in diesem Augenblick, und auf den Weg vor mir sehe, wird dort jemand stehen. Zuerst glaube ich, daß ich selbst es sein werde, in meiner alten Jacke, meiner blauen Strickmütze. Aber dann sehe ich, daß es Cordelia ist. Sie steht auf halber Höhe am Hügel, blickt über die Schulter zurück. Sie hat ihre graue Schneeanzugjacke an, aber die Kapuze ist zurückgeschlagen, ihr Kopf ist unbedeckt. Sie hat dieselben grünen Wollkniestrümpfe an, sie sind unordentlich auf die Knöchel heruntergerutscht, die derben braunen Schulschuhe, die an den Kappen abgestoßen sind, ein Schnürsenkel gerissen und zusammengeknotet, die gelblichbraunen Haare mit dem Pony, der ihr in die Augen fällt, die Augen graugrün.

Es ist kalt, kälter. Ich höre das Rieseln des Hagels, das Wasser, das unter dem Eis fließt.

Ich weiß, daß sie mich ansieht, ihr schiefer Mund ein wenig lächelnd, das Gesicht verschlossen und trotzig. Da ist dieselbe Scham, die Übelkeit in meinem Körper, dasselbe Wissen um meine Fehler, meine Ungeschicklichkeit, Schwäche; derselbe Wunsch, geliebt zu werden; dieselbe Einsamkeit; dieselbe Furcht. Aber es sind nun nicht mehr meine eigenen Gefühle. Es sind Cordelias; wie sie es schon immer waren.

Ich bin jetzt die Ältere, ich bin die Stärkere. Wenn sie hier noch lange stehenbleibt, wird sie erfrieren; sie wird allein gelassen sein, in einer falschen Zeit. Es ist fast zu spät.

Ich strecke meine Arme nach ihr aus, beuge mich nach unten, halte ihr die geöffneten Hände hin, damit sie sieht, daß ich keine Waffe habe. *Es ist alles gut*, sage ich zu ihr. *Du kannst jetzt heimgehen.*

Der Schnee in meinen Augen vergeht wie Rauch.

Als ich mich schließlich umdrehe, ist Cordelia nicht mehr da. Nur eine mittelalterliche Frau mit rosigen Wangen und ohne eine Kopfbedeckung, in Jeans und dickem weißem Pullover, kommt mit einem Hund an einer grünen Leine, einem Terrier, den Hügel herunter auf mich zu. Sie geht lächelnd an mir vorbei, ein zivilisiertes neutrales Lächeln.

Es gibt für mich nichts mehr zu sehen. Die Brücke ist nur eine Brücke, der Fluß ein Fluß, der Himmel ist ein Himmel. Diese Landschaft ist jetzt leer, ein Ort für Sonntagsjogger. Oder nicht leer: von dem erfüllt, was sie selbst ist, wenn ich nicht hinsehe.

Ich sitze im Flugzeug, fliege oder werde nach Westen geflogen, zur Meeresküste, zu den Ansichtskartenbergen. Vor mir, draußen vor dem Fenster, geht die Sonne in einem mörderischen, vulgären, nicht zu malenden, herrlichen Schauspiel aus Rot und Purpur und Orange unter; hinter mir drängt die gewöhnliche Nacht heran. Unten am Boden entrollen sich die Prärien, weit und weltlich und plausibel wie Halluzinationen, bereits mit Schnee bestäubt und vom Gekritzel der gewundenen Flüsse überzogen.

Ich habe den Fensterplatz. Auf den beiden Plätzen neben mir sitzen zwei alte Damen, alte Frauen, beide in Strickjacken aus Wolle, beide mit gelblichweißen Haaren und dicken Brillen, die an einer Kette um den Hals hängen, beide mit ausgetrockneten Lippen, die mit Bravour knallroten Lippenstift tragen. Sie haben ihre Tische heruntergeklappt und trinken Tee und spielen Snap, fummeln mit den glatten Karten herum, lachen wie Autos auf Kies, wenn sie schummeln oder einen Fehler machen. Ab und zu stehen sie auf, nachdem sie sich mühsam abgeschnallt haben, und humpeln durch den Gang nach hinten, um Zigaretten zu rauchen und sich vor der Toilette anzustellen. Wenn sie zurückkommen, erzählen sie sich, daß sie sich fast in die Hose gemacht hätten, daß kein Klopapier da war, machen Witze und beäugen mich mit verschlagenem Blick, während sie es tun. Ich frage mich, für wie alt sie sich wohl halten, unter ihren Verkleidungen; oder für wie alt sie mich halten. Vielleicht komme ich ihnen wie ihre eigene Mutter vor.

Sie machen einen erstaunlich sorglosen Eindruck auf mich. Sie haben für diese Reise gespart und sind wild entschlossen, sie zu genießen, trotz der Arthritis der einen und der geschwollenen Beine der anderen. Sie sind ausgelassen, sie sprühen vor Leben; sie sind zäh wie mit dreizehn, sie sind unschuldig und schmutzig, ihnen ist alles schnuppe. Sie haben Verantwortungen abgelegt, Verpflichtungen, alten Haß und Groll; für eine kleine Weile können sie jetzt wieder wie Kinder sein, aber diesmal ohne den Schmerz.

Das ist es, was ich vermisse, Cordelia: nicht etwas, das vorbei ist, sondern etwas, das nie sein wird. Zwei alte Frauen, die über ihrem Tee kichern.

Jetzt ist es tiefe Nacht, klar, mondlos und voller Sterne, die nicht ewig sind, wie man früher glaubte, die nicht dort sind, wo wir glauben. Wenn sie Töne wären, dann wären sie die Echos von etwas, das vor Millionen Jahren geschehen ist: ein Wort, das aus Zahlen besteht. Echos von Licht, das aus der Mitte des Nichts heraus leuchtet.

Es ist altes Licht, und es ist nicht viel davon da. Aber genug, um dabei sehen zu können.

Margaret Atwood

Katzenauge
Roman, 492 Seiten, geb.
S. Fischer und als
Fischer Taschenbuch
Band 11175

Tips für die Wildnis
Short Stories. 272 Seiten, geb.
S. Fischer

Die Giftmischer
Horror-Trips
und Happy-Ends
Eine Sammlung
literarisch hochkarätiger
Prosa. Band 5985

Lady Orakel
Roman. Band 5463

Der lange Traum
Roman. Band 10291

Der Report der Magd
Roman. Band 5987

Unter Glas
Erzählungen. Band 5986

Die eßbare Frau
Roman. Band 5984

Die Unmöglichkeit der Nähe
Roman. Band 10292

Verletzungen
Roman. Band 10293

Wahre Geschichten
Gedichte. Band 5983

Fischer Taschenbuch Verlag

fi 602 / 11

»Mich interessiert der Charakter. Die wirkliche Lust
am Schreiben besteht darin, wie Menschen einen überraschen
können.«

Anne Tyler

Atemübungen
Roman · Band 10924

Caleb oder Das Glück aus den Karten
Roman · Band 10829

Dinner im Heimweh-Restaurant
Roman · Band 8254

Nur nicht stehenbleiben
Roman · Band 5154

Die Reisen des Mr. Leary
Roman · Band 8294

Segeln mit den Sternen
Roman · 286 Seiten. Geb. S. Fischer

Fischer Taschenbuch Verlag

fi 1605 / 1